D1196466

El mal de Corcira

Lorenzo Silva

El mal de Corcira

Lorenzo Silva

Ediciones Destino
Colección Áncora y Delfín
Volumen 1503

Ediciones Destino es un sello de Editorial Planeta, S. A.
Diagonal, 662-664. 08034 Barcelona
www.edestino.es
www.planetadelibros.com

Primera edición: junio de 2020
Segunda impresión: junio de 2020
Tercera impresión: julio de 2020

ISBN: 978-84-233-5756-7
Depósito legal: B. 7.158-2020
Preimpresión: Realización Planeta
Impreso por CPI (Barcelona)
Impreso en España - *Printed in Spain*

El papel utilizado para la impresión de este libro está calificado como **papel ecológico** y procede de bosques gestionados de manera **sostenible.**

Para Núria,
nacida del amor a la diferencia

Advertencia usual

Como de costumbre, los lugares que aparecen en este libro están inspirados, con cierta libertad, en lugares reales. Algún personaje, y alguno de los hechos narrados, se inspiran también en sucesos reales, pero con idéntica libertad en su recreación. El relato que sigue ha de considerarse por tanto fruto de la invención del novelista y no debe inducir a atribuir conductas, acciones o palabras concretas a ninguna persona existente o que haya existido en la realidad.

Del trezeno grado del signo de Cancro es la piedra a que dizen plumbo en latín, e plomo en romanz, e arraçaz en arávigo. E es otrossí metal como la plata o como los otros metales que son coñoçudos. En muchos logares la fallan, e es su natura fría e húmida en el segundo grado, e á en sí naturalmente asconduda una anguosidat humorosa e que nuncua pierde si no cuando la meten en el fuego e la queman, ca estonce torna a seer fría e seca. Muy cerca es de la plata, mas por la maldat de la tierra e del aire que se mezcla desegualmiente en uno recibe en sí tres enfermedades, la una que se ensuzia aína, la otra que huele mal e la tercera que suena entre los dientes.

ALFONSO X, *Lapidario*

I

Esto no es una ciencia exacta

Suele suceder así: cuando menos te lo esperas, cuando mayor es tu confianza, mientras son otras las preocupaciones que te absorben. Es ahí donde nos aguarda, sin piedad, el heraldo oscuro que sabemos que anda siempre al acecho y del que preferimos no hacer mucha cuenta, dándole así el privilegio de sorprendernos y desarbolarnos. Sin previo aviso llega y dice nuestro nombre. Y sólo entonces recordamos que no somos más que hojas que el viento levanta, sostiene en el aire y al final del vuelo, largo o corto, alto o bajo, devuelve sin más a la tierra.

No era aquella, en principio, una operación de riesgo. Lo que iba a hacerse lo habíamos hecho muchas veces, incluso con menos margen para prepararlo, sin que nos supusiera contratiempo alguno. Para eso estaban los protocolos, la división del trabajo y los especialistas que nos cuidábamos de tener en el lugar para el que ellos estaban entrenados y nosotros no. Nada se planteó de manera diferente. Nadie se saltó el plan previsto ni se comportó con negligencia o con temeridad. Simplemente existía el resquicio, y por ahí se coló la catástrofe.

Era, además, una vivienda aislada, o lo que es lo mismo, un teatro de operaciones especialmente propicio, por la facilidad para rodearla y tener cubiertos todos los flancos. Así lo hicieron los compañeros de la Unidad de Seguridad Ciudadana, con los que creímos que, a la vista de la naturaleza del objetivo, bastaba y sobraba para resolver la papeleta. Luego alguien diría que por qué no habíamos contado con la Unidad Especial de Intervención, la más avezada en asaltos de riesgo. Después del percance siempre proliferan los peritos en prevenirlo. Y rebatirlos no iba a serme fácil: por más que tratara de exculparme, por más que contara con argumentos, entre ellos que la unidad de intervención era un recurso excepcional cuya necesidad había que justificar caso por caso, alguna responsabilidad tenía sobre el operativo como proveedor de la información que había servido para su diseño. Aquel patinazo, en fin, iba a llevar mi nombre a ojos de los demás, pero también, y sobre todo, a la porción más indeleble de mi propia memoria.

El despliegue se hizo en absoluto silencio y completa oscuridad. Ni un ruido turbó la noche de noviembre en aquel paraje a los pies de la sierra madrileña, ni una luz delató nuestras posiciones. Los agentes de seguridad ciudadana controlaron el perímetro y avanzaron en sendos pelotones hacia las dos puertas de la vivienda, en la parte delantera y en la posterior. Habían decidido que entrarían primero por la trasera, que era la que mejor permitía explotar el factor sorpresa y acceder más rápidamente al dormitorio donde era probable que se encontrara nuestro objetivo. El portador del ariete echó la puerta abajo de una sola embestida, tras lo que se apartó y dejó pasar a sus compañeros, que, abriendo la marcha con sus armas provistas de focos, entraron en tromba en busca de su presa, mientras el pelotón que atacaba la otra puerta la tiraba a su vez y se aplicaba a taponar esa vía de escape.

—¡Guardia Civil! —se oía ya gritar en el interior.

Fue entonces, y no antes, cuando di orden a los míos de acercarse a la casa. A continuación del grupo, encogida y parapetada tras nuestros cuerpos, iba la letrada de la Administración de Justicia, la funcionaria judicial que debía dar fe de la entrada y registro. En teoría, cualquier respuesta violenta desde el interior se toparía con alguno de los dos grupos ya desplegados, que la neutralizarían sin dificultad. A pesar de todo, no llegamos hasta la fachada de la vivienda. Preferí esperar a que nos dieran la señal de todo despejado tras una especie de cobertizo que había en la parcela, a unos veinte metros del edificio principal, y a cuya pared se pegó la funcionaria del juzgado, abrazada a su carpeta, mientras los demás vigilábamos la casa. Llevábamos todos la pistola en la mano, por si acaso, pero ninguno creía que llegara a ser necesario servirse de ella. Dentro seguía oyéndose el grito, una y otra vez:

—¡Guardia Civil! ¡Guardia Civil!

—¿Estamos seguros de que está en la casa? —dudó entonces el cabo Arnau, sembrando a su vez la duda y la pregunta en mi mente.

—Tiene el coche aparcado en la puerta y el teléfono encendido en esta posición —recordó la brigada Chamorro con tono inapelable.

—Puede haber salido a algo.

—No sin que lo detecten los del grupo de seguimientos.

—Infalibles no son —porfió Arnau.

Chamorro sacudió la cabeza con desaprobación y se adelantó un par de metros para ver mejor lo que ocurría. En ese momento, no era una imprudencia. No teníamos ningún indicio de que nuestro hombre se hallara en posesión de un arma, tampoco de que pudiera reaccionar de manera abrupta o agresiva. No era un demente ni un psicópata: sólo era un pobre tipo que no había soportado que lo echaran del trabajo y había pagado a un sicario demasiado barato y un poco torpe para que le metiera cinco tiros a su antiguo jefe. Por eso, era al sicario a quien en ese mismo momento estaban reduciendo sin dificultad, a trescientos kilómetros de allí, efectivos de la unidad de intervención. Lo nuestro era la parte más sencilla, el elemento en teoría inofensivo.

Vi el fogonazo en aquel ventanuco de la buhardilla una milésima de segundo antes de oír el estruendo y advertir, simultáneamente, cómo un puño invisible derribaba a mi compañera tras descomponerle la figura a la altura del hombro. Oí su grito de dolor mientras me exponía y disparaba de forma instintiva, sin pensarlo ni calcular el daño que podía hacer o sufrir, las quince balas que contenía el cargador de mi Walther contra aquel rectángulo otra vez oscuro. Buscaba impedir que de él saliera más fuego en tanto el cabo Arnau, con la ayuda de la guardia Lucía, se las arreglaba para recoger del suelo a Chamorro y ponerla a salvo tras el cobertizo. Sólo cuando la pistola enmudeció y se quedó abierta, pidiendo más munición, pensé en ponerme yo mismo a resguardo y fui junto a los míos, que se afanaban con la herida.

—Está sangrando mucho —gritó Arnau—. Que alguien llame ahora mismo a una puta ambulancia. Mi subteniente, ¿me está oyendo?

Le oía, y no podía dejar de mirar el rictus entre dolorido y ausente de mi compañera, que parecía completamente aturdida por el impacto que acababa de recibir. También yo tenía que volver en mí, ordenar la secuencia de las acciones que me incumbían, ejecutarlas con la mayor sangre fría posible, acertar a ser de alguna utilidad para los míos.

—Llama a la ambulancia, Lucía —conseguí pedirle a la guardia.

A continuación, hablé por transmisiones con el jefe del operativo.

—Nos han hecho fuego desde la buhardilla. Avisa a los tuyos de que anda ahí, quizá esté en un habitáculo oculto. Tomad de referencia el ventanuco pequeño que hay junto al vierteaguas de este lado.

Miré a la letrada de la Administración de Justicia. A aquellas alturas su espalda se había adherido a la pared del cobertizo hasta formar una sola materia con él. Probaba ser una persona provista de juicio.

—No se mueva de ahí —le dije—. Tranquila, vamos a controlar esto.

Sólo entonces, cuando me aseguré de que me había ocupado de todo lo que me correspondía para impedir que ocurriera otra desgracia, me incliné junto a Arnau y le tomé el pulso a Chamorro, que seguía con la mirada ida. La debilidad y la irregularidad del latido me alarmaron.

—Apriétale más fuerte la herida, Juan —conminé a Arnau—. Con toda tu alma, como si quisieras hacerle daño. Y no me aflojes.

Noté cómo se me desbocaba el corazón. Temí que la situación se me escapara de las manos, no estar a la altura del desafío. Me concentré en bajar pulsaciones: si continuaba así me iba a dar un infarto.

—La ambulancia está de camino. Cinco minutos —anunció Lucía.

—Tiene que ser una UVI móvil, ¿has pedido una UVI? —le grité.

La guardia no se alteró.

—Es una UVI, mi subteniente. Estaba activada y alerta, conforme al protocolo de intervención. Y hay un hospital a seis minutos de aquí.

Bendije a los redactores de los protocolos, esos hombres y mujeres grises que disponen medidas rutinarias e inexorables para paliar los destrozos que podemos causar quienes vivimos de la imaginación y, a veces, demasiadas, no sabemos tener toda la que el caso requiere. En ese momento me di cuenta de que en la casa habían dejado de oírse los gritos de «¡Guardia Civil!», reemplazados por un silencio tan espeso como inquietante. Mientras le tomaba la mano a Chamorro y apretaba sus dedos, a falta de otra cosa que hacer, una ráfaga taladró de pronto la noche. Siguieron dos más, y después otra vez el silencio.

—Lo han encontrado —dedujo Lucía—. Y después de eso, no tengo muy claro que vayamos a poder interrogarlo, mi subteniente.

—En este momento, no puede importarme menos —reconocí.

—Ni a mí —dijo Arnau—. Ojalá lo hayan dejado seco, al cabrón.

No parecía que fuera el caso: por las transmisiones oí cómo pedían una segunda ambulancia, y me imaginé una escena semejante a la que estábamos viviendo nosotros, en la que era otro el que se desangraba y nuestros compañeros quienes, después de coserlo a balazos, tenían que tratar de impedir que se fuera antes de que llegara el socorro.

—Todo despejado, objetivo identificado y herido de bala —llegaron las novedades del jefe del operativo—. Lo estamos manteniendo en espera de recibir atención médica. Vía libre para entrar en la casa.

—Me dicen que podemos pasar ya —informé a la funcionaria del juzgado—. Pero yo no me muevo de aquí hasta que llegue ayuda para mi compañera. Si quiere adelantarse, la guardia va con usted.

—No, no —murmuró—. No se preocupe. Espero.

La ambulancia llegó en el tiempo prometido. Nos apartamos para dejar trabajar a los profesionales. Al frente venía una médico bregada y resuelta, que sin decir palabra se aplicó a estabilizar a Chamorro. Al cabo de unos minutos les dio a los dos sanitarios que la acompañaban la instrucción de moverla a la camilla y meterla en la UVI móvil.

—¿Quién es el jefe de ustedes? —preguntó entonces.

—Yo —dije.

—Puede venir una persona en la ambulancia, no más.

—Lucía, ve tú —resolví sobre la marcha.

—A la orden —dijo la aludida, poniéndose en pie.

—Y no te muevas del hospital hasta que yo te diga.

—No pensaba moverme.

—Yo me ocupo de avisar a sus padres. Les doy tu número y te paso ahora el suyo por WhatsApp para que los tengas identificados.

Fui con los sanitarios, Lucía y la médico hasta la ambulancia, sin poder apartar la mirada del rostro de Chamorro. Seguía medio ida, pero antes de que la subieran se volvió hacia mí y logró decirme:

—Ve a por él. No te preocupes por mí.

Sentí un nudo en la garganta.

—Cómo no me voy a preocupar.

Forzó una sonrisa.

—Tú sabrás.

—Aguanta, Virgi, prométemelo.

—Aguanto. Anda, vete.

No pude irme hasta que no vi desaparecer las luces de la UVI móvil al otro lado de un repecho. Fue entonces, con el sonido de la sirena ya alejándose, cuando regresé junto a la letrada, que seguía con la carpeta abrazada contra sí y sin despegarse de la pared del cobertizo.

—Vamos allá, si le parece bien.

—¿Se salvará? —preguntó con expresión de angustia.

—Es fuerte. Seguro que sí —dije, más para mí que para ella.

La precedí hasta el interior de la casa y luego, entre los nuestros que estaban apostados en pasillos y descansillos, hasta la buhardilla. Tenía no menos de cuarenta metros. Allí otro médico, recién llegado, ponía todas sus energías en practicarle al tirador maniobras de reanimación. El paciente estaba en el suelo, bocarriba, sobre una mancha de sangre y totalmente inmóvil. Al verme llegar, el sargento que mandaba a los de seguridad ciudadana me saludó y me dio las novedades:

—Me temo que se nos va. No nos dejó opción: estaba apuntando a la puerta cuando la tiramos, y después de dispararle la primera ráfaga todavía trató de levantar otra vez el fusil para hacernos fuego.

—Mala suerte, que se lo hubiera pensado —observé, olvidándome de la presencia a mi lado de la funcionaria judicial—. Lo importante es que no le haya pasado nada a tu gente. ¿Dónde se había metido?

Me señaló una pared revestida de madera como el resto de la buhardilla, en la que estaba disimulada una puerta entreabierta.

—Ahí. Tiene un zulo lleno de cachivaches.

Me asomé e invité a la letrada a que lo hiciera también. El ventanuco desde el que nos había disparado continuaba abierto. En las paredes del diminuto cuarto había estanterías repletas de trastos y cajas. Vi que alguna de ellas estaba reventada a balazos. Deduje que provenían de las armas de mis compañeros, aunque alguno, suponiendo que a esa distancia hubiera sido capaz de acertarle, hasta podía ser mío.

—¿Cómo supo que veníamos a por él con la antelación suficiente para subir, esconderse ahí y estar preparado para dispararnos?

—¿No lo ha visto abajo? —me preguntó el sargento.

—¿El qué?

—Tiene un gato. Por poco nos lo cargamos. El puñetero bicho debió de oírnos, y el tío ya estaba mosqueado y no se lo pensó.

—¿Y el arma?

El sargento nos llevó entonces al otro lado de la buhardilla. Sobre un tresillo reposaba un rifle de caza con visor y una caja de munición.

—Calibre 300, para caza mayor. Y visor nocturno.

—Pero si no tiene licencia de armas. Lo comprobamos.

—Licencia no tendrá, pero arma sí. Y puntería.

—¿Cómo puede ser? Si no es más que un pardillo, un pobre diablo que buscó a otro para que le ajustara las cuentas a su exjefe.

El sargento se encogió de hombros.

—A mí no me pregunte, mi subteniente. Yo sólo tiro puertas.

En ese momento, el médico interrumpió las maniobras y respiró hondo. Meneó la cabeza en silencio y se volvió hacia nosotros.

—¿Quién es el responsable aquí?

Crucé una mirada con la letrada. En cierto sentido era ella, pero en lo referente a los destrozos juzgué que me correspondía asumirlos.

—De la entrada, yo. La letrada viene a dar fe.

—Pues ya puede dar fe de que este hombre está muerto.

—Cojonudo —no pude privarme de soltar.

La letrada me dirigió una mirada circunspecta.

—El papeleo nos va a llevar un poco más de lo habitual —advirtió.

—Soy consciente.

—Habrá que llamar al juez y al forense de guardia.

—Arnau —grité, antes de advertir que lo tenía justo detrás—. Hazte cargo tú, por favor. Y llama a Salgado, dile que nos hace falta aquí.

—¿Y quién va a coordinar desde la unidad? —preguntó.

—No lo sé, que líe a alguien. Yo tengo que hacer una llamada.

Llevaba todo el rato pensando si hacerla o si esperar a llamar por la mañana, a una hora en la que causara menos sobresalto. Sin embargo, me puse en el lugar del padre de Chamorro y me dije que a mí no me gustaría nada que en una situación así dejaran de avisarme tan pronto como pudieran. Era un tipo curtido, coronel de Infantería de Marina en la reserva, y la madre era todavía más recia que él. Así que marqué su número, que no tenía por casualidad. A ambos los había visitado alguna vez en la casita donde vivían en San Fernando, en Cádiz, y en la que no pude dejar de imaginar el teléfono rompiendo el silencio. Me lo cogió la madre, con voz preocupada y soñolienta. Habría preferido que lo atendiera su marido, pero aquella no era mi noche de suerte.

—Disculpe la hora, soy Rubén, el compañero de Virginia.

—¿Rubén? ¿Qué ha pasado?

—No se asusten. Hemos tenido un problema.

—¿Un problema?

—Virginia está bien, y en buenas manos, pero pensé que tenían que saberlo. Va a necesitar a alguien que la acompañe durante unos días.

—¿Qué le pasa? ¿Dónde está?

—En el hospital, en Madrid, cerca de Madrid, quiero decir. No se preocupe, está perfectamente atendida y se va a poner bien.

—¿De qué se va a poner bien?

—Mire, la va a llamar una compañera. Está ahora mismo con ella en el hospital. Ella le dará todos los detalles, también la dirección. Dígale cómo van a venir y, si hace falta, a dónde vamos a recogerlos.

—¿Qué le ha pasado? Dímelo.

Recordaba bien su carácter, no tenía sentido ocultárselo.

—Le han disparado. En el hombro, saldrá adelante.

—Está bien —su voz sonó firme, serena—. Vamos para allá. Dale mi móvil a esa compañera. Te lo paso ahora mismo por SMS.

Y colgó, lo que en cierto modo me supuso un alivio. Se supone que por mi oficio debería haber adquirido alguna competencia en aquella clase de conversaciones, pero siempre que me veía obligado a tenerlas me sentía como el más torpe y desafortunado de los hombres. Más que nunca en aquella coyuntura en la que el desastre llevaba mi firma.

Esperé su SMS y le mandé las instrucciones pertinentes a Lucía por medio de un wasap, en el que también le pregunté cómo iba todo. Su respuesta me entró al cabo de unos segundos: «Ha llegado bien. En el quirófano aún. Sin más noticias por el momento». Le di las gracias, le pedí que me avisara cuando saliera de la operación y me preparé para una noche larga e ingrata, como en efecto fue. Mientras yo atendía a la letrada que nos acompañaba en la intervención, y después al forense y al juez de guardia que vinieron para hacerse cargo del levantamiento del cadáver, Arnau en un primer momento y luego la cabo primero Salgado se encargaron de organizar el registro de la vivienda con los otros dos guardias, Revuelta y Cerdán, que nos acompañaban aquella noche. Eran dos chavales tan diligentes como despejados, pero aún les faltaba experiencia para trabajar sin supervisión. Uno de ellos era graduado y máster en ADE y el otro graduado en Biología, lo que no estaba claro que los hiciera mejores como investigadores criminales, según solía advertir nuestro coronel siempre que nos enviaban a un universitario. Una reticencia con la que, a pesar de todos mis trienios, mi licenciatura en Psicología me inclinaba a darme por aludido.

No había más que comparar con la desenvoltura con que la cabo primero Salgado, que no había pasado del bachiller, se hizo cargo de las diligencias. Apenas se presentó, echó una ojeada rápida a la casa, otra a la buhardilla y levantó sin preguntar ni encomendarse a nadie la manta térmica puesta sobre el cuerpo que yacía inerte en el suelo.

—A este debía de darle pereza tragarse el juicio.

—Salgado —la reprendí.

—Era sólo una observación.

—Ve barriendo todas las habitaciones. Y no os dejéis nada.

—Claro, jefe, ¿cuándo me he dejado yo algo?

—Y si te sobra tiempo y has traído el portátil...

Salgado se señaló la mochila que colgaba al hombro.

—No salgo sin él.

—Compruébame en el registro de armas de quién es ese rifle.

—Eso está hecho.

En las horas siguientes se nos acumularon los acontecimientos. El forense y el juez, como era de rigor, hicieron algunas preguntas para las que nos alegramos de poder contar con el testimonio de la letrada que nos acompañaba en la entrada, y que les dejó bien claro que había sido el difunto el que nos había recibido a tiros. Después se levantó el cadáver y el equipo de criminalística de la comandancia recogió todas las pruebas que necesitaba para acreditar las circunstancias del tiroteo. Entre tanto, Salgado, Arnau y el resto de mi equipo hicieron el trabajo que les había encomendado. La cabo primero se me acercó al filo del amanecer, poco después de que yo despidiera a su señoría.

—¿Se sabe algo de Virgi? —se interesó.

Comprobé el teléfono. La última noticia seguía siendo el wasap que Lucía me había mandado un par de horas antes, una vez acabada la intervención a la que habían sometido a nuestra compañera.

—La operación ha ido bien. Está en planta, descansando.

—Menos mal. Oye, he averiguado un par de cosillas.

—¿Y a qué esperas?

—El rifle es de su padre, cazador con licencia en regla. También es el dueño del chalet, supongo que por eso lo guardaba aquí. El chiquillo lo sabía y, aunque él no fuera cazador, ponle que un día su papi, con la imprudencia que a veces tienen los papis, le enseñó a usarlo...

—Maldita sea —bramé—, quién iba a pensar que...

—No te tortures, mi subteniente —dijo—. No lo podíamos saber. O sí, si tuviéramos tiempo infinito para mirarlo todo. Aunque hay otro detalle que se nos escapó y que resulta un poco más peliagudo.

—Qué detalle.

—Hemos encontrado una caja de antidepresivos. Y el informe que le hicieron cuando se los recetaron.

A juzgar por lo que he entendido de lo que escribió el psiquiatra en ese papelito, nuestro hombre estaba bastante perjudicado. Por eso reaccionó con esa desesperación.

—Recógelo todo en el acta.

—Alguien puede enredar con el asunto, ya sabes.

—Es lo que hay, no vamos a ocultarlo. ¿Algo más?

—Nada que importe ahora mismo. Tenemos su teléfono móvil y su portátil, uno bloqueado con contraseña y el otro no, pero espero que los técnicos se las arreglen para destriparlos los dos. No lo digo por tu francotirador, al que ya le ha caído encima la justicia divina, sino a efectos de poder empapelar debidamente al autor material. Con lo poco cuidadoso que era, seguro que algo encontramos ahí.

—Muy bien, pues documéntalo todo, consigue la firma de la señora letrada de la Administración de Justicia y, ya que estamos, encárgate de su bienestar y de que la devuelvan a su casa sana y salva.

—¿Te vas?

—Al hospital. Para lo que queda, me fío de ti.

—Luego no te quejes. Y dale un abrazo a Virgi de mi parte.

—No sé si estará para muchos abrazos.

—Un beso en la frente, entonces.

—Inés...

—A tus órdenes, me callo y me vuelvo a lo mío.

Al sentarme al volante no pude evitar acordarme de que había sido Chamorro quien había conducido el coche hasta allí. Entre otras cosas, el asiento y los espejos estaban regulados para sus medidas y tuve que reajustarlos para las mías. Durante el breve trayecto por la carretera en la que empezaba a haber ya tráfico, los madrugadores que trataban de llegar a tiempo a sus trabajos en Madrid, pasé junto a un tanatorio. No dejé de reconocer que era práctico que no estuviera lejos del hospital, para reducir los traslados y las penalidades a quienes tenían la mala suerte de sacar de él a sus familiares en un ataúd; pero no me terminó de parecer de buen gusto que se alzara al lado de la rotonda desde la que se tomaba el desvío para el centro sanitario, como una señal de mal agüero que los más sensibles o pesimistas no dejarían de anotar con un desasosiego como el que a mí mismo me entró al verlo.

Gracias a las indicaciones de Lucía fui directamente a la habitación, donde me aguardaba una sorpresa. La guardia no estaba sola: junto a ella, en el pasillo, me encontré con el coronel jefe de la unidad y con el comandante de nuestro grupo, a quienes daba novedades. Del gesto de Lucía deduje que los dos acababan de llegar, por lo que no le había dado tiempo a advertirme de su presencia. Por la manera en que me miraron los dos, interpreté que la visita había sido una iniciativa del coronel, secundada forzosamente por el comandante. Cuando a este le había informado vía wasap, se había limitado a pedirme el número de Lucía para interesarse a través de ella por el estado de Chamorro.

—A la orden de usía, mi coronel —saludé—. Mi comandante...

El coronel Hermoso se distinguía, entre otros muchos rasgos que acreditaban su carácter, por su tendencia a mirar fijamente a los ojos a quien trataba con él, y ser capaz de hacerlo durante un buen rato antes de pronunciar palabra. En ese lapso, no sólo calibraba las fuerzas y el temple del interlocutor, sino que le daba ocasión para aturullarse y perder pie. No era la primera vez que me lo hacía, así que no me vine abajo ni dejé traslucir mi zozobra. Al fin, me devolvió el saludo:

—Hombre, Bevilacqua. Dime, ¿qué se nos ha pasado aquí?

Era, de todos los jefes que había tenido, el único que se recreaba en decir completo, una y otra vez, mi endemoniado apellido, en lugar de reemplazarlo por la abreviatura más cómoda, Vila, que les ofrecía tan pronto como nos presentaban. No era por poner distancia, según acabé comprendiendo, sino por demostrar que a él no le costaba decirlo. Y tampoco lo que acababa de soltarme era una recriminación, como se temía, a juzgar por su expresión de pánico, el comandante Ferrer, mi jefe directo. De todos los que había tenido, era acaso con el que al cabo del tiempo había logrado desarrollar menos química. Se agobiaba con facilidad y tenía más propensión al miedo, ante los superiores y ante las adversidades, de la que para mi gusto convenía a un oficial.

—En corto y por derecho, mi coronel —dije, sin arredrarme—. En la casa había un arma, propiedad del padre del sospechoso, al que no habíamos investigado y por eso no estábamos al tanto de su licencia para tenerla. Y el sujeto en cuestión estaba en tratamiento psiquiátrico, algo de lo que tampoco teníamos constancia por las diligencias. A los de seguridad ciudadana no les dejó más elección que disparar.

Hermoso asintió mientras procesaba aquella información. Vi cómo se formaba rápidamente su juicio: era la costumbre adquirida en los muchos años que había pasado en la lucha antiterrorista, a los que también se debía aquel gesto de acudir, sin pensarlo ni esperar a una hora más cómoda, junto a la cama de uno de los suyos malparado en acto de servicio bajo sus órdenes. Volviéndose a Ferrer, ordenó:

—Pues, comandante, lo dejamos bien claro en el informe. Esto no es una ciencia exacta: tratamos con gente y la gente es impredecible y nunca se la termina de conocer del todo, y el que crea otra cosa que venga a hacer lo que hacemos y a ver si le sale mejor. Lo principal es que la brigada está bien y se va a recuperar. A quien levanta un rifle contra un agente de la ley, lo entregamos respetuosamente a su familia para que lo puedan enterrar con dignidad y fin de la película.

—Como usted ordene, mi coronel —balbuceó Ferrer.

—Y a ti no te felicito, Bevilacqua, porque esto no ha salido lo que se dice a pedir de boca, pero que conste que tu coronel te respalda. A ti y a tu gente. Vayan, por esta vez que no, todas las veces que acertasteis.

Cuando se marcharon nuestros jefes, di permiso a Lucía para que se fuera también y entré en la habitación. Chamorro descansaba, tendida boca arriba. Me fijé en la vía pinchada en el antebrazo izquierdo y en su respiración acompasada y regular. Por el filo inferior de la ventana, lo único que la persiana no cubría, entraba algo del resplandor rojizo del amanecer. Me quedé contemplando su rostro tranquilo, sus brazos delgados y fuertes. Incluso me permití acariciarle el derecho, aunque lo hice de una manera tan leve que apenas sentí su piel. Me dije que nunca me lo habría perdonado si aquel desgraciado hubiera centrado mejor el tiro y se la hubiera llevado por delante, pese a la justificación que acababa de suministrarle a mi jefe y que este reproduciría ante los suyos en mi descargo y en el de mis compañeros. Pensé en lo solo que me habría quedado si la bala le hubiera robado el pulso, ese pulso que ahora la máquina reproducía con una cadencia apaciguadora.

En ese momento vibró mi teléfono móvil, que tenía silenciado. La agenda del aparato me chivó a quién pertenecía el número desde el que me llamaban. Al final, cansado de ir cambiándole la graduación con cada ascenso, había optado por poner simplemente *Pereira*. Mi jefe de siempre, quien, después de recorrer toda la escala jerárquica, era ahora, como teniente general del mando de operaciones, el gran jefe de todos; también de Hermoso y de Ferrer. Pensé que le habían dado la noticia y que era todo un detalle que llamara para interesarse. Y no andaba del todo descaminado, pero tampoco fue, en aquella jornada cargada de sobresaltos, completa mi intuición. Salí al pasillo deprisa para no despertar a Chamorro, y conseguí atenderlo a tiempo.

—Mi teniente general.

—¿Cómo está Virginia? —preguntó sin preámbulos.

—Bien, se nos va a salvar. Estoy con ella. Duerme ahora.

—Menos mal. Cuando despierte, dale un abrazo de mi parte.

—Claro.

—Tengo otra cosa que decirte. Me perdonarás, espero.

—¿Por qué?

—Tenemos un muerto. En Formentera.

—Mi teniente general, con todo el respeto...

—Lo sé, Vila, lo sé. Tómate el día de hoy, hasta que venga la familia a estar con ella. Pero necesito que vayas tú y se lo voy a pedir a tu jefe. Cuando te cuente quién es el muerto, creo que lo vas a entender.

2

Patria o muerte

No diré que cuando Pereira me reveló la condición de aquel difunto entendí, como él esperaba, que me enviara a Formentera y me obligara a abandonar así a mi compañera malherida. A lo que su revelación me empujó, por encima de todo, fue al recuerdo imborrable de otra noche, de casi treinta años atrás, que ya me rondaba a raíz de lo que acababa de vivir. También entonces había pasado el mal trago de recoger a un compañero herido y a un adversario muerto. O, para ser más exactos, a dos. Fue aquel, además, mi bautismo de fuego: la primera vez que sentí las balas pasándome cerca y miré a la muerte cara a cara.

Volví a verme allí, en Guipúzcoa, con la inconsciencia y la tensión de mis veintiséis años: por culpa de la primera me había presentado voluntario para ir al País Vasco, después de vegetar durante mi año de guardia en prácticas en un plácido destino rural en Lérida; la tensión era la consecuencia natural de la sensación de peligro y hostilidad que se imponía al cabo de tres meses en aquella tierra y en la labor que allí tenía que desempeñar. Aquella tarde de sábado de septiembre de 1989 nos habían movilizado de improviso, con el encargo de controlar de forma discreta todos los cruces de carreteras. A mí me tocó vigilar el peaje de la autopista en Irún, un punto estratégico desde el que podían tomarse por vías secundarias varias rutas hacia la frontera con Francia, tanto a través de Navarra como de Guipúzcoa. Aunque era joven e inexperto y no estaba al tanto de todos los detalles, no se me escapaba la más que probable naturaleza de la operación que estaba en marcha. Según los indicios fundados que debían de tener nuestros compañeros del servicio de Información, alguien a quien no interesaba dejar pasar se disponía a cruzar la frontera. Y por el mensaje nada críptico que nos transmitieron nuestros jefes, que estuviéramos bien atentos y con el arma prevenida en todo instante, era muy posible que se tratara de un grupo de etarras liberados. Gente que no se movía nunca sin un hierro a mano y que estaba dispuesta a hacer uso de él. Apostado cerca del peaje, con el cetme en las manos, me preguntaba una vez más por qué me había ofrecido para vivir en primera fila una guerra, como aquel fusil de asalto atestiguaba de manera inequívoca, cuando la mayor parte de mis compatriotas permanecía felizmente al margen. De vez en cuando les salía al paso en los telediarios, o cabía la lejana posibilidad de que les salpicara si vivían en el País Vasco, Madrid o algún otro de los lugares que los terroristas convertían en objetivo de sus campañas. Nada muy distinto de los accidentes de tráfico, que por aquel entonces se llevaban a seis mil personas al año y que casi todo el mundo, salvo que le tocara, contemplaba como un peligro abstracto y remoto.

Mi decisión, en cambio, me llevaba a estar allí donde el peligro se concretaba y mordía una y otra vez, vestido con un uniforme que casi suponía sufrir un ataque con toda seguridad. A aquellas alturas de la guerra, y todavía faltaba la mitad, sumaban ya algunas decenas los guardias civiles de la comandancia de Guipúzcoa abatidos por ETA. Yo no tenía como otros la excusa moral de ser hijo del cuerpo, y por tanto alguien abocado casi desde la cuna a dar el paso al frente. Tampoco tenía la de haber sido destinado forzoso allí, perfil al que se ajustaba el resto de los que me acompañaban. Como tantas otras veces en mi vida, antes y después, tenía la sensación de ser un verso suelto, un tipo más bien incoherente que acababa estando donde no pintaba demasiado, por razones que nunca era capaz de explicarse suficientemente. Allí me habían llamado la curiosidad y una vaga necesidad de aventura, pero cada noche, cuando hablaba por teléfono con mi aterrorizada madre, me asaltaban serias dudas acerca de mi cordura al ceder a ellas.

Mucho más fácil lo tenía mi compañero de aquella tarde y de tantas otras, el guardia Álamo; un gaditano astuto y socarrón que era más o menos de mi edad pero que por no haber perdido el tiempo sacándose una carrera había entrado en la empresa años antes y me aventajaba en experiencia, cuajo, picardía y demás cualidades útiles para quien vive en la raya, en más de un sentido. Y es que allí no sólo estábamos junto a una frontera y en contacto directo con el crimen más feroz, sino en el borde mismo de una fractura mucho más espinosa y profunda: la que llevaba a alguien a apoyar un cañón en la nuca de su vecino y apretar el gatillo creyéndose que semejante acto era justo y necesario.

—No me digas que tienes frío, Gardelito —me sacó Álamo de mis pensamientos—. Si todavía estamos en verano, como quien dice.

Me quedé mirándole, como solía hacer cuando le daba por matar el aburrimiento buscándome las vueltas. El apodo me lo había plantado tan pronto como se había enterado de mi nacimiento en Montevideo y del origen uruguayo de mi padre y, merced a un gracejo y un desparpajo que nadie le podía discutir, había logrado en poco tiempo que desplazara a mi apellido, nada confortable para el hablante español medio. Todavía no tenía claro si era cariñoso o iba con mala idea; la sonrisa con la que siempre lo pronunciaba me impedía, en todo caso, enfadarme.

—Frío no tengo, Álamo —le dije—, pero esto verano no es.

—No me digas que no te gusta la panza de burro. Y yo que creía que para poder disfrutar de ella a diario te viniste voluntario aquí.

—No aspiro a que lo entiendas. Ni siquiera a entenderlo yo.

—Mira que eres raro, tío. Como dice mi santa madre: hay que estar todavía más loco que los locos para meterse a loquero.

—No soy un loquero. Aprobé todas las asignaturas de Psicología, que no es lo mismo que ser psicólogo. Lo que soy a la vista está.

—No veo muy bien qué eres —me picó.

—No me mires a mí. Mira a los ojos de la gente.

—¿Ah, sí? Y qué voy a ver ahí.

—Lo que soy. Lo que eres también tú. Un perro —bromeé.

—Yo es que del criterio de estos no me fío. Ven poco el sol, les llueve demasiado encima y los montes no dejan correr el aire.

—Me da que te lo huelen.

—El qué.

—El cariño que les tienes.

—Cada día menos. Y porque no me dejan dispararles a discreción.

—Mira que eres animal.

—Sólo ahora que no nos oye nadie.

—Tengo mis dudas.

—Confía en mí, Gardelito. Soy tu binomio. Tu seguro de vida.

—No sé si eso me tranquiliza mucho, francamente. ¿Tú te acuerdas alguna vez de para qué se supone que estamos aquí?

—Ahora no caigo.

—Lo dice la cartilla del guardia civil, no se te habrá olvidado.

Álamo arrugó la frente, como si hiciera memoria.

—Recuerdo aquello del «pronóstico feliz para el afligido», pero no sé si viene mucho al caso. Estos lo que están es siempre de mala leche.

—Lo dice en otro artículo: «Velar por la seguridad de todos».

Meneó la cabeza, con aire condescendiente.

—Chaval, eso está muy bien para aplicarlo donde se pueda. Aquí bastante tenemos con velar por nuestra propia seguridad.

La llegada de nuestro sargento nos sacó de aquel toma y daca, que reproducía con variaciones mínimas tantos otros anteriores. Los dos nos cuadramos como correspondía, a la espera de órdenes.

—A los vehículos —dijo el sargento—. Desplegamos.

—Eso quiere decir... —aventuró Álamo.

—Que desplegamos —lo cortó el suboficial. Era un hombre de algo más de cuarenta años, más de veinte de servicio, alrededor de diez destinado en el Norte y poco proclive al comentario de textos.

Desplegar suponía en aquel caso tomar posiciones, dejándonos ver lo menos posible, pero más cerca, para tener bien cubierto el peaje. Lo que significaba, en fin, que las incertidumbres acerca de la ruta que iba a seguir el objetivo se estaban reduciendo y apuntaban precisamente hacia nosotros. Nuestras suposiciones se confirmaron cuando vimos llegar un par de furgonetas blancas y de ellas se bajaron dos pelotones de agentes con chaleco y pasamontañas negros y armados hasta los dientes: el atuendo característico de los integrantes de la Unidad Especial de Intervención. Si los jefes habían tomado la decisión de enviarlos a aquel peaje era que todas las incógnitas estaban despejadas. Entre tanto, había oscurecido del todo. Era ya noche cerrada cuando varios miembros de la unidad de intervención se acercaron a las cabinas del peaje, sacaron a los empleados y los sustituyeron en el interior.

—Todos listos —avisó el sargento.

Los caras negras, como los llamábamos por el pasamontañas, eran los encargados de bloquear la zona del peaje en sí. Nuestra función se reducía a tener cubiertos los flancos, lo que quería decir, en principio, que sólo estaríamos obligados a intervenir en el improbable caso de que se vieran desbordados los especialistas. Me obligaba a pensarlo para hacer bajar el ritmo frenético de mis latidos, mientras clavaba los ojos en la noche por la que debía venir aquello que esperábamos.

Lo intuimos todos en cuanto lo vimos aparecer. Era un camión de gran tamaño que avanzaba lentamente hacia el peaje, reduciendo la marcha entre resoplidos hasta detenerse del todo al llegar a la cabina. Luego supimos que llevaba cuarenta toneladas de madera y que había hecho un largo periplo desde Pasajes hasta Vitoria, para desviarse a continuación hacia Durango; una ruta errática que, junto al detalle desacostumbrado de hacer el transporte en sábado, había terminado de disparar las sospechas de quienes lo seguían. Y más aún cuando había enfilado hacia la frontera por la autopista, tras parar durante media hora en una gasolinera. Al llegar a la cabina, el conductor se dio de bruces con la sorpresa que le aguardaba. En lugar del empleado del peaje, le recibió un guardia civil cubierto con un pasamontañas que, subfusil en mano, le invitó a bajar del vehículo. El conductor obedeció y asistimos a un breve coloquio entre los dos. Por la manera en que el camionero gesticulaba al hablar, le estaba explicando lo que llevaba, con la esperanza de que un cargamento de madera resultara lo bastante inocuo para quienes lo habían parado. Sin dejarse convencer, uno de los agentes de la unidad de intervención se encaramó al remolque y empezó a desatar la ceñida lona azul que cubría el cargamento.

La reacción no se hizo esperar: al apartar la lona, entre los tablones asomó el cañón de un arma que empezó a vomitar fuego, mientras el tableteo de los disparos, los que hacían quienes iban dentro y los que les devolvieron los caras negras que rodeaban el camión, se adueñaba de la noche. El que había hecho bajar al camionero le gritó entonces:

—¡Al suelo, tírate al suelo y no te muevas!

Lo que vino a continuación fue una ensalada de tiros como nunca había visto y nunca había de volver a ver. Dentro del camión viajaban escondidos cuatro etarras, tres liberados y un legal, y al menos tres de ellos disparaban con todo lo que tenían. Los nuestros, parapetándose en las cabinas del peaje y buscando posiciones alrededor del camión, respondían con ráfagas continuas de sus subfusiles, teniendo cuidado de no acertarles a sus propios compañeros en medio de la confusión del enfrentamiento. Desde donde nosotros estábamos no podíamos disparar sin arriesgarnos a darles a los nuestros, por lo que asistíamos entre impotentes y desconcertados a aquella batalla campal que se desarrollaba ante nuestros ojos. En eso, oímos gritar al sargento:

—Álamo, Vila, los dos conmigo. Ya.

Saltamos como un resorte y fuimos tras él. Al principio no entendí qué era lo que pretendía. Por un momento pensé que se había vuelto loco y que nos llevaba hacia la zona del tiroteo; y sin embargo, tales son los efectos de la disciplina cuando se inculca con eficacia, o de la desorientación cuando es extrema, que ni Álamo ni yo dudamos ni por un instante en correr tras él. Cuando salimos a una zona despejada de la autopista, justo donde esta se ensanchaba para dar acceso al peaje, comprendí lo que se proponía. A no mucho más de cincuenta metros de la refriega se había amontonado un grupo de coches, a duras penas contenido por unos compañeros de paisano. De algunos se bajaban ya, empujados por la curiosidad, ciudadanos de toda edad y condición. Una mujer madura y desenvuelta preguntó con expresión jovial:

—Anda, ¿qué pasa ahí? ¿Están rodando una película?

Uno de los nuestros gritó:

—¡Guardia Civil! ¡Métanse en los coches!

El sargento se volvió a Álamo y a mí:

—Aseguraos de que se meten todos dentro.

Fuimos coche por coche, conminando a la gente con la intimidación de nuestro uniforme y nuestro fusil a obedecer la orden. No faltó, nunca faltaba, quien veía en aquella clase de situaciones el pretexto ideal para hacerse notar y hacernos notar lo que inspirábamos.

—¿Por qué cojones me tengo que meter en el coche? —dijo uno.

—Porque esta noche no me apetece agacharme a recoger sesos de chulo del asfalto —le explicó Álamo, con su diplomacia habitual.

—¿Qué?

—Que eso que oye es fuego real. Métase dentro, coño.

Controlamos la situación mientras los tiros seguían. Una vez que todos estuvieron a cubierto, Álamo y yo nos colocamos a los dos lados de la caravana que poco a poco se iba formando, a fin de que nadie más se bajara. Entonces advertí la presencia junto a mí de una chica muy joven, con chaleco y pistola asida con ambas manos. Observaba la escena con ojos encendidos y sin perderse ni un detalle. Me miró.

—Soy compañera —dijo.

Era una niña, dudé que hubiera cumplido los diecinueve. No hacía más de un año de la entrada de las mujeres en el cuerpo: ella era la primera a la que veía de servicio y me asombró que estuviera justo ahí, en uno de los sitios más arriesgados. Luego me lo explicarían: era tal la necesidad de mujeres que tenían en el servicio de Información, para seguimientos y otras labores encubiertas, que se habían apresurado a elegir de la primera promoción a unas cuantas, las habían formado a toda velocidad y las habían echado a la arena casi sin darles tiempo a que recogieran sus despachos. Creo que ese fue el momento en el que me picó el gusanillo de hacer algún día un trabajo como aquel. O dicho de otro modo, de dejar de ser un blanco uniformado y en movimiento para convertirme en la sombra que seguía los pasos de los asesinos. Ser el que les ganaba la espalda a ellos, en vez de darles la mía.

En todo caso, entonces no me dio tiempo siquiera a plantearme esa eventualidad. Porque apenas se había apagado el eco de sus palabras cuando una explosión al costado del camión nos hizo comprender que el enemigo era aún más duro de pelar de lo que parecía. Segundos después, se oyó una voz que gritaba desesperadamente:

—¡Un herido, tenemos un herido, que alguien me ayude!

Quizá habría debido pensarlo, cruzar una mirada con mi superior o cerciorarme de que no corría o creaba más riesgos. El caso es que no lo hice: me tercié el fusil a la espalda y eché a correr hacia donde había visto el resplandor de la explosión. Casi al momento percibí el ruido de unas botas repicando en el asfalto tras mis pasos. Era Álamo, que había hecho lo propio y venía tras de mí. A medida que avanzábamos, entre el humo de la granada que acababan de tirar contra los nuestros desde el interior del camión, distinguimos a quien pedía ayuda, un guardia también muy joven del servicio de Información y de paisano, y a la víctima, un sargento del grupo de intervención que había quedado inconsciente en el suelo. Álamo y yo llegamos casi a la vez. El sargento tenía una fea herida en la cabeza: una esquirla de la granada había impactado contra su casco y lo había abierto limpiamente. De no ser por él, con seguridad no habría podido contarlo. Luego nos dijeron cómo había sucedido, y entendimos que al guardia que estaba con él se le viera superado y fuera de sí. Al parecer, en mitad del tiroteo, el sargento lo había visto acercarse más de la cuenta, había corrido para apartarlo y justo en ese momento uno de los etarras escondidos en el camión, aprovechando la oportunidad, les había arrojado la granada. Gracias a que el sargento lo había protegido con su cuerpo, el guardia había resultado ileso. Bajo el tiroteo que arreciaba, y sin preguntarnos si moverlo era o no lo más conveniente, Álamo y yo cogimos en vilo al sargento y le dijimos al guardia que nos siguiera. Desde el interior del remolque seguían haciéndonos fuego, y en torno al camión los caras negras, salvo uno que se nos unió sobre la marcha para ayudar a llevar a su sargento, disparaban con furia, barriendo el objetivo en abanicos. Los que estaban dentro no se arrugaron. Uno de ellos aulló:

—*Gora Euskal Herria ala hil!*

«Viva la patria o muerte», según el euskera elemental que a aquellas alturas de mi estancia en el Norte, y por la cuenta que me traía, ya era capaz de manejar. Corrimos lo que nos dejó el peso de nuestros fusiles y del herido, hasta donde podíamos considerarnos desenfilados y a salvo. En seguida llegaron nuestro sargento y un brigada de Información, seguido por la chica a la que había visto antes. El brigada se hizo cargo de su subordinado, al borde ya del ataque de nervios, y después de cerciorarse de que el herido seguía respirando, nos comunicó:

—La ambulancia está en camino, no tardará.

Nuestro sargento nos miró sin decir nada. Fiel a su estilo.

De pronto, el tiroteo cesó.

—¡No disparéis, nos rendimos! —se oyó gritar.

—¡Las manos en alto! ¡Todos! —gritó uno de los caras negras.

—Creo que sólo quedamos dos —dijo la primera voz.

—Pues los dos fuera, ya. Manos arriba y sin armas.

—Ya vamos, no disparéis.

—Las manos bien arriba o tiramos.

—Que nos rendimos, hostias, no tiréis.

Apenas vi a uno de los etarras asomar, manos en alto,

tras la lona del remolque. Justo entonces se presentó la ambulancia y la prioridad era ayudar a cargar a nuestro herido. Fue un rato más tarde cuando pudimos acercarnos y verles la cara a los dos supervivientes. Uno era el legal, y el rictus de pánico que no se le quitaba del rostro probaba hasta qué punto se había visto en una para la que no estaba ni medio preparado. El susto que llevaba encima no se le iba a pasar en meses, y el resto de su vida iba a estar dando gracias a la suerte que le había salvado de hacer el equipaje aquella noche. El otro, en cambio, era el jefe del comando, un sujeto frío y pétreo que aun así, esposado con las manos a la espalda y sentado en el suelo entre los dos caras negras que lo vigilaban y hacían esfuerzos por no vaciarle encima el cargador, se creía en la necesidad de hacernos sentir su aplomo de *gudari*.

En cierto momento, reparó en la presencia de la guardia joven que formaba parte del equipo de Información. Aunque se había puesto un pasamontañas, que entre otras cosas impedía ver su cabellera rojiza, al etarra no se le escaparon otros detalles. Desde el suelo, le dijo:

—Te he reconocido, chavala. Nunca me olvidaría de un culito así. Mira que me mosqueaste, tendría que haberme fiado de mi olfato.

La chica no se dejó amilanar.

—Qué se le va a hacer. Aquí no hay segundas oportunidades.

—Es verdad. Para ti tampoco la habrá cuando te equivoques.

—Ya procuraré no equivocarme.

Del sentido de aquella conversación no fui consciente hasta un tiempo más tarde, cuando tuve con ella la confianza necesaria como para que me contara lo que había sucedido entre ambos. Había sido ella la que había reconocido, en la gasolinera donde se había detenido el camión para cargar a los etarras, al temible jefe del comando Araba. Amparada en su apariencia inofensiva, había entrado a inspeccionar el bar de la gasolinera y se había dado de bruces con la mirada gélida de aquel hombre con un buen puñado de asesinatos a las espaldas. Para que no la oyeran hablar por las transmisiones, se había ido al baño a dar la noticia a sus superiores, a quienes les había costado dar crédito a aquella cría. Pero la firmeza con que ratificaba que acababa de ver al jefe del Araba fue definitiva para que la creyeran. A partir de ahí se había reforzado el despliegue y nos habían movilizado a todos.

La noche fue larga y agotadora. Hubo que acotar la parte del peaje donde se había producido el tiroteo, habilitar lo poco que se pudo del resto y ordenar el tráfico para que pasara por el embudo que habíamos creado con nuestra intervención. También hubo que aguardar a que viniera el juez para levantar los cadáveres que habían quedado en el interior del remolque: los otros dos miembros liberados del comando que no habían optado, como su jefe, por deponer las armas a cambio de su vida. Fue aquella la primera vez que vi, de cerca, a un hombre cosido a tiros. No pude evitar fijarme en la expresión de aquellos dos etarras, a medio camino entre el encono que habían sostenido hasta sus últimos instantes y la paz que la muerte acaba otorgando a todos los rostros humanos. En el momento en que sacaban los cuerpos de entre los tablones astillados por las balas, comenzó a caer la lluvia que nos llevaba amenazando toda la tarde. Una lluvia al principio fina, luego más insidiosa, bajo la que me pregunté qué había en la mente y el corazón de quienes, además de proponerse y ejecutar sin el menor asomo de piedad la muerte de otros, eran capaces de aceptar y buscar así la suya. Para uso y servicio de periodistas, políticos y quienes los enfrentábamos se habían acuñado unos cuantos adjetivos, que cada vez que se pronunciaban perdían algo de sentido y un poco de vigor. Un hombre que elige la muerte repele los adjetivos, tanto de quienes lo postulan para héroe como de quienes lo aborrecen como monstruo. Un hombre que elige la muerte es una pregunta sin más respuesta que un vacío tenebroso: ese del que nace su afán y que se traga su vida.

Por aquel entonces yo sabía bastante poco de cómo y por qué se unían a aquel proyecto de destrucción jóvenes como los dos a quienes había visto morir tratando de matar. Me quedaba en la superficie de las consignas con las que la organización justificaba su lucha, rebatidas por las diatribas de quienes la padecían y le hacían frente. Entre unas y otras asomaban nebulosas ideas revolucionarias, sentimientos atávicos de vinculación a una tierra y a una lengua y el rencor acumulado a lo largo de décadas de imposición despótica, según proclamaban unos, o en la convivencia con forasteros primero atraídos y utilizados y luego rechazados y menospreciados, según otros. Y a partir de todo aquello, la inercia que siempre prevalece en los asuntos humanos, y en cuya virtud los hechos se suceden como consecuencia de hechos anteriores. Se encadenan los errores y los agravios, en la perentoriedad de los acontecimientos deja de seguirse el curso de las causas hasta las causas primeras, y el obrar acaba obedeciendo, sin demasiada reflexión, a los golpes y los estímulos que se tienen más recientes en la memoria.

En una atmósfera tan enrarecida, todo lo que había procurado hasta aquel momento era familiarizarme con el terreno y con el trabajo que me tocaba hacer y tratar de salir entero de allí. A la vista de aquellos dos cadáveres, y también de nuestro compañero que por poco no se les había unido camino del depósito, sentí la necesidad de hacer algo más: intentar conocer y comprender mejor a qué me enfrentaba, tratar de aportar a la empresa algo más que mi cuerpo ofreciendo blanco en los cruces en los que a mis superiores se les ocurriera apostarme.

En ocasiones, y estas ocasiones son algo más frecuentes de lo que tendemos a creer, la vida nos proporciona justo lo que le pedimos, tal vez para poner a prueba nuestra consistencia y la sinceridad con que se lo demandamos. Sólo en estos términos puedo recordar lo que me sucedió antes de que levantáramos el dispositivo aquella noche.

Recogíamos ya nuestras cosas cuando nos llamó el sargento.

—Vila, Álamo. Venid aquí, por favor.

Vi entonces que junto a él había un hombre alto, de paisano, pero que a duras penas podía ocultar, a un ojo entrenado como el mío, su condición de guardia civil. Andaba por los treinta y pocos años y por el aire y el porte supe que era un oficial antes de que nos lo certificara la forma en que el sargento se le dirigió y le dio nuestros nombres:

—Mi capitán, estos son. Los guardias Vila y Álamo.

Los dos nos cuadramos y saludamos, como tocaba, sin tener muy claro en qué calidad se nos estaba presentando a quién. Aquel hombre nos observó con detenimiento antes de pronunciar una palabra.

—Gracias por lo que han hecho —dijo finalmente.

Yo no supe qué responder, ni si hacerlo. Álamo era de otra pasta.

—Lo que tocaba, mi capitán, nada más —le respondió.

—Pero a tiempo, y antes que nadie. No sé si se dan cuenta de cómo y cuánto se la han jugado. Esa gente estaba dispuesta a llevarse por delante a tantos de nosotros como pudieran. Y no eran cualquier cosa. Los que han muerto, bien que lo han demostrado. Y el jefe, aunque hoy haya decidido pensar en la posibilidad de tener un futuro para acordarse de cómo terminó cagándola, también es canela fina.

—Ya lo hemos visto —me atreví a observar.

—¿Saben lo que nos ha dicho el tío, antes de meterlo en el coche y despacharlo para Madrid? Todavía no me lo termino de creer.

Ninguno preguntó. Tampoco hizo falta.

—Que él es un soldado, como nosotros, y que nos entiende. Que si él fuera español, cosa que no es, también se haría *txakurra*.

Es decir, perro, en euskera. Así les gustaba llamarnos.

—Qué cabrón —se le escapó al sargento, contra su costumbre.

—Da que pensar, sobre lo que hacen y lo que se creen. El caso es que esta tarde ustedes dos han comprado un montón de números para el sorteo del plomo. Y gracias a eso no sólo le han salvado al herido la vida, sino también a uno de mis hombres, que estaba en shock.

Entendí entonces la razón por la que había pedido conocernos. O al menos, la entendí en parte. Era el jefe de aquellos guardias de paisano, de la chica y el resto: los que habían seguido al camión, quién sabía durante cuánto tiempo, hasta que había recogido a los miembros del comando y se había puesto en marcha hacia la frontera. Caí de paso en la cuenta de que aquellos dos hombres habían muerto y a su jefe lo habíamos capturado justo cuando se disponían a cruzar a Francia para descansar y reponerse de una campaña exitosa, aunque no tanto como ellos habrían querido. El coche bomba que habían colocado junto a una casa cuartel, meses atrás, sólo había destrozado el edificio y las inmediaciones, sin alcanzar a los guardias y sus familias, mujeres y niños incluidos, como era su indudable intención. Todos teníamos muy presente cómo lo habían conseguido un par de años atrás con la casa cuartel de Zaragoza, llevándose por delante a varias criaturas. A pesar de ese revés, los del Araba habían consumado quince asesinatos, por los que seguramente contaban con una felicitación de sus jefes que ya no iban a recibir. Y todo, aunque de ese detalle todavía yo no era consciente, por culpa del buen ojo de una chica recién incorporada que los había reconocido en un bar de carretera. Paradojas de la vida.

—Nos limitamos a cumplir con nuestro deber —insistió Álamo.

—Éramos los que estábamos más cerca —añadí yo.

—En todo caso —dijo el capitán—, además de darles las gracias, he pedido conocerlos porque me gustaría hacerles una pregunta.

Álamo se tensó como la cuerda de una ballesta. A mí, simplemente, me pilló desprevenido. El capitán estudió la reacción de uno y otro.

—Es una pregunta sin malicia —aclaró—. ¿Alguno de ustedes dos ha pensado alguna vez, por un casual, en cambiar de aires?

—¿Se puede decir la verdad, mi capitán? —consultó Álamo.

—Por favor.

—Cada mañana, cada tarde y cada noche. Hablo por mí, nada más. De este tengo mis dudas, a fin de cuentas vino aquí voluntario.

No me salió decir nada. Estaba demasiado entretenido espiando la reacción de nuestro sargento, cuyo rostro permaneció inexpresivo.

—¿Y usted? —me interpeló el capitán.

—Puede ser —dije—. Depende del cambio del que se trate.

El capitán se vio en la necesidad de precisar:

—No hablo de un destino más tranquilo. Al revés.

—El movimiento a mí no me espanta —dijo Álamo.

—Tampoco a mí —le secundé.

—En ese caso, tendrán noticias mías. Sargento...

—A la orden, mi capitán —dijo nuestro superior inmediato, a la vez que saludaba y hacía chocar sus tacones. Álamo y yo le imitamos.

Aquella fue mi primera conversación con el capitán Pereira, a quien veintiocho años después, elevado él a lo más alto del escalafón, y yo a un rango mucho más modesto, me veía otra vez en la disyuntiva de complacer o desairar. Algo tenía que reconocerle: una habilidad innata para dar con mi punto débil y persuadirme de servir a sus propósitos. Lo hizo poco después de conocernos en aquel peaje, cuando me fichó, junto a Álamo, para sumarme a su unidad. Volvió a hacerlo aquella mañana de otoño de 2017, cuando me dijo la razón por la que según él tenía que partir en cuanto me fuera posible rumbo a Formentera:

—Apareció apaleado en una playa. Tiene toda la pinta de ser un crimen entre homosexuales, pero el problema es de quién se trata. Igor López Etxebarri. Condenado hace años por pertenencia y colaboración con ETA. A una faena así, sólo hay un artista al que pueda enviar.

El muy zorro sabía que aquel argumento no se lo iba a discutir, aunque seguramente habría debido. Y no sólo por Chamorro.

3
Derechos fundamentales

Me quedé junto a la cama de Chamorro hasta que aparecieron sus padres, sobre las doce y media de la mañana. El coronel en la reserva de Infantería de Marina había hecho la machada de conducir del tirón desde San Fernando, lo que acreditaba no sólo su entrenamiento para afrontar la adversidad, sino también que pertenecía a una generación que no tenía entre sus hábitos el de buscar excusas para esquivar el sacrificio. No estaba del todo seguro de que fuera el caso de la mía, y me daba la sensación de que las posteriores eran aún menos receptivas a la idea de abandonar sus asuntos para anteponer los de otro.

Cuando llegaron sus padres, Virginia acababa de despertar y en la habitación estaba el médico que la había intervenido. Aunque a mí no había querido darme explicaciones demasiado detalladas, no pudo negarse a facilitárselas a la madre, que le hizo comprender que no iba a dejarle salir de allí hasta que respondiera a todas sus preguntas.

—No se preocupe, señora —concluyó—. Hemos podido extraer la bala y reparar los destrozos que hizo en huesos, vasos y musculatura. Va a necesitar algún tiempo de reposo y unos meses de rehabilitación, pero mi pronóstico es que recobrará toda la movilidad del brazo.

—¿Está seguro? —le apretó ella.

—Hasta donde se puede en estos casos. Le hablo de probabilidad muy alta, basada en mi experiencia y el análisis de las lesiones.

—Tampoco creo que haya sacado usted muchas balas.

El médico sonrió con mansedumbre.

—Por suerte, no. Pero algo he estudiado sobre cómo funciona el cuerpo humano. Aunque la herida era aparatosa, el daño es reversible.

La mujer no terminaba de estar convencida del todo.

—Tenga fe en mí —le insistió el médico, tomándola del brazo—. Si sigue con la evolución actual, no tardaremos demasiado en darle el alta hospitalaria, pero va a tener que pasar aquí unos días. Ocúpense de cuidarla y acompañarla. Y de ayudarla a matar el aburrimiento.

—Ojalá ese sea el mayor problema.

—Lo será, créame. Su hija tiene buen ángel de la guarda.

Tal y como me temía, al oír aquello la madre volvió los ojos hacia mí. Me acordaba muy bien de cómo no hacía demasiado tiempo, y con ocasión de nuestro viaje a una zona de conflicto, me había cargado con la responsabilidad de devolvérsela sana y salva. Aquella vez yo había estado a la altura del encargo, pero era evidente que la noche anterior, en la teórica seguridad de la serranía madrileña, mi desempeño como ángel de la guarda de su hija había dejado bastante que desear.

Cuando el médico hubo salido, el padre me preguntó:

—¿Qué fue lo que pasó anoche?

—Que me pasé de lista —respondió Chamorro, con un hilo de voz, desde la cama a cuya cabecera se había situado su madre. Me fijé en cómo le temblaban las manos a la madre al tomar la de la hija.

—No le haga caso —dije—. Y tú no hagas esfuerzos, anda.

—Es la verdad —insistió mi compañera—. Me confié y me asomé cuando no debía, en vez de esperar a que estuviera todo controlado.

—No podías imaginar a lo que te exponías.

—¿Por qué? ¿A qué se exponía? —indagó el padre.

—El individuo al que íbamos a buscar no tenía antecedentes por crímenes violentos —le expliqué—. Tampoco era el autor material del homicidio que estábamos investigando, se lo había encargado a otro a cambio de una suma de dinero. En principio, nada hacía pensar que supusiera ningún peligro. Pero en la casa había un rifle, tenía un visor nocturno y por desgracia alguien le había enseñado a utilizarlo.

—¿Un rifle?

—Del padre. Cazador. Tampoco eso lo sabíamos.

—Una noche desafortunada —musitó Chamorro.

—Eso mismo —concedí.

—Pero el tiro me lo llevé yo, por mi poco seso. Los demás estabais a cubierto, esperando a que nos dieran la señal de entrar.

—Creo que tus padres, aquí presentes, me apoyarán si digo que de lo que menos se te puede acusar es de tener poco seso. Te relajaste, eso es todo. A todos nos pasa alguna vez. Ahora no tienes que torturarte, sino dejar que te cuiden. Tómatelo como unas vacaciones.

—¿Lo detuvisteis, al final? ¿Quién lo está interrogando?

Meneé la cabeza.

—No hay nadie a quien interrogar. Eligió apuntar con el fusil a los de la Unidad de Seguridad Ciudadana, que hicieron lo que debían.

—Menudo desastre. ¿Y el otro?

—Detenido, pendiente de llevarlo al juez.

—¿Y quién se está ocupando, si tú estás aquí?

—Se lo he dejado a Salgado, mientras esperaba a tus padres.

—Apañados estamos.

—Podrá con ello, no sufras.

—Si el sicario no habla y no tenemos la confesión del otro...

—Virginia, esa debe ser ahora tu última preocupación.

—Han sido tres meses detrás de ellos.

—Por eso mismo, tenemos pruebas de sobra. Lo encerraremos.

Me puse en pie. Había llegado el momento de dejarla a solas con su familia, y aunque después de la noche en vela no estaba en plenitud de facultades, debía reincorporarme al trabajo. Mi confianza en Salgado tampoco era ilimitada y, como Chamorro había observado, muerto el que había encargado el asesinato, había que asegurar la jugada con el ejecutor, al que ya traían de camino hacia nuestras dependencias en Madrid. En lo que en ese momento no quería pensar, para evitar que mi mente colapsara, era en el regalo que me aguardaba en Formentera y que no tardaría mucho en llegarme a través de mis jefes, a quienes el teniente general Pereira ya les habría trasladado su petición.

—Esta tarde, si puedo, vengo a verte —le prometí.

—No te preocupes —dijo—. Estoy atendida. Descansa algo tú.

—No será hoy, me temo.

—Ya vas teniendo una edad —me advirtió.

—No quieras jubilarme tan pronto. Aún pienso dar guerra.

—Y yo.

—Ese es el espíritu. Hasta luego.

El padre me acompañó hasta el pasillo. Antes de despedirme de él, vi cómo se enjugaba una lágrima. Ya puede uno estar hecho del acero más fuerte y haber pasado por la prueba de fuego; cuando ves correr la sangre de tu sangre, la coraza se te ablanda hasta derretirse.

—Gracias por quedarte con ella —murmuró.

—No podía no hacerlo. Ánimo, que todo va a salir bien.

Al llegar a la unidad me encontré al equipo en pleno zafarrancho. Curiosamente, o no, los más fatigados eran los dos alevines, Revuelta y Cerdán, mientras que a Salgado, que tampoco había dormido ni un minuto la noche anterior, se la veía fresca como una lechuga.

—¿Qué te tomas, Inés? —le pregunté, desde mi aturdimiento.

—A ti te lo voy a decir. Pero tú necesitas un café doble, como poco. ¿Quieres que te lo traiga? Me encanta hacer de secre del jefe.

Salgado era aficionada a esa clase de provocaciones, tan ambiguas que nunca terminaba de dilucidar si se estaba metiendo con su viejo subteniente o lo decía de corazón. Sacudí la mano en el aire.

—Ya voy yo. ¿Ha llegado el angelito?

—Lo tienes esperando en el chiquero. Intacto. Pensé que querrías ser tú el que le picara y le pusiera las banderillas.

—¿Y el abogado?

—También esperando. Ya sabes de mi amor incondicional por el cumplimiento escrupuloso de las leyes procesales vigentes.

—Sí, ya sé. ¿Cómo viene el detenido?

—Enchulado y dispuesto a no despegar los labios. Ni con el abogado delante ni sin él. No es la primera vez que chupa calabozo.

—Estupendo.

—De todos modos, antes de que te metas con él tienes otra tarea.

—¿Cuál?

—Órdenes del comandante. Que pases a verle en cuanto llegues.

—Vale. Me lo temía.

—¿Algo que yo deba saber?

—No de momento. Luego te cuento.

Me volví a Arnau, que estaba enfrascado en el ordenador.

—¿Estás con el informe del registro?

—Ahí ando —respondió con una mirada fatigada.

—¿Crees que lo tendrás a lo largo del día de hoy?

—Por la cuenta que nos trae.

Miré a la guardia Lucía, que estaba con los archivadores del caso.

—Lucía, ya que tienes ahí toda la documentación, ¿te importa ir montándome el borrador del informe de situación para el juez?

—Es lo que estaba intentando.

—Gracias. No os merezco. Voy a ver al jefe.

El comandante Ferrer también estaba con la cabeza enterrada en el monitor de su ordenador. Deduje que estaba puliendo el informe que le había pedido el coronel para vender la actuación de la unidad en aquella accidentada operación. Di un par de golpes en la puerta.

—¿Da su permiso, mi comandante?

Se volvió bruscamente, todavía con la mente en la pantalla.

—Pasa, Vila. ¿Cómo está Chamorro?

—Consciente, orientada y cabreada. Bien. Con su familia ya.

—Gracias a Dios.

Ferrer era miembro convencido de esa minoría de la sociedad, en constante disminución, que aún no había sustituido la fe en el Sumo Hacedor por la fiebre de consumir cuantas golosinas pusieran en sus manos los prestidigitadores que se dedicaban a rellenar el vacío moral y existencial de sus semejantes. Exhibía además, lo que me parecía admirable, una suerte de orgullo militante al invocar a alguien que ya casi no formaba parte de la conversación cotidiana y *mainstream*.

—Me han dicho que quería verme.

—Sí, pasa. Y cierra la puerta, por favor.

Pensé que el comandante no sabía que yo ya sabía lo que me iba a decir, y que por eso adoptaba aquel aire de misterio. Sin embargo, a aquellas alturas de nuestra colaboración, Ferrer tenía plena conciencia de mi línea directa con Pereira, que no era ningún secreto y que en la práctica ya había visto funcionar alguna vez. Se me ocurrió que por eso, aparte de la confidencialidad del asunto, no quería que nuestra conversación tuviera testigos. Como buen oficial, Ferrer planeaba a largo plazo y en el arco completo de su carrera, y trasladar un encargo del jefe supremo del mando de operaciones a alguien que lo conocía desde la juventud de ambos y cuando él todavía no había empezado la secundaria, era una operación sensible a efectos de ese planeamiento.

—Ha aparecido un cadáver en Formentera —dijo.

Por un momento sopesé hacerme de nuevas, y preguntarle lo que si no hubiera sabido por qué me lo contaba habría sido lógico; esto es, que si no había en Baleares nadie para hacerse cargo del caso, cuando sucedía que nosotros teníamos a una compañera en el hospital y a un detenido en el calabozo, y corriendo el plazo para llevarlo ante el juez. Concluí que les debía algo más de respeto, a mi superior y a su inteligencia.

—El personal se empeña en que no nos aburramos —comenté.

—Como ya te imaginas, no te lo digo por decírtelo.

—Me imagino.

—Lo normal sería que se lo dijera a otro, con lo que tienes encima ahora, pero son órdenes del coronel y vienen de aún más arriba.

—También me hago cargo.

—Te digo lo que sé, y la razón que me dan. A lo mejor tú tienes más claves que yo para entenderlo.

Me alegré de no haber optado por hacerme el desprevenido.

—No sé. ¿Qué detalles le han dado?

—Varón, cincuenta y cinco años, muerto a palos y abandonado en pelota picada en una playa en la que a estas alturas del año, como te puedes imaginar, no se baña mucha gente. Llevaba en la isla un par de días y antes había estado una semana en Ibiza. Alojado en un hotel bueno, ahora están baratos, y dejándose ver en locales de ambiente con chicos treinta años más jóvenes. Podría ser la típica venganza de un chapero, o el típico robo violento a un homosexual maduro. Según dice el comandante de Ibiza, es lo que su olfato y las pistas le sugieren.

—Pero...

—Tiene un pasado, como todos a esa edad, aunque el suyo es un poco más interesante que el de la media. Casi diez años en prisión por colaborar con ETA, primero como legal en la estructura de apoyo de varios comandos en Guipúzcoa y luego, cuando se quemó, dentro del aparato logístico de la organización. Lo cazaron los franceses, y entre las cárceles de allí y de aquí se pasó una temporada a la sombra. No todos los años que le cayeron, porque fue de los que hace un tiempo rompieron la disciplina y se acogieron a beneficios penitenciarios.

—Ya veo —me limité a observar.

—Salió hace cinco años. Todo hace pensar que llevaba en secreto su condición sexual, de ahí que fuera a desahogarse lejos de casa.

—Entiendo que es un caso delicado. Y más si hay que tratar con la familia, que no será precisamente del club de fans de la Benemérita. Aunque me parece que no soy el único que podría ocuparse de él.

Ferrer me examinó con expresión de cautela.

—Pienso como tú. Pero aquí no pensamos ni tú ni yo, ni siquiera nuestro coronel. El teniente general Pereira le ha llamado esta mañana y le ha pedido que seas tú el que se encargue del apoyo a quienes lo están llevando en las islas. El coronel me lo ha pedido a mí y ahora soy yo el que tiene que pedírtelo a ti. O cambia el verbo *pedir* por el que prefieras. La idea es que tomes el vuelo a Ibiza que sale mañana al mediodía. Puedes llevarte a uno, y tendrás que dejar colocado y con alguien a cargo el asunto que ahora mismo tienes a medias.

Asentí con la cabeza, sin prisa por hablar.

—Tú estuviste allí, ¿no? —me preguntó de pronto.

—¿Dónde?

—En el Norte.

—Sí, estuve.

—¿Mucho tiempo?

—Casi tres años. El suficiente. Mucho menos que otros, eso sí.

—¿Cuándo caíste por allí?

—En la época buena, por la otra punta. Finales de los ochenta.

—Yo pedí ir, en su día, pero no me dejaron —me confesó, para mi sorpresa—. Aunque en mi tiempo ya no era lo mismo.

—Eso que se ahorró.

—Me habría gustado formar parte de esa historia. Es una historia que salió bien. Pudimos con ellos. Ganamos la guerra, al final.

—Ganamos y perdieron, sí. No sé si salió siempre bien.

—En todo caso, creo que se ha tenido en cuenta tu conocimiento del terreno para implicarte en la investigación. Aunque no me parece que te haga demasiada gracia reabrir esa página de tu pasado.

—El pasado no se cierra nunca, mi comandante, se acarrea. No, no es eso, lo asumo sin más. No me gusta dejar nada a medias, ni tener que rematarlo corriendo. Y menos me gusta dejar así a Virginia.

—Explícaselo. Lo entenderá.

—Seguro, no es ese el problema. En fin, es lo que hay. Cogeré ese avión, con el cabo Arnau, si puedo elegir. Espero que sea lo que dice el comandante de Ibiza. Cualquier otra opción sería delicada y laboriosa, y nos exigiría pedir ayuda a quienes controlan hoy el tema.

—Me dice el coronel que están avisados y a tu disposición. Sólo si es necesario; de momento, me insiste, la hipótesis es la que es.

—Bien, todavía tengo algún amigo por ahí, además.

—Eso nunca viene mal.

—Me gustaría aprovechar lo que queda de hoy y mañana por la mañana para resolver todo lo que pueda del asunto de anoche. Ver si se le puede sacar algo al autor material. Luego se lo dejaré a Salgado. Sabrá cerrarlo, está menos zumbada de lo que le gusta aparentar.

—A estas alturas, ya me he dado cuenta. No te preocupes.

—Pues si no ordena nada más...

—No. Tenme al corriente. De lo de hoy y de lo de las islas, según tu criterio. Y si me haces el favor, en cuanto termine este informe, te lo paso y lo lees, a ver si hay algo que creas necesario precisar.

—Claro, aunque lo dudo, mi comandante.

—Estabas allí. Eso siempre es un plus.

—No sé yo si siempre.

—Gracias, Vila. Y duerme algo de aquí a mañana.

Tenía aquellos momentos, Ferrer, en los que conseguía ser un jefe que casi me inspiraba confianza. Hasta me sentí un poco culpable por el recelo sistemático, y quizá injusto, que mantenía respecto de él. Fui a procurarme un café bien cargado y volví a reunirme con mi equipo. Sorprendí a Salgado en el pasillo, dándole largas al abogado.

—Estoy esperando a mi jefe —le decía—. Y en cuanto a lo que hay contra su cliente, ya se lo he dicho. Pruebas técnicas, intervención de comunicaciones y declaraciones de testigos. La confesión del presunto inductor, por desgracia, no tuvimos oportunidad de conseguirla.

—Eso es demasiado impreciso —protestaba el abogado—. Según la jurisprudencia del Tribunal Constitucional, tienen ustedes que...

—Mire, letrado, yo no soy abogado ni juez, me limito a hacer lo que me dicen mis jefes que haga. Si lo hago mal, ya lo pondrá usted en el recurso contra el auto de prisión, si es que lo acaban encarcelando.

—Pero...

—Buenas tardes —los interrumpí.

—Mire, aquí está mi jefe —me presentó Salgado, con alivio.

El abogado se volvió entonces hacia mí. Era un hombre bien vestido, de unos cuarenta y cinco años. Parecía escrupuloso y solvente.

—Llevo una hora y media aquí —se quejó—, y todavía no me han dejado ver a mi cliente. Sabe usted, o eso espero, que tiene derecho a comunicar a solas con su abogado antes de que lo interroguen.

—Lo sé. Ahora mismo lo pasamos con él.

—Y también sabe que están obligados a informarme de las pruebas que tienen contra él y que sostienen su imputación.

—Acaba de informarle la cabo primero.

—De forma demasiado somera.

—Como tenemos por costumbre. Nos pagan por sacar adelante las investigaciones, no por darle todas las facilidades al investigado.

—¿Y los derechos fundamentales?

—Como ya le ha dicho mi compañera, lo tiene a usted para hacerlos valer en vía de recurso, primero, y luego en el acto del juicio.

—No dude de que lo haré.

—Por eso, porque no dudamos, estamos tranquilos.

Media hora más tarde, y después de que hubiera tenido tiempo de hablar con su defensor de lo que ambos juzgaron conveniente, tomé asiento junto a Salgado ante nuestro detenido, de nombre Yéferson Valverde Azpitarte, treinta y dos años de edad, uno setenta y poco de estatura, español de origen colombiano. Por seguridad, lo dejé con las esposas puestas y nos acompañaba un agente de seguridad ciudadana que le sacaba una cabeza. El letrado protestó por ambas circunstancias, de lo que tomé atenta nota, aunque me ratifiqué en mi criterio. Que un abogado de oficio le pusiera aquellas ganas a su tarea me producía de veras una sensación de tranquilidad, no se lo había dicho con ironía. Hacía algo más difícil mi trabajo, pero lo volvía más satisfactorio. El mundo está lleno de lugares donde basta que alguien te enfile para que te arrojen a una celda, eso es algo que cualquiera puede hacer. El arte es acertar a meter en ella a alguien que tiene a quien defienda su inocencia y leyes que la harán prevalecer en caso de duda.

—Hola, Yéferson, imagino que su abogado ya le ha dicho lo que hay y mis compañeros le leyeron anoche sus derechos —comencé.

No dijo nada: se limitó a mirarme con prevención.

—Bien, mi primera pregunta es si va usted a declarar.

Sacudió la cabeza a un lado y a otro sin despegar los labios.

—Es su derecho, faltaría más. Mi segunda pregunta es si no se le ha pasado por la cabeza la posibilidad de reconocer alguna cosa. Si no lo hace, siempre cabe el riesgo de que se le impute algo más grave de lo que de veras hizo. Supongo que se lo habrá advertido su abogado.

El abogado no habló. Sí lo hizo, por primera vez, el detenido:

—Yo no he hecho nada.

Miré a Salgado, luego a los papeles que traía, y que no tenían nada que ver con el caso, pero que dejaba a la vista para que el abogado y el interrogado se pusieran nerviosos tratando de leerlos del revés.

—Ya. El caso es que me cuesta un poco creerle. Y al juez, al que le vamos a pasar todo lo que tenemos, también le va a costar. Hasta me atrevo a sospechar que al jurado le costará creerle a usted.

Entonces sí intervino el abogado:

—Mi defendido ya ha dicho que no va a declarar. Si quiere hacerle más preguntas, hágaselas, pero no trate de manipularlo.

Le observé. Procuré que mi gesto fuera cordial.

—Me va a disculpar, letrado, pero con todo el respeto hacia su labor, esto no es un juicio, sino un interrogatorio policial, el policía soy yo y yo decido cómo y cuándo pregunto, con el límite de los derechos que tiene su defendido, y que no creo haber vulnerado hasta ahora.

Se pensó si debía replicarme. Eligió no hacerlo. Intuyó que yo estaba a punto de desvelar alguna información que le convenía saber, y no iba descaminado en esa intuición. Sin apresurarme, procedí:

—¿Le suena a usted este número de teléfono?

Leí el número que había escrito en un pósit, pegado en el segundo folio del mazo que tenía ante mí. Lo hice número a número.

—De nada —respondió Yéferson.

—No tienes que contestar, si no quieres —recordó el abogado.

—Eso ya lo sabe, se lo hemos dicho todos —le advertí—. Le ruego que no interfiera usted si no es absolutamente imprescindible.

De nuevo se abstuvo de replicarme. Quería saber más.

—Es curioso que no le suene —dije.

Se me quedaron mirando los dos, abogado y detenido, expectantes. Alargué un poco más la incertidumbre, dirigiéndome a Salgado.

—¿Verdad que es muy curioso, Inés?

—Verdad —asintió—. Tanto que estoy flipando.

Subrayó mi compañera lo dicho haciendo subir y bajar la barbilla, mientras mantenía los labios apretados y clavaba en el detenido sus ojos muy abiertos; tanto, que parecía no estar en sus cabales. Dejé que su desconcierto fuera máximo, antes de darle la estocada.

—Es cierto que no está a su nombre, sino al de un tal Abdul ben Mohamed, pero no es menos cierto que resulta ser también el número que tiene dado usted en la guardería de su hija. ¿Sucede tal vez que así es como se llama el canguro que se la recoge de vez en cuando?

El tipo flaqueó, visiblemente. Una sombra cruzó por el rostro de su abogado. La experiencia decía que era el momento de no callarse, de seguir alimentando con parsimonia la zozobra del detenido.

—O mejor dicho —proseguí—, no de vez en cuando, sino siempre que no la recoge la madre, porque el otro número que tienen es el de ella. ¿Le impide su vida prestarle atención a su hija, Yéferson?

El abogado fue a decir algo.

—Ya se lo recuerdo yo —me adelanté—: no tiene que responderme, puede usted quedarse callado y dejar estas preguntas en el aire, ahora y hasta el final. La cuestión es si esa es la decisión más inteligente, y para que termine de pensarlo le puedo añadir que este número estaba localizado en el lugar donde apareció el cadáver de Roberto Aranda Fernández el pasado dieciséis de mayo, a la hora en la que según el forense recibió los disparos que acabaron con su vida. También es el número desde el que se enviaron unos wasaps un tanto sospechosos al de Gabriel Terradas Seoane, desgraciadamente fallecido anoche al resistirse a los agentes que trataban de detenerlo, y antiguo empleado del señor Aranda. Llevo mucho tiempo en este oficio, he visto de todo y sé que a veces se dan casualidades increíbles. Pero esta es de verdad sensacional, tanto que no creo que deje indiferente a nadie.

—A mí, por ejemplo, no me deja —anotó Salgado.

Yéferson miró a su abogado. El abogado miró a Yéferson. Al cabo de una fracción de segundo, el abogado meneó la cabeza. Yéferson tragó saliva, apretó los dientes, frunció el ceño, sacó fuerzas para decir:

—No voy a declarar. Ya le he dicho que yo no lo hice.

—No voy a insistirte, Yéferson. No quiero que tu abogado, que es un buen profesional, me acuse de torturarte psicológicamente. Sólo te quiero decir, como amigo, que creo que aquí estás en condiciones de elegir entre lo malo y lo muy malo. Bueno no va a ser nada de lo que salga de esto, y si te empeñas en rehuir lo malo, no vas a poder estar seguro de que lo muy malo no te acabe cayendo encima. Ahora bien, no tienes por qué creerme. Tenemos un par de días más, habla con tu abogado, pregúntale, debatidlo, y ya volveremos a charlar un poco más adelante, mientras terminamos de cerrar las diligencias. Lo hago por la víctima, y por tratar de asegurar el trabajo de mis compañeros y el mío, pero también por ti, porque siento la obligación moral de darte esta oportunidad. No podría dormir tranquilo si no lo hiciera.

Mentiría si dijera que no me satisfizo su expresión de estupor, o el mutismo en que cayó su abogado después de escucharme. De todos modos, no podía ni debía recrearme en aquella sensación.

—Llevadlo de vuelta al calabozo —ordené, poniéndome en pie.

El abogado me imitó, automáticamente.

—Y usted, letrado, puede hablar otra vez con su cliente, si lo desea, y luego marcharse. Le llamaremos si volvemos a interrogarlo.

De vuelta con el resto del equipo, y ante la pregunta que en nombre de todos formuló la guardia Lucía, fue Salgado quien se ocupó, a su manera, de dar cuenta de cómo había resultado el interrogatorio:

—Cumbre. Las dos orejas y los dos rabos.

—Salgado, por Dios —le afeé, ante el rictus de asco de Lucía.

—La pura verdad, jefe. Has estado sembrado. Impropio del sueño que tienes encima y de los años que cargas sobre los hombros.

—Tú quieres acabar arrestada hoy.

—Te estaba elogiando —se excusó.

—Entonces, ¿ha confesado? —preguntó Lucía.

—No, por ahora —dijo Salgado.

—¿Y lo hará más adelante? —intervino Arnau.

—Yo digo que sí —apostó la cabo primero.

—Yo digo que no —aposté yo.

—¿Y esa poca fe?

—El abogado es bueno —expliqué—, cuando salga del shock y vea que lo que tiene es un asesinato o un asesinato, y un cliente con pocas luces, discurrirá que a pesar de todo lo que le conviene es cerrarse en banda, en vez de aceptarlo y tratar de armar, para bajarle la pena, un cuento que no será capaz de sostener con una consistencia mínima.

—¿Y la atenuante de confesión tardía? —apuntó Salgado.

—Valdría si el inductor estuviera vivo —razoné—, porque serviría para condenarlo. Pero está muerto y ya no hay acción contra él.

—No sé, algo es algo, cuando estás perdido.

Me mantuve en mi previsión escéptica.

—Cuando estás tan perdido, sólo se puede ir al órdago. Negar todo y esperar que suene la flauta de una nulidad, o de un jurado cobarde. O mucho me equivoco, o van a ir por ahí. En todo caso, vas a tener tu oportunidad de intentarlo, mi cabo primero, porque yo mañana me largo y te dejo con el paquete para que lo termines de envolver.

—¿Cómo que te largas? —saltó, sorprendida.

Miré al resto del equipo, que participaba de su asombro.

—No sólo yo, también Arnau.

—¿A dónde? —preguntó el aludido.

—A Formentera. No te quejarás.

Salgado alzó las cejas.

—¿Hay alguien en Formentera en esta época del año?

—Por lo menos dos personas —respondí—. Un ciudadano al que han encontrado desnudo y muerto a palos en una playa y el que le dio al bate de béisbol, o lo que fuera, hasta que el otro dejó de moverse.

—¿Y por qué tenemos que ocuparnos nosotros? —terció Arnau.

—Eso te lo cuento mañana en el avión, que no quiero que ahora te me distraigas, ni que se me distraigan los demás. Todo lo que necesitas saber es que lo mandan los jefes, y a estas alturas me imagino que ya sabes que el chiringuito donde te metiste no es una democracia.

Arnau asintió, en silencio. Le constaba, como a todos.

4
Quizá no fuimos los mejores

Les dije a los míos que me iba, aunque todavía nos quedaba tarea, para poder hacer la maleta del día siguiente y descansar un poco antes de tomar el avión a las islas, donde me aguardaba un encargo que no tenía pinta de permitir que me relajara. Le ordené a Arnau que hiciera otro tanto, porque lo necesitaba despejado cuando encaráramos la nueva investigación que nos había caído en suerte. Sin embargo, en lugar de conducir hacia mi casa, enfilé por la circunvalación y luego por la carretera de La Coruña hacia la sierra. Espeso como iba, y sin pisarle de más al acelerador para no jugármela con mis reflejos disminuidos, veía como en un sueño los coches, muchos de ellos de alta gama, que me rebasaban a toda velocidad por las curvas de la autovía. En ellos adivinaba o incluso acertaba a tener algún atisbo de ejecutivos y ejecutivas que regresaban a su chalet después de la jornada de labor, o de crear valor para sus respectivas empresas, como muchos de ellos gustaban de decir para justificar sus abultadas nóminas, esas que cada vez estaban más lejos del alcance de los trabajadores corrientes.

Me preguntaba a menudo cuánto aguantaría el tinglado, sometido a la tensión derivada de esa brecha creciente entre quienes se lo podían permitir todo y quienes apenas podían permitirse nada. Verdad era que también a los que desempeñaban puestos ejecutivos y se habían comprado un chalet les habían llegado las rebajas, que los habían enviado a no pocos de ellos al desempleo y que habían provocado que más de uno fuera desahuciado por los bancos; pero eso no alteraba la base de la inecuación, en la que cada vez era menor la renta que tocaba a cada vez más gente en proporción a la que, en el otro término, acumulaba un porcentaje cada vez más pequeño de manos. Había quien auguraba que esa contradicción clamorosa del capitalismo conduciría a su fatal implosión. Había quien con ese discurso llegaba incluso al Parlamento y se sentaba, airado y desafiante, entre los desconcertados padres de la patria. El cambio efectivo que eso iba a suponer no tardaría en verse, cuando con la renta adquirida por esa vía alguno de esos presuntos revolucionarios se comprase su chalet y viajara cada noche en su coche de alta gama, pagado por otros y con chófer, de vuelta al hogar.

Me sacudí estas cavilaciones, que a fin de cuentas sobrepasaban con mucho mi lugar en el mundo; un lugar que los ideólogos de la revuelta venían a reducir al de esbirro de ese capital que devoraba codicioso el planeta, sus recursos naturales y las vidas de sus gentes. Hacía tiempo que había renunciado a saltar a la arena de la especulación abstracta para rebatirlos. Incluso estaba dispuesto a aceptar que en el terreno de la abstracción sus argumentos fueran correctos: a fin de cuentas, ya lo estipularon los griegos hace veintitantos siglos, la ley siempre sirve en último término a lo que le conviene al más fuerte, que es quien tiene el poder para hacerla vinculante, y yo era un servidor de la ley. A mis cincuenta y cuatro años, y después de haber visto a tanta pobre gente avasallada y a tanto desalmado haciendo daño al prójimo, provisto de las más variadas excusas, prefería vivir en lo concreto y, abandonando el aséptico mundo de las ideas, situarme en el primer término más bien mugriento que me incumbía. Allí mi trabajo era, en resumidas cuentas, defender los intereses de alguien que siempre era más débil contra los de alguien que matándolo, secuestrándolo o humillándolo había demostrado ser más fuerte. La descripción valía incluso para aquel pobre diablo al que habían tenido que abatir mis compañeros la noche anterior, un infeliz que después de un revés laboral, y sin haber adquirido un dominio suficiente del arte de vivir, se había embarcado en un dislate que había de costarle todo, incluida la existencia. En el momento en que había contratado a aquel sicario, y le había dado la información necesaria, se había erigido en juez y rector de los destinos de su víctima, cuya vida había truncado a su plena satisfacción. A partir de ahí, a mí me importaba poco si el asesinado era una bella persona que había despedido a un empleado deshonesto o un empresario déspota que se había deshecho de un asalariado vulnerable. En el país donde vivo la pena de muerte está felizmente desterrada, y nadie, por dura y amarga que sea su suerte, tiene derecho a aplicársela a otro. Quizá sea esta una construcción burguesa, destinada a encubrir los abusos de las clases dirigentes bajo una capa de humanitarismo superficial; en todo caso, es un argumento coherente y consistente en sí mismo, y me sirve para el día a día; algo más que todas esas utopías inflamadas que, la Historia lo demuestra, conducen una y otra vez a policías políticas, privaciones y mazmorras donde la vida no vale nada, en beneficio de cuatro espabilados que pastan a placer en nombre del pueblo.

Y sobre todo, no me avergonzaba reconocerlo, me importaba muy poco si aquel hombre había tenido o no motivos, y menos aún que ya no pudiera explicarlos, desde el punto y hora en que había decidido desahogar su desesperación, o propiciar que lo mataran, intentando acabar con la vida de mi compañera. A aquellas alturas del partido, más que la maldad me exasperaba la estupidez: la tendencia del ser humano a provocar destrozos inútiles, sin pensar ni por un momento en el dolor que eso pueda esparcir ni en los otros seres humanos a los que alcanza la onda expansiva de sus mamarrachadas. Lo más odioso de aquel disparo alevoso en mitad de la noche era que no sólo le había dado a Chamorro, sino que también había alcanzado, por ejemplo, a esos dos ancianos que dormían tranquilamente en una casita a más de seiscientos kilómetros en San Fernando, Cádiz, y que habían tenido que subirse a toda prisa a un coche sin saber si su hija iba a vivir.

Los encontré al pie de la cama de Virginia, algo más tranquilos que por la mañana, pero visiblemente exhaustos. Mi compañera estaba a medio incorporar en la cama y tenía la mirada algo brumosa.

—¿Cómo va eso, Vir? —le pregunté.

—Tengo un poco de fiebre, era de esperar.

—¿Te ha visto el médico?

—Sí, que no me preocupe. Y antibióticos. ¿Ha confesado?

—Olvídate de eso. ¿Y el dolor?

—Llevadero, para eso me drogan.

—Y no dejes de pedir que te droguen, mientras te duela.

—Dime, ¿ha confesado?

—¿Tú que crees? —me rendí.

—Que no.

Me volví a sus padres, para incluirlos en la conversación.

—Ya no confiesa casi nadie. Eso era de cuando se creía en la culpa. Cuando alguien creía aún tener la culpa de algo, quiero decir. Ahora todo el mundo tiene una justificación, o un culpable alternativo.

—¿Ha acusado a alguien? —preguntó Chamorro.

—Por ahora sólo se niega a declarar. El abogado que le ha tocado es listo. Si lo conserva, es posible que se enroque ahí, y a ver qué sale.

—Se inventará algo, no podrá resistir la tentación.

—Bueno, eso ahora es lo de menos, mi brigada —zanjé el asunto, y dirigiéndome al padre, le pregunté—: ¿Han cenado ustedes?

—Hemos tomado un bocadillo, esta tarde.

—¿Por qué no salen a cenar en condiciones? En el pueblo seguro que encuentran algo abierto. Yo me quedo con ella mientras tanto.

Los vi dudar. No dejé que se resistieran.

—Vamos, no se lo piensen. Me quedo aquí con gusto. Y de paso, no sé si han pensado quién se quedará a dormir, pero si se va a quedar usted —le dije al padre—, y quiere dejar a su esposa en casa de su hija o donde vaya a pasar la noche, le espero sin ningún problema.

—Me quedaré yo —dijo la mujer—. Pero a ti se te ve molido.

—Ahora le pido un chute de algo al médico —bromeé—. Vamos, se lo digo en serio. Vayan a cenar por ahí, que se la cuidaré bien.

Algo en la mirada de la madre me hizo notar que se daba cuenta de que yo quería ese rato para hablar a solas con Virginia, además de darles una cobertura que les ofrecía con toda sinceridad. Sea como fuere, se hizo con su bolso y con su abrigo y le dijo al coronel en la reserva:

—Creo que este muchacho tiene razón. Anda, vamos a cenar y luego ya te vas tú para la casa de la niña y me preparo yo la cama.

El coronel Chamorro tomó su abrigo. Como tantas otras mujeres de militares de alta graduación, aquella tenía notorio mando en plaza. No dejaba de ser un tópico, pero que se confirmaba una y otra vez y que me hacía pensar en los extraños y a veces contradictorios mecanismos psicológicos que rigen la influencia de unas personas sobre otras.

Cuando nos quedamos solos, Chamorro me sonrió.

—Me alegra que hayas venido a verme.

—¿Lo dudabas?

—Estabas ocupado.

—Tenemos un equipo. Perfectamente capaz de hacer lo que queda.

—Vaya desliz más tonto. A mis años.

—Eres una niña todavía, ya has oído a tu madre.

—Cuarenta y tres. No me hago ilusiones, diga lo que diga mi madre. Empiezo a entrar en la edad de la invisibilidad femenina.

—Eso era antes. Tú vas a hacerte ver unos años todavía.

—O por lo menos, en la de pensar antes de dar un paso.

—Ha sido un accidente. Podría haber sido yo.

—Mira que no lo imagino. De alguna manera, tú siempre piensas.

—No siempre, y te consta.

—Incluso tu descontrol está controlado, en el fondo.

—¿Tú crees?

—Si no, no habrías llegado a tu edad sin un rasguño. Eso es algo que yo ya no voy a poder decir. Y tú te la has jugado más que yo.

—¿Y lo que vas a ligar con esa cicatriz?

Su cara se torció en un gesto dolorido.

—Espera a que se cierre primero.

—He estado hablando con los de balística. Eres una mujer de suerte.

—¿Y eso?

—Por el tipo de munición que empleó el fulano y la distancia a la que te disparó. Resulta que es una munición ligera y de alta velocidad pensada para matar de lejos a los ciervos. Pero a ti te disparó desde cerca, por lo que el proyectil impactó contra tu cuerpo con un exceso de energía y se deshizo su blindaje. Por eso no te atravesó, como habría sucedido de alcanzarte desde más lejos, y te dañó menos, aunque el cirujano haya tenido más trabajo sacándote cachitos de plomo.

—Lo del exceso de energía ya te lo confirmo yo —dijo—. Fue un zurriagazo tan fuerte que casi ni lo sentí en el momento.

—Te quedaste aturdida.

—Me quedé medio idiota. Pensé que ya estaba fuera.

—Por suerte no lo estás. Aunque lo temimos todos.

—¿También tú?

—El que más. Soy el que más habría perdido.

Sentí que se ablandaba. La fiebre, tal vez.

—¿De verdad lo crees? —preguntó, con los ojos húmedos.

—Cuántos años son ya, Vir.

—Una pila —dijo, con un resoplido—. Como veinte.

—Ya no sé si podría hacer esta mierda que hacemos sin ti.

—Seguro que sí. Ahí tienes a Arnau. A Salgado.

—Los dos son buenos, a su modo. Pero ninguno eres tú.

—¿Y qué te aporto yo?

—Orden, consistencia, firmeza.

—Cualidades sin ningún glamur. Otro lo llamaría rigidez.

—No yo —la rebatí—. Te he visto doblarte cuando convenía. Nunca antes ni después, y eso es un arte que ya me gustaría a mí dominar.

—¿Sabes qué?

—Qué.

—Que preferiría que me dijeras eso que dice tu Jep.

—¿Mi Jep?

—Gambardella. El de la película aquella que me hiciste ver.

—Alto ahí, yo no te obligué a nada.

—No, tú sólo me la recomendaste, fui yo la que me senté delante de la tele y me la tragué de principio a fin. En dos tandas, confieso.

—¿A qué te refieres, de todo lo que dice?

—A eso que le dice a la amiga, la comunista pija que tiene una casa con dos piscinas, exterior e interior. La que va dando lecciones morales a todos y no sabe que su marido se la pega con otro hombre.

—Somos amigos y nos consolamos unos a otros de nuestras vidas devastadas —recordé, con menos imprecisión de la deseable.

—Esa es la idea. Aunque yo lo diría de otra forma. ¿Quién sino tú a mí, o yo a ti, puede ayudarnos a sobrellevar nuestro fracaso?

—Nadie lo conoce mejor, desde luego —le concedí.

—*Ecco.*

—Pero si crees que vine para suicidarnos juntos, te equivocas.

Se echó a reír.

—¿Y quién quiere suicidarse, bobo?

—Eso digo yo. Nuestro fracaso es fastuoso y trepidante.

Dejó que la risa se le gastara. Luego me miró a los ojos.

—Despejado el malentendido, dime, ¿a qué viniste?

Asentí despacio, sosteniéndole la mirada.

—No se te escapa una.

—No tengo tanta fiebre. Treinta y ocho.

—Anoche me llamó Pereira. Por cierto, que me pidió que te diera un abrazo de su parte, se me olvidó decírtelo esta mañana.

—Cuánto honor.

—Siempre te tuvo en gran estima. Lo mismo, ahora que es el jefe, considera que esta es la ocasión de darte una cruz pensionada.

—No la merecería. Sería una recompensa a la torpeza.

—Como tantas otras que se dan.

—¿Y qué te dijo, aparte de darte recuerdos para mí?

—Más que decirme, me ordenó, a su manera. Ya sabes que siempre es exquisito y que procura no hacerte sentir nunca los galones.

—Oblicuo pero inexorable. Ya lo sé.

—Esa me la anoto —dije, admirado por su finura—. Resulta que han matado a alguien, nada menos que en Formentera. Y adivina quién es el pringado que según el teniente general tiene que salir pitando.

—Tiene dependencia de ti. Debería ir al psicólogo.

—No me imagino a Pereira delante de un psicólogo. Y menos aún a un psicólogo, pobre, atreviéndose a aconsejarle algo.

—Bueno, ya lo hemos vivido muchas veces. Esta te toca sin mí.

—Me resistí. Traté de hacerle ver que lo suyo era esperar a cerrar las diligencias con el detenido de anoche, a que tú te recuperaras.

—Pero tu teniente general tenía mejores argumentos.

—Algo así. El muerto es un exetarra. Si es que eso se deja de ser.

—Vaya. ¿Un viejo conocido tuyo?

—No me suena de nada el nombre. Aunque por la edad, debía de andar ya haciendo maldades cuando yo estuve por allí. Tampoco era uno de los grandes carniceros de la pandilla. Un colaborador.

—Comparto el criterio de Pereira —dijo—. Nadie mejor que tú.

—Me jode mucho irme dejándote así, Virginia.

—No te pongas solemne, mi subteniente.

—No es solemnidad, es lo que siento. Quizá debería negarme.

La mirada le brilló.

—¿Te insubordinarías por mí?

—Sin dudarlo.

—Pues no es necesario que lo hagas, te relevo de esa obligación. Te vas para Formentera como manda el jefe y te ocupas de adjudicarle el muerto a quien le corresponda. Y si te parece, me vas contando lo que averigües, así me aburro menos en los días que tengo por delante.

—Claro. Aunque hay otra razón que me echa para atrás.

—El qué.

—Me estoy imaginando ya unas cuantas cosas. El muerto tendrá familia, que también será de ellos. Y a las malas, lo mismo me toca ir otra vez a Guipúzcoa. Entiéndeme, para ir de vacaciones, a comer y beber, es un sitio estupendo, pero para volver a hacer allí de guardia civil, me da un poco de pereza. Ya tuve bastante ración en su día.

—Por eso quizá es bueno que lo hagas tú, porque no te apetece, y vas a dejarte guiar por el estricto deber. Pereira es un zorro.

—Desde el día que le conocí, y mira que hace tiempo.

—Siento que me pille aquí postrada.

—¿Por?

—Era la oportunidad perfecta para sonsacarte sobre todo eso que no cuentas nunca. Sobre aquella guerra. Además, ahora es agua pasada, ya no pueden hacer nada y están a un paso de disolverse. Quizá sea el momento de que le abras el corazón a tu compañera de fatigas.

—A ver lo que tardamos en hacer la luz con este muerto, si es que la hacemos. Tú date prisa en ponerte buena y a lo mejor te da tiempo a venirte conmigo, si hay que hacer algo por allá arriba. Prometo que te llevaré a comer bien, por una vez. Y si me haces beber lo suficiente...

—Te tomo la palabra. Y me aseguraré de emborracharte.

—Bueno, por ahora, tú haz caso a los médicos.

Poco después, se presentaron sus padres, tras una cena que adiviné algo más apresurada de lo que yo les había sugerido. La dejé allí, con su madre, y me fui con su padre camino del aparcamiento del hospital, donde los dos teníamos el coche. Antes de separarnos, quise darle ánimos a aquel hombre que tenía herida y maltrecha a su única hija.

—La veo muy bien, dentro de nada está dando guerra.

Asintió, ostensiblemente emocionado.

—Es una guerrera, sí. Como hay pocas. No saben mis compañeros de la academia lo que dejaron escapar cuando la suspendieron.

Aquel era uno de los traumas fundacionales de Virginia, y constaté en ese momento que era también la espina que aquel hombre llevaba clavada: que su hija hubiera intentado ingresar en la escuela naval en un momento en el que apenas entraban allí mujeres y no hubiera conseguido saltar la valla desproporcionada que se le oponía.

—El mundo perdió una buena infante de Marina, desde luego, pero a cambio ganó la mejor policía que yo me he echado a la cara. Y por ahora, seguimos teniendo más asesinatos que desembarcos...

Se lo tomó con buen humor:

—Es un argumento contundente. Me agarraré a él.

Hasta que salimos a la autovía traté de no perderlo, para hacerle de guía por aquellas carreteras serranas que tal vez no conocía, o en todo caso conocía peor que yo. Una vez que estuvimos en la autovía, a salvo de cualquier extravío, le di gas al coche. Como solía sucederme cuando me saltaba una noche de sueño, después de los dos o tres bajones del día me veía al final de la jornada con más energías que al empezarla. Sabía que no duraría, y que tan pronto como apoyara la cabeza en la almohada me quedaría frito. Sin embargo, para hacer el viaje de vuelta a Madrid me servía, e incluso me sentí lo bastante sobrado como para compatibilizar aquella tarea con otra. Busqué en la agenda del móvil el número de mi madre y, aprovechando el manos libres, me dispuse a darle cuenta, siempre convenientemente censurada, de mis andanzas. Procuraba llamarla todas las noches, para hacerle un poco más llevaderos los doscientos y pico kilómetros que nos separaban y la soledad, por fortuna no en exceso amarga y todavía saludable, de su vejez. La noche anterior no había podido y no quería que se preocupara.

—¿Dónde andas, hijo? —me preguntó.

—En algún punto entre Galapagar y Torrelodones —le respondí, con aquella costumbre de ser lo más exacto posible que la experiencia me decía que era la mejor forma a mi alcance de tranquilizarla.

—¿A estas horas?

—Volviendo a casa. A hacer el equipaje.

—¿Otra vez? ¿A dónde ahora?

—A Formentera. Los jefes me quieren.

—Ah, sí. Lo vi ayer en el telediario. Un hombre en una playa.

—Ese mismo.

—¿Y por qué tú?

—Parece que no era un ciudadano ejemplar.

—¿Y eso qué quiere decir?

—Anda, no te preocupes. Ya te lo contaré todo en detalle cuando lo averigüe y se lo pasemos al juez. ¿Tú estás bien?

—Lo bien que se está entre los setenta y los ochenta. ¿Y tú?

—Lo bien que se puede con el medio siglo a cuestas. O mejor.

—Vale. Espero que cuando te pase algo gordo me lo digas.

—Claro, mamá. En qué hombro voy a llorar si no.

—¿Vas conduciendo, no?

—Sí, pero llevo el manos libres.

—Es igual, dicen en la tele que se pierde la mitad de la atención. Anda, que ya has cumplido, fíjate en la carretera y llega bien a casa.

—Un beso, mamá.

—Otro para ti. Y no hagas tonterías.

—¿Cuándo las he hecho?

—Cuándo dejarás de hacerlas.

Así va la vida. Puede permitirte rodar por sus caminos durante los años que sea, que nunca dejarás de estar desnudo a los ojos de quien tras darte el ser se ocupó de ampararlo y encauzarlo en la medida de sus fuerzas y posibilidades. Por lo menos, celebré que la noticia del tiroteo en el que nos habíamos visto envueltos no hubiera llegado todavía a sus oídos, aunque era sólo cuestión de tiempo que se enterara y atara todos los cabos. Los acontecimientos del día, con la guinda de aquella conversación, me invitaban a eso que me empeñaba en hacer lo menos posible: el balance de mis aciertos y mis yerros y el examen del sentido que pudiera tener el conjunto. Para ahuyentar el peligro, busqué en el teléfono móvil una música que escuchaba sólo cuando nadie me acompañaba, porque quizá revelaba de mí más que otras que no me importaba compartir. Aquella canción me vaciaba de mis recuerdos y mis remordimientos, de mis prejuicios y mis cicatrices, de mí mismo en suma, como pocas otras. *Itsasoa gara*, se llamaba en euskera, y la cantaba el grupo Ken Zazpi. Ayudaba, y no poco, que estuviera escrita en una lengua que no sólo me era ajena, sino que durante mucho tiempo había percibido como hostil, porque era la de mis enemigos. Ahora estaban ya muy lejanos aquellos días, había corrido el agua y algo más que el agua bajo los puentes y, sobre todo, había tomado la distancia suficiente para comprender que las lenguas, todas ellas, son rescoldos inocentes de la hoguera de los horrores sufridos y cometidos por las gentes que las forjaron. En cualquiera se puede ser libre y se puede ser justo y se puede rozar, que nunca poseer, la belleza.

Por eso le di sin más al reproductor y en los altavoces del coche sonó aquella guitarra, y luego la voz de alguien con quien apenas habría coincidido en nada, y que así y todo me tocaba una fibra profunda cuando decía que quizá no fuimos los mejores, pero esa era nuestra vida. También cuando hablaba de no quedarse en el antiguo llanto, porque, gracias a él, ahora éramos el mar. O como ellos lo cantaban: «*orain itsasoa gara*». No se me escapaba que quien había escrito aquella letra pensaba en lágrimas y mares muy diferentes de los míos, pero me confortaba comprobar que el sentimiento podía compartirse incluso desde la lejanía más absoluta cuando viajaba a lomos de la música. Aquello era tal vez un indicio de cómo podía alcanzarse la concordia y, lo que era más importante, alguna reparación para el dolor; si es que alguna vez era aquella la preocupación primera y dejaba de prevalecer el sórdido cálculo de intereses que suele escribir la Historia.

Sería por la canción y lo que esa noche me había removido, algo más que en otras circunstancias, o tal vez por todas las horas que llevaba sin dormir; el caso es que cuando llegué a casa me sentí inusualmente abatido y melancólico. Hacía ya muchos años que me había prohibido a mí mismo dejarme resbalar por esa ladera, así que me obligué, antes de nada, a afrontar con diligencia la tarea siempre engorrosa de doblar camisas en número suficiente para mi previsible ausencia y preparar el resto del equipaje para el día siguiente. Después, en busca de algo que me sacudiera y me sacara de mis propias preocupaciones, marqué el número de mi hijo. Hablar con él no sólo obedecía al cumplimiento de mis responsabilidades paternales, sino que siempre, y más desde que él llevaba una vida independiente y esas responsabilidades habían pasado a ser menos perentorias, me proporcionaba un estímulo por el que nunca podría estarle lo bastante agradecido. Tenemos los hijos sin saber muy bien por qué, creemos mientras los criamos que sólo están para darnos quebraderos de cabeza y un buen día nos encontramos con que gracias a ellos se sostiene la luz menguante del existir.

—A la orden, mi subteniente —respondió, enérgico.

—No me toques las narices, anda.

En realidad, me las había empezado a tocar un año antes, cuando había decidido, contra mi criterio y mi consejo, ingresar en la misma empresa que le abonaba la nómina a su padre. Había tratado por todos los medios de disuadirlo, pero él había desmontado, con pericia digna de mejor causa, cuantos argumentos acerté a ofrecerle acerca de las opciones mucho más ventajosas que le abría su titulación en Derecho. La condición humana tiene estas paradojas: padres que se empeñan en inculcar a sus hijos la necesidad de continuar un negocio familiar que estos acaban aborreciendo por culpa de esa insistencia, y otros que sin hacer jamás ninguna apología del oficio al que se dedican, o incluso advirtiendo contra sus penurias y sinsabores, se encuentran con que a sus descendientes les acaba dando por ejercerlo. Lo que demuestra una sola verdad universal: los hijos siempre nos dan esquinazo.

—¿Cómo va todo por ahí? —le pregunté.

—Bien, aquí sigo, vigilando los volcanes. Ninguno se ha movido ni echa nada que resulte preocupante, por el momento.

Me gustaba que mi hijo no hubiera perdido el sentido del humor, incluso que le hubiera dado por volverse más cáustico. Cuando me había dicho que se iba a pasar su año de prácticas a Lanzarote, había temido que pasada la novedad del buen tiempo y la playa se desmoralizara por los diversos argumentos que una isla como aquella ofrecía para hacerle lamentar haberla elegido como lugar de trabajo. Además de la limitación de movimientos que implicaba de por sí la insularidad y los problemas de vivienda, comunes a todas las islas turísticas, iba a tocarle padecer la presión suplementaria de los meses de temporada, que en Canarias, por su clima benigno, eran muchos. Allí, como en otros destinos similares, las plantillas apenas estaban dimensionadas para asumir el desafío que planteaba la presencia continua de una desmesurada población flotante, de las culturas y procedencias más variopintas y con una inclinación irresistible a disfrutar del segundo gran aliciente, tras el sol, que España tenía para sus visitantes, sobre todo los venidos del norte europeo: unos impuestos sobre las bebidas alcohólicas muy inferiores a los vigentes en sus países de origen.

—¿Te dan mucha guerra los vikingos?

—La justa y necesaria. Aunque no voy a engañarte, cada noche que me toca servicio empeora un poco más mi concepto de ellos.

—La culpa ya sabes de qué es.

—Sí, de que en su tierra no les da para beber tanto. Pero no es sólo el alcohol, de vez en cuando te toca alguno que va puesto de todo.

—Pues con esos, distancia, y si hay que reducirlos...

—La otra noche tuvimos que pedir refuerzos. Entre diez metimos al maromo en el coche. La cocaína le salía a chorros por los ojos.

—Bueno, me alegra ver que lo llevas bien.

—La verdad, papá, estoy deseando que pase el año y pedir pasarme a policía judicial. O a explosivos. Cualquier cosa menos rural.

—No subestimes lo que haces ahora. Sois las antenas, los ojos y los oídos de la ley sobre el terreno. En muchos sitios, la única presencia real del Estado. Y eso sirve para mucho más de lo que imaginas.

—Hay días que me cuesta imaginarlo, sí.

—¿Te he contado alguna vez quién detuvo al etarra más peligroso y más escurridizo de todos los que hubo en sesenta años?

—No.

—Dos guardias de pueblo de Sevilla. Con los ojos bien abiertos, eso sí. Le echaron el guante al tipo que durante años nos la había jugado a todos los del servicio de Información. No sabíamos nada de él.

—Patrullando entre los volcanes y entre los guiris borrachos, no veo yo que vaya a pillar mucho más que algún lagarto o un mal golpe.

—Nunca se sabe.

—¿Y tú, cómo vas? —se interesó.

Desde que tenía un guardia civil por hijo me costaba más dejarle al margen de lo que el servicio me deparaba. Tampoco me extendía en más detalles de los que me permitía la discreción profesional.

—Te vas a reír —le dije—. Me toca irme a una isla más pequeña que la tuya, pero a nada que la cosa se enrede me veo volviendo al sitio donde aprendí de verdad de qué iba este oficio. A Guipúzcoa.

5
Si quieren guerra

No hay mejor aprendizaje que el de los golpes, y no hay golpes más instructivos que los potencialmente letales. La demostración práctica la tuvimos Álamo y yo aquella mañana gris en la que avanzábamos con el arma prevenida por las calles de un pueblo del Goierri, con la intención de tomar posiciones para cubrir una operación de los compañeros del servicio de Información contra la estructura de apoyo de un comando de ETA. Vestíamos aún el uniforme verde, que era en aquellas calles un seguro de odio, así que por la cuenta que nos traía íbamos con los cinco sentidos bien alerta. Fue el oído el que nos sirvió para tener la primera noticia de lo que se nos venía encima. Un alarido rasgó el aire sobre nuestras cabezas, a la vez que daba el aviso:

—*Txakurrak!*

La rapidez con la que el infierno se desencadenó sobre nosotros nos dejó muy poco margen para reaccionar. En cuestión de segundos nos estaba cayendo de todo: basura, barreños de agua, macetas. Pero el momento de la verdad llegó cuando a poco más de un par de metros detrás de nosotros escuchamos aquel estampido metálico. Sonó como una explosión, seguida por otras dos más amortiguadas. Fue Álamo el que se volvió primero y, sin darme apenas tiempo a hacer otro tanto, me empujó con fuerza a cubierto, al tiempo que me conminaba:

—Pégate a la pared, Gardelito, o no sales de esta.

Vi entonces cómo en la acera de enfrente otra bombona de butano les buscaba el cuerpo a los dos compañeros que progresaban por ella. Aunque ya era tarde para prevenirlos, no pude evitar gritarles:

—¡Cuidado con la...!

El estruendo de la bombona al chocar contra el suelo acalló mi voz e hizo que el guardia al que había pasado rozando diera un salto hacia delante, antes de pegarse a su vez a la pared. Tardó unos segundos en recobrar el resuello y cuando lo hizo aulló con todas sus fuerzas:

—¡Hijo de puta! ¡Me quedo con el número del portal!

—Quédate, *txakurra* de mierda —le respondió una voz desde lo alto.

—Esto no lo vamos a arreglar a voces —dijo Álamo, mientras tiraba del cerrojo y metía un proyectil en la recámara del fusil.

—¿Qué vas a hacer? —le pregunté.

—Lo que haga falta.

—No te pases, que luego habrá que explicarlo.

—Pues se explica.

Antes de que pudiera decirle nada más, alzó la cara al cielo y gritó:

—¡Voy a contar tres! ¡El que a la de tres no se haya puesto a cubierto que vaya rezando lo que sepa! ¡No lo voy a repetir! ¡Uno! ¡Dos!

—Álamo, por tus muertos.

—¡Tres!

Una décima de segundo después, levantó con decisión la bocacha del fusil hacia el cielo y vació el cargador contra él. El estrépito de aquella arma de guerra, que ninguno allí tenía costumbre de escuchar, fue suficiente para hacer cesar en el acto el torneo de tiro al guardia al que se había entregado el vecindario. Álamo no perdió el tiempo:

—¡Volvemos! —les gritó a los dos compañeros.

Mientras le veía sacar otro cargador y reemplazar el que acababa de gastar, comprendí que tenía razón: una vez perdido el factor sorpresa carecía de sentido aquel despliegue. Lo más sensato era regresar a los vehículos y en ellos, protegidos y con mayor movilidad, aguardar las órdenes que diera el mando de la operación. Los cuatro aprovechamos aquel paréntesis para salir de allí a la carrera y sin ulteriores percances. Una vez acogidos a la seguridad del todoterreno blindado, pedimos al mando nuevas instrucciones. Nos dijeron que nos quedáramos donde estábamos, que iban a enviar refuerzos y que cerraríamos el perímetro sobre la vivienda en la que ya estaban entrando los de Información, para defenderlo con más garantías. Mientras esperábamos a que nos indicaran nueva posición, sin perder ojo a los edificios circundantes por si la que ocupábamos se volvía insegura, Álamo se burló:

—No pongas esa cara, sudaca. No ha pasado nada.

—Tienes veinte cartuchos menos. Algo tendrás que decir.

—Lo tengo claro —aseguró, sin achicarse.

—¿A saber?

—¿Tú has oído hablar alguna vez de la historia de Castilblanco?

—Pues no.

—Nos la contó un profesor, en la academia, en Baeza. Pasó allá por los años treinta, en ese pueblo de Badajoz. Unos guardias se vieron superados por una multitud. Eran jornaleros, la vida entonces era dura de cojones, lo mismo hasta tenían razón. El caso es que a los pobres guardias los mataron y les sacaron los ojos. Esa gente quería vernos muertos y estaba tomando medidas adecuadas para conseguirlo. No puedes dejar que la turba se te imponga. Para eso llevas el arma.

—No sé yo si te va a valer el precedente histórico.

—Lo que vale es que aquí estamos los cuatro, enteros. Y que no le he dado a nadie. Pero si hubiera tenido que darle, lo habría hecho. Antes ellos al hoyo que nosotros. Si quieren guerra, así es como va.

No terminó de tranquilizarme su razonamiento. Ya no estábamos en los años treinta, sino asomándonos a los noventa, y el país en el que ambos prestábamos servicio como policías intentaba ser un Estado de derecho, donde el recurso a la fuerza requería medida y contención. No faltaban los que reclamaban que en el País Vasco se desplegara el ejército para hacer frente a situaciones como aquella; pero la razón de que los encargados de gestionarla fuéramos nosotros, militares de condición pero miembros de una fuerza policial, era precisamente evitar que el conflicto degenerara en una guerra abierta como la que, sin ir más lejos, se las habían arreglado los británicos para organizar en el Úlster, gracias a la peregrina idea de enviar allí paracaidistas. No me parecía que complaciera a nuestros jefes, y menos aún a los jefes de nuestros jefes, que despejáramos las calles de Guipúzcoa con ráfagas de fusil de asalto, incluso estando en peligro nuestra integridad.

Aquel día comprobé, una vez más, que el guardia Leandro Álamo era una de esas personas que pueden permitirse apurar la suerte más allá de lo que se nos permite al resto. No diré que el sargento pusiera buena cara cuando le dio cuenta de la munición consumida, como no podía ser de otra manera, ya que en breve estarían en la prensa del enemigo las fotografías de las vainas con las que había rociado la acera y que no nos había parecido juicioso quedarnos a recoger. Tampoco es que el capitán de la compañía lo propusiera para una medalla cuando se enteró, pero me pasmó el desparpajo con que Álamo consiguió que no le cayera la reprimenda que le correspondía por el incidente:

—Nos estaban tirando bombonas de butano. A dar.

Un atentado a la autoridad en toda regla, con medios capaces de causar la muerte. Hice un uso proporcional de la fuerza. Mis compañeros lo atestiguarán.

Los tres que lo acompañábamos ratificamos su testimonio, como no podía ser de otra forma. El capitán se volvió al sargento y le dijo:

—Deje constancia de todo en el informe. Haremos un atestado por atentado y lo pasaremos al juzgado para que abra diligencias.

—¿Y quién lo va a investigar? —preguntó el sargento.

—Nadie —respondió el capitán, desabrido—. Tenemos decenas de muertes por esclarecer y varios comandos activos y tratando de matar más, no vamos a perder el tiempo con un susto sin consecuencias. Pero así nos tapamos el culo. Y la próxima vez, Álamo, pones el cetme en tiro a tiro y con dos o tres vale. Que esto no es una peli de Rambo.

—Como usted mande, mi capitán.

Aquella noche, mientras repasábamos la jugada en la cantina del cuartel de Intxaurrondo con un par de cervezas, le saqué a Álamo el asunto al que desde hacía varias semanas no dejaba de dar vueltas:

—¿Qué vas a hacer tú, al final?

—¿Con qué?

—Con la oferta que nos hicieron.

—Presentarme a las pruebas —dijo, sin dudarlo—. ¿Y tú?

—Hasta hoy mismo, me lo estaba pensando.

—Piensas de más, Gardelito. Es un vicio muy malo para la salud, sobre todo cuando te están lloviendo bombonas de butano.

Encajé la pulla con deportividad.

—Esta mañana lo he visto claro. Gracias a las bombonas.

—¿Y eso? A ver, ilumíname.

Dudé un instante, antes de compartir con él mi razonamiento.

—No sé si te has parado a analizar que lo que nos están ofreciendo no es salir del avispero sino todo lo contrario, meternos más en él.

—Analizar mucho tampoco alarga la vida.

—No lo puedo evitar, tengo la costumbre —me excusé—. El caso es que veo que la alternativa es seguir jugándomela de una manera que cada vez me gusta menos. Me da por saco estar en desventaja.

Álamo meneó la cabeza.

—Estamos en su tierra. A ellos los quieren, y si no, los disculpan. A nosotros, ni lo uno ni lo otro. Mientras haya que meterse en pueblos como el de esta mañana, la desventaja la tenemos garantizada.

—El otro día estuve hablando con uno de Información —le dije—. Sin el uniforme, y con las pintas que llevan, se meten donde quieren. Siempre puede pasarte algo, claro, pero a él no le han detectado nunca. Y se ha colado en sus peores antros, *herriko tabernas* incluidas.

—¿Y se puede saber qué es lo que te atrae de eso?

—Poder observarlos yo a ellos. Anticiparme a sus pasos.

—No te hagas demasiadas ilusiones. Les hemos dado algún que otro palo, pero por ahora siguen yendo por delante de nosotros.

—Si lo ves así, ¿por qué tienes tan claro que vas a presentarte?

—Porque el destino es en Madrid. Estaremos muchos días por aquí, pero cada tanto podremos largarnos, ir al Retiro o a Malasaña, pasear por una calle normal de un sitio normal. Y dejar de pasarnos la vida entera aplastados por la dichosa panza de burro y rodeados de gente cagada de miedo que no reacciona para librarse de los matones.

—Es una razón. Y más para mí, que tengo allí a mi madre.

Álamo le pegó un trago largo a su botellín.

—Pues deja ya de comerte el tarro. Y vete pensando en cómo coño vas a camelarte al capitán Pereira, que no te lo va a poner fácil.

Todavía tuvimos que jugárnosla unas cuantas veces más antes de que nos llamaran para las pruebas, aunque no volvimos a vernos en otro aprieto como aquel que había atajado Álamo a tiro limpio. Nos tocaba hacer muchos controles, una experiencia tensa que nos daba la medida de lo que era aquella tierra y de nuestra posición frente a los lugareños. Aunque todos, incluido Álamo, nos comportábamos con una razonable corrección, fuera de algún exaltado o alguna coyuntura en la que los ánimos estaban más crispados de lo habitual, muchos de los ocupantes de los coches a los que sometíamos a aquel escrutinio nos observaban con una mezcla de prevención y terror. En algún caso aislado, con una aversión que los más listos procuraban disimular: a los que no lo hacían era más fácil que se les pidiera la documentación, e incluso si no había ninguna causa por la que estuvieran reclamados pasaban a engrosar cautelarmente las bases de datos de matrículas y sospechosos potenciales que manejaba el servicio de Información.

Sin embargo, tampoco faltaban los que antes de arrancar y subir la ventanilla, cuando los invitábamos a continuar, murmuraban:

—Estamos con ustedes.

En esas ocasiones, Álamo comentaba, implacable:

—Estamos con ustedes, pero por lo bajo, no vaya a ser que.

—Compréndelos, Leandro —le decía yo.

—No me da la gana. Están como están por dejarse amedrentar.

—No todo el mundo tiene madera de héroe.

—Ya, pero cuando en un sitio no la tiene nadie, pasa lo que pasa. Y hay que mandar a un hatajo de idiotas como nosotros a jugársela.

Aquello del miedo generalizado, con sus frecuentes compañeros, la ley del silencio y aquella otra, férrea, por la que nadie veía nunca nada, era lo que más sacaba de quicio a Álamo, aunque también se esforzaba por echarle humor. Por ejemplo, cuando pasábamos en los vehículos oficiales por las calles de algún barrio o algún pueblo de orientación *abertzale*. Bajaba la ventanilla y se ponía a saludar muy efusivamente a todos y cada uno de los transeúntes con los que nos cruzábamos.

—Hasta luego, y dale recuerdos a tu señora...

No fallaba: en la mayor parte de los casos, el así aludido daba un respingo y miraba en todas direcciones, para comprobar si lo había visto alguien. Si había gente cerca, hasta podía llegar a negar con la cabeza, para dar a entender a quien correspondiera que era un error, que no conocía de nada al *txakurra* que acababa de saludarlo.

—Animalicos, son tan predecibles —se burlaba Álamo.

—Mira que eres cabrón —le afeaba yo.

—Hay que distraerse con algo, ¿no?

—Además de irresponsable.

—Ya estás tú para ser responsable por los dos.

—Va en serio. No nos pagan por acojonar más a la gente.

—Anda, Gardelito, no te me pongas estupendo.

No había manera, era incorregible y tanto él como yo lo sabíamos, y él sabía que yo, a pesar de todo, salía más tranquilo a la calle con él que con otros. De ese modo incomprensible en que personas opuestas se compenetran en situaciones excepcionales, formábamos un equipo que funcionaba, y en el que las diferencias entre ambos pasaban a un segundo plano, porque los dos teníamos claro que podíamos confiar el uno en el otro, más allá de nuestra despareja actitud ante la vida.

Con todo, celebré que el capitán Pereira no me preguntara por él en la entrevista que me hizo en Madrid antes de resolver mi solicitud de incorporación al servicio de Información. Me esperaba un tercer grado, pero me sorprendió invitándome a una amable conversación sobre lo humano y lo divino. Eso sí, con un testigo incómodo: el brigada con el que había coincidido en el peaje de Irún, que en todo el rato no hizo otra cosa que observarme y tomar notas en un bloc. Casi me ponía más nervioso tenerle a él analizando cada una de mis reacciones que las preguntas que con un tono cordial me iba formulando el capitán.

—Buenos días, Belvil... Belvi... —comenzó Pereira.

—Todo el mundo me llama Vila —le ofrecí.

—Me lo aprenderé, no se preocupe.

—No se torture, es más fácil y más corto, y atiendo igual.

Creí advertir que la ironía no le desagradaba del todo. En cuanto al efecto que le producía al brigada, me resultó del todo inescrutable.

—Muy bien, Vila. Ya sabe quién soy yo. Y este es el brigada Ruano, a lo mejor lo recuerda usted de nuestro encuentro en Irún.

—Lo recuerdo.

—No puedo dejar de preguntarle. ¿De dónde le viene ese apellido?

—De San José, Uruguay. Allí nació mi padre. Mi abuelo también. Creo que el italiano era el bisabuelo. El apellido procede del Véneto.

—¿Cree? ¿No se lo ha preguntado a su padre nunca?

—Hace mucho tiempo que no hablo con él. Me vine de Montevideo de niño, con mi madre, y no he vuelto a verle desde entonces.

Pereira sopesó la conveniencia de escarbar en aquella herida.

—¿Hubo entre sus padres algún problema?

—Los habituales cuando un matrimonio no se entiende.

—No quiero parecer indiscreto, pero cualquiera diría que hubo algo más, ya que no ha vuelto a tener usted contacto con su padre.

No era mi tema favorito de conversación, pero acepté que no podía rehuirlo. Tenía que pasar por aquello para ganarme su confianza.

—Supongo que mi madre, que es española, no se adaptó a la vida allí, ni a su familia política. Conoció a mi padre en Madrid y se fue a Uruguay con una idea que no se correspondía con lo que se encontró. Sucede cuando uno es demasiado joven y se hace excesivas ilusiones. Así es como me lo explicó ella, cuando alguna vez le pregunté.

—Y a su familia de allí, ¿no la echó nunca de menos?

—No la veía mucho, vivían en San José. Apenas la recuerdo.

—¿No ha intentado nunca ponerse en contacto con su padre?

—No.

—¿Y eso?

Ahí me pareció percibir en Ruano una leve curiosidad.

—Pensé que era él quien debía haberse puesto en contacto conmigo. Lo esperé, un tiempo. A partir de cierta edad dejé de esperarlo.

El capitán tomó nota de mi argumento. Ruano también.

—Está bien, eso es asunto suyo —dijo Pereira—. Ya me disculpará si he metido las narices más de lo que me corresponde.

—No hay nada que disculpar.

—He estado mirando su expediente. Se licenció en Psicología.

—Todos cometemos errores.

—¿Por qué lo dice?

—Escogí esa carrera porque no tenía muy claro qué

hacer. Creí que era una forma de profundizar en los misterios del alma humana y que de paso podía servirme para ganarme decentemente la vida.

—¿Y?

—Ni lo uno ni lo otro. Sobre los misterios del alma humana sigo más o menos como estaba y me tiré un buen tiempo en el paro.

—Hasta que se presentó a la Guardia Civil —apostó Pereira.

—Exactamente.

—¿Qué le empujó a tomar ese camino?

No era, pensé, el momento para ocultar la verdad.

—El examen era fácil, las pruebas físicas estaban a mi alcance y el tiempo que me pasé en el paro me enseñó a valorar un sueldo fijo.

—¿Nada más?

—Eso ya me empujaba bastante.

—Quiero decir, ni vocación, ni nada por el estilo...

—Y cómo iba a tenerla. Desde luego, no por tradición familiar. Mi padre, por lo que recuerdo de él, era arquitecto. Y uruguayo.

Ruano levantó las cejas.

—¿Me acabo de descalificar? —pregunté.

El capitán intercambió una mirada fugaz con el brigada.

—No necesariamente —me respondió—. Y la experiencia hasta aquí, ¿diría que le ha valido la pena? ¿O echa de menos la psicología?

—No mucho. Aunque en la academia hubo algún momento malo, se lo tengo que reconocer. Incluso llegué a plantearme tirar la toalla.

—¿Por?

—Me libré por excedente de cupo de la mili. Cuando me veía con el fusil al hombro y desfilando arriba y abajo me sentía un poco cretino, por haberme metido a hacer algo que podría haberme ahorrado.

—El caso es que no lo dejó. ¿Por qué? ¿Por el sueldo fijo?

—En parte, pero no sólo.

—¿Qué otra cosa nos ayudó a retenerle?

—No se lo va a creer.

—Póngame a prueba.

—La cartilla del guardia civil.

El capitán no pudo reprimir su asombro.

—No me diga. Le convencieron los valores que contiene...

—La prosa. Me gustó cómo estaba escrita. Soy buen lector, desde siempre. Lo bien dicho es expresión de lo bien razonado. Me pareció que en lo que escribió aquel hombre hace siglo y medio había algo con lo que me podía identificar. Esa idea de ayudar y proteger a la gente, a toda la gente, sin distinguir, sea quien sea y respire como respire.

—No es así como nos ven muchos —observó.

—Procuro no tener prejuicios y guiarme por lo que yo veo.

—¿Y la experiencia en el servicio?

—Muy diferente, según dónde. Durante el primer año en Lérida me aburrí un poco. En los meses que llevo en Guipúzcoa, es otra película. Demasiada emoción, tal vez, o demasiado caótica, para mi gusto.

Pereira se quedó rumiando aquella última respuesta.

—El caso es que usted pidió ir voluntario al Norte.

—Así es.

—No es lo más común. No en alguien de su perfil, al menos.

—Lo sé.

—¿Y le importaría decirme qué le motivó para pedirlo?

No estaba seguro de poder explicárselo de una manera convincente. Ni a él ni a nadie, comenzando por mí mismo. Pero debía intentarlo.

—Ya le dije, en Lérida me aburría. Incluso volví a tener dudas sobre si debía dedicarme a esto. Soy consciente de lo importante que es que haya quien se ocupe, pero no me gusta estar de servicio de puertas, ni tomar denuncias de payeses que se odian, ni ponerme en un cruce los viernes por la noche para ver quién va cocido. Me entró la necesidad de llevar la apuesta un poco más al límite, de buscarle un poco más de aventura. Y entonces pensé que había un destino en el que la aventura estaba garantizada y que podía estar seguro que me concederían.

—¿No le preocupó el peligro?

—La verdad, apenas me lo planteé. Me lo encontré luego.

—Además de esa sensación de caos que dijo antes.

—Me he visto en más de un fregado, además del de Irún. Y a más de un atentado me ha tocado ir también, poco después del bombazo. Es lo que sientes, cuando ves el coche destrozado y lo demás, la calle llena de cascotes, de cristales, de sangre. Que estás en mitad del caos.

Pereira me miró entonces fijamente.

—Le voy a hacer una pregunta un poco comprometida —dijo.

—Me parece que todas lo son.

—Pero esta un poco más. A partir de la experiencia que ha tenido en estos meses, ¿ha llegado a pensar que no deberíamos estar en el País Vasco? ¿Que deberíamos rendirnos y darles la independencia?

La pregunta era demasiado obvia para responderla a bote pronto. No vi claro qué buscaba al hacérmela. Dónde estaba la trampa.

—Eso no soy yo quién para decidirlo —respondí—. Mientras haya una ley que diga que aquello es España, mi deber es defenderla.

—Eso está claro, Vila. Te pregunto al margen de la política.

—No sé si le entiendo.

—Que nosotros no somos políticos ni podemos meternos en política ya lo sabemos el brigada, tú y yo. Me refiero a otra cosa. A si crees que tiene sentido seguir ahí, dando la batalla. Teniendo bajas, desgastando a los nuestros. Si te parece que tenemos alguna opción de ganar.

Vi de pronto por dónde iba. Y lo que me jugaba en la respuesta.

—Honestamente, ni lo sé ni creo que importe. No creo que sea eso, si podemos ganar o no, la razón por la que hay que estar ahí.

—¿Ah, no? ¿Y cuál es, entonces?

—Hay que estar ahí porque no se la puede dejar sola, a esa gente. Si algo entendí de lo que dice la cartilla, nuestra razón de ser es impedir que haya quien acogote a los ciudadanos. Y en esas calles el miedo se corta con cuchillo y hay momentos que hasta se puede untar.

—Una respuesta irreprochable. Eres listo, Vila.

Reparé entonces en que había pasado a tutearme. También me dio la sensación de que por primera vez estaba siendo sarcástico conmigo, lo que me hizo temer que no había acertado del todo en mi estrategia.

—No pongas esa cara —me dijo—. En serio te lo digo. Ni el brigada ni yo habríamos sabido responder mejor. Pero lo que quiero saber es por qué quieres unirte a nosotros o, dicho de una manera más cruda, por qué quieres estar en primera línea de esta guerra asquerosa.

—Es una intuición, tampoco estoy del todo seguro. Creo que puedo aportar más pensando cómo sorprenderlos que haciendo de escudo contra ellos. Y veo que si sigo donde estoy acabaré quemándome.

—Es muy posible que también te quemes con nosotros. Esto no va solamente de pensar. También te va a tocar mojarte y pasar frío.

—Así y todo, me da que me va a merecer más la pena.

—La cuestión es si nos va a merecer la pena a nosotros. Si le va a merecer la pena al cuerpo sacarte de donde estás y dejarte ocupar un sitio entre nuestra gente. ¿Sabes por qué me fijé en vosotros dos?

—Puedo imaginarlo, pero quizá me equivoco.

—Porque tuvisteis iniciativa y presencia de ánimo en uno de esos momentos en los que la mayoría de la gente se queda agarrotada. Eso de entrada nos conviene. Luego he mirado vuestros expedientes y he visto que sois muy distintos. Sobre tu compañero tengo pocas dudas: hijo y nieto del cuerpo, experimentado, con agallas y las cosas claras. Sé para lo que puede valer y no creo que me equivoque mucho.

—Sobre mí sí las tiene —deduje.

—Tú eres más complicado. Tienes más cabeza. Y más recovecos, también. Los recovecos son buenos, a veces, pero otras veces te juegan malas pasadas. Necesito estar seguro de que vas a saber controlarlos. De que si te metes aquí, lo haces con todas las consecuencias.

—Intento ser siempre consecuente, mi capitán.

El brigada se me quedó mirando, como si lo comprobara.

—Voy a serte completamente sincero, Vila —dijo Pereira—. Hay en ti algo que me gusta, y me gusta bastante. Eres un tío raro, como no hay muchos por aquí. Basta con verte y escucharte, con fijarse en lo que dices y cómo lo dices. Tienes ideas propias, no te las callas y eres un observador agudo. A ratos hasta me parece que no deberías estar aquí, pero eso, lejos de disuadirme, me predispone a tu favor. Igual te confieso que en ti hay algo que no me termina de encajar, que me dice que quizá no seas, después de todo, lo que estamos buscando.

Dejó que aquella revelación surtiera su efecto. No se me ocurrió qué decirle. No me pareció que estuviera esperando que le dijera nada.

—En todo caso —continuó, en tono distendido—, por eso no nos vamos a bloquear. Pasar esta entrevista sólo es el primer trámite para ser uno de los nuestros. Lo que viene a continuación es un curso en el que nos cercioraremos, nosotros y tú, de que tenemos algún futuro juntos. Y si resulta que no, te volverás a tu destino actual y tan amigos.

Dudé si había entendido bien. Pereira me observó, sonriente.

—¿Qué, tengo que decírtelo más claro? —preguntó.

—No sé muy bien a qué se refiere, mi capitán —dije con cautela.

—Díselo tú, Ruano.

El brigada me anunció, inexpresivo:

—El lunes que viene empiezas el curso. Suerte. La vas a necesitar.

Tuvimos apenas una semana para preparar la mudanza. Álamo y yo dejamos a otros el oscuro y húmedo cubículo que había sido nuestro hogar durante aquellos meses en Intxaurrondo. A él le tocaba ahora buscarse un sitio en Madrid; yo tenía la ventaja de poder volver a la casa materna, donde estaba siempre esperándome mi habitación. Nos despedimos de nuestro sargento sin saber si era un adiós definitivo o si una vez que terminara el curso nos dirían que no éramos aptos y tendríamos que regresar con el rabo entre las piernas. Él, en cambio, parecía tenerlo claro. No era hombre de muchas palabras, y por eso fueron más significativas las que tuvo para ambos en el momento de la despedida. Nos estrechó la mano y dijo, con aire sentencioso:

—Tened cuidado. Ese uniforme que vais a quitaros no sólo os ponía una diana en la espalda. También os protegía de alguna cosa.

Fue la última vez que vi a aquel hombre, pero me acordé a menudo de sus palabras a lo largo de las tres décadas siguientes, en las que salvo muy contadas excepciones no volví a ponerme el uniforme, fuera de las festividades y de los actos protocolarios. Yendo de paisano pude disfrutar de la ventaja de pasar inadvertido y me liberé de la angustia de sentirme como un blanco en movimiento, pero aquel incógnito le iba a otorgar a mi trabajo como policía una dimensión distinta y no siempre sencilla de administrar. Ir por ahí con una placa de la que tú eres consciente, pero los demás no, supone una distorsión que altera tu relación con el prójimo y contigo mismo. Y no siempre iba a acertar a gestionarla del mejor modo posible. No puedo evitar pensar que el aviso del sargento, aunque ni Álamo ni yo lo captáramos entonces, se refería a que sin el uniforme estaríamos más expuestos a las flaquezas de nuestro carácter, que a él no le habían pasado inadvertidas.

Tres días después, Álamo y yo nos presentamos en la dirección que nos habían dado. Era un edificio de oficinas en el centro de Madrid. Nada lo identificaba como una dependencia del cuerpo. Tampoco la persona que nos abrió la puerta del piso que nos indicaron iba vestida de guardia civil. Era una chica, muy joven, y aunque en un primer momento no la reconocí, su cara en seguida me resultó familiar.

—Nos hemos visto antes —me recordó, poniéndome a prueba.

—Ahora caigo, en Irún.

—Soy la guardia Aurora —se presentó, al tiempo que me tendía la mano—. Aunque aquí todos usamos un alias. El mío es Nerea.

—Bevilacqua.

—Alias Gardelito. Yo soy Álamo —dijo mi socio, zalamero.

—Bienvenidos —dijo ella—. Voy a avisar de que estáis aquí.

Así empezó mi vida como cazador. Así dejamos, Álamo y yo, de ser los ratones para convertirnos en el gato. O para aspirar a serlo.

6

Energía negativa

Cuando fui a verla a su oficina aquella mañana, pocas horas antes de tomar el avión para Ibiza, pensé que el paso del tiempo no había sido con Aurora tan despiadado como lo había sido con otras, o con otros; quizá también conmigo mismo. Ya próxima a la cincuentena, seguía manteniendo el aire juvenil, incluso aquella apariencia de candor que tanto la había protegido y a la que tanto partido le había sacado en los muchos años en los que le había tocado ser la sombra de los pistoleros más sanguinarios. Ella continuaba en el servicio de Información, pero entre medias había sido madre y había pedido el traslado a la unidad de apoyo, donde se ocupaba entre otras tareas de hacer el seguimiento de lo que se movía en la trastienda de la izquierda *abertzale*, de cara a la ya anunciada pero todavía no consumada disolución de ETA. Sobre todo interesaba prever el escenario posterior, sin descuidar la amenaza de quienes en esos círculos abogaban por volver a la lucha armada. Me la encontraba con cierta frecuencia en la cafetería, porque trabajábamos en el mismo edificio, donde tenían su sede mi unidad, la suya y la de quienes se encargaban de enfrentarse al terrorismo yihadista.

Era, además de antigua compañera de fatigas, una de las personas con quienes tenía más confianza de las que se dedicaban aún a aquella lucha que había sido la mía en otro tiempo. Me pareció que era, por eso mismo, la más indicada para hacerle una consulta discreta.

—Igor López Etxebarri —dijo, mientras miraba la pantalla a través de sus gafas para la presbicia, que también a ella la había alcanzado, implacable—. Aquí lo tengo. Un pájaro menor. Vinculado al comando Éibar del 91, entre otros. Lo mismo eso te trae algún recuerdo...

—Los mismos que te trae a ti —le confirmé—. ¿Lo vigilamos?

—Yo no, que recuerde, pero al final todas las caras se mezclan, y ten en cuenta que muchas veces ni nos decían cómo se llamaban.

—¿Qué más te dice la ficha?

—Poco después de la caída de aquel comando pasó a Francia, donde se ocupó primero de las casas de retaguardia y después tuvo funciones auxiliares en el aparato logístico, según pone aquí. Cayó en uno de los golpes que le arreamos con los franceses a principios de siglo. Pasó por las cárceles francesas, después por las nuestras y en 2012, tras el cese de la actividad armada, se acogió a las medidas de reinserción. Desde entonces está en la calle y desvinculado de la organización, parece.

—¿Nada raro, o que te llame la atención de alguna manera?

—Nada —dijo—. Uno de tantos tontos útiles que sirvieron a la lucha armada y que lo han pagado con un pedazo de su vida. No veo aquí que se le haya llegado a imputar nunca ningún asesinato.

—¿Y a ti qué te parece lo que le ha pasado?

Aurora se quitó las gafas y se echó hacia atrás en el asiento. Siempre, desde la tierna edad a la que yo la conocí, me había demostrado una prudencia infrecuente, que no mermaba su arrojo cuando de arrimarse al peligro se trataba. Con los años había ganado en aplomo, y las horas dedicadas al análisis de información —sobre la experiencia previa de la calle, que no todos los analistas incluían en su currículum— le daban una intuición y un criterio que tenían para mí un valor especial.

—¿Me preguntas por algo en particular? —me sondeó.

—Bueno, creo que te lo estás imaginando.

—Por ejemplo: si han podido ser sus antiguos camaradas.

—Como hipótesis teórica...

—Y no tan teórica —me concedió—. Como bien sabemos ambos, no sería el primer etarra reinsertado al que los suyos se lo hacen pagar.

—Por eso no he podido evitar pensarlo. ¿Tú lo contemplarías?

Aurora sacudió la cabeza con lentitud.

—Como la ultimísima posibilidad. Hace ya muchos años de esas muertes. No sólo era otro momento, otra ETA. Era otro siglo, Vila. La dinámica en la que están ahora, en el plano político, pero también de liquidación del brazo armado, hace casi inconcebible algo así. Aparte de que no recuerdo que ETA haya matado nunca a palos a nadie. Ni siquiera se me ocurre a quién podrían encargarle el trabajo. Y puestos a escarmentar a alguien por aceptar beneficios penitenciarios, por qué escoger a un don nadie, a alguien con tan poco peso, casi invisible.

—Es lo que pensaba yo, pero me alegra que coincidamos. No quería dejar de contrastarlo con alguien, por raro que me sonara.

—Esto tiene pinta de ser lo que parece. Como casi todo.

—Un asunto personal.

—O un accidente —me sugirió.

—En todo caso, un accidente en el que alguien puso algún empeño.

Sonrió con malicia.

—Sabes que pasa, a veces. Primero el accidente y luego el empeño, o al revés: alguien se empeña y termina provocando un accidente.

—Lo sé. En fin. Ya te contaré qué me encuentro.

—¿Dices que Pereira ha dado la orden para que vayas tú?

—Tú lo conoces. Cómo lo interpretas.

No se apresuró a responderme. Me pregunté qué variables ocultas estaba analizando, pero al final me salió por el ángulo más banal:

—Bueno, todavía le queda un ascenso posible.

—Ya es el número uno de todas las unidades operativas.

—Le falta serlo del cuerpo. Esclarecer una muerte como esta, y de paso hacerle justicia a alguien que anteayer mismo, como quien dice, estaba colaborando con quienes mataban a los nuestros, es un golpe propagandístico de primer orden. Que no le viene mal a un ministro en horas bajas, y tampoco le viene nada mal a la empresa. Puede ser lo que le falta a Pereira para terminar de asegurar la última jugada.

No pude dejar de reconocerle la astucia del análisis.

—No lo había mirado por ahí. Eres retorcida, Nerea.

—Ya sabes tú que apenas lo imprescindible.

—Y tú ya sabes cómo soy yo.

Asintió, mientras clicaba para cerrar la ventana en el ordenador.

—Lo sé. Te lo tomarás como cualquier otro muerto.

—Eso es. Hasta donde pueda y me dejen.

—Si te hace falta alguna otra cosa...

—Tengo tu número.

—Márcalo, sea la hora que sea.

Confortado mi ánimo y aligerada mi carga tras el intercambio de impresiones con Aurora, regresé a mi unidad, donde me esperaba la cabo primero Salgado con una noticia que me dejó fuera de juego. Apenas intentó disimular la satisfacción que le producía dármela.

—Novedades con el panchito. Que quiere hablar, dice.

—¿En serio?

—El abogado está ya abajo, recogiendo su acreditación.

—En todo caso, no es un panchito, sino un ciudadano español como tú y como yo al que como funcionaria pública le debes consideración.

—¿A que me has entendido igual?

—No es ese el punto. En fin, menos mal que no me aposté nada.

—Siempre te he dicho que me subestimas, jefe.

—Nada más lejos de mi intención. El problema es que en una hora, como mucho, Arnau y yo tendríamos que salir para el aeropuerto.

—¿Habéis sacado las tarjetas de embarque?

—Supongo que se habrá encargado.

—Entonces tienes hora y media.

—Tengo que pasar a ver al comandante antes de irme.

—Pero esto no te lo quieres perder, te conozco.

—Me conoces.

—Pues ven conmigo, anda. Y luego ya remato yo la faena.

Una vez más, y ya iban unas cuantas en mi vida, no supe vencer la tentación. Volví a sentarme frente a Yéferson Valverde y su abogado, con el que le dejamos tener un breve cambio de impresiones antes de interrogarle. Los vi a los dos más bien inquietos, lo que era, *a priori*, una excelente señal para nosotros. La experiencia, sin embargo, nos aconsejaba no dejarnos arrastrar por la euforia en situaciones como aquella. La declaración policial del imputado, si no abre la vía a algún hallazgo relevante y concluyente, viene a tener en el juicio y a efectos de la condena tanto valor como un sello matasellado y pasado por una destructora de papel. En teoría, cuenta con el respaldo de la firma del interesado en el acta de la declaración y del testimonio del policía que se la toma, pero esa firma no pesa nada y lo que diga un policía ante un tribunal pesa lo mismo que los aspavientos que pudiera hacer ante él un macaco que hubiera asistido a la diligencia. O quizá no tanto.

—Así que se ha acordado usted de algo, Yéferson —empecé.

Me dirigió una mirada fría y reconcentrada. Me quedó claro que no le agradaba la ironía con que trataba de suavizarle aquel trago.

—Ya le habrá dicho su abogado que no tiene ninguna obligación de contarnos nada. Si lo hace será porque usted lo desee libremente.

Asintió con un cabeceo casi imperceptible.

—Y también le consta que podría ser utilizado contra usted —añadí.

Ahí se limitó a ponerme cara de cordero degollado.

—Pues usted dirá —le invité.

No le resultaba nada fácil arrancar. Cruzó un par de miradas con su letrado, que hizo esfuerzos ímprobos por no dejar que se le notara el horror que le producía el cambio de actitud de su defendido.

—Si necesita más tiempo para terminar de hacer memoria y poner en limpio los detalles, tiene todavía día y medio —le recordé.

—Yo, eh... —murmuró.

—¿Cómo dice usted? Perdone, es que soy un poco mayor y no oigo bien. Tendrá que hablar un poco más alto, si quiere que le siga.

—Yo estaba allí esa noche —soltó al fin.

—Vaya. Eso me cuadra más que lo del canguro magrebí de su hija.

El abogado consideró por un momento la posibilidad de formular alguna objeción a mi forma de tratar a su cliente. No reunió el arrojo necesario para dar el paso, o andaba acuciado por otros temores.

—El caso es que... —continuó Yéferson, vacilante—. No estaba solo.

—Hombre, esto sí es una novedad —reconocí—. ¿Y se puede saber quién le acompañaba? ¿Nos daría su número para preguntarle?

Yéferson cayó entonces presa del desconcierto.

—Quiero decir, si usted estaba allí con alguien, me imagino que esa persona no tendrá ningún inconveniente en testificar lo que supongo que pasó, es decir, que usted simplemente paseaba por allí cuando los dos vieron a una tercera persona pegarle cinco tiros al difunto.

—No me ha entendido —dijo, inseguro.

—Si es tan amable de explicármelo...

—Busqué a otro para hacer el trabajo, yo ni siquiera tengo pistola, no me dedico a esas cosas. Todo lo que hice fue llevarle allí.

Me volví hacia Salgado. Permanecía inmóvil como una esfinge. Me tomé unos segundos para examinar la iluminación del techo. Eran los focos LED de siempre, nadie los había cambiado desde la víspera. Los conté, sin apresurarme. Había media docena. Luego volví a posar mis ojos en Yéferson, que aguardaba, con una expectación que casi excitó mi ternura, la impresión que en mí producía su cuento indigente.

—Buscó usted a otro —repetí—. Su nombre.

—No puedo dárselo. Me mataría.

—Si me lo da, le aseguro que además de esposarlo le pondremos a cada lado una torre humana capaz de arrancarle la cabeza como si fuera la de una gamba. Y no saldrá de la cárcel sin esa compañía. Por lo menos hasta dentro de veinte años no podrá matarle a usted. Eso le da margen suficiente para desaparecer del mapa sin dejar rastro.

—Le diría a otro que me matara.

—¿Con quién contactó usted, con la Camorra?

—Son yugoslavos.

—Yugoslavos. ¿Con cuernos y rabo o con cuernos sólo?

El abogado fue a responder algo. No le dejé.

—Antes de que diga nada, tengo un par de preguntas para usted. En el rato que han estado juntos, ayer y hoy, ¿le contó su defendido en algún momento este argumento de teleserie cutre? Y si así fue, ¿no se le pasó a usted por la cabeza advertirle que esta clase de chorradas puede valer para hacer de relleno en el catálogo de Netflix, pero no para la vida real, y menos para colársela a un tribunal de justicia?

El abogado tragó saliva. Intentó una salida airosa.

—Cada uno toma sus propias decisiones. Como abogado ya le digo yo lo que le tengo que decir, pero eso es lo que declara mi defendido, y se lo crea usted o no, su deber es recogerlo y tratarlo con respeto.

—Desde luego —convine—. Lo voy a respetar de la mejor manera posible, o de la única a mi alcance en estos momentos. Les voy a dejar con mi compañera, que tomará cuidadosa nota de la película que se ha montado esta noche su cliente. Luego la presentaremos a los Oscar, a ver que nos cae. No se preocupe, compartiremos las ganancias.

Y dicho esto, me puse en pie.

—¿Se va a ir de verdad? —preguntó Yéferson, atónito.

—Tengo trabajo. La gente no para de pensar que otra gente no debe seguir viviendo, y hay investigaciones que tenemos a medias. A esta sólo le queda el papeleo y la fatiga de poner por escrito sus embustes. Mi compañera se ocupa, pero si en vez de tratar de impresionarla con su imaginación quiere decirle la verdad, también será receptiva.

Le hice una señal a Salgado para que saliera conmigo. Me acompañó con presteza y cerró la puerta detrás de nosotros. Durante una fracción de segundo vi la cara de espanto de abogado y detenido. Con un poco de suerte y un poco de mano izquierda, aquello podía dar algún fruto. Mi compañera no necesitaba mis instrucciones, pero se las di.

—Lo primero, recuérdale a ese gilipuertas que Yugoslavia ya no existe, que nadie va ya por ahí diciendo que es yugoslavo, y que se aclare y te diga si quiere que al escribir su novela pongas esloveno, bosnio, croata, serbio, kosovar o montenegrino. Lo segundo, dile al abogado que a esa calamidad que le ha caído en suerte lo tenemos bien agarrado por los huevos y que, si quiere tener oportunidad de alegar alguna atenuante en el juicio, le aconseje que se deje de historias y que nos diga algo que de verdad nos interese. Por ejemplo, dónde está el arma, o el dinero que le pagó el otro por ocuparse del trabajo.

—Me dirá que no soy quién.

—Pero lo sopesará, y se lo hará sopesar a Yéferson.

—Vale.

Creí que le debía algo más. No se lo regateé.

—Y te reconozco la intuición. Me estoy haciendo viejo. He perdido la capacidad de predecir lo que puede llegar a dar de sí la condición humana, y mira que a estas alturas debería saber que no tiene límites, cuando se pone a explorar su potencial para producir majaderías.

A Salgado se le iluminaron los ojos.

—Llámalo olfato. Lo vi cortito, en términos cognitivos, pero con el valor suficiente para liarse la manta a la cabeza y pasar del abogado.

—Todo tuyo. Ahora ya no descarto nada.

—Déjalo de mi cuenta. Vamos a hacerle un traje, ya verás.

—Suerte. Y cuidado con el abogado. Que no es torpe.

—Descuida. Me haré la rubia, si hace falta.

Con la conciencia de dejar aquella tarea en las mejores manos, me dirigí sin pérdida de tiempo al despacho del comandante Ferrer, para darle cuenta de cómo quedaba lo que abandonaba a medias y recibir sus últimas instrucciones antes de salir para el aeropuerto a cumplir con el nuevo encargo al que me tocaba dar respuesta. Le informé en primer lugar de la situación en que estaba el asedio a la fortaleza de nuestro correoso detenido, la estrafalaria maniobra de diversión que le había dado por intentar y la artillería con la que Salgado trataba de echar abajo sus muros en aquel justo instante, aunque le hice abrigar muy moderadas expectativas de éxito. No conviene exponer al jefe a la decepción, si puedes ahorrártelo no alimentando de más sus ilusiones. Luego le pregunté si había alguna información complementaria que pudiera darme o yo necesitara saber, antes de tomar el avión, acerca de nuestro nuevo muerto en Formentera. Ferrer meneó la cabeza.

—No sé mucho más de lo que te conté ayer, por lo que se refiere a las circunstancias de la muerte. Tengo, eso sí, algunas novedades sobre la logística y la organización. La investigación la empezó el grupo de policía judicial de Ibiza y a la vista de las características del crimen y de la víctima la han asumido los de la unidad orgánica de Mallorca, que ha desplazado un equipo completo. Nosotros vamos porque así lo manda el jefe, pero nuestro papel será de momento de asesoramiento, apoyo y evaluación de la complejidad del caso. Tienes que hacerme un diagnóstico y decirme lo antes posible si consideras, ya sea porque la investigación sobrepase las capacidades de los locales o porque salga de su territorio, que al final tiene que asumirla nuestra unidad.

—Eso depende de las líneas que tengan abiertas.

—De momento, y por lo que me dicen, ninguna clara.

—Siendo así, lo mejor sería que enviáramos cuanto antes todos los efectivos que pudiéramos y que lo gestionáramos desde ya nosotros.

Ferrer me observó con cierta impaciencia.

—Ya lo sé, Vila, pero el caso es que nos pilla en cuadro, con otra operación a medias, y de momento no tenemos información de primera mano que nos permita reclamar la responsabilidad. Te toca a ti conseguirla, y suministrarnos elementos de juicio para pedirle a la comandancia que nos dé paso o para retirarnos elegantemente.

—Entendido. Consideraré, pues, que voy en misión diplomática.

—La diplomacia nunca sobra, en ningún ámbito de la vida.

—¿Quiénes son mis interlocutores?

—Tendrás dos. El teniente Tomeu, de la Unidad de Policía Judicial de Mallorca, y el comandante Tuñón, que es el que manda la compañía de Ibiza y Formentera. Los dos tienen amplia experiencia en policía judicial, así que entra dentro de lo previsible que sean razonables.

—Desde la superioridad jerárquica —puntualicé.

—¿Y cuándo ha sido eso un problema para ti?

—Estar en desventaja siempre obliga a hacer más esfuerzos.

—Anda, no me seas llorica. Tú también tienes tus bazas.

—Hay bazas que conviene usar poco. O jamás.

—Para eso me tienes a mí, si hace falta, y al coronel, que como ya te imaginas y por lo que te imaginas va a estar muy encima de la jugada y en contacto directo con el coronel jefe de la comandancia de Baleares. Por cierto, que me ha pedido que pases a verle antes de irte.

—¿Yo? ¿Al coronel? ¿Solo?

Ferrer me dedicó una expresión sardónica.

—No me ordenó que te acompañara. Querrá decirte algo que piensa que a mí no se me ocurriría, o que por lo que sea no debo saber.

La ironía de la última frase rozó el sarcasmo. No me pareció, aunque habría sido comprensible, que la pronunciara con resquemor.

—No soy capaz de imaginar qué podría ser eso.

—Pues ve y sal de dudas. Ahora te paso un wasap con

los números de Tuñón y Tomeu. Buen viaje y buena suerte, y en cuanto te hayas hecho una composición de lugar me llamas y lo comentamos.

—A la orden.

En cuanto salí de su despacho, miré con cierta ansiedad el reloj. Pese a lo cerca que estaba el aeropuerto, incluso su terminal más lejana, que era de la que salíamos en aquella ocasión, estaba empezando a apurar demasiado respecto de la hora del vuelo. Llamé a Arnau al móvil.

—Juan, ¿tenemos coche y chófer?

—Nos acerca Lucía. Deberíamos haber salido ya, por cierto.

—Agarra mi maleta y la tuya y esperadme con el motor encendido en la puerta. Tengo que pasar a ver un momento al coronel.

—Dile que no se enrolle, que lo perdemos.

—De tu parte. Seguro que a ti te obedece.

—Está bien, vamos bajando.

Al secretario del coronel, un guardia raso, le transmití la urgencia de la forma más vehemente posible, sin excederme. A fin de cuentas, no es recomendable indisponerte con quien está cerca del mando, aunque tú tengas más galones. Por fortuna, el secretario era un tipo afable y sabía cuándo podía hacer uso de la confianza que tenía con el jefe.

—Está reunido, pero le interrumpo.

Se levantó y se fue hacia la puerta. Golpeó dos veces y entró. Le dio al coronel aviso de mi presencia y recado de la prisa que tenía. Un par de segundos después vi salir a dos tenientes coroneles, y tras ellos se dibujó a contraluz en el umbral la silueta del coronel Hermoso. Iba de paisano y estaba en mangas de camisa. La camisa era azul celeste y llevaba una corbata verde esmeralda, con gemelos. Era un tipo bien parecido y la ropa, de buen corte, colgaba a gusto de la percha que le proporcionaba su esqueleto. Me hizo una señal para que pasara.

—Siéntate —me invitó, antes de que pudiera abrir la boca.

Me acomodé en la silla que me señaló, ante la mesita redonda de reuniones que había a un extremo de su despacho; como era lógico, el más amplio y señorial de toda la unidad. Me había sentado allí alguna que otra vez, con varios de sus predecesores, entre ellos Pereira, pero no me engañaba: no era mi sitio, y no era necesariamente bueno que se me permitiera plantar mis posaderas en el cuero de aquellas sillas.

—Imagino que el comandante te ha puesto al corriente —dijo.

—Sé, más o menos, a dónde voy y para qué —respondí, cauto.

—También te habrá dicho quién ha sugerido tu nombre.

—Me lo ha dicho, sí.

—Y supongo que no se te oculta por qué quiere que vayas.

—Algo intuyo.

—Oye, una pregunta. ¿En qué época estuviste tú en Información?

—Entre el 89 y el 92.

—Años interesantes, doy fe. Yo me incorporé al servicio en el 90 y allí me tiré veinte años, pero diría que nunca llegamos a coincidir.

—En alguna operación grande creo que sí.

—Me extraña que no me acuerde.

—Yo sólo era un guardia de tantos —le disculpé.

—No es eso lo que me han contado.

—Siempre se tiende a idealizar el pasado en el recuerdo.

—No me parece que al teniente general Pereira le nuble el juicio la nostalgia, precisamente. Me ha asegurado que eras de los mejores.

—No le haga mucho caso. Éramos jóvenes, los dos.

—Todos lo éramos. Y sé que Pereira sabe de lo que

habla, aunque no se quedara al final en Información. Tampoco te quedaste tú...

Dejó aquella última frase suspendida en el aire.

—No —la recogí, sin vacilar.

—¿Por alguna razón?

No tenía tanta confianza con él o, mejor dicho, casi ninguna. No creí, tampoco, que fuera indispensable facilitarle todos los detalles.

—Me casé, tuve un hijo, me tiraba más el trabajo de policía judicial. Había ascendido a cabo y pedí una vacante que salió en Barcelona. Así pude vivir de cerca las olimpiadas. Una experiencia inolvidable.

Hermoso sopesó si lo decía en serio. Finalmente observó:

—Es verdad, qué tiempos, cuando Barcelona era acogedora.

—Lo sigue siendo. Han dejado de serlo algunos de sus habitantes.

—Para nosotros, más de los que nos convendría. En fin, tampoco vamos a remover ese tema, porque entonces pierdes el vuelo.

Disimulé a duras penas mi alivio. Aunque el autogobierno catalán estaba intervenido por el Estado, sin que nadie le opusiera resistencia, el debate acerca de la intentona independentista de aquel otoño —con el referéndum ilegal, la desdichada imagen de nuestros antidisturbios y los de la Policía enfrentándose a los votantes secesionistas y lo que vino luego, la declaración de independencia y la fuga de su artífice— seguía siendo tan visceral como desolador. Era una de esas cuestiones en las que no me sentía en sintonía con nadie. No tenía el menor deseo de explorar cuánto y cómo discrepaba al respecto de mi coronel.

—Al grano —dijo—. Te he llamado porque quiero comentar contigo un par de detalles sobre la víctima y sobre su entorno, que tú, como veterano de Información, seguro que sabrás entender. No sé si tienes referencias del individuo en cuestión y de su trayectoria...

Preferí serle franco.

—No las tenía, pero las he buscado. Algún contacto conservo.

Hermoso sonrió con complicidad.

—No esperaba menos, viniendo de ahí. Te habrán dicho entonces que no es un elemento de peso y que estaba fuera de la organización desde hace un tiempo. Más concretamente, desde que decidió que ya estaba bien de dejarse utilizar como peón de lo que ellos denominan el *frente de makos* o, para entendernos, el colectivo de presos a los que esos cancerberos sin compasión que son los abogados del movimiento se ocupan de mantener al margen de cualquier mejora carcelaria.

—Algo de eso me han contado.

—Además, concurría en él otra peculiaridad, que ayuda a explicar la anterior. Este no necesitaba la ayuda financiera de la cofradía como otros, que no tienen oficio ni beneficio ni han aprendido a hacer nada más que poner bombas o pegar tiros. En la cárcel terminó la carrera de Empresariales y poco antes de salir heredó de un tío una gestoría en San Sebastián, con local propio y una buena cartera de clientes. Lo que te quiero decir es que tenía una posición económica desahogada, por lo que pueda interesar a tus efectos. El dinero siempre despierta alguna envidia, especialmente entre aquellos que no lo tienen.

—¿Entre sus antiguos camaradas con peor suerte, quiere decir?

El coronel se encogió de hombros.

—Es una posibilidad. No más que eso. Lo otro que quería decirte tiene que ver con la familia. El padre murió hace años, pero en Ibiza, me temo, te encontrarás con la madre. Es un personaje de cuidado.

—¿La madre? Será una señora ya mayor, ¿no?

—Setenta y cinco años, pero todavía llena de energía.

Negativa. De ella debió de venirle a este pobre el gen chungo. Tiene a dos sobrinos encerrados, uno en Francia y otro aquí: los dos con delitos de sangre. Cuando el hijo aún estaba en la cárcel se implicó mucho en Gestoras Pro Amnistía. Parece que en los últimos tiempos tenían una relación más bien complicada. Según me cuentan mis antiguos compañeros, ella no le perdonó que flaqueara y se dedicara a rehacer su vida, quizá tampoco le hacía demasiada gracia que el hijo héroe le hubiera salido al final de la acera de enfrente, pero una madre es una madre.

—La atenderemos, no se preocupe —dije, inquieto—. Mi coronel...

—Disculpa, tu avión —recordó de pronto.

—Tengo al cabo esperando, si no ordena nada más...

—Una última cosa —dijo mientras se levantaba y me acompañaba hacia la puerta—. Si sale algo que haga pensar en alguna implicación, por remota que sea, de la fauna con la que en otra época estuvo este hombre jugando a los *gudaris*, llámame en seguida. Te pondré al habla con alguien que pueda guiarte y ayudarte en lo que necesites.

—Así lo haré, mi coronel.

—¿Y el colombiano? ¿Confiesa?

—Tiene nacionalidad española —le recordé—. Quizá sí, quizá no.

—Bueno, tampoco nos vamos a morir si es que no. Buen viaje.

Me estrechó la mano con fuerza y, mientras yo echaba ya a correr por el pasillo, se dirigió a su secretario para que volviera a llamar a los dos tenientes coroneles a los que poco menos que había echado de su despacho para hablar conmigo. Durante el medio minuto que estuve esperando el ascensor, antes de comprender que tardaría demasiado, como siempre, y abalanzarme a las escaleras, pensé que había algo en aquel hombre que me impedía relajarme con él. Lo que tampoco era malo: ante un jefe, conviene no dejar de sentir el frío en la nuca.

Me encontré a Arnau al borde de la apoplejía. Lucía, siempre serena y en su sitio, aguardaba con disciplina al volante. También era verdad que a ella no le iba a tocar hacerse los tres mil metros obstáculos en la T4 de Barajas, pero para ese reto yo lo tenía aún peor que el cabo.

—¿Sacaste las tarjetas de embarque? —le pregunté a Arnau.

—Si no lo hubiera hecho, estaríamos ya muertos.

—No es culpa mía, mi cabo. Lucía, te toca jugarte el carné.

La guardia levantó el pulgar, metió primera y se atuvo a las órdenes que le habían sido impartidas. Pisó a fondo y se las arregló para batir el récord de la distancia. Entramos en la zona de taxis de la T4 con un chirrido de neumáticos que atrajo la atención de un municipal. Se vino hacia nosotros haciendo acopio de todo su arsenal autoritario.

—Somos compañeros —le paré, sacándole la placa.

—Ah —se cortó—. En todo caso, podría ir con más cuidado.

—Órdenes —le respondió Lucía, sin inmutarse.

Atravesamos el control de seguridad echando mano de la placa otra vez, lo que no nos evitó, cosas del protocolo con el que Al Qaeda había humillado para siempre a Occidente, pasar las maletas por el escáner. Llegamos a la puerta de embarque, en la otra punta de la terminal, cuando anunciaban ya la última llamada. Con el hígado colgando por las comisuras, me dije que empezaba a ser viejo para aquello.

7
Anonimato y desahogo

El vuelo no era largo, pero llevaba lectura, como solía, para olvidarme de que iba enlatado junto a otras doscientas sardinas humanas en un artefacto más pesado que el aire. No tenía miedo a volar: simplemente procuraba evitar al máximo los pensamientos descorazonadores. El cabo Arnau, cotilla por oficio y naturaleza, no pudo dejar de torcer el cuello para fisgar la cubierta del libro. Con aplicación escolar, leyó:

—*Historia de la guerra del...*

—*Peloponeso* —completé, mostrándosela—. Tucídides.

—Ese era... un griego, ¿no?

—Un poco griego, sí. De Atenas.

—Alucino.

—¿Por?

—Quién lee algo así, en los tiempos que corren.

Le fruncí el ceño.

—Tucídides siempre está de actualidad. Y más aún para los que nos dedicamos, de un modo u otro, a los conflictos humanos. De hecho, me asombra cómo había conseguido llegar hasta aquí sin leerlo. Nunca le estaré lo bastante agradecido a quien me puso en la pista.

—¿Y quién fue?

—Una colega. De la pasma, historiadora. Y buena en lo nuestro.

—No será esa de la brigada provincial de Madrid...

—Esa misma. Mauri.

—¿También ella lee a Tucídides para inspirarse?

—En realidad ella lee más a otro, un tal Procopio de Cesarea, un griego nacido en Palestina unos cuantos siglos después de Tucídides. Que también está muy bien para nuestro negocio, pero cuando leí que tenía a Tucídides como modelo, quise buscar la fuente, así que me fui al original y me tiene completamente fascinado. En la introducción, el que lo traduce, que es un fenómeno, también como editor y anotador, dice que Churchill no iba a ninguna parte sin sus libros. Y se entiende. También se entiende por qué ahora estamos como estamos, con líderes que al oír Tucídides piensan en un delantero del Olympiakos.

—¿Y qué es lo que cuenta?

—Lo que anuncia el título. Una guerra, en la que Atenas se fue al garete por imperialista, y Esparta, que no quería luchar, la hizo trizas y consiguió una hegemonía que nunca había perseguido. Batallas, sobre todo navales. Muertos, heridos, héroes, traidores. En fin, la vida.

—Siempre había pensado que Atenas eran los buenos y Esparta...

—Juanito, a estas alturas —le corté.

—Oye, que yo estudié Físicas —se disculpó.

—¿Y si yo te dijera que por ser de letras no sé distinguir un protón de un electrón? Pero no es esa la cuestión, mi pequeño saltamontes.

—¿Cuál es?

—Te lo explico con ayuda del propio Tucídides, si me lo permites. ¿Tú sabes, según él, por qué tres razones se declaran las guerras?

—Ya sabes tú que no.

—Y sin embargo deberías. Son las mismas por las que se mata.

—Eh... —dudó.

Por un instante sopesé la posibilidad de ponerle a prueba.

—No sufras —me apiadé al fin—. Te lo digo: por honor, por miedo y por interés. Como lo del honor es un concepto ya antiguo, salvo para seres anacrónicos como nosotros, que según el fundador lo tenemos como divisa, puedes sustituirlo por otro más común: orgullo.

—El caso es que... —pensó en voz alta.

—Nunca intentes llevarle la contraria a un griego, y menos si se las ha arreglado para aguantar durante veinticuatro siglos. Perderás.

—Iba a darle la razón.

—El caso es que esto —continué—, que explica por qué Atenas llevó a combatir a Esparta, y por qué todavía hoy hay congéneres nuestros que le interrumpen el camino a otro congénere, nos ahorra entrar en ese jardín de los buenos y los malos. Matar es malo, la guerra lleva a matar en cantidades industriales y también es mala y acaba por hacer malos a los que luchan en ella, pero todo eso es una obviedad. Lo que importa es entender que tanto el interés como el miedo y el orgullo pueden hacer un asesino y un guerrero de cualquiera, si concurren en la medida suficiente. Entender lo que la gente y los pueblos temen, les interesa o les hiere el orgullo de una manera insoportable es entender también las guerras y los crímenes. No los evita, pero los explica.

—Así expuesto, suena sólido.

—Es sólido. Echa la vista atrás y piensa en todas las muertes en las que nos ha tocado tratar de arrojar luz. Hasta la de ayer mismo.

Arnau reflexionó.

—Es verdad, de un modo o de otro...

—Nunca pongas en duda la palabra del maestro.

—¿Lo dices por ti o por Tucídides?

—¿Tú que crees?

Prefirió sortear aquella trampa.

—No responderé, por si acaso. Por cierto, que no me has contado casi nada del sitio a donde vamos ni de lo que vamos a hacer.

—¿No conoces Formentera?

—No, la verdad.

—Yo tampoco, salvo por alguna película. La descubriremos juntos. Es muy pequeña, por lo visto. En cuanto a lo que nos lleva hasta allí, no puedo contarte por ahora mucho más de lo que ya sabes.

—¿Miedo, orgullo o interés? —preguntó.

—¿Tú por qué apuestas?

—Por lo poco que sé, orgullo —se atrevió a decir.

—No es mala opción. Sin embargo, hay un par de detalles que...

En ese momento me fijé en que nuestra vecina de asiento, una chica veinteañera con tres *piercings* —que se vieran—, no despegaba la oreja de lo que hablábamos. También miraba con curiosidad mi libro. Los años en el oficio no evitaban que uno se olvidara a veces de que había ojos y oídos por todas partes y de que por nuestras manos pasaban hechos e informaciones que no debían difundirse. No habíamos dicho hasta aquel momento nada que pudiera considerarse una indiscreción, pero había estado a punto de irme de la lengua. Miré a la chica, que tenía unos llamativos ojos verdes, y le enseñé la cubierta del libro.

—¿Te gusta leer?

—Bastante, sí —me contestó, entre sorprendida y avergonzada—. Perdona, es que estaba flipada por vuestra conversación.

—Somos criminólogos —mentí, o tal vez no—. Vamos a Formentera, a una especie de congreso de lo nuestro. ¿Y tú qué, de vacaciones?

Negó con la cabeza.

—Qué va. Yo vivo allí. En Ibiza, vamos.

—Ah, qué suerte.

—Bueno, depende de la época. Oye, el libro ese también tiene pinta de molar. Qué es, algo así como los de R. R. Martin, ¿no?

—A ratos —concedí—. Seguro que él se lo ha leído.

—Pues me apunto el título —dijo, mientras tecleaba a la velocidad de la luz con los pulgares sobre la pantalla de su smartphone—. Me lo bajo un día de estos y le echo un vistazo, a ver si me engancha.

Estuve por decirle que también se lo podía comprar, que lo tenía por sólo unos euros en todas las tiendas digitales, y así de paso retribuía de alguna manera el trabajo del traductor del libro, un pulcro filólogo que le había puesto todo su talento, toda su erudición y un pundonor que bien merecía alguna recompensa. Incluso podía haber añadido, para tratar de llegarle al corazón, que aquel hombre, que se apellidaba Torres Esbarranch, me había tomado la molestia de investigarlo, era de las islas, como ella, y había sido profesor de universidad en Palma. Me retuvo, respecto de esto último, la duda sobre si la chica había nacido o sólo residía en Baleares, y respecto de lo anterior el temor a meter la pata, bien porque aquella joven, como tantas otras de su generación, pagara a duras penas el alquiler, o bien porque considerara, también como la mayoría de sus coetáneos, que los derechos de autor eran una traba capitalista y nauseabunda al libre disfrute de la cultura. Hacía tiempo que había renunciado a oponerme al curso arrollador de los acontecimientos; ya sólo trataba de desentonar lo menos posible.

En ese momento el avión, que llevaba sus buenos quince minutos cerrado y listo para despegar sin moverse de la terminal, comenzó a retroceder lentamente, empujado por el tractor aeroportuario que tenía esa función y que siempre me había parecido un artilugio más bien rudimentario para resolver esa maniobra. La chica se sumergió en los vídeos de su teléfono y, aunque los auriculares que llevaba puestos tal vez me hubieran permitido intercambiar con mi compañero alguna confidencia sin miedo a que ella la oyera, no era la única que teníamos cerca y preferí no correr el riesgo. De modo que volví a la escaramuza de trirremes en la que Arnau me había interrumpido antes la lectura y él, que arrastraba sueño atrasado, escogió echarse una cabezada. En ese mismo remanso y quehacer seguíamos cuando unos tres cuartos de hora después las ruedas del avión chocaron contra el asfalto de la pista de aterrizaje del aeropuerto de Ibiza, sobre el que brillaba un sol primaveral que hacía olvidar al instante aquel otoño gris y sucio que habíamos dejado instalado sobre los vastos dominios de Barajas.

Antes de despedirnos, nuestra compañera de viaje se preocupó de hacernos una recomendación para nuestros días en Formentera:

—No dejéis de ir a ver el atardecer al faro del Cap de Barbaria.

Percibía una deliciosa ingenuidad, más que descortesía, en aquella soltura con la que la gente de su edad tuteaba sin distinción a todo el mundo; incluido a mí, que podía ser su padre. Me imaginé con su edad, hablándole de tú a un dinosaurio como yo, y me dije que la principal razón para no hacerlo era la desconfianza que debe inspirar a cualquier criatura precavida quien se las ha arreglado para sobrevivir más de medio siglo en la sociedad de los hombres. La duda que me acometió a continuación era si los jóvenes habían dejado de percibir aquel peligro o si las personas maduras de mi generación, por culpa de nuestra desorientación generalizada, les parecíamos inofensivas.

—Gracias por la sugerencia —le dije—. Y tú echa un ojo a Tucídides.

—Apuntado está —me respondió, muy seria.

En la zona de llegadas nos esperaba un cabo primero de uniforme y uno noventa de estatura. Alguien había decidido que no tuviéramos la menor duda para identificar a quien venía a recogernos; también que nuestros esfuerzos para mantener el incógnito fueran infructuosos. No pude evitar echar una ojeada a mi alrededor por si la chica del avión estaba cerca, pero me acordé de que llevaba un minibolso y deduje con alivio que debía de estar esperando todavía a recoger el equipaje.

—A la orden, mi subteniente —rugió el cabo en cuanto me acerqué y le tendí la mano—. Se presenta el cabo primero Rodríguez.

—Vila —respondí—. Y este es el cabo Arnau.

—¿Los acerco al hotel antes o vamos directos a la compañía?

—Mejor a la compañía.

—Pues vengan conmigo. Estamos casi al lado. En realidad aquí todo está casi al lado. Es lo que tienen las islas. Y más estas.

Conservaba acento andaluz, pero dudé sobre la provincia.

—¿De dónde es usted?

—De Carmona, Sevilla. A donde me vuelvo en cuanto me jubile.

Le calculé la edad. Andaría por la mía, más o menos.

—¿No le gusta esto?

—Aquí hay mucho vicio —dijo, con aire socarrón—. Para el que es joven, está bien, no le digo que no, pero yo ya hice todas las maldades que tenía que hacer y tengo decidido que me muero con mi santa.

—Así visto...

—Y para playa, prefiero las de Cádiz.

—Cada uno es cada uno —le reconocí el derecho.

En el breve trayecto hacia la sede de la compañía, el cabo primero Rodríguez compartió con nosotros lo poco que conocía del caso. Según nos hizo saber, y por el uniforme ya habíamos colegido, él no estaba en policía judicial, sino en la plana mayor, es decir, el equipo de apoyo al comandante que mandaba a nuestra gente en las dos islas.

—El caso ha provocado revuelo, en la prensa de aquí y ya no le digo en Formentera. Estamos en temporada baja, de noticias y de todo lo demás andamos cortos en estos meses. Ya lo verá usted: en cuanto se termina octubre y cierran las discotecas esto es un cementerio.

—Algún turismo de invierno habrá. Hace bueno.

—Muy poco. Aquí la peña viene a la fiesta, y a lo que corre en la fiesta. Y de eso en invierno, salvo fin de año, nada de nada.

—¿Qué se dice en los periódicos? —me interesé.

—Que al pobre hombre le hicieron daño de verdad, me imagino que alguien que lo vio en el anatómico forense se habrá ido de la lengua. Tienen mucho trato con los periodistas, están en un sótano que dicen que es insalubre y andan de campaña para que los trasladen.

—¿Y de la víctima?

—De la víctima, poco o nada. Es un *foraster*, como le dicen ellos; lo mismo a los que llevamos aquí quince años. Los que no somos de la isla les importamos sólo hasta cierto punto. Todavía no tengo del todo claro si les gusta que vengamos a hacerlos ricos o preferirían que nadie se hubiera fijado nunca en este lugar. Tiro más a lo segundo.

—¿Ningún comentario sobre la posible motivación del crimen?

—En uno de los periódicos mencionan que era vasco, y en otro que era un turista de mediana edad que estaba solo en la isla, lo que para las entendederas locales suena a maricón. O bueno, gay —corrigió.

—Sin más especulación sobre el particular...

—Ya le digo: no era de aquí. No se van a tirar de los pelos por él.

—¿Ha habido más casos?

—¿De qué?

—De turistas solos y maduros que aparecieran muertos.

—Ah, sí. Más de uno. Pero por causas naturales o por accidentes, que yo me acuerde ahora. Uno de ellos resultó que era cura.

—¿Y también...?

—Si se refiere a si perdía aceite, a chorros. Lo vieron unas cuantas noches recorriendo arriba y abajo la calle de la Virgen.

—¿La calle de la Virgen? —repitió Arnau—. ¿Una expresión local?

—No, una calle de Ibiza, de la ciudad vieja. Ahí están concentrados todos los locales de ambiente del casco antiguo. Según la leyenda, por ella se dejaba ver al anochecer Freddie Mercury, el de Queen, vestido de blanco de la cabeza a los pies, cuando paraba por la isla.

—Habrá que echarle un vistazo —dije.

—Ahora me da que está todo chapado. Pero puede ir a ver.

—Nos daremos un paseo cuando acabe la jornada.

La compañía de Ibiza estaba emplazada en un edificio de nueva construcción, junto a la autovía que llevaba al aeropuerto. Era amplio y luminoso, con un diseño tan despejado y acogedor y unas vistas tan agradables que parecía que nos la hubieran asignado por equivocación en el reparto de inmuebles públicos. Por lo común, las dependencias del cuerpo eran más bien hoscas y tenebrosas, quizá porque alguien había pensado que eso podía servir para socavar mejor el ánimo de los malhechores frente a los representantes de la ley, una vez que caían en nuestras garras. En el piso superior estaban la plana mayor y el despacho del jefe de la compañía. Arnau y yo seguimos a Rodríguez por las escaleras que subían hasta allí. En el espacio que servía de distribuidor vi una vieja fotografía en blanco y negro. Mostraba a un guardia civil de principios del siglo xx, con casaca de dos filas de botones dorados, mostacho de puntas rizadas y cinturón de hebilla bruñida. Transmitía toda la autoridad que era evidente que ya no teníamos sus decadentes sucesores, y más cuando se reparaba en su mirada firme y penetrante y en la postura en que reposaba sobre una silla con brazos, una mano sobre uno de ellos y la otra sobre el muslo. Pero por encima de todo lo certificaba la imagen subalterna de la mujer que le acompañaba en la foto, engalanada con el traje típico de la isla, de pie y adecuadamente sometida al varón que era el rey de la casa y el Estado en la calle.

—¿Y esta foto? —no pude evitar preguntarle al cabo primero.

—La encontró un compañero en un mercadillo local. ¿Qué le parece a usted? —bromeó—. Ya no hay guardias civiles así, ¿eh?

—Ya no hay nadie así.

—Por fortuna —observó Arnau.

—No juzgo —aclaré—. Me limitaba a constatar el hecho.

El comandante Tuñón era un hombre corpulento, de tez bronceada y ojos muy azules que contrastaban con ella de forma poderosa. Tenía una mirada persistente, con la que sacaba partido a aquella tonalidad inusual, en relación con el común de sus conciudadanos, que la naturaleza le había otorgado a sus iris. Hablaba con voz grave y bien modulada y era de esos oficiales que no hacen movimientos de más ni se dan más prisa de la imprescindible. O quizá no era así, sino que se había hecho, para mejor desempeñar el papel que le tocaba en suerte como máximo responsable del cuerpo en la mitad del archipiélago. Advertí en seguida que entre sus funciones, aparte de las puramente policiales, pesaba de forma singular la representación institucional, que pasaba por dejar lo más alto posible nuestro pabellón ante las autoridades isleñas.

Nos puso rápidamente al corriente de la investigación. Según nos contó, en Formentera sólo había juez de paz, una figura que, dicho sea de paso, cada vez me resultaba más incomprensible: poner jueces a los que no se les exigía tener formación jurídica, en un país donde había casi más titulados en Derecho que champiñones —y yo mismo había contribuido a extender el mal, engendrando y criando a uno—, era una solución cuando menos discutible para demarcaciones en las que en no pocos casos, como el de Formentera, vivían miles de ciudadanos. De las diligencias por el homicidio, dada la falta de juez de instrucción en el lugar del crimen, se encargaba uno de los de Ibiza, hasta donde habían traído también el cadáver para practicarle la autopsia.

—Nos ha tocado el más serio y más veterano —me explicó, a mi pregunta sobre cómo nos había tratado en aquella ocasión la suerte en lo referido a la judicatura—. Es de aquí, además, por lo que podemos considerarlo parte de las fuerzas vivas de la isla. De momento está a la expectativa, sabe que sirve de poco apretar a los profesionales cuando aún se le está tomando la medida a la investigación, pero es de temer que con el paso de los días se irá mostrando menos comprensivo.

—Tampoco habrá muchos muertos por aquí, ¿no?

—No creas, este año llevamos unos cuantos. La mayoría por lo de siempre: suicidios, accidentes y gente que no mide si lo que se mete va en consonancia con lo que su corazón aguanta. Y otro clásico: cuerpos que el mar escupe a la playa, caídos de algún barco. Pero también hay un más que posible homicidio, que tenemos todavía sin resolver.

—¿Turista?

—No, residente. Una mujer. El problema es que no hay cuerpo.

—¿Y eso?

—Esto es una isla, y si te alejas un poco de la costa en seguida tienes unos cuantos metros hasta el fondo. Si te pones a imaginar, no cuesta entender que un cadáver desaparezca sin dejar rastro. Y no descartes, con una población flotante enorme que no siempre se registra cuando entra en la isla, que haya más casos que no tenemos controlados.

—¿Qué hace pensar en ese caso en un homicidio?

—Era una mujer conocida, con arraigo y relaciones. Se la vio por la calle, un poco perjudicada y discutiendo con varias personas. Y en la madrugada siguiente su teléfono dejó de dar señal, cerca de donde se tiene registrada su presencia, hasta hoy. Como te puedes imaginar, hemos rastreado la zona palmo a palmo, y nada. Si se hubiera caído, o le hubiera dado un infarto o algo así, habría acabado apareciendo.

—En nuestro caso no tenemos ese problema.

—No —confirmó el comandante—. Aquí tenemos cuerpo. Hecho unos zorros. El que lo dejó así se aseguró de que no lo contaba.

—¿Qué es lo que sabemos de él hasta el momento?

—Vecino de San Sebastián, había venido varias veces antes por aquí, en temporada y fuera de ella. Se ve que le gustaba la isla, incluso tenía un hotel fijo, en Ibiza, al que venía regularmente. En Formentera no se alojó nunca: tomó el barco para allá la víspera de su muerte y no nos consta que pernoctara en ningún establecimiento de allí.

—¿Durmió al raso? Ahora no hace frío, pero de noche refrescará...

—Refresca —me ratificó—. Y más con la humedad. O no era friolero o se hospedó en algún lugar que no nos pasa sus registros.

—En cuanto al perfil...

Tuñón clavó en mí sus ojos azules.

—Confirmado al cien por cien: homosexual en busca de anonimato y desahogo lejos de su entorno habitual. Como tantos otros. El personal del hotel confirma haberle visto subir a su habitación con distintos hombres, siempre más jóvenes que él, en esta y en otras visitas.

—¿Tenemos identificado a alguno?

—Descripciones físicas de dos, nada más. Una de ellas facilitada por el recepcionista del hotel, la otra por un barman de un local nocturno y por un camarero de un restaurante vasco al que fue a cenar. Los datos concretos los tiene el teniente Tomeu, de policía judicial de Palma.

—¿Dónde anda, por cierto?

—En Formentera, con su equipo y con los míos. Hoy se han pateado la isla buscando posibles registros de los pasos de la víctima. El primer día ya encontramos, tampoco era muy difícil, la agencia que le alquiló el coche, que estaba aparcado no lejos de la playa donde apareció el cadáver y que ya se ha trabajado el equipo de criminalística. La idea era buscar hoy testigos, cámaras, cualquier detalle que ayude.

—Cuando alquiló el coche, ¿iba solo?

—La empleada de la agencia dice que creyó ver a un hombre joven que lo esperaba fuera, fumando. No lo asegura, de todos modos.

—¿Algún rasgo identificativo de ese individuo?

—No. Salvo que consideres como tal «estatura media».

—Algo es algo. Sirve para descartar gigantes y gnomos.

Tuñón me miró con gesto serio. Me recordé, por enésima vez, que más valía cerciorarse de que había agua en la piscina antes de lanzarse de cabeza a hacer un chiste, y más aún en presencia de un superior.

—Aparte de todo esto —dijo, aún reticente—, te supongo al tanto de las connotaciones, digamos especiales, de nuestro personaje.

—Estoy al corriente, sí.

Arnau puso cara de no comprender, como resultaba previsible. Era el momento de ponerle en las manos, sin más demora, la información que entre urgencias y distracciones aún no le había podido dar.

—La víctima tenía una vida anterior —le expliqué—. Al margen de la ley y con amistades peligrosas. Para que lo sepas todo: estuvo en la cárcel, condenado por pertenencia a ETA. Salió hace cinco años.

El cabo se quedó descolocado.

—De todos modos —añadí, también para el comandante, por si él tenía otra idea—, por ahora esto es sólo un antecedente que conviene tener presente, nada más. Estaba desvinculado de la organización.

—Ahora comprendo por qué hemos venido, aun estando en mitad de otra historia —dijo Arnau mientras procesaba la noticia.

—No tiene por qué ser relevante para la investigación —insistí.

—Ahí discrepo, subteniente —intervino el comandante.

No me lo esperaba, pero traté de mantener el tipo.

—¿Por alguna razón concreta, mi comandante?

Tuñón sonrió con suficiencia.

—Muy concreta. Amaia Etxebarri, se llama. Llegó ayer por la tarde, desde Guipúzcoa, y ya ha ido dos veces a ver al juez del caso para preguntarle cuándo le van a dar los restos de su hijo. Según una de mis antenas, este mediodía estaba en el paseo Vara de Rey tomando café con una periodista. Puede que la plumilla publique algo mañana o puede que no; lo que me mosquea es que no me haya llamado para preguntar, tiene mi número de móvil y no suele dudar en marcarlo.

Ni quise ni pude esconder mi disgusto.

—No contaba con tener el foco encima tan pronto.

—Pues ve contando.

—¿Cuándo regresan los de Formentera?

—Creo que venían en el barco de las cinco. No tardarán ya mucho. Si quieres, te enseño la sala que os hemos habilitado para trabajar.

Era una estancia amplia, con una gran mesa de reuniones. Había en ella sitio para una docena de personas. A continuación, el comandante nos mostró un despacho más pequeño, con otras dos mesas.

—Y este despacho, por si hay que tratar con alguien en privado.

—Vamos a estar mejor que en nuestra propia oficina —le reconocí.

—Hay que ser buen anfitrión, cuando se puede —dijo, visiblemente satisfecho de tener aquellos recursos para agasajar a las visitas.

El teniente Tomeu apareció media hora más tarde, con los cuatro miembros de su equipo y el teniente de policía judicial de la compañía, a quien seguían otros tres agentes, dos hombres y una mujer. Por la cuenta que me traía, me fijé en los dos oficiales: Tomeu era un veterano, cuarenta y tantos años, cabello muy negro, no demasiado alto, aire competente; el otro teniente era un veinteañero que no debía de tener lejos los días de la academia y que se conducía con esforzada gravedad. Aquello era casi un ejército y, aunque el comandante hizo las presentaciones, sólo fui capaz de quedarme de entrada con el nombre del otro teniente, Ferrando, y el de la mujer: se llamaba Eva y era una treintañera de mirada vivaz y porte contenido. Cuando el teniente Ferrando, su jefe, le comunicó al comandante que la guardia había dado con algo de interés mirando la grabación de una de las cámaras, ella se limitó a explicar, como si no le diera mucha importancia:

—He aprovechado en el barco, pasándola a velocidad máxima. En esta época del año casi no hay nadie, me ha saltado en seguida.

—¿Qué es? —pregunté.

—Mejor lo vemos en su despacho, mi comandante —dijo el teniente.

—Está bien —cazó la indirecta el jefe de la compañía—. Venid.

La señal que hizo para que le acompañáramos al despacho sólo tenía como destinatarios a los dos tenientes y a mí, además de a la propia Eva, que era quien llevaba cargada en el ordenador portátil la grabación. Los demás, incluido mi cabo, aceptaron disciplinados que el visionado era por el momento un privilegio reservado a los jefes. Me pregunté qué habría encontrado aquella mujer para andar con tanto secreto. No tardé en tener la respuesta, cuando la guardia desplegó su portátil y, tras consultar con la mirada al teniente, reprodujo aquel vídeo.

La imagen mostraba una playa desierta de arena blanca, flanqueada por dos acantilados no muy altos de piedra marrón. El día era soleado y al fondo se veía un mar quieto de color azul turquesa. En seguida entraban en cuadro dos figuras, que atravesaban la superficie clara deslumbrada por el sol y buscaban acomodo junto a uno de los cierres rocosos de la cala. Eran dos hombres, uno de complexión más robusta y el otro más fibroso; aunque la imagen estaba captada a distancia, se percibía, por cómo se movía y lo que se adivinaba de sus facciones, que el primero era mayor que el segundo. Tras sentarse sobre la arena, conversaban durante unos minutos. En cierto momento, uno de ellos, el más joven, aprovechaba el calor que debía de hacer en aquel lugar a resguardo del viento para quedarse con el torso al aire. El otro lo admiraba y le pasaba la mano por los brazos y los hombros. Minutos más tarde, los dos estaban completamente desnudos y tendidos sobre la arena. La mano del hombre mayor exploraba entonces a tientas el espacio entre las piernas del otro y cuando daba con lo que buscaba se aplicaba a darle un devoto masaje, que su compañero le devolvía poco después. El estímulo manual los conducía a ambos a una excitación que terminaba resolviéndose con el más joven arrodillado junto al de más edad y entregándose a una vehemente felación. Su beneficiario se estiraba para sentirla a fondo, con el cuello doblado hacia atrás y el rostro vuelto al sol que lo vivificaba con su energía. Un espasmo de significado inconfundible zanjaba la operación, tras la que el hombre mayor se incorporaba, empujaba suavemente al otro hasta tumbarlo y se entregaba con entusiasmo a devolverle la deferencia. Sin embargo, sus esfuerzos no obtenían la recompensa pretendida. Al cabo de unos minutos, el joven lo apartaba, lo que daba paso a un instante de clara tensión entre ambos. El hombre maduro trataba de arreglarlo, pero el otro lo empujaba con malos modos y la escena terminaba con los dos vistiéndose y toda la magia desvanecida. Sin intercambiar palabra, abandonaban la playa, el joven un par de metros por delante. Antes de que salieran, la cámara registraba la imagen más cercana de los dos. Llegaba a distinguirse el rostro contrariado del muchacho. Justo en ese punto, la guardia Eva congeló la imagen y aguardó instrucciones.

—Agrándalo y afina la resolución todo lo que puedas —le ordenó el comandante—. Ya tenemos algo que enseñarles a los testigos.

Era una afirmación tan comedida que costaba no estar de acuerdo.

8

Morder el polvo

La farmacéutica volvió a mirarnos de arriba abajo. Se comprendía: mi fular violeta, sobre mi jersey de pico color butano, llamaba la atención, pero sólo un poco menos que el fular en tono aguamarina que lucía el brigada Ruano sobre su rebeca color rosa vivo. La caracterización, que completaba con unos ademanes logrados e inequívocos, probaba unas habilidades que yo me sentía incapaz de desarrollar, por mucho que lo ensayase y me empeñara. En todo caso, tenía que arrojarme al vacío. A aquellas alturas, darme la vuelta e irme de allí no era una opción.

—Dos cajas de preservativos, por favor —pedí.

La mujer, en la cincuentena, y a la que presumí la orientación moral e ideológica común en la calle del barrio de Salamanca donde tenía su oficina de farmacia, me miró con un desagrado perfectamente descriptible, pero se aprestó a cumplir con su obligación profesional. O a recaudar su margen de beneficio, que es otro argumento socorrido para no ser muy maniático con la observancia rigurosa de los mandamientos. Fue a donde tenía la mercancía que le había solicitado y depositó dos cajas sobre el mostrador. Se trataba de preservativos estándar, de una marca de referencia. Crucé una mirada con Ruano, que expresó con el gesto una denegación decidida. Tomé aire y traté de sonar natural:

—¿No los tiene usted de sabores?

La farmacéutica abrió los ojos de par en par.

—No, de sabores no —rechazó, horrorizada.

—¿Y con efecto retardo?

—Tampoco.

La tensión se masticaba en el ambiente. No sólo entre ella y yo, sino también con la cola que se iba formando detrás de nosotros, nutrida por señoras de misa diaria y algún adusto caballero español. Ruano, sin pronunciar palabra, se encogió de hombros y golpeó con el índice sobre uno de los dos paquetes. Era la señal convenida. Recé.

—Verá, si no tiene de los otros —dije—, nos llevamos estos, pero una de las cajas necesitaré que sea de tamaño XL. Es que mi pareja está muy dotada, sabe usted, y los de talla normal no le entran...

—Pero bueno, qué cojones es esto —oí detrás de mí.

Ruano me hizo ver que no pensaba despegar los labios. Estaba solo y el infierno se me prometía con un fulgor incandescente y fatídico. Me volví y vi a un hombre de fino bigote, corbata al cuello, pelo peinado hacia atrás y pinta de excombatiente, echando azufre por los ojos.

—Una farmacia, señor —le dije—. Y una democracia, donde todos somos iguales ante la ley, por si no se había enterado usted.

—La puta democracia, para esto sirve —rezongó.

—Aquí tiene —me dijo la farmacéutica, reemplazando de mala gana una de las cajas por la que le había pedido—. ¿Desea algo más?

—¿Tiene usted crema lubricante?

—Ginecológica. Esto es una farmacia, no un *sex-shop*.

—Me va bien. ¿Me la pone y me dice usted cuánto es?

Fue a la trastienda, volvió con una caja, la colocó junto a las otras dos. Echó cuentas y me dio la cifra. Le tendí un billete de diez mil.

—¿No lo tiene más pequeño?

Le puse mi cara más inocente.

—Acabo de cobrar, lo siento.

Resoplando, buscó en la caja y encontró los billetes y las monedas necesarios para darme las vueltas. Me los puso en la mano como si le quemaran, o como si fuera mi mano la que quemase, no distinguí bien. Los recogí, me los guardé y metí las cajas en la bolsita en la que ella no se había avenido a introducirlas. Le dediqué una mirada cálida.

—Muy amable, señora. Que tenga un buen día.

—Igualmente —gruñó—. El siguiente, por favor.

Al salir, me preocupé de no perderle la cara ni la mirada en ningún momento a aquel hombre, que parecía a punto de sacar de debajo del abrigo una bayoneta para clavármela en el bajo vientre. El brigada Ruano comprobó de reojo que yo no flaqueaba en el desafío. Antes de abandonar la farmacia, me permití añadirle una filigrana a la faena.

—Buen día para usted también. A pesar de la democracia.

—Anda y que te den por culo —me deseó a su vez.

—Qué mono —lo celebré—. Gracias, mocetón.

Hizo un ademán que Ruano, siempre en silencio, abortó metiendo su hombro entre los dos y sujetándome la puerta mientras yo salía. El hombro de Ruano, dicho sea de paso, era de roca viva, y la mirada que mantuvo clavada en la calle, disuasoria incluso para excombatientes. Cuando estuvimos a suficiente distancia, observó, algo desabrido:

—Lo último te ha sobrado, Beviculín.

—Bevilacqua —corregí.

—Ya lo sé, joder. Lo he dicho aposta.

—Por si acaso. Pero en general, he pasado la prueba, ¿no?

Mi examinador me espetó, sin compasión:

—La pasarás cuando no te pongas rojo ni se te seque la boca.

—¿Se ha notado mucho?

—Un huevo. Y si no estás listo para llevar cualquier cosa encima como si hubieras nacido con ella, ya puedes ir pidiendo Tráfico. Igual si te toca vestirte de marica que si tienes que ir de gallina Caponata.

—¿También hay que pasar esa prueba?

—Muchacho, ¿tú has pillado que esto es un curso eliminatorio?

—Perfectamente, mi brigada. Y le leo en los ojos que no lo he hecho tan mal, a pesar de todo. ¿A que le ha gustado lo de la democracia?

Ruano me fulminó con la mirada.

—Me ha encantado. Me lo voy a poner en una camiseta y todo.

—Ya lo decía yo.

Con la perspectiva del siglo XXI puede parecer poca cosa, pero en los años ochenta del siglo pasado, apenas una década después de salir de una dictadura nacionalcatólica, aquella prueba —que nos hicieron pasar a todos, cambiando solamente la farmacia— era una canallada con la que Ruano, responsable de su diseño, conseguía revolcar a casi todos los aspirantes varones. A las mujeres también las sometió al mismo trago, sin toda la parafernalia gay y haciéndose pasar por otro cliente de la farmacia para poder vigilarlas. Y aunque no lo pasaban bien, sabiendo que tenían los ojos del brigada clavados en la nuca mientras pedían el producto ajustado al tamaño y gusto de sus novios, se las arreglaban para salir, en general, bastante más airosas. Uno de los que lo llevó especialmente mal, a pesar de su desenvoltura y su desparpajo, fue Álamo. Después de hacerlo, me dijo, furioso:

—Este hijoputa lo que quiere es humillarnos a todos. Ya me dirás tú por qué coño tengo que saber hacer de moña para cazar etarras.

—Pone a prueba tu vergüenza. Tu sangre fría. Tus recursos.

—Y más que los pondría a prueba si me pidiera que le hiciera una paja, pero ahí sí te juro que le pegaba una patada en las pelotas.

—Tranquilo, que eso no te lo va a pedir.

—¿Tú estás seguro?

—Seguro. Y tampoco vas a tener que dejarle estrenar tu flor.

—A ti esto te parece muy gracioso, ¿no?

—Sólo siento haberme perdido tu cara al pedir el condón XL.

—Da gracias. Te habría tenido que matar, para no dejar testigos.

—Relájate, hombre, que queda mucho curso todavía.

Lo de la farmacia no era más que una prueba entre tantas, y no la más difícil. La que *a priori* parecía más inverosímil era la que consistía en entrar en una cafetería, pedir un café, no pagarlo con una excusa, volver a la cafetería media hora más tarde y pedir otro café y que te lo pusieran, dejarlo de nuevo sin pagar y retar la paciencia del camarero regresando por tercera vez y pidiéndole que volviera a servirte. Por descontado, quedaba excluido decirle que eras un guardia civil en el trance de pasar una prueba para incorporarte a una unidad especial antiterrorista, y en la barra, acodado e hincándose el *Marca*, estaba el brigada Ruano para cerciorarse de que no se te ocurría ir por ahí.

Las dos primeras veces le dije al camarero, un hombre de mediana edad con cara de sabérselas todas —Ruano elegía la cafetería y la hora, y no dejaba ningún detalle al azar—, que acababa de perder el trabajo, que llevaba una semana casi sin dormir y echando currículums y que estaba ya desesperado. Me había provisto de una carpeta para hacerlo más creíble y, aunque no las tenía todas conmigo, funcionó. Eso le hizo perdonarme el primer café y le llevó a ponerme el segundo con cierta facilidad. Incluso me dijo que le hacía pensar en su hijo, que dentro de poco estaría buscando trabajo también. Sin embargo, cuando volvió a verme entrar y se malició que iba a pedirle el tercero, en su mirada se encendió una lucecita notoriamente contraria a mis intereses. Como bien sabía Ruano —que en ese momento hundía sólo en apariencia la mirada en un reportaje sobre Hugo Sánchez, el pichichi de la Liga— era ese, el tercer café, la verdadera prueba, en la que solían naufragar las coberturas de todos los aspirantes. Había pensado una y otra vez cómo pasarla y había encontrado una solución que estaba en el límite del reglamento fijado por el propio Ruano, pero que no lo infringiría si conseguía que me saliera bien. Me senté en la barra, miré al hombre que a su vez me escrutaba, inclemente, y abrí la carpeta despacio.

—Disculpe, he estado pensando...

No me dejó terminar la frase.

—Chaval, bien ha estado hasta aquí, ¿no crees?

No lo dijo con muy mal tono. Lo consideré una buena señal.

—Déjeme que le explique, por favor —le rogué—. Se me ha ocurrido que a lo mejor necesitan algún día a alguien, para lo que sea, fregar, recoger, cubrir algún turno. ¿Le podría dejar mi currículum?

—Yo no soy el dueño.

—¿Se lo podría pasar usted?

—Bueno, si te empeñas —se ablandó—. Pero tenemos la plantilla cubierta. Y además, no parece que tengas experiencia en esto.

—En hostelería no. Soy psicólogo —dije, con un gesto de bochorno que despertó su piedad; sabía que nada ayudaba tanto a mentir como intercalar entre los embustes una verdad, a poder ser ominosa.

Examinó el folio que le tendía.

—Francisco Javier Girón Ezpeleta —leyó, con aplicación—. Nada más y nada menos. Tienes nombre de ministro, muchacho.

—Pero sólo el nombre.

—No sé yo si el jefe querrá a alguien con tantos estudios. Si quieres puedes traer otro currículum en el que sólo pongas la EGB.

—¿Usted cree que eso me ayudaría?

—No creo que te perjudicara.

—Pues démelo, mañana se lo traigo sin la carrera.

—Será mejor, sí.

Recogí el folio y volví a guardarlo en la carpeta.

—Quería pedirle otra cosa, si no le molesto.

El camarero suspiró, indulgente.

—Dime. A este paso te voy a acabar adoptando.

Le puse una moneda de veinticinco pesetas sobre la barra.

—Me la he encontrado en la calle. He pensado que a lo mejor podía ponerme medio café, y dejarme tener la dignidad de pagarlo esta vez.

El camarero me observó, al borde de las lágrimas.

—Chaval, qué par de narices.

Me puso el café, entero, y no hubo manera de obligarle a aceptar las veinticinco pesetas, que volví a guardarme en el bolsillo, tratando de disimular la sonrisa triunfal, mientras vigilaba de reojo a Ruano. Me había arriesgado a perderlo todo: habría bastado con que el camarero cogiera la moneda. Que me permitiera llevármela, en cambio, sellaba mi triunfo. Los tres cafés estaban en mi estómago, y no había tenido que aportar ni un céntimo a la caja registradora. Esperé a Ruano en el punto convenido. Le vi venir con las manos en los bolsillos, temiendo que me reprendiera por la relativa heterodoxia en que había incurrido al exhibir aquel dinero, aunque no hubiera llegado a desembolsarlo. No era eso, sin embargo, lo que venía rumiando por el camino.

—¿Cómo se te ha ocurrido poner en ese puto currículum el nombre del duque de Ahumada, nuestro glorioso fundador? —me ladró.

—Porque nadie sabe cómo se llamaba.

—Eso ha sido una chulería. Una más.

—¿La chulería baja nota?

—Sólo si conduce al fracaso.

—Aquí no lo ha hecho —aduje—. No he tenido que pagar el café.

—Te acabará conduciendo, si abusas.

—Procuraré medirla.

—Eso se mide con dificultad, cuando le tomas afición.

—No me aficionaré, entonces.

—Más te vale. Me joden los empollones.

—¿Eso quiere decir que en esta tengo sobresaliente?

—No te confíes, Beviculito, ya te haré morder el polvo.

Y vaya si lo hizo, y varias veces, además. Con algunos apuros, pude pasar otra de las pruebas estelares de Ruano, la del metro: en este caso no sólo había que colarse, sino que había que salir, en tres horas como mucho, con un mínimo de cinco mil pesetas, recaudado de los viajeros. El récord de la prueba estaba fuera de mi alcance, dada la ventaja de las mujeres a la hora de enternecer al personal, como probó la marca de la ganadora, ocho mil pesetas en poco más de hora y media, pero echando mano de subterfugios diversos —incluido el de pasarme una hora de rodillas con los brazos en cruz y la cabeza gacha junto a un cartel con letras escritas al revés y faltas de ortografía— junté las cinco mil a falta de diez minutos para que expirara el plazo concedido.

Donde sí quedé en la raya del suspenso fue en la prueba que trataba de medir tu resistencia a la desesperación. Te vendaban los ojos, te subían a un coche, te llevaban por la noche hasta un lugar desconocido y te dejaban en mitad de la nada. A las ocho de la mañana tenías que estar en una cita a cientos de kilómetros. Para ponerlo más difícil, todo lo que llevabas contigo era la pistola y, en un sobre cerrado, el dinero y la documentación. Si abrías el sobre, estabas descalificado. En cuanto a la pistola, aunque algún atolondrado pudiera confundirse, no era una incitación a delinquir, expediente que tampoco estaba permitido, sino una manera de poner a prueba tu capacidad de resistir la tentación. No logré llegar a la cita hasta diez minutos después de las ocho, y sólo gracias a la misericordia de un camionero que la divina providencia me envió cuando ya daba todo por perdido. Al verme aparecer, pálido y desencajado, el brigada Ruano no pudo contener su satisfacción.

—Tarde, empollón —dijo, mirando el reloj—. Sin embargo, estás dentro del margen de error que tu brigada, en su benevolencia infinita, otorga a los pardillos como tú. Te lo voy a dar por superado.

Imposibles de pasar, para mí y para cualquiera, eran las pruebas con las que se medía tu capacidad para retener datos de memoria. Desde apostarte en una calle durante una hora y repetir luego las matrículas de todos los coches blancos que por ella circulaban en ese tiempo hasta meterte en un portal con portero —malencarado, por supuesto— y ser capaz de aprenderte todos los nombres de los buzones en lo poco que tardaba el vigilante de la finca en acercarse a echarte de allí.

También nos dieron nociones de cerrajería —un arte en el que para ser sincero he de reconocer que nunca llegué a ser un virtuoso— y nos entrenaron para realizar seguimientos. Para ayudarnos a perfeccionar esta última técnica, utilizaban un material pedagógico sorprendente, por ser de acceso público y a la vez eficaz. Se trataba de *La chica del tambor*, la película que cinco años antes había dirigido George Roy Hill, con Diane Keaton como protagonista, adaptando la novela de John le Carré. Antes de ponérnosla, el brigada nos advirtió:

—Casi todos los seguimientos que veáis en el cine son una mierda. No es que no sirvan para nuestros efectos:

es que no servirían ni para pasarle inadvertido a un párvulo mientras se zampa el bocadillo. Para esta película, en cambio, debieron de preguntarle a alguien del Mossad y se tomaron luego la molestia de preparar bien a los actores.

La alusión al Mossad despertó de inmediato el interés de todos. De acuerdo con la leyenda, nunca confirmada ni desmentida, Ruano y otros pocos habían sido adiestrados por agentes del servicio secreto israelí, hacía ya muchos años; tantos que en aquella época, aún en la dictadura de Franco, España e Israel ni siquiera mantenían relaciones diplomáticas y todo se había hecho en el más espeso de los secretos. Con el tiempo, cuando conseguía confiar algo en ti, esto es, no antes de un año y pico, consentía el brigada en contar alguna batallita sobre el particular, con un gesto que permitía indistintamente considerarla al cien por cien fidedigna o una invención delirante de cabo a rabo. Tan disparatadas eran algunas de las hazañas que refería que me inclinaba a tomarlas por verídicas, pero nunca me dejó dirimir, de forma fehaciente y sin ninguna sombra de duda, si mentía o no.

—Así que abrid bien los ojos, criaturas, y pillad el protocolo —dijo, mientras le daba al botón del vídeo—. En él os puede ir la vida.

Una de las peores pesadillas, para los alumnos de aquel curso, fue la elaboración de croquis. Al principio parecía cosa fácil: observar bien un lugar, sus accesos y rincones, y reproducirlo sobre el papel de una forma lo bastante inteligible y fiable como para que ayudara a otro a moverse sin errores por el lugar en cuestión. La pega era que el plano tenía que ser lo bastante claro y preciso como para que el usuario llevara a cabo acciones que podían costarle la vida, y que los ejercicios exigían levantar cada vez más deprisa acta topográfica de parajes y entornos cada vez más enrevesados. El colmo nos llegó un viernes, a última hora, cuando el brigada se dirigió de improviso al grupo, que ya se las prometía felices con las delicias del fin de semana madrileño. La movida ya agonizaba, pero todavía le quedaba alguna inercia.

—Bueno, chicas —aunque sólo había tres mujeres en nuestro grupo, de una veintena de alumnos, Ruano, como precursor involuntario del lenguaje inclusivo, elegía invariablemente aquella forma del plural—. Este fin de semana os vais a llevar unos deberes a casa, pero no para el lunes, sino para el domingo a mediodía, como muy tarde.

La noticia cayó como un jarro de agua fría sobre el auditorio.

—A ver, la parte buena —dijo—: podéis hacerlos por parejas.

—¿Y la parte mala? —preguntó Álamo, escamado.

—Es un croquis —anunció Ruano—. Un poco jodidillo.

—¿Un croquis? ¿De qué? —pregunté yo.

—Nada, de un sitio sólo. La estación de Chamartín.

—¿La estación de Chamartín? —repitió una de las chicas.

—Esa misma. Con todas sus entradas y salidas: de vehículos, de peatones y de servicios. Por si un día de estos hay que controlarla.

La estación de Chamartín no sólo era, con la de Atocha, uno de los dos mayores intercambiadores ferroviarios de la ciudad y del país. Era, por su diseño, el más diabólico para hacer un croquis de él.

—Y no quiero oír una queja. Podéis iros. Buen fin de semana.

Fue aquel uno de los peores y más angustiosos fines de semana de mi vida, y puedo dar fe de que también lo fue para Álamo, con cuya falta de concentración para según qué tareas, además de su mala leche, me tocó bregar durante aquellos dos días infernales. El domingo por la tarde nos juntamos todos, como almas en pena, en aquella oficina en la que el brigada nos aguardaba de un inmejorable humor. Después de comentar lo bien que le había sentado aquella mañana el vermú, nos pidió nuestros trabajos. Todos lo llevábamos hecho, mejor o peor. Ninguno habría ganado un concurso de dibujo técnico, pero estaban más o menos completos y eran utilizables. El brigada nos felicitó por el sacrificio y el esfuerzo, y antes de dejarnos disfrutar de las raspas del fin de semana, nos dio aquella noticia que todos esperábamos:

—La semana que viene nos vamos de excursión por ahí arriba. Os aconsejo que si os sobra un rato os estudiéis bien el mapa de carreteras que se os entregó a todos el primer día de curso. No os sobrará.

Nuestro trabajo tenía un teatro de operaciones principal y se nos exigía que lo conociéramos como la palma de nuestra mano. No sólo teníamos que saber dónde estaba cada pueblo de Guipúzcoa, Vizcaya, Álava y Navarra, por diminuto que fuera su tamaño o impronunciable su nombre —saberse la versión en euskera del nombre en cuestión era igualmente preceptivo—; también se esperaba que conociéramos todas sus entradas y salidas y las rutas posibles y más habituales para ir desde él hasta cualquier otro dado. En el uso de esta ciencia no cabía dudar ni un instante, porque a veces podía ser eso, un instante, lo que marcaba la diferencia entre llegar o no a tiempo para pillar o no perder el rastro de un objetivo; un objetivo que a su vez podía conducir a una información con la que se evitara que a alguien lo volaran con su coche a la puerta de su casa o le pegaran un tiro delante de su familia.

Nos pasamos unos cuantos días moviéndonos por los vericuetos más recónditos del País Vasco y Navarra, con especial atención a la zona fronteriza. Incluso en esta, que era la que creía conocer mejor, había muchos lugares donde no había estado jamás, sobre todo en la parte navarra de la *muga*. Conocía Bera de Bidasoa, por ejemplo, un pueblo del que me había impresionado el emplazamiento de nuestra casa cuartel, en mitad del casco urbano, como un fortín en medio de un entorno hostil y casi siempre desdibujado por la niebla. Pero no había ido nunca por el Baztán, la Foz de Lumbier, la selva de Irati o, incluso, no lejos de Bera, las carreteras que serpenteaban por el bosque profundo y de pronto te ponían en Francia. En esos días completé mi conocimiento de Guipúzcoa, que hasta entonces no iba mucho más allá de los alrededores de San Sebastián y la costa. A lo largo de esta, como muchas otras veces en los años siguientes, admiré la belleza y la quietud aparente de Ondárroa, Zarauz o Guetaria. En el interior, me sobrecogió la oscuridad invernal de Vergara o Placencia de las Armas, Soraluze en euskera: feudos del enemigo en los que me tocaría echar no pocas horas. También me llamó la atención, como no podía ser de otro modo, el apiñamiento de los pueblos y las industrias en Vizcaya, entre montañas abruptas y en torno a un Bilbao que todavía no había despegado como meca turística y se veía destartalado, sombrío y sucio de herrumbre y hollín. Y me produjo una extraña sensación el campo alavés, que a ratos se parecía a las tierras castellanas y riojanas con las que tenía frontera pero delataba la diferencia y el carácter vasco en la traza de las casas, las calles o los campanarios de los pueblos.

Mientras íbamos y veníamos por aquellos paisajes cambiantes, pero siempre con la nota común de un verdor mucho más generoso y una luz menos intensa que en la meseta donde me había criado, pensaba que era una lástima que hubiera que aprendérselos como si fueran un campo de batalla, que lo eran o lo habían sido. No sólo con tiros y bombas, sino incluso con emboscadas en las que habían acribillado a los nuestros con profusión de armas automáticas; las mismas que más de una noche habían abierto fuego contra casas cuartel que llegaron a proteger con sacos terreros las ventanas y en las que durante aquellos ataques las mujeres estaban en el suelo, con los niños, mientras sus maridos masticaban su impotencia. Ruano se ocupaba de que durante los ejercicios sobre el terreno no pudiéramos perder nunca la tensión, mientras evaluaba nuestra capacidad de orientación y nuestra pericia al volante o nuestros reflejos para mantener o abortar en el momento justo el seguimiento de otro vehículo. Sin embargo, cuando conducía por alguna ruta que me conocía mejor, me abstraía e imaginaba lo que podía ser aquella tierra, si algún día se sacudía de encima la violencia y el miedo que la convertían en un lugar inhóspito no sólo para unos forasteros aborrecidos como nosotros, sino también para quienes allí venían al mundo. Tanto si optaban por sentirse hijos de una nación oprimida como si sentían que eran parte de esa otra nación a la que se culpaba de sojuzgarla, a unos y a otros aquel paisaje, a menudo tan hermoso, les transmitía una vibración amarga y maligna, que invitaba al enfrentamiento, a la segregación, incluso a la destrucción del otro.

Teníamos en Guipúzcoa, cerca de la frontera, una casa que servía de academia y centro de formación para quienes tenían que trabajar en el País Vasco. Allí nos dieron durante aquellas semanas algunas nociones sobre la estructura de la organización armada a la que nos preparaban para combatir, su entramado político y social de apoyo y la tipología de sus activistas. También sobre la filosofía que la inspiraba desde sus inicios, sus sucesivas asambleas y escisiones y la orientación ideológica y táctica de su acción, que había ido evolucionando en el tiempo.

Nacida a finales de los años cincuenta en el seno del partido tradicional del nacionalismo vasco, el PNV, por impulso de algunos miembros de sus juventudes, descontentos con el derrotismo, la pasividad y la inacción de sus mayores y del gobierno vasco en el exilio, ETA había bebido de una amalgama de fuentes heterogéneas y contradictorias: partiendo de una filiación localista y conservadora, había conectado con la praxis del marxismo-leninismo revolucionario e internacionalista de los movimientos de liberación nacional de los años cincuenta y sesenta, prestigiado por el carisma de líderes como Ho Chi Minh, Fidel Castro o el Che Guevara. La ventaja con la que habían contado los etarras, frente a otros émulos europeos de esas aventuras lejanas, era la pervivencia en España de un régimen de corte autoritario y cintura inexistente, que reaccionó a sus acciones inaugurales con represión ciega y estados de excepción. Eso permitió a la organización adquirir en sus primeros años un lustre de luchadora por la libertad que tardaría en perder a ojos de la opinión extranjera someramente informada, esto es, del grueso de la opinión foránea respecto de problemas que se sienten como ajenos. Hacía ya quince años que Franco no daba ninguna orden, se habían celebrado elecciones, se había aprobado una amnistía, una nueva constitución, un estatuto de autonomía para el País Vasco con competencias como la seguridad pública o la recaudación de impuestos y una protección máxima para la lengua propia; incluso un partido de izquierda y de herencia republicana y antifranquista había llegado al gobierno y lo mantenía casi una década después. Y sin embargo, aunque la sucesión de estos acontecimientos había provocado alguna fractura en sus filas, ETA continuaba existiendo y, sobre todo, mataba como nunca.

Este era, en resumidas cuentas, el relato que nos trasladaban en aquel curso, sin entrar en mayores honduras. Tal vez no era mucho más lo que necesitaban unos agentes a los que se estaba preparando para trabajar como operativos sobre el terreno, pero estaba muy lejos de satisfacer la curiosidad intelectual que los cinco años que me había pasado en la facultad, por un lado, y los que me aguardaban en aquel quehacer, por otro, me empujaban a experimentar. Me puse entonces, y traté de cumplir en los meses sucesivos, la tarea de profundizar en las razones por las que aquellas personas nos odiaban tanto y de una forma tan persistente, hasta el extremo de matar a traición o exponerse a morir. Mi apellido estrambótico, mi nacimiento en ultramar y mi sangre inmigrante me convertían en un español algo deficiente y poco receptivo a los sacrificios identitarios, propios o del prójimo. Por eso el reto de comprender mejor ese aborrecimiento deshumanizador se me aparecía como una aventura extraña y misteriosa, que acaso arrojara alguna luz sobre el hecho de haber acabado metido en una refriega que respondía a claves muy alejadas de mi lugar en el mundo.

Mientras tanto, Ruano me invitaba a pasarlas canutas con desafíos mucho menos abstractos. Un día nos agarró a Álamo y a mí y nos dijo que nos fuéramos con él. Subimos los tres a un coche camuflado y me dio indicaciones, a mí que iba al volante, hasta un pequeño pueblo del interior de Guipúzcoa. Nos acabamos apostando cerca de un caserío, en la parte exterior del casco urbano. Allí nos tuvo media hora, sin dignarse decirnos una palabra. De repente, vimos pasar a lo lejos a una mujer con una mochila. Su arreglo capilar, que parecía perfilado con una motosierra, la delataba como una probable simpatizante *abertzale*. Ruano nos la señaló y, como si dictara nuestra sentencia, ordenó:

—Tenéis que seguirla sin que os vea. Y decidme dónde se mete.

Álamo y yo nos miramos. Seguir a alguien en aquel villorrio sin que te detectara era una misión casi imposible. Y ni siquiera sabíamos por cuánto tiempo debíamos hacerlo, ni dónde volver a encontrarnos, ni cómo avisar a Ruano, en una época en la que el teléfono móvil no era, como años más tarde, un artilugio de uso y posesión universal.

—La vais a perder —nos apremió el brigada.

Salimos del coche. Mientras tratábamos de poner en

común a toda prisa cómo íbamos a organizarnos, Ruano bajó la ventanilla.

—Por cierto, es muy posible que vaya armada —dijo.

Nosotros íbamos sin arma. Y en aquel pueblo desierto no servía la técnica de *La chica del tambor*, así que improvisamos otra: yo cubriría el lado derecho del pueblo y Álamo el izquierdo. La idea era avanzar los dos al mismo tiempo, en paralelo y procurando evitar la vía por la que ella se había internado en el casco de la población. Nos las arreglamos para ir controlando su avance, sin que nos viera, hasta poco más allá de la plaza. Rebasada esta, al asomarme por una esquina, me di con ella de bruces. Durante una décima de segundo me quedé paralizado. Cuando ya me disponía a derribarla de una patada, la reconocí bajo la peluca. Era Aurora, que me apuntó con el dedo y me anunció:

—Estás muerto, aspirante.

9
Tortilla de bacalao

El teniente Tomeu, me quedó claro en nuestro primer intercambio, no sólo conocía bien el terreno que pisaba, como delataba su nombre de origen mallorquín; también era un profesional pulcro y riguroso que sabía perfectamente lo que se traía entre manos. Mientras la guardia Eva trabajaba con la imagen de la cámara de vigilancia, a fin de darle la mejor resolución posible, me puso al tanto de todas las precauciones que había tomado para que no se perdiera información que pudiera sernos de algún interés en el futuro. Teníamos las grabaciones de las videocámaras de los puntos principales de Formentera, los registros de las compañías de alquiler de vehículos, todas las entradas y salidas de pasajeros en el aeropuerto de Ibiza y en los puertos con conexión con la Península, y las ventas de pasajes y las imágenes disponibles de los diversos ferris que cubrían el trayecto entre las dos islas. Tampoco se le había pasado recabar de las compañías de telefonía, con mandato judicial urgente, los datos que eran a la vez más sensibles y efímeros: todos los números que se habían enganchado a sus torres ubicadas en las dos islas en los días anteriores, unos ficheros que había que pedir en seguida si uno no quería que desaparecieran para siempre.

Procesar luego ese volumen de datos era una tarea ímproba, pero para solventarla contábamos con técnicos cualificados, incluidos varios ingenieros de telecomunicaciones; unos profesionales que antes estaban fuera de nuestro alcance y que razones de estabilidad laboral habían atraído a las filas del cuerpo durante los años de la crisis. En este caso teníamos además la ventaja de que los hechos investigados hubieran sucedido en temporada baja: no quise ni imaginarme lo que habría dado de sí esa base de datos para una sola semana de julio o agosto, por ejemplo. En cuanto a la actividad del teléfono de la propia víctima, también se había pedido a la compañía su historial. A este respecto había un detalle que no dejaba de llamar la atención.

—Tenemos su teléfono móvil —me dijo el teniente—. Estaba en su mochila, con las llaves del coche y la documentación que permitió a la patrulla que acudió al aviso identificarlo de forma inmediata.

Me dejó hacer mi propia apreciación, que coincidía con la suya. A aquellas alturas, todo el mundo sabía que el teléfono móvil era el más peligroso y exhaustivo de los chivatos, y casi nadie dejaba de ocuparse en un caso de homicidio de que no pudiéramos dar nunca con el de la víctima. Como mínimo, y dado el escenario del crimen, podía haberse tomado la molestia de tirarlo al mar, para que hiciéramos trabajar un poco a nuestros buceadores. Dejarlo ahí era significativo, aunque sobre este hecho, como sobre cualquier otro que surgiera en la investigación de un crimen, usual o inusual, no debíamos precipitarnos a extraer conclusiones. Me asaltó una duda que no dejé de preguntarle:

—¿Quedaba dinero en su cartera?

Tomeu se tomó unos segundos antes de responder.

—Ni un euro. Sólo las tarjetas.

—El móvil estará protegido con código de desbloqueo, imagino.

—Imaginas bien.

—¿Marca?

—Huawei, último modelo.

—Complicado, salvo que la superioridad quiera invertir.

—¿Invertir? —preguntó el teniente Ferrando.

—Hay empresas en Alemania y en Israel que abren cualquier cosa bloqueada con código, pero cobran sus servicios —le expliqué.

—De momento no contemos con eso —dijo Tomeu—. Un varón de cincuenta y cinco años no genera la suficiente empatía popular como para justificar ante el contribuyente desembolsos ilimitados.

—Y menos cuando se sepa que fue etarra —alegó el otro teniente.

—Bueno, eso igual sí que ayuda.

Tomeu sonó dolido ahí. Traté de destensar el ambiente.

—Siempre podemos hacer una gestión con Xi Jinping —propuse—. Seguro que él tiene la llave maestra. O eso dice Trump.

—Veo que humor no te falta —opinó el mallorquín.

—Alivia en los momentos desesperados. Que tampoco faltan. De todos modos, aunque no logremos abrir el cacharro, hay una manera de acceder a todos los datos que tuviera en la nube. Por lo menos en teoría, porque en este caso a lo mejor se complica en la práctica.

—¿A qué te refieres? —preguntó Ferrando.

Tomeu me miró de modo inequívoco. También esta se la sabía.

—Has oído hablar de algo llamado doble autenticación, me imagino —sondeé al joven teniente—. Para verificar identidades digitales.

—Eh... Claro.

—Y supongo que no se te oculta el problema que tenemos aquí.

—Perdona, ahora sí me he perdido —reconoció.

—Podríamos pedir un duplicado de la SIM de su teléfono, y con ella acceder vía código de confirmación por

SMS a todas sus aplicaciones y archivos en la nube con otro terminal; pero para ello necesitaríamos tener la conformidad de sus herederos legales. De otro modo...

—El juez y la compañía nos pueden poner pegas —dijo Tomeu.

Nos miramos los tres, en silencio. Como suele suceder en presencia de una cuestión realmente espinosa, lo rompió el más joven.

—La madre anda por aquí. La víctima no tenía hijos y tampoco tenía ya padre. Fácil no parece que vaya a ser, pero podríamos trabajárnosla.

—Desde luego —asentí—. ¿Quieres ocuparte tú, mi teniente?

Tomeu clavó en él una mirada malévola. El joven teniente titubeó.

—Era una broma —dije—. Ya veremos cómo hacemos. De momento creo que deberíamos avanzar con esto todo lo que podamos. Es decir, antes de nada, tratar de averiguar quién es ese hombre de la playa.

—Estoy de acuerdo —dijo el oficial veterano.

Le expusimos al comandante, o mejor dicho le expuso Tomeu, como responsable que seguía siendo de la investigación, la estrategia que habíamos consensuado. Tuñón no se manifestó en contra, tampoco a favor: sutilmente nos hizo ver que aquello era cosa nuestra, sobre todo a efectos de cargar con los reproches que procedieran si la empresa no llegaba a buen puerto o tardaba más de lo deseable. Intuí que aquel desentendimiento no le impediría, llegado el caso, colgarse cuantas medallas pudiera devengar un eventual éxito. Debía de tener alguna indicación, a través de su coronel, del interés que el caso despertaba en las más elevadas alturas jerárquicas del cuerpo, lo que era otra razón para dejarnos, y en especial dejarme, actuar con cierta autonomía.

Arnau y yo teníamos un par de maletas y unas habitaciones en las que registrarnos y de las que tomar posesión para los días venideros. Tomeu, que se alojaba con su equipo en el mismo hotel, se ofreció a llevarnos en el coche oficial que le habían facilitado para moverse por la isla. Era un mastodonte considerable, se veía reluciente y todavía olía a nuevo. Mientras lo ponía en marcha y se cercioraba dos veces de que había quitado el freno de mano y tenía las luces encendidas, señal de que no estaba muy hecho a llevarlo, el teniente observó:

—Ya puedo tener buen cuidado de no rayarlo, por la cuenta que me trae. Es el coche del coronel, para cuando viene por la isla.

Hizo el trayecto —de poco más de cinco minutos, como casi todos allí— con mil ojos y sin dejar de vigilar los tres retrovisores. Nos dejó ante un hotel con buena apariencia, muy cerca del centro de la ciudad de Ibiza. Era algo mejor que los que solíamos frecuentar y en verano las dietas no nos habrían dado ni para pagar el desayuno, pero gracias a la poca demanda que tenía en noviembre nos habían hecho un precio al alcance de la austeridad que el cuerpo exigía de sus integrantes. La habitación era todo lo acogedora que pueden ser las habitaciones de hotel: no mucho para quien ha dormido demasiadas veces en una. Por mi parte, había dejado de reparar en sus detalles. Si la misma mañana en que las abandonaba me preguntaran por el color de la colcha de la cama —o de las cortinas, o de los azulejos del baño— no sabría nunca qué responder. Para mí eran sólo una cama y una ducha y el locutorio para mantener, a distancia, el contacto y el vínculo con los míos.

Esta vez llamé primero a mi jefe, el comandante Ferrer. No había querido hacerlo antes en el coche, en presencia de Tomeu, por razones obvias. Le puse al tanto del estado de la investigación y una vez que hube terminado mi resumen me preguntó, sin andarse con rodeos:

—En tu opinión, ¿deberíamos liderarlo nosotros?

—Ya le dije antes de salir. Si pudiéramos...

—Te lo pregunto de otro modo. ¿Los que lo están llevando ahora mismo van a ser capaces de ocuparse de momento sin estropearlo?

—Son buenos y están orientados —opiné.

—Bien, eso era lo que quería oír.

—Ya sabía yo.

—Se lo transmito al jefe. Tú sigue ahí, encima de ellos, y si sale algo me cuentas. Y ya de paso, disfruta de la isla. ¿Qué tal es?

—El aeropuerto y nuestras oficinas, preciosos. El resto, lo ignoro.

—Mi mujer quería ir un verano de estos, ya me contarás.

Acepté resignado añadir a mis tareas la de ojeador turístico de la mujer de mi comandante, me despedí de él conforme prescriben las ordenanzas y en cuanto colgué marqué el número de Salgado.

—Inés, cuéntame —le pedí, sin darle tiempo a saludar.

—Mejor te lo mando, jefe.

—¿El qué?

—El acta de la declaración. Te juro que he apuntado fielmente todo lo que ha dicho, y lo ha ratificado con su firma y la conformidad de su abogado, que para mí que ya ha aceptado que sus estadísticas como defensor van a empeorar de manera inevitable. El cuento no tiene ni pies ni cabeza, pero el tío se ha empeñado en que lo recoja todo.

—Bueno, mal no nos hará. ¿Cuándo se lo lleváis al juez?

—Mañana a primera hora. Estoy deseando perderlo de vista.

—Dadle de cenar bien. Que duerma a gusto y así no le dé más a la máquina de fabular. Nos conviene ir cerrando esa historia.

—¿Qué tal por ahí?

—Empezando. Con algún hilo, pero aquí hay tela. No descartes que tengas que venir con el resto a darte un paseo por las islas.

—Por mí, encantada. ¿Hace bueno? ¿Llevo mi triquini?

—Tú sabrás qué metes en tu maleta. Y estamos en noviembre.

—Eso me suena a que sí. Ya me dirás.

—Sé buena y cierra eso en condiciones, anda.

—Yo siempre. A tus órdenes, mi subteniente.

Miré el reloj: tenía ya a Arnau esperando en recepción y Tomeu no debía de andar demasiado lejos con el coche. A pesar de todo, no quise dejar de hacer una última llamada antes de bajar. Se me puso un nudo en el estómago mientras se sucedían los tonos sin que nadie respondiera. Quizá no lo tenía a mano, me dije, para tranquilizarme. Debía de estar a punto de saltar el contestador cuando entró en la línea una voz que no era la de Virginia y que tardé unos segundos en reconocer.

—Carmen —la saludé—. Soy Rubén, el compañero de...

—Ya lo sé, mi hija te tiene en la agenda del móvil —me cortó.

—¿Cómo está?

—Bien, le ha bajado la fiebre. ¿Quieres hablar con ella?

—Si puede ser...

—Supongo que sí. Es tu jefe —oí que decía, separándose apenas el micrófono—. ¿Puedes hablar con él o le mando a freír espárragos?

Supuse que era plenamente consciente de que la oía. No me lo tomé como un acto de hostilidad; más bien como un gesto de confianza.

—Se pone —dijo al fin.

—Hola, mi subteniente —entró la voz de Virginia, algo desvaída.

—¿Cómo lo llevas?

—Me llevan. Oye, es estupendo estar en el hospital. Todo a su hora, todo te lo traen, tú lo único que tienes que hacer es dejarte.

—Que no se te note lo que disfrutas, que entonces te echan.

—Lo disimulo como puedo. ¿Y tú? ¿Cómo pinta aquello?

—Bien, hasta tenemos sospechoso.

—¿Con nombre y apellidos?

—Con jeta y figura sólo, por ahora. Pero esto es pequeño.

—¿Y cómo ha sido? —se interesó.

—En el equipo de policía judicial de aquí hay una chica que vive en Formentera y controla la isla. Sabía que en una de las playas hay una cámara que graba todo el tiempo, de un hotel que está cerca. Pidió las cintas y bingo: la víctima en compañía de un hombre más joven.

—No me digas que lo fueron a matar en una playa con cámara de videovigilancia. Ya es mala suerte para el criminal.

—No, lo mataron en otra playa, sin cámaras, y al día siguiente, pero se ve que hicieron un recorrido antes y ahí quedaron grabados.

—Pinta que va a ser un viaje corto —opinó.

—Habrá que encontrarlo. Y probar que hizo algo más que visitar playas con el difunto. Ya sabes que nunca es tan fácil.

—No creo que te cueste.

—Oye, Vir, no puedo hablar mucho. Me esperan abajo Arnau y los de aquí. Vamos a ir a enseñarles ahora la foto a unos testigos.

—Anda, ve. Y no trabajes hasta muy tarde.

—¿Me puedo ir tranquilo?

—Totalmente. Voy a verme una serie en la tableta.

—¿Ah, sí? ¿Cuál estás viendo?

—*Juego de tronos*. O de *truños*, como dices tú.

—Al principio tenía algo, pero ya no soporto a la de los dragones.

—Es para distraerme, hombre.

—Siendo así... Un abrazo, también de Arnau.

—Se lo devuelves.

—Y otro para tu padre. A tu madre no me atrevo.

—No te dejes intimidar. Es todo fachada.

—Por si acaso.

Tomeu nos esperaba estacionado en una plaza para discapacitados justo a la puerta del hotel. No me pude callar el comentario:

—Si algún cabrón te hace una foto con el coche del coronel aparcado aquí y la cuelga luego en Twitter estás muerto, mi teniente.

—La vida es un riesgo permanente —observó, con buen humor—. Tengo ya a mi sargento en el hotel donde se alojaba Igor.

—¿Vamos allá?

—Esa era la idea.

Atravesamos la ciudad de Ibiza. Reparé entonces, con la iluminación nocturna, en la belleza singular de su zona vieja, el recinto amurallado que había sido alcazaba en los tiempos en los que allí habían mandado los sarracenos, antes de que las tropas de la Corona de Aragón, como era costumbre en aquella época, acabaran con su ensueño. Según me contaron, todavía quedaba algún resto del antiguo palacio del emir del lugar, asomado a la bahía donde ahora estaba el puerto lleno de yates; muchos menos, en cualquier caso, que los que llegaban a apiñarse allí en el apogeo de la temporada de verano, cuando la isla se convertía en punto de encuentro de todo tipo de potentados en busca del ocio y el desenfreno más exclusivos. El hotel donde nuestra víctima tenía su base de operaciones estaba más allá, en la parte alta de la ciudad nueva. Se beneficiaba gracias a ello de unas vistas estupendas a la ciudadela medieval, al mar y a Formentera, cuyas luces titilaban en la distancia. Era, ya desde el vestíbulo, bastante más chic que el nuestro, que en comparación parecía un dormidero anodino para viajantes, y calculé que también mucho más caro. Según me comentó el teniente Tomeu, tenía el aliciente añadido, que no dejaba de pagarse, de ser *gay friendly*, esto es, de estar dirigido especialmente a una clientela homosexual de nivel adquisitivo en consonancia con el buen gusto que lo impregnaba todo. En el mostrador, hablando con el recepcionista, estaba uno de los hombres que habían venido de Palma con Tomeu, el sargento Prados, a quien acompañaba, callada y atenta, la guardia Eva. Al vernos venir, el sargento se puso tieso y le dio las novedades al teniente:

—Mala suerte. No les suena de nada.

El recepcionista del hotel observó con cierta aprensión el simposio de guardias civiles que acababa de reunirse delante de su mostrador. Por su apariencia, apostura y gesticulación, también había sido elegido para que la clientela preferida del establecimiento se sintiera a gusto. Tomeu se le dirigió entonces con un tono brusco y perentorio:

—¿Está usted seguro?

—No he visto nunca a esa persona, de verdad —aseguró, tenso.

—Disculpe, ¿cómo se llama usted? —intervine.

—Jandro. Alejandro, quiero decir...

—Mucho gusto, Jandro, yo me llamo Rubén. ¿Y suele estar usted de noche? —le pregunté, tratando de sonar lo más cordial posible.

—Sí. Y ya les he contado a sus compañeros que lo vi llegar con otra persona, pero no era la de la foto. Era un chico más fornido.

—¿Lleva usted mucho tiempo trabajando en el hotel?

—Tres años.

—¿Y recuerda al señor López Etxebarri de otras estancias aquí?

—Sí. Venía un par de veces al año. En verano y fuera de temporada.

—¿Tenía la costumbre de venir acompañado?

El recepcionista bajó la mirada.

—No con pareja fija.

—Parejas... cambiantes —deduje, buscando la fórmula más neutra.

—Eso es.

—¿Con arreglo a alguna pauta?

—Chicos jóvenes, atractivos. Como el que le digo. O el de la foto.

Tomeu me miró con aire de reserva, y por un momento temí que no le hiciera gracia cómo le había levantado al testigo, pero vio que la conversación fluía y tuvo el buen criterio de no interrumpirla.

—Voy a hacerle una pregunta delicada, Jandro —le advertí—, que puede ser importante. Ya sabe de qué se trata: es un homicidio, un crimen grave, y cualquier información que nos pueda ayudar...

—Soy consciente —dijo, muy serio.

—¿Diría usted que alguno de esos chicos podría ser alguien que se dedicara a proporcionar... servicios sexuales retribuidos?

Jandro tomó aire.

—No lo diría. Estoy seguro. Esas cosas se notan.

—¿Y algún chico al que viera usted más veces con otros clientes?

—Ahora que lo dice, alguno, el verano pasado —hizo memoria—. Pero a estos dos, al que vino aquí con él y al de la foto, no los había visto nunca. Se lo prometo. No les mentiría sobre algo así.

—No tengo ninguna duda, Jandro —le dije—. No sé si alguno de mis compañeros quiere hacerte más preguntas, pero por mi parte te agradezco la sinceridad y la colaboración. Nos ayuda de veras.

Tomeu se quedó pensativo. A fin de cuentas, era el

jefe, y justo por eso le había dado pie a que añadiera lo que creyera oportuno.

—Quizá volvamos —dijo—, si tenemos alguna información que nos lleve a otra persona. O si damos con alguien más fornido.

—Claro, a su disposición —respondió Jandro, con tono servicial.

En el coche, mientras conducía de regreso hacia el centro, el teniente permaneció sumido en un silencio que no me dio buena espina. Preferí no eludir la cuestión y abordarla con toda la franqueza posible:

—Discúlpame por meterme, mi teniente. Me pareció que el testigo se nos estaba cerrando y me olí que había algo que nos podía dar.

—No tienes por qué —dijo—. Hiciste bien. El que no midió bien fui yo. La inercia mala de tratar con quien prefiere callar lo que sabe.

—Es una inercia mala que tenemos todos.

—Más todavía en una isla. Y más cuanto más pequeña. Aquí se te escurren más que en Mallorca, y ya no te digo en Formentera.

—*Omertà* pura y dura —dijo Eva, que iba en el asiento de atrás, al lado de Arnau—. Nadie ve nunca nada. Menos mal que hay cámaras.

—Eso me suena.

—¿Conoce Formentera, mi subteniente? —preguntó la guardia.

—No, no la conozco. Hablaba de otro sitio. De otra vida que tuve. Me pasé tres años en el País Vasco, tratando con los de la *txapela*.

—Ah, uf —dijo—. Me imagino.

—¿Tuviste tú también el gusto?

—No, yo no, pero mi vecina es de Mondragón. Ya me cuenta.

—¿De Mondragón? —exclamó el teniente—. ¿Y cómo es que alguien de Mondragón ha acabado en Formentera?

—No le he preguntado, mi teniente. Ella y el marido están jubilados y son los dos muy agradables. Eso es todo lo que sé. Procuro dejarme el trabajo en la oficina y no someter a un tercer grado a los vecinos.

—Que conste que también sé preguntar amablemente, a veces —dijo entonces Tomeu, algo escocido, pero de buen talante.

—No he sugerido lo contrario, mi teniente —aclaró la guardia.

—Menos mal, porque si llegas a sugerirlo pierdes el barco.

Dejamos a Eva en el puerto, a donde llegó con el tiempo justo para tomar el último ferry a Formentera. Según nos dijo, iba y venía casi a diario, lo que se le llevaba un pico de la nómina, aunque se beneficiara del descuento de residente. Antes de echar a correr por el muelle, no dejó de recordarle al teniente Tomeu una información relevante:

—Recuerde, mi teniente. Teatro Ibiza.

—Me acuerdo. Nos vemos mañana. Ya te contamos.

—¿A qué se refiere? —pregunté mientras la veía irse.

—El nombre del local donde trabaja otro testigo, el barman.

—¿Un teatro?

—Lo era, o lo fue. Ahora es como una especie de club nocturno. De los pocos que están abiertos en estos meses de temporada baja.

—¿Vamos ahí entonces? —preguntó Arnau.

—Un poco pronto. Y no sé vosotros, pero mi gente y yo tenemos la costumbre de cenar. ¿Le cogiste mucha manía a la cocina vasca?

—No, no fui capaz —confesé.

—Pues vais a tomar una tortilla de bacalao que quita el sentido. Vamos, si os gusta y os apetece. Yo la probé anoche y pienso repetir.

En el restaurante, un local que ya desde el nombre que lucía en la fachada proclamaba su adscripción geográfica y culinaria, esperaban el comandante, el teniente Ferrando y el resto del equipo de Tomeu. Estaban en la barra, aguardando a que llegáramos para pedir mesa y dando cuenta de unas cervezas. Tomeu arrugó el ceño al verlo.

—Mi comandante, me está echando a perder al equipo. Bebiendo y de servicio. Así luego no hay manera de que se me centren.

—¿Tú has mirado la hora que es? —le replicó el comandante.

—Seguimos teniendo un asesino suelto. Y venimos aquí a trabajar.

—Anda, pídete algo primero. Ya trabajarás después.

Pedimos cervezas para todos y luego nos sentamos y disfrutamos de una cena excelente. Arnau y yo hicimos caso de la sugerencia de Tomeu y nos inclinamos por la tortilla de bacalao. Había probado unas pocas, y no precisamente mediocres, pero aquella se salía de la escala. Cuando le pregunté al camarero, antes de decidir, me respondió:

—¿La tortilla de bacalao? De 11 sobre 10. Se lo juro.

Por mi oficio había tenido ocasión de conocer y tratar a mucha gente que juraba en vano, pero no era el caso de aquel hombre. La tortilla estaba de verdad apoteósica, y me confortó que su criterio fuera tan certero cuando me dijeron que era el tercer testigo que teníamos, por el momento, de las andanzas de Igor López Etxebarri por Ibiza. Fue a los postres cuando le pedimos que se acercara y le mostramos la foto. El camarero, un cuarentón grueso y algo rubicundo, se quedó mirando la imagen, con aire de estar esforzándose de verdad. Finalmente, dijo:

—Es él. Sin ninguna duda.

—¿Sin ninguna duda? —lo puso a prueba Tomeu.

—Ninguna.

—La imagen no es para tirar cohetes, ni la luz aquí tampoco.

El camarero no se arrugó por el reparo del teniente.

—Esta es la luz a la que veo a la gente todas las noches. Y mi trabajo me obliga a fijarme en la cara de las personas, para saber luego qué le tengo que poner a cada uno y no andar mezclando los platos.

Tomeu me dirigió una mirada. Entendí que me invitaba a ser yo el que llevara el interrogatorio a partir de ahí. No supe muy bien si era una deferencia o para ponerme a prueba delante del comandante.

—¿Vino una vez o más de una? —dije, por empezar por algún lado.

—El hombre mayor, un par de veces. El joven, una sólo.

—¿Podría precisar qué día?

—¿El joven? El viernes pasado.

Dos días antes de la fecha de la muerte, calculé.

—¿Seguro?

—Si no lo estuviera, no se lo diría. Ya se lo dije a sus compañeros ayer. Aunque entonces no me enseñaron esa foto.

—No la teníamos —le expliqué— ¿Lo había visto antes por aquí?

—¿Al de la foto? No.

—¿Recuerda algo de lo que pasó esa noche, cómo era el trato entre ellos, no sé, cualquier detalle que le llamara la atención?

—Algo recuerdo, sí.

—¿Podría decirme?

—Ya se lo conté ayer a quien me vino a preguntar.

—Disculpe, yo acabo de llegar de Madrid.

—¿De Madrid? ¿De la UCO?

Añoré los tiempos en los que nadie sabía el nombre ni la existencia de la unidad en la que trabajaba. Unos cuantos casos mediáticos y el morbo que despertaban las muertes violentas habían arruinado esa bendita invisibilidad y nos exponían a un escrutinio añadido y una fama que solía generar expectativas que no siempre cabía satisfacer.

—Guárdeme el secreto —dije, sin esperanza.

—Claro. Y perdóneme usted a mí.

—Por favor —le quité importancia.

—Le cuento, para mí la situación estaba muy clara. Era una pareja que acababa de conocerse, o por lo menos no les había dado tiempo a hartarse el uno del otro. El mayor trataba de hacerle la noche lo más agradable posible al más joven. Le señalaba en la carta lo que sabía que estaba rico. Los dos se pidieron tortilla de bacalao, como usted. Quizá porque yo se la había recomendado la noche anterior al hombre maduro. La recomiendo siempre, nunca quedo mal con ella.

—Ni quedará, mientras conserven al cocinero.

—Lo tenemos amarrado con una cadena al fogón.

Le dediqué un gesto impenetrable.

—Es broma —aclaró—. Olvidaba que hablo con la Benemérita.

—Ya me había dado cuenta, hombre. Qué más recuerda usted.

—Eso que le digo. Ningún conflicto, todo lo contrario. Uno que se veía que quería agradar y el otro que se dejaba hacer. Después de los postres tomaron un chupito de whisky. De malta, pidió el mayor.

—¿Y nada más?

—Pagaron, pagó el maduro, quiero decir. Dejó buena propina. Y se fueron, ya no sé decirle a dónde, ni en qué dirección. Era un viernes y tenía bastante clientela, ya ve que el negocio no va del todo mal.

Era cierto: para un día entre semana, el local estaba muy concurrido.

—Ya veo, ya. Tendrán que ponerle doble cadena al cocinero.

—Habrá que pensarlo, sí.

—¿Qué más puede decirme del joven?

—No sé, que era eso, joven. Y que no parecía de la isla, pero puedo equivocarme. Por aquí pasa mucha gente, alguna se queda, otra va y viene. El caso es que no lo había visto antes, como ya le dije.

—¿Podría tener una motivación extra para estar con el difunto?

—¿Se refiere a...?

—Dinero.

El camarero se pasó la mano por la nuca.

—En mi experiencia, nadie anda haciendo manitas con alguien que le saca treinta años por razones sólo románticas. Digo en general...

—¿Y en particular?

—Si me pregunta si tenía pinta o daba la sensación de ser un cliente que estaba invitando a cenar al muchacho al que había pagado para acostarse con él, antes o después, no me atrevo a afirmarlo. Tampoco le aseguro que sea capaz de reconocer a quien ejerce ese oficio.

—¿Diría entonces que había amor? —le pinchó Tomeu, con malicia.

El camarero se encogió de hombros.

—Después de veinte años aquí, no tengo muy claro qué es eso.

—O algo, lo que fuera, al margen del incentivo de ir con alguien que paga la cuenta —dije, para rebajar el alcance de la pregunta.

—No sé. Podría ser —admitió.

—Gracias por sus impresiones. Seguro que nos sirven.

—¿Me llamarán a declarar o algo?

—Sólo si confirmamos que esto tiene que ver con lo que pasó.

—Espero que no —dijo, con toda naturalidad.

—Y yo —anotó el teniente Tomeu, tras vaciar su jarra de cerveza—. El amor es tan bonito, y se encuentra tan poco en este mundo...

10

Always on my mind

El Teatro Ibiza, según comprobé cuando estuve en su interior, era un local amplio y bien puesto. Tenía además una personalidad innegable. Quizá era demasiado amplio y tenía demasiada personalidad para lo escueto de la clientela en aquella noche de noviembre, tan mortecina en comparación con la efervescencia del verano. Con todo, era sin lugar a dudas el sitio a donde ir por la noche en la ciudad, y entendí e incluso compartí, hasta donde esto último me era posible, el criterio de Igor al escogerlo para llevar a aquel joven al que, según corroboraban tanto el testimonio del camarero como el vídeo que había podido ver con mis propios ojos, buscaba con ostensible empeño complacer.

Soy poco o nada aficionado a los locales nocturnos, en lo que toca a mi existencia civil, y no es por la edad: hui de su liturgia fatigosa tan pronto como terminé la universidad y me dejó de ser indispensable frecuentarlos para mantener una razonable —nunca muy intensa— sensación de pertenencia al grupo. Como penitencia por mis faltas, el trabajo que elegí me ha llevado a ellos una y otra vez, y por eso estoy en condiciones de afirmar que entre los templos de la noche hay dos clases principales: aquellos en los que predominan los tonos morados y azules y aquellos otros en los que mandan los anaranjados y rojos. El Teatro Ibiza era de los segundos y, según la interpretación pedestre que había acabado esbozando sobre el particular, para entretenerme durante mi estancia como forzado entre sus paredes, los locales rojo-anaranjados perseguían y por lo general propiciaban la hegemonía de las pasiones; mientras que los azul-violáceos trataban de anestesiarlas y disolverlas bajo una pretensión de sofisticación cuyo éxito tendía a ser inversamente proporcional al número de fluorescentes. Desde hacía un tiempo, porque la culpabilidad ecológica y el afán de ahorro eran comunes a los dueños de locales rojos y locales azules, en lugar de los fluorescentes empezaban a verse luces LED por todas partes. Había también unos pocos locales verdes, que casi siempre caían en la imitación rutinaria de entornos selváticos, y una porción de locales amarillos, que viene a ser el color de quienes en el gremio de la noche carecen de imaginación, presupuesto, autoestima o las tres cosas.

Fue pues rojiza la tonalidad que adquirió la fotografía impresa en blanco y negro de aquel joven en la playa de Formentera cuando Tomeu se la mostró al barman del Teatro Ibiza que recordaba haber atendido a Igor López Etxebarri, y a un acompañante aún sin nombre, varias noches atrás. El barman era un hombre rubio, espigado y de porte elegante, vestía chaleco negro y camisa blanca remangada sobre el antebrazo y aparentaba poco más de treinta años. Sus ojos eran del color de una aleación de acero que con mis nociones de metalurgia no me alcanzaba para nombrar y que otorgaba a su mirada un fulgor seco y remoto. Se llamaba Nikolái y debía de haber nacido en alguna república exsoviética. La caída del muro, en su más tierna infancia, le había exonerado de la lectura de Lenin para someterlo a la música de Beyoncé que en ese momento reinaba en el local. Puede que Vladímir Ilyich fuera un personaje más relevante en términos históricos, aunque de eso cada vez había menos pruebas contundentes, excepción hecha del mausoleo de

Moscú donde seguían mimando su momia; de lo que no cabía duda era de que bajo el imperio de Beyoncé la vida era más sensual, tenía más ritmo y, en general, pesaba bastante menos.

Nikolái, al igual que el camarero del restaurante vasco, cuyo nombre me di cuenta en ese momento de que no había retenido —un fallo—, reconoció a la primera y sin ningún titubeo, pese a que en el local donde trabajaba la luz todavía era más pobre, al hombre de la foto. El teniente reprodujo con pundonor la comprobación de antes:

—¿Sin ninguna duda?

—Ninguna —dijo Nikolái y su aserción quedó grabada en el aire y en nuestros cerebros como una ráfaga de kaláshnikov.

—Mi compañero querría hacerle unas preguntas —dijo Tomeu, mientras le pasaba al sargento Prados la foto para que la guardara y me invitaba con un gesto a darle otra vuelta a nuestro testigo.

—Ya les dije todo lo que recuerdo —advirtió Nikolái.

—Seguro —dije yo—. Sólo es una rutina nuestra. Siempre hacemos las preguntas dos veces, personas diferentes. No es por usted, es para que nosotros no saquemos una impresión errónea. Usted sabe lo que vio, pero nosotros tenemos que imaginarlo por lo que nos dice.

—Bueno, si es su procedimiento.

—¿Recuerda usted, por ejemplo, qué tomaron?

—Sí.

Me quedé esperando la continuación, pero en seguida me di cuenta de que Nikolái ya había contestado a mi pregunta a plena satisfacción —suya— y comprendí que debía asumir el esfuerzo de hacerle otra:

—¿Y podría decírmelo?

—Claro. El más joven pidió un gintonic. El mayor, pacharán.

—¿Pacharán?

—Eso mismo.

—Uno...

—Cuatro, para ser exactos.

—Y el joven sólo un gintonic.

—Quizá dos. Lo siento, esto no lo tengo tan claro. Lo del pacharán sí, porque no es una bebida que pida aquí normalmente la gente.

—Y sin embargo tienen...

—Aquí tenemos de todo —respondió con el mismo orgullo con el que algún antepasado suyo defendía la gestión modélica del koljoz.

—¿Como cuánto tiempo estuvieron en el local?

—Póngale dos horas. No mucho más, no mucho menos.

—¿Y qué hacían?

—Bueno, yo no los observaba todo el tiempo. Atendía la barra.

—Ya, por supuesto. Que usted viera, digo.

—Hablar. Beber. Bailar.

—¿Bailaban los dos? ¿Mucho? ¿Poco? ¿Juntos?

El hombre nacido en la extinta Unión Soviética me observó como si algo en la maquinaria que procesaba mis pensamientos no estuviera bien engrasado o lo hubieran montado mal. Repuso, compasivo:

—Bailar, bailó sobre todo el joven. El otro hacía como que se movía un poco, pies adelante y atrás y manos hacia arriba y pegadas a la cintura. Juntos no bailaron, entre otras cosas porque no ponemos mucha música que se preste a eso. Ni reguetón, ni tango ni sevillanas.

—Cómo los vio. ¿Diría que se llevaban bien?

—Picos se dieron unos pocos. Casi siempre a iniciativa del mayor, pero el otro no se le resistía. Y, en general, estaban sonrientes.

—Bueno, eso es un indicio.

—No, no crea usted —me contradijo—. Aquí tiende a sonreír todo el mundo. Tenga en cuenta que a casi todos me encargo de llenarles el depósito, y eso ayuda mucho. Salvo cuando les da por llorar.

—En todo caso, no percibió usted violencia ni tensión entre ellos.

—No, más bien lo contrario. Parecían entenderse.

—Ajá.

—De todos modos, no será la primera vez que veo a una pareja, de hombres o de mujeres o de hombre y mujer, que se besan y sonríen todo el rato, y dan la sensación de que se entienden, y en cuestión de cinco minutos se están chillando y parece que quieren sacarse los ojos. La gente disimula mucho, y más cuando la miran. Lo malo que tiene el alcohol es que a veces se lleva por delante todo el disimulo.

—No fue aquí el caso, de todos modos.

—No. Ni una palabra más alta que otra.

—¿Oyó algo de lo que decían?

De nuevo Nikolái volvió a dudar del rendimiento de mi sesera.

—¿Usted se ha dado cuenta del ruido que hay aquí?

—Eh, sí, claro...

—Soy un barman, no un lince ibérico. Bastante tengo con oír a veces a la segunda o a la tercera lo que me piden, si no alzan la voz.

El teniente Tomeu lo estaba pasando pipa, detrás de su gintonic, y no hacía grandes esfuerzos por ocultarlo. El teniente Ferrando asistía a mi duelo con el barman con esa indecisión que a veces se les nota a los jóvenes, que todavía no saben que no tienen por qué hacerse un juicio o tomar postura sobre todo lo que sucede a su alrededor. El sargento Prados, en cambio, lo contemplaba desde la placidez del suboficial a la vez subalterno y lo bastante curtido, que sabe que estando su oficial delante no necesita tener ni dar opinión, aunque la tenga, y no asume desgastes inútiles. Por mi parte, reconocí que lo del lince había sido agudo y dejaba claro que Nikolái, que hablaba además un castellano impecable, no era un guiri eslavo recién trasplantado a aquel dominio de la antigua Al Ándalus. Traté de sonar desprovisto de rencor:

—Ya me hago cargo. Me refería a que quizá en la barra, al pedir, o al pagar, o a lo mejor coincidiendo con alguna pausa en la música o con una canción más suave, pudo usted oír alguna frase suelta.

Nikolái se quedó pensativo. Me dio por imaginar que se preguntaba cómo en España no proliferaban los asesinatos, con las cuestiones tan insustanciales por las que se paraban a preguntar quienes trataban de resolverlos. Yo sabía lo que estaba buscando, y por qué bajaba a esos detalles en apariencia banales. Me constaba, por experiencia y antes de ella por el magisterio de otros, que era escarbando ahí, en la fronda nimia del pormenor, como se acababa dando con el hilo de Ariadna que no servía para salir del laberinto, sino para llegar al Minotauro. Y Nikolái, eso era lo que le tenía tan absorto, acababa de entenderlo.

—Ahora que lo dice... Antes de irse, cuando pagó la última copa, el mayor le preguntó al joven si quería seguir la fiesta en otro lado. El otro no parecía muy decidido, pero al final dijo que bueno. Y el joven preguntó que dónde, y el mayor propuso la calle de la Virgen.

—¿En noviembre? Si está todo cerrado —dijo Ferrando.

—Eso pensé yo, pero no les dije nada. Creo que se fueron para allá.

Busqué la mirada de Arnau. Lo había visto en un par de lances del interrogatorio pasarlo mal por su viejo subteniente. El resultado de mis desvelos no sólo me permitía reivindicarme ante él, sino darle, de la única forma en que la pedagogía es viable, exponiéndote a no ser capaz de persuadir al alumno, aquella enseñanza que antes me habían transmitido a mí: no menosprecies nunca el potencial de una fuente, no desdeñes un detalle, no dejes de escarbar donde escarbaron.

—¿Ve usted? Siempre sale algo —le dije a Nikolái.

—¿Es importante? —se preguntó.

—Quizá no. Eso sólo se sabe al final.

Cuando nos despedimos de Nikolái, la que mandaba era Rihanna. Me gustaba menos que Beyoncé, que tampoco era mi cantante favorita. En la puerta del local celebramos un breve conciliábulo. El teniente Ferrando insistió en que las probabilidades de encontrar algo abierto en la calle de la Virgen una noche laborable de noviembre eran poco menos las mismas que había de conseguir un bronceado. No era de la isla, pero llevaba dos años allí y hasta se había echado novia ibicenca, lo que confería alguna autoridad a su cálculo. Tomeu, que sin ser un conocedor meticuloso de Ibiza tenía referencias suficientes, coincidió con él: ir allí era perder el tiempo. Habíamos conseguido avanzar con la identificación por los dos testigos. Mañana sería otro día y más valía no malgastar las energías en algo que prometía poco o nada.

No los desautoricé ni los contradije, no era quién. Me limité a decir que Arnau y yo no teníamos sueño todavía, que pensábamos ir a dar un paseo por allí de todos modos y que tan buena hora era aquella como cualquier otra. Ferrando insistió en su advertencia:

—Vais a ver calles vacías. Y con la humedad refresca, ¿eh?

—Me gusta el fresco. Y las ciudades sin gente, más aún. Nos damos un garbeo y si vemos algo abierto cerca, husmeamos. Por si acabaron recalando en otro sitio y podemos encontrar algún testigo más.

Tomeu entendió entonces la naturaleza exacta de mi obstinación y no hizo más por disuadirme. Se limitó a comprobar, puntilloso:

—¿Sabréis regresar al hotel? Aquí está todo cerca, no tardaréis más de diez minutos andando, pero a lo mejor no te sitúas...

—No sufras, mi teniente. Mi sentido de la orientación

es infalible. Y si no, Arnau tiene la tarjeta del hotel y Google Maps en el móvil.

—Bien, entonces me quedo tranquilo —asintió—. Mañana, ¿te parece si nos vemos a las siete y media en el bufé de desayunos?

—Perfecto. Y otra cosa, si puede ser.

—¿Qué? —preguntó con una sombra de fatiga en el gesto.

—Me gustaría ir a reconocer el terreno. Formentera, quiero decir.

Tomeu cruzó una mirada con Ferrando. Este me ofreció:

—Aviso a Eva, para que os haga de guía y os enseñe los sitios. Hay barcos durante todo el día y tardan poco. ¿Cuándo quieres ir?

—A primera hora, si puede ser.

—La llamo.

Después de separarnos de los compañeros, Arnau y yo echamos a caminar sin prisa hacia la vieja ciudadela. Por las indicaciones que nos habían dado, la calle de la Virgen, o de la Mare de Déu, en la lengua local, estaba al pie, en Sa Penya, un antiguo barrio marinero situado bajo la ciudad fortificada propiamente dicha, o Dalt Vila. Ferrando nos advirtió que era un barrio complicado, donde convivían restaurantes y los locales de moda que según él ahora encontraríamos cerrados con zonas degradadas y habitadas por población humilde o directamente en el borde de la marginalidad, incluidos camellos y algunos de esos yonquis supervivientes que acreditan la resistencia formidable de la naturaleza humana a toda clase de excesos. El que resistía regular era Arnau, que mientras caminábamos hacia allá, guiados por el perfil iluminado de la antigua ciudad amurallada, no dejó de observar:

—Sueño no tendrás tú, mi subteniente. Yo estoy fundido.

—Vamos, Juanito, que eres un crío, no me seas flojo.

—Lo que no sé es de dónde sacas tú las fuerzas.

—Me canso menos que a tu edad. O quizá sea que le puedo hacer menos caso al cansancio que antes. Me va quedando menos tiempo, y cada día y cada afán y hasta cada marrón son cada vez más valiosos. No puedo dejar de morderlos, mientras me queden dientes.

—Será eso, porque yo rezo para que no haya nada abierto.

—Si lo hay, te mantendrá en pie la curiosidad.

—No sé, no prometo nada.

—Ya se me ocurrirá cómo sacudirte el sopor.

De camino por el muelle hacia nuestro destino, dejando a nuestra izquierda las luces del puerto, nos dimos con un monumento que no podía no llamar la atención: «Ibiza a sus corsarios», rezaba la leyenda, que le confería a aquel frente de mar, de forma instantánea, un aura a la vez romántica y canalla. No era extraño que Ibiza, por su posición geográfica, se hubiera convertido en base corsaria, para contribuir a socavar el poder de las potencias rivales de la corona española en el Mediterráneo. No dejaba de ser algo chocante, pese a todo, la factura rectilínea de aquel monolito y la normalidad municipal con que se honraba una actividad basada en la coacción, el pillaje y la violencia. Todo eso estaba ahí, en la palabra «corsarios», tan evocadora.

En ese momento, me acordé de mi madre. Con la acumulación de acontecimientos y diligencias del día, se me había pasado llamarla. No era pronto, pero sabía que podía telefonearla hasta tarde, que de hecho la molestaba más si no lo hacía. Así que, mientras caminábamos por el muelle, me aparté unos metros de Arnau y marqué su número.

—A ti te quería yo oír —me dijo, a guisa de saludo.

—Cómo va eso, mamá.

—Cómo quieres que vaya.

No sonaba contenta, pero no supe adivinar por qué.

—¿Te pasa algo?

—¿A ti qué te parece que me entere por la televisión de que mi hijo ha estado metido en un tiroteo con muertos y heridos?

No había visto la televisión, pero no me sorprendió que la noticia hubiera trascendido con la visibilidad y el detalle suficientes para que mi madre la viera y atara cabos. Me tocaba quitarle importancia.

—Te lo he dicho muchas veces, mamá, que yo no voy nunca en esas ocasiones en la primera línea. Ya no tengo edad.

—Pero estabas allí o no.

—Estaba. Y ya me ves, sin un rasguño.

—¿Y la chica esa que ha salido herida? ¿Era también de esos que van por delante? Menos mal que dicen que no corre peligro...

Me alegré de que no hubiera salido el nombre de Chamorro, aunque la referencia de mi madre a su estado me planteó un dilema moral.

—Es Virginia, mamá —lo resolví.

—¿Virginia, tu pareja?

—También te lo he dicho muchas veces: no es mi pareja, somos un equipo. Lo de las parejas en este gremio, salvo para las patrullas, es cosa del siglo pasado. Ahora trabajamos más bien en enjambre.

—Quita, quita, qué más dará eso ahora. ¿Has dicho Virginia?

—Sí, pero está bien, no te preocupes por ella.

—Hijo, ¿tú has empezado a pensar que estoy senil?

—¿Por qué me preguntas eso?

—Porque no sé si te imaginas que no sé sumar dos y dos. Si le han dado a ella, podrían haberte dado a ti. Y me parece muy mal que no me lo contaras ayer. Conozco a esa chica. Y me gusta, además.

—Lo sé. Era por no preocuparte...

—Mal jugado. Ahora estoy más preocupada que antes.

—Sí, podrían haberme dado a mí —admití—, y también podría caerme un meteorito ahora mientras hablo contigo, pero es cuestión de probabilidades. Fue un caso de mala suerte, uno entre mil. Resultó que el tipo tenía un arma escondida y Virginia se descuidó.

—La gente está muy loca, Rubén. ¿No te parece que tú ya has hecho tu parte tratando con los tarados y los desalmados del mundo?

—Todavía puedo hacer un poco más, creo.

—No es como cuando te metiste en aquello, lo del Norte, con esa gentuza que gracias a Dios ya la metieron en vereda, pero a veces me da por pensar que en una de estas puede pasarte algo. Me digo que son cosas de vieja asustadiza, y ya ves, pasa. ¿Tú no podrías pedirte otro destino, a una oficina, como asesor o consultor o lo que sea?

—Si me encierras en una oficina, lo mismo el tiro me lo pego yo.

—Mira que los bordas, los disparates, cuando te pones. Y mira que entonces me recuerdas... En fin, vamos a dejarlo estar.

Nunca, o muy rara vez, se refería mi madre a mi padre. Era este un silencio férreamente instalado entre los dos, y Uruguay, aquellos años de mi primera infancia y de su tropiezo vital, una estampa despojada a conciencia de cualquier elemento no inocuo. Me dolió que abriera esa espita siempre cerrada. Comprendí que sí, que se hacía mayor.

—En fin, que le das a esa muchacha un abrazo de mi parte, y que no se te olvide —me advirtió—. Y por ahí, ¿cómo se presenta la cosa?

—Muy tranquilo. Aquí fuera de temporada no hay nadie.

—Decía lo que has ido a hacer.

—Bien, encarrilado. Quizá sea más fácil de lo que parecía.

—Bueno, ¿y has acabado ya por hoy?

—Sí —mentí, por no meterme ni meterla en más jardines.

—Pues que descanses.

—Tú también. Un beso, mamá.

Arnau me advirtió la preocupación en el semblante cuando volví a encontrarme con él. Miré en el teléfono si mi hijo me había respondido el wasap que le había mandado desde el hotel. Ni siquiera lo había abierto. No me iba a preocupar por ello, sabía que lo hacía a veces y a propósito, para no dejarse marcar en exceso, y me parecía bien. Estaba ahí para lo que importaba, no podía tenerlo rindiéndome cuentas.

—¿Todo bien, jefe? —me preguntó.

—Dentro de un orden. Mi madre, que va cumpliendo años. Menos mal que la vida me ha hecho padre, así la comprendo un poco mejor. Hay un momento en el que se empieza a temer más por otros. Todo tu pescado está vendido y son las redes ajenas las que miras. No es tan malo, lo malo es volver a temer por ti. Eso es que estás ya listo.

Arnau no supo qué decir a eso. Le eché un cable:

—Nada, que se ha enterado de lo de la otra noche. Creo que me las he arreglado para quitarle el susto. Vamos a ver qué encontramos.

La calle de la Virgen retrotraía al pueblecito marinero que aquella parte de la ciudad había sido en tiempos, salvo por el detalle de la bandera arcoíris que la cruzaba de fachada a fachada a la entrada: toda una declaración de intenciones impensable sólo unas pocas décadas atrás, cuando seguía vigente una Ley de Vagos y Maleantes para la que los homosexuales eran un ejemplo de incivismo y desviación que convenía enderezar mediante la respuesta represiva. Serpenteaba un poco y tenía una ligera pendiente. Era una calle estrecha, pensada para las personas, característica que la había salvado de ser invadida por el más implacable destructor de ciudades, el automóvil. Las casas se veían bien encaladas y cada pocos metros había un local de nombre más o menos sugerente: Clandestino, Mad, Club la Virgen. Con ellos alternaban las viviendas, aunque me pregunté si vivía alguien allí y, en caso afirmativo, cómo aguantaban el jolgorio y el ruido de unos locales que se anunciaban como abiertos todas las noches. Había casas con dos o tres escalones, para salvar el desnivel con el pavimento de la calle, y otras con cornisas y saledizos pintados de azul. Me imaginé de pronto a Freddie Mercury caminando por aquel mismo lugar.

Confirmando el vaticinio de nuestros compañeros destinados en la isla, todo se veía cerrado y silencioso, hasta que llegamos a la altura de una puerta metálica, también azul, tras la que creí percibir que sonaba música. Acerqué la oreja a la chapa y el sonido se hizo tan claro que incluso acerté a identificar la canción: *Suburbia*, de los Pet Shop Boys. Me devolvía a noches lejanas de mi juventud. Arnau me llamó:

—Mira, mi subteniente. Parece que es un local.

Estaba señalando una plaquita dorada. Leí:

—Sin Ibiza.

—Qué nombre más raro, ¿no?

—En absoluto, Arnold, si la lees en inglés. *Sin*, pecado.

—Ah, qué espeso estoy.

Pensé a toda velocidad. Absurdamente, o no, me acordé de Ruano, mi mentor en los días de plomo, y de sus pruebas endiabladas. Hacía ya algún tiempo que no estaba entre los vivos, y pensé que la idea era un homenaje que le haría sonreír, dondequiera que se hallara ahora. Entre los veteranos de aquello era costumbre llamar *celícolas* a los que ya habían partido de este mundo, pero no tenía dudas de que Ruano se las apañaba incluso si al final no le habían admitido en el cielo.

—Arnau, vamos a hacer una cosa —le dije a mi fiel cabo—. Te vas a quitar el jersey y te vas a desabrochar tres botones de la camisa. Y te me vas a revolver un poco el pelo, que se te ve muy repeinado.

—¿El jersey? ¿Y qué hago con él?

—Te lo atas a la cintura.

—Pero para qué.

—¿Tú que crees?

—No estarás sugiriendo que...

—Eso mismo. No te preocupes, que prometo no meter la lengua. Salvo que me digas que tu pudor o tu religión te impiden el servicio.

No supo qué decir, lo había pillado con la guardia baja. Le animé:

—Lo pone a la puerta de la empresa. Todo por la patria.

Arnau, todavía un poco desconcertado, hizo lo que le pedía, menos lo del pelo, que ya se lo revolví yo. Luego tiré de la puerta, que cedió al empuje de mi brazo liberando por un instante al aire de la noche el fragor de la música de los Pet Shop Boys. En el interior, una docena de cuerpos se agitaba al compás de aquel himno con el que los británicos invitaban a correr junto a los perros de los suburbios. Ninguno de ellos se volvió a mirarnos, sólo uno de los dos jóvenes que atendían la barra se fijó en nuestra entrada, hasta que cerré de nuevo la puerta.

El ambiente invitaba muy poco a sacar la placa y menos aún a andar enseñando fotos. Por eso me parecía mejor cambiar de aproximación. Antes de nada, y tomándole del cuello, le pregunté a Arnau:

—¿Qué tomas, mi rey?

Mi joven compañero tardó en reaccionar.

—Suéltate, mi cabo, o esto no funciona —le sugerí.

—Eh... un vodka con limón.

—Así me gusta. Busca dónde sentarte, anda.

Me fui a la barra. Por cierto que en el Sin Ibiza, no podía ser de otra manera, predominaban los tonos rojos vivos. Opté por el más joven de los dos camareros. Era un moreno de pelo ensortijado y bíceps de tungsteno que me sopesó sin el menor interés. Como hombre de edad, no había creído necesario sobreactuar en cuanto a ademanes. Tampoco hice que mi voz sonara desproporcionadamente amanerada:

—Hola, veo que nos han aconsejado la mar de bien.

—¿Cómo dices?

—Este sitio. Qué secreto más bien guardado.

—Ah, ya. ¿Qué tomáis?

—Un vodka con limón y un gimlet.

—¿Qué es lo segundo?

—Un gimlet, el cóctel, ¿lo conoces?

—Ah, sí. Bueno, te hago algo parecido.

—Lo que tú me hagas estará bien —aposté.

Ya con las dos bebidas en la mano, y cimbreando con donaire las caderas al ritmo de *Go West*, la canción de los Pet Shop Boys que ahora sonaba, crucé el local hasta el rincón donde, más que sentarse, Arnau parecía haberse sepultado. Le tendí su bebida con un guiño.

—Relájate, hombre, ¿no serás tú un poco homófobo?

—No, pero esto no es lo mío.

—Nadie lo diría. ¿Te gusta bailar?

—Con una buena maciza, lo que haga falta.

—Gracias por el desprecio, hombre. Vete enchufándote entonces el vodka ese, porque me temo que esta noche te va a tocar menearte.

—¿A mí?

—Lo he notado: al camarero yo no le he molado nada.

—A los camareros no les mola nadie, y menos los clientes.

—En todo caso, hay que poner un cebo. Y tienes cara de ser tú.

—Si bailo, tú bailas también. No me dejarás ahí solo.

—Claro, nunca hago ir a la tropa por donde yo no voy.

Nos bebimos nuestras copas y nos echamos a la pista. Bailamos cada uno por nuestro lado, pero en cierto momento me acerqué a Arnau y le agarré por los hombros. Sonaba en ese momento la versión del *Always On My Mind* de los Pet Shop Boys, de los que al parecer aquella noche había una especie de monográfico. El cabo no sólo no me sacudió las manos de encima, sino que me siguió el juego mientras me miraba a los ojos y me llevaba al centro de la pista, donde, después de pegarse seis caderazos de infarto al ritmo de la canción, me tomó por la nuca y me acercó hacia sí. Ahora no podía recular yo: mientras me admiraba de la potencia de los efectos de la bebida nacional de los huérfanos de la Unión Soviética, correspondí a su beso con entereza y sin lengua, que la palabra de un hombre es sagrada y por nada debe traicionarse.

El alcohol que chapoteaba en mi propia sangre me hizo pensar de pronto en el hombre cuya muerte tratábamos de esclarecer, que quizá había estado bailando en aquella misma habitación y aquella misma música pocos días atrás. Si la había oído, y entendía la letra, tal vez le removiera lo que a mí me removía: la culpa de no haber sido siempre lo que habría debido ser, ni haber querido lo bastante a quien habría debido querer, y la conciencia de que uno nunca deja de tener esa amarra profunda que le dice quién es, aunque se empeñe en olvidarlo. Por primera vez me sentí en su pellejo, el de Igor López Etxebarri, mi antiguo enemigo y ahora la víctima de la que pasaba a ser paradójico valedor. Yo no estaba para juzgarlo, ni por su pasado etarra, ni por su rendición final, ni por su afán de huir y ser otro, ni porque buscara a chicos más jóvenes, comprando o no sus servicios. Yo era quien tenía que dar con quien lo había matado y ponerlo ante su crimen.

Al cabo de unas cuantas canciones consideré que Arnau ya tenía su cobertura suficientemente armada y le despaché a que se ganara su sueldo. El pretexto fue ir a pedir otra copa para los dos, pero vi, con algo parecido al orgullo, que mi buen alumno se demoraba mucho más de lo que requería esa transacción. En total, cerca de diez minutos, que pasé sin hacer gesto alguno de impaciencia y fingiendo que seguía la música. Cuando al fin vino con los dos vasos, volvían a sonar los Pet Shop Boys, precisamente *It's a Sin*, que bien podía ser el himno oficial del garito. Arnau me tendió el vaso con una sonrisa satisfecha.

—Ya podemos irnos: estuvieron aquí, los dos. Y me he enterado de algo que va a interesarte, pero no es cosa de contártelo a gritos.

Le devolví la sonrisa. Ruano, en alguna parte, lo aprobaba también.

11
Y a veces hasta acertábamos

No solían decirnos quiénes eran y nunca usábamos sus nombres, sino un apodo de ocasión que nos servía para referirnos a ellos y que tenía que ver con algún detalle de su aspecto físico, o con dónde vivían, o con su oficio, o con cualquier cosa que se le pasara por la cabeza al sargento o a Ruano, que era quien bautizaba a muchos de ellos. Como colectivo se los aludía con frecuencia como los *ciervos* o los *guarros*, dos metáforas cinegéticas —la del guarro, por jabalí— que eran una forma de devolverles el apelativo de perros que ellos nos ponían, pero que a mí, quizá como anuncio del desajuste que acabaría sacándome de allí, nunca me gustó demasiado utilizar. Caer en aquel lenguaje me sonaba demasiado a ellos, a aquel odio que los empujaba a asimilarnos a un animal cuyo nombre no deja de ser curioso que funcione con sentido peyorativo, cuando es el mejor amigo del hombre y uno de los más nobles e inteligentes que caminan por este sucio mundo. Prefería los motes, más humorísticos, que les poníamos a título individual.

A aquella mujer la llamábamos la Abeja Maya, personaje de dibujos animados de la época, porque en el primero de nuestros seguimientos la habíamos visto con unos leotardos de franjas amarillas y negras. No nos habían dicho qué papel desempeñaba en la organización; tan sólo que teníamos que ser su sombra y averiguar dónde iba y con quién hablaba durante las veinticuatro horas del día. Tenía una vida normal, lo que nos dejaba claro que no era una liberada, es decir, un miembro de la organización dedicado a la lucha armada a tiempo completo. Tampoco pensábamos que pudiera ser una legal, esto es, alguien que también empuñaba las armas pero sólo de vez en cuando y llevaba el resto del tiempo una existencia aparentemente corriente que le servía como cobertura, porque en esos casos a Ruano se le escapaba, o nos dejaba creer que se le escapaba, alguna indirecta para que fuéramos un poco más atentos; no sólo para evitar que nos detectara, sino también a la hora de extremar las medidas de autoprotección. Lo más probable era que fuera una *laguntzaile*, esto es, una colaboradora, alguien que hacía tareas logísticas, de apoyo, de información o de correo.

La Abeja Maya tenía su domicilio y su trabajo convencional en un pueblo de Guipúzcoa del que no es necesario dar el nombre. Podría haber vivido en una treintena de pueblos diferentes y tampoco habría cambiado gran cosa. Su casa era un bloque de pisos algo feo y triste, como tantos otros por allí, emplazados en los márgenes exteriores de unas poblaciones agrandadas sin mucha delicadeza al calor del auge industrial de los años sesenta del siglo pasado y de la inmigración que había traído aparejada. Había que almacenar a toda esa gente en algún lado, y la solución se arbitró rápido y sin mayores aspavientos. Luego vi una versión ampliada del fenómeno en la periferia barcelonesa; en ambos casos había una nota que distinguía esa expansión urbana de la que, por razones análogas, había padecido Madrid, la ciudad de mi adolescencia, en esa misma década prodigiosa: los barrios nuevos no sólo parecían otra ciudad, sino otro mundo, escrupulosamente aparte del mundo de los autóctonos, que conservaban su vínculo con la tierra y el paisaje. En Madrid todos, los pocos madrileños que existían y el resto, formábamos parte del mismo amasijo desnaturalizado. Por el contrario, en Guipúzcoa, como en Barcelona, todo estaba plagado de fronteras no escritas ni señalizadas, y a pesar de ello evidentes, entre los de casa y los otros, entre los hijos de la tierra y los postizos.

La mujer andaba por los veintipocos y era profesora de una escuela infantil. Era morena y fibrosa, no del todo mal parecida, aunque la manera que tenía de vestir y de cortarse el pelo dificultaba detectar su posible atractivo, y sus movimientos, secos y decididos, venían a ser, como su expresión a menudo tensa, todo lo opuesto a la sensualidad. Y sin embargo, cuando la vigilaba a distancia en el patio de la escuela, jugando con los niños, advertía que su gesto se volvía amoroso y los pequeños la buscaban todo el rato y la adoraban. En esos momentos, sin saber aún si preparaba bombas, las transportaba, las almacenaba o señalaba a otros dónde tenían que ponerlas, verla me hacía pensar en la dualidad perenne e irremediable del alma humana. Ese mecanismo extraño por el que un mismo ser es capaz de desarrollar las acciones más contrapuestas e incompatibles: enjugar las lágrimas de un niño y contribuir a que otros las derramen a chorros y durante toda su vida, salvo que un día, como a veces pasa, acaben gastándolas todas.

Había seguimientos que podían prolongarse durante semanas, lo que imponía una dificultad añadida y obligaba a hacer rotaciones en el equipo de vigilancia. Otros, como aquel, duraban sólo unos días, hasta que el objetivo contactaba con quien de veras interesaba o hacía lo que fuera que se esperara de él. En los dos casos terminabas metido en la vida de otro, conociendo todos sus pasos y rutinas, incluso los más ominosos o clandestinos, con la peculiaridad de que no se trataba de otro cualquiera, sino de uno de esos seres humanos que veían bien que mataran a esos otros seres humanos que eran tus compañeros, o sus hijos, o sus mujeres, o los que por pura mala suerte pasaran por allí. Tan bien lo veían, que arrimaban el hombro para que ocurriera.

Existía entre nosotros, como enemigos primeros y predilectos del movimiento con el que colaboraban, la tendencia a pensar que eran gente diferente, gente de mala entraña y peores intenciones, y que esa diferencia sería patente y comprobable todo el tiempo; más allá de su indumentaria o la forma de arreglarse, que no dejaba de ser un rasgo superficial y secundario, por más que hiciéramos guasa a su costa o lo imitáramos para pasar más inadvertidos en sus lugares y ambientes. Y sin embargo, cuando estabas detrás de ellos todo el tiempo, te dabas con lo mismo que te das siempre bajo un pellejo humano: con alguien que se esforzaba, desfallecía más veces de lo que deseaba, disfrutaba menos de lo que le apetecía, se distraía, se aburría, se equivocaba y del conjunto de sus actos se desprendía que había tratado de levantar ante sí mismo, con mayor o menor éxito y mayor o menor convicción, un proyecto que le hiciera mejor a sus propios ojos y a los del resto.

De la Abeja Maya, por ejemplo, supimos el primer día su principal secreto: se acostaba a escondidas con un hombre casado, el director de su propia escuela, al que sin darse cuenta, y por culpa de esa debilidad de la carne, puso fugazmente en el radar de la lucha antiterrorista. Se entendía: era un tipo alto y bien plantado, además de seductor y muy atento. Se lo veía de una extracción social algo superior a la de ella, y aunque estuviéramos vigilando a una militante de una organización de corte marxista-leninista revolucionario, en ella no dejaba de estar la chica de barrio humilde, y sobre todo inmigrante, que veía con envidia a los pudientes con denominación de origen. Y sin embargo, saltaba a la vista, la relación no la hacía feliz: debía de sentirse utilizada y a lo mejor hasta la atormentaba la culpa por estar metiendo la mano y la pata en un hogar ajeno. No había más que fijarse en la cara que se le quedó cuando él la dejó en una esquina en la que supuso que no había ningún testigo indeseable, sin imaginar ni por un momento que allí estábamos, levantando acta, los más indeseables de los testigos.

Su vida, aparte de eso, era tan sencilla y monótona que a lo largo de aquellos tres días se nos ocurrió más de una vez que a los que nos la habían señalado como objetivo se les había ido la mano con alguna sustancia o que una de esas fuentes que sólo buscaban sacarles dinero les había metido un gol. Se levantaba temprano, salía a correr un rato, sacaba al perro, iba a la escuela, se pasaba allí la mañana, tiempo que aprovechábamos para relajarnos, comía en un modesto local de menús cercano a la escuela y luego se iba a la biblioteca del pueblo a estudiar. Alguien dedujo que preparaba unas oposiciones, como así resultó ser. A eso de las nueve menos algo salía de la biblioteca, regresaba a casa, sacaba otra vez al perro y se recogía hasta la mañana siguiente.

Fue al cuarto día del seguimiento cuando de pronto algo se salió de lo normal. Para empezar, se llevó el coche al trabajo, algo que no había hecho en los días anteriores ni con lluvia, dada la poca distancia a pie, unos diez minutos, que separaba su casa de la escuela. Eso nos puso no sólo alerta, sino también algo nerviosos, porque nos entró la duda de si teníamos los coches suficientes para el seguimiento a un objetivo motorizado. Los nervios los teníamos sobre todo los más nuevos, es decir, Álamo y yo. Ni el sargento Cepeda, el jefe del grupo, ni los que ya tenían alguna experiencia, como la guardia Aurora, mostraron la menor inquietud. Con dos coches y una moto, a un objetivo de bajo riesgo y escasa cualificación, había más que suficiente para seguirlo y no perderlo sin verse detectados. Álamo y yo, en cambio, teníamos demasiado reciente el pánico que provocaban las pruebas del curso selectivo que habíamos superado pocas semanas antes, y temíamos que en cualquier momento algo se nos fuera de las manos. El brigada Ruano nos había dejado claro que el curso era sólo el primer paso, y que la prueba de verdad eran los primeros meses en el trabajo sobre el terreno, donde acreditaríamos si merecíamos o no continuar allí.

Dándonos los relevos estipulados, y alternando el seguimiento por delante y por detrás para que no se fijara en ninguno de los tres vehículos, llegamos al primer destino del día, que, como cabía esperar, era la escuela. Aparcó en las inmediaciones y allí aguardamos como siempre acontecimientos, aunque esta vez con la mosca detrás de la oreja. A eso de las doce salió algo apresurada y subió al coche. En ese momento comprendimos que comenzaba el verdadero seguimiento. Los giros inesperados son siempre sospechosos, pero en una persona de vida tan aparentemente ordenada y rutinaria lo eran aún más.

Condujo a velocidad siempre legal hasta un pueblo a unos treinta kilómetros de distancia. Allí callejeó hasta que encontró una plaza de aparcamiento. La rebasamos y, poco después de doblar la esquina, el sargento Cepeda le pidió a la guardia Aurora que parara el coche.

—Bajaos vosotros dos, Gardel y Moro. Vamos a ver si sois capaces de no perderla. Y ojo: esta vez vais solos tras una cierva de verdad.

Álamo me miró. Aquel apodo de Moro se lo había puesto yo, en alusión perversa a su origen meridional y como venganza por el que él me había plantado a mí. Ambos nos habíamos hecho a la idea de que iría uno de los dos junto a Aurora, que no sólo tenía más experiencia, sino que proporcionaba por su condición femenina mayor seguridad y más discreción para el siempre comprometido seguimiento a pie.

—¿Seguro? —se me escapó finalmente a mí.

Cepeda lo tenía claro.

—Ya estáis tardando, coño.

No se habló más. Álamo y yo saltamos fuera del coche y antes de separarnos debatimos sobre la marcha cuál sería la secuencia.

—Ve tú primero —me dijo.

—¿Por qué yo? —objeté.

—Eres más bajo, más vulgar, se coscará menos.

—A lo mejor por eso mismo debería ir en reserva.

—Soy más antiguo que tú —me recordó.

—Está bien, pero lo de vulgar ya te lo devolveré.

Salí el primero a la calle. La Abeja Maya acababa de bajarse de su coche y enfilaba a buen paso por la acera. Primera contrariedad: justo en mi dirección. El efecto práctico era el mismo de una contramarcha, y la solución, la misma. Miré con el rabillo del ojo a Álamo, vi que se había dado cuenta y se había refugiado tras la esquina y crucé la calle para salirme cuanto antes del campo de visión de nuestro objetivo e impedir que se quedara con mi cara. Pasé por su izquierda y continué andando durante un rato, antes de meterme en un portal desde el que vi cómo ella seguía camino y, unos segundos después, Álamo le iba detrás. Le estaba bien empleado, por haber intentado escaquearse y colocarme a mí en el apuro de ir en la primera posición. Aguardé un par de segundos y fui tras ellos. El pueblo era grande, había gente por la calle y aquí sí que podíamos utilizar la técnica de *La chica del tambor*. El objetivo, A, delante; el primer seguidor, B, justo detrás; y el segundo seguidor, C, detrás de B. Y si surgía cualquier imprevisto, B rotaba posiciones con C. Así estábamos siempre preparados para rebasarla y no perderla, porque siempre había alguien con suficiente margen de reacción para cambiar la trayectoria sin que A se percatara. Incluso si no sucedía nada, era una precaución aconsejable, en el supuesto de que el seguimiento se prolongara mucho, que C y B intercambiaran posiciones, para que ninguno se desgastara en exceso. Aquella mañana no hizo falta. Apenas duró cinco minutos, los mismos que ella tardó en llegar hasta una plaza y entrar en una cafetería. Álamo se paró y me hizo una señal convenida: miró el reloj una vez y después lo volvió a mirar, antes de ir detrás de la mujer. Quería decir que se la quedaba él y que buscara posición para esperar. La encontré pronto. Era un día de sol y enfrente había una terraza desde la que controlaba la entrada de la cafetería. Me senté y, ya que estaba en mejor situación que Álamo para hacerlo, reporté por transmisiones las novedades al sargento:

—Estamos en la plaza. Maya en una cafetería. Moro con ella.

—¿En el mismo local? —preguntó Cepeda.

—Es grande.

—Joder, así y todo. Espero que sepa darle la espalda.

Álamo era así: asumía riesgos. Si no querían a gente como él, tenían que haberse dado cuenta antes. En ese momento vino la camarera.

—*Egun on* —me saludó.

—Buenos días. Quería un café cortado, por favor.

A veces contestaba en euskera, a veces no. Según la situación y el lugar, podía convenir hacerse pasar por local, por turista desprevenido o por turista con conciencia de dónde estaba y ganas de agradar. Lo que quedaba fuera de mi alcance era mimetizarme por completo como alguien del entorno más cerrado, porque en euskera, como la mayoría de mis compañeros, sólo sabía unas cuantas decenas de palabras y no podía en ningún caso mantener una conversación. Aquella mañana y en aquel pueblo, que era costero y más o menos turístico, pensé que lo mejor era presentarme como forastero, sin más. Iba vestido con ropa informal y mi aspecto era neutro. No iba caracterizado, como cuando sabíamos de antemano que ese era nuestro destino, para asemejarme a la fauna que se concentraba en los ambientes más radicales.

La camarera volvió al cabo de cinco minutos y depositó el café sobre mi mesa con una sonrisa. Contra el tópico, y la idea de mucha gente fuera de allí, el paisanaje de aquellos pueblos de Guipúzcoa era algo reservado pero amable en general con quienes los visitaban. O esa era mi experiencia, la mayor parte de las veces que me movía por ellos sin llevar el uniforme ni decir ni hacerles sospechar que era un guardia civil. Y si te tomabas la molestia de rascar un poco y buscarles el corazoncito, se lo encontrabas en seguida. Para aliviar un poco la tensión, y también como entrenamiento, lo intenté con aquella camarera.

—Qué día más bueno hace hoy y qué bonito es este pueblo.

Su sonrisa se hizo un punto más pronunciada.

—Ya lo creo. ¿Primera vez por aquí?

—Sí, me he salido de la autopista para costear un poco. Y la verdad es que merece la pena. Hay unos paisajes impresionantes.

—¿De turismo?

—No, viajo por trabajo. Voy a San Sebastián.

—¿Lo conoces, Donosti?

—Tampoco.

—Te gustará, a todo el mundo le gusta.

—Se ve muy tranquilo esto.

—Pues claro, ya ves. No nos comemos a nadie.

—Bueno, yo de política paso. Con no perder el curro, me conformo.

—¿Y en qué trabajas?

—Construcción. Soy arquitecto técnico.

—Anda, mira tú. Eso es un rato difícil, ¿no?

—La difícil es Arquitectura Superior. Yo hice la de tres años.

—De todas maneras. Te pasarás el día echando números.

—Algo así. ¿Me cobras, por favor?

—¿El café? Cuarenta pesetas.

—Y mira, no es tan caro como dicen —comenté.

—Donosti sí —me advirtió.

Pagar cuanto antes la consumición era una precaución obligada en mi circunstancia, para poder levantarte sin previo aviso y sin dejar la cuenta pendiente. Puse sobre la mesa una moneda de cien. La chica la tomó y me prometió venir en seguida con las vueltas, aunque luego no se apresuró excesivamente. Podría haberse demorado aún más sin obligarme a dejárselas como propina, porque la maestra tardó sus buenos veinte minutos en salir de la cafetería. Cuando lo hizo, llevaba consigo una bolsa de plástico con la que no había entrado. Me preparé para levantarme cuando vi aparecer a Álamo, apenas diez segundos después de que ella saliera. Por las transmisiones, me pidió:

—Quédatela tú ahora, no vaya a ser que se haya fijado.

—Visto, voy —le respondí.

No tuvo demasiada complicación: simplemente se limitó a desandar el camino hasta el coche. Abrió el maletero, colocó la bolsa en él y subió al vehículo. Cuando estuve seguro de que se iba, di el aviso:

—En el coche. Se va.

—Quédate donde estás —dijo el sargento—. Pasamos por ti. Por los dos, quiero decir. Moro, quédate tú también por ahí a la vista.

Medio minuto después, vi venir a Álamo, y al cabo de apenas unos segundos más apareció el coche que conducía Aurora. Nos recogió primero a mí y luego a él. Álamo nos reveló entonces:

—Se ha encontrado en la cafetería con otra mujer, unos treinta años, morena, de pelo corto, que es la que le ha dado la bolsa. Se ha quedado allí, pensé que la prioridad era seguir siempre a la nuestra...

—Podrías haber avisado —dijo Cepeda.

—La otra era muy desconfiada, miraba todo el rato.

—Bueno, está bien, con los medios que tenemos no podemos seguir a las dos, y nuestro encargo es esta. A ver a dónde lleva la bolsa.

Reprodujimos el seguimiento en vehículo, esta vez hasta el parking de un hipermercado en las afueras de un pueblo, y a pie en el interior del establecimiento comercial, esta vez dándonos los relevos Aurora y yo, por si Álamo hubiera podido quemarse antes. Maya, siguiendo una lista, hizo una compra abundante, alimentos de fácil elaboración sobre todo. También algún producto de limpieza. Era demasiado para alguien que vivía solo, salvo que estuviera comprando para un par de semanas. En el hipermercado no habló con nadie. Pagó como una cliente más, aunque en nuestra percepción cada vez lo era menos, y empujó el carrito hasta su coche, donde descargó la compra.

—Y ahora la pregunta, ¿irá a su casa o a otro sitio? —dijo Álamo, al volante del coche, apenas volvimos a subirnos Aurora y yo.

—A donde sea, tú detrás —le dijo el sargento.

—A la orden —acató Álamo, metiendo primera.

No fue a su casa. De hecho, condujo hasta un pueblo que no era ni el suyo, ni el de la cita, ni el de la compra, sino otro mucho más pequeño. Allí bordeó el mínimo casco urbano y se dirigió luego hacia una zona de caseríos. Cepeda le dio una brusca instrucción a Álamo:

—No la sigas por ahí, que nos cazan. Tira por el otro camino.

Álamo cumplió la orden. El sargento le fue dando indicaciones, mientras coordinaba la maniobra con las otras dos unidades, de modo que, avanzando cada una por un sitio, no perdiéramos contacto visual con el coche del objetivo. Al final se detuvo delante de un caserío, en la falda de una colina. Maya bajó y, señal elocuente, antes de descargar el coche y llevar las bolsas hasta el interior de la casa miró por primera vez a derecha e izquierda. Para entonces nuestros vehículos estaban aparcados a distancia suficiente y sin llamar la atención. Tan lejos que necesitábamos prismáticos para poder seguir sus movimientos.

—Voy a avisar a Zarpas —dijo Cepeda—. Esto tiene color.

Zarpas no era otro que el apodo de Ruano. El sargento lo llamó por radio y ambos mantuvieron una breve y expeditiva conversación.

—Zarpas, ha venido hasta un caserío, con comida para varios.

—¿Dónde? —preguntó Ruano.

Cepeda le dio las coordenadas. Ruano tomó nota y dijo:

—Se lo cuento al jefe, pero vete pensando quién se queda ahí. Lo más seguro es que mandemos refuerzos para seguirla a ella de vuelta. Si es lo que parece, y las cosas suelen ser lo que parecen, lo que esta haga a partir de ahora tiene menos interés que lo que pase ahí.

—De acuerdo. Voy mirando dónde tomar posiciones.

Maya se pasó una hora dentro del caserío. Cuando volvió a salir ya estaban en posición a la salida del pueblo nuestros refuerzos, para no perderla de vista en su regreso, y Ruano debatía con el sargento cómo y desde dónde montar la vigilancia. Era un lugar muy poco favorable para estar apostados demasiado tiempo: un pueblo pequeño, donde todo el mundo se conocía, y donde cualquier presencia inusual sería inmediatamente advertida y muy posiblemente notificada sin demora a quienes necesitaran prevenirse contra ella. Además, sólo había una carretera de acceso, lo que nos favorecía para controlar a quien entrara y saliera a bordo de un vehículo, pero también les proporcionaba esa misma facilidad a nuestros enemigos. El brigada se devanaba los sesos a toda velocidad para organizar un dispositivo que no produjera el efecto indeseado: poner sobre aviso a los habitantes del caserío antes de que tuviéramos más información sobre quiénes eran y qué riesgo representaban para diseñar la acción más oportuna. Dependiendo de lo que hubiera allí, esa acción podría ser asaltar el caserío, mantenerlo vigilado indefinidamente o preparar un seguimiento, con muchos más recursos, de los movimientos de los moradores. Ruano comprendió que de momento debía conformarse con un apaño provisional.

—Vamos a sacar los vehículos cuanto antes —le dijo a Cepeda—. Dejamos dos o tres hombres, escondidos en el monte. Esta noche hará frío, así que habrá que darles ropa de abrigo y un termo. Los coches de apoyo lejos, apurando el límite del alcance de la radio. Yo me voy a contarle al capitán cómo es esto y pensamos qué podemos montar que permita vigilar la zona con más seguridad y menos en precario.

Cepeda nos miró a Álamo, a Aurora y a mí. Los tres comprendimos al instante. Ya tenía candidatos para pasar la noche al raso. El brigada también comprendió, y pareció pensarse un segundo si éramos una buena elección. Pero aquella era la responsabilidad del sargento como jefe de grupo, y prefirió no desautorizarlo. Para distender un poco el ambiente, hizo algo que solía hacer, evocar una de sus viejas batallitas de los tiempos rupestres, como él los llamaba. Los años en los que, aún en plena dictadura, el servicio de Información del cuerpo era todavía una maquinaria rudimentaria que apenas hacía honor a su nombre, por la poca y mala información que manejaba respecto de la que ya era la principal amenaza para la seguridad de nuestra gente. Ruano solía recordar que cuando se producía un atentado, como no había el menor indicio sobre su autoría, se entraba en los pueblos y se detenía al bulto, a personas vagamente sospechosas que después de verse sometidas a persuasivos interrogatorios confesaban lo que hiciera falta.

—Y a veces hasta era verdad, y de chiripa acertábamos —evocaba—. Pero las más de las veces era perder el tiempo y las energías.

En esta ocasión le vino a la mente otro recuerdo.

—Si supierais cómo se hacía esto antes...

—El qué —preguntó Cepeda.

—Averiguar qué había dentro de un caserío sospechoso, a la manera del sargento Venancio. Un animal de cuidado, excombatiente de la guerra civil y excabo del Tercio. Un terrón de azúcar, vamos.

—¿Y cómo se hacía? —pregunté, tal y como él esperaba.

—A ti te habría gustado especialmente, Gardelito

—me dijo—. Me acuerdo de una vez, no muy lejos de aquí. Íbamos los dos solos, él y yo, a investigar un soplo que bien podía ser malo, como lo eran casi todos entonces. Yo era ya cabo, tampoco era un crío, pero a su lado me sentía como un bebé de teta. Pensad que él tenía la edad de mi padre. En fin, la cuestión es que allá que nos fuimos, y como por lo que nos habían contado en la casa podía haber alguien chungo, nos acercamos con precaución. En eso que el sargento Venancio ve que hay un niño de unos ocho años jugando en la puerta, se vuelve y me dice que ya tenemos arreglo para entrar. Se va hacia él, pistola en mano, agarra al chaval por el pescuezo y así, con él bien sujeto, echa la puerta abajo. Os abrevio: en la casa había efectivamente un guarro, un tío que no estaba empadronado allí ni nada y que además tenía un hierro debajo del colchón. Pero al vernos entrar así se quedó tan paralizado que ni pensó en oponer resistencia. Luego, cuando hubo pasado todo, yo le dije a Venancio que aquello era una barbaridad. Era una dictadura, de acuerdo, pero había cosas que ya estaba claro que no se podían hacer. Y el Venancio, que era una bestia parda, pero también tenía, si le tocabas la fibra, un corazón que no le cabía en el costillar, me dijo: «¿Le ha pasado algo al niño? ¿Le ha pasado algo al hijoputa? ¿Nos ha pasado algo a nosotros? Pues eso, no me seas tan sensible, muchacho».

—Prefiero esto, aunque sea más trabajoso —opiné.

—Claro, hombre, y yo —dijo Ruano—. No lo he vuelto a pasar igual de mal en mi vida. Me imagino que aquel niño sigue soñando con el Venancio y conmigo, y que brindará con pacharán cada vez que nos matan a alguien, dicho sea de paso, pero yo también he soñado unas pocas veces con él. No dijo ni mu, el pobre, en todo el tiempo.

—Los niños son sabios —dijo el sargento—. Y no olvidan lo que de verdad importa. Por eso aquello era una cagada, y por eso la cagan ahora ellos matando niños de los nuestros. Eso acabará con ellos.

—Coño, Pulgas, eres un filósofo. Y yo sin enterarme.

El sargento Cepeda adoptó, como siempre que oía su alias, un gesto inescrutable. Era una peculiar diligencia de Ruano que todos, salvo las chicas, e incluido él mismo, portáramos apodos incómodos.

—Bueno, basta de tertulia —zanjó Ruano—. Manos a la obra.

Así eran a menudo nuestras jornadas: empezar pronto y acabar pronto también, pero al día siguiente. Fue entonces cuando desarrollé técnicas para poder funcionar cuarenta horas seguidas, durmiendo poco o nada. Entre otras, aprovechar cuando tenía oportunidad, así fuera media hora o sólo quince minutos, para sumirme en una especie de estado de letargo, que no era en realidad sueño, porque seguía pendiente de lo que debía atender, pero tampoco era vigilia, porque me ausentaba en la medida suficiente para que mi corazón y mi mente bajaran su actividad y se dieran una tregua mínimamente reparadora. Con un par de ellas en la jornada, podía aguantar, aunque lo pagaba tan pronto como se me concedía acostarme en una cama para dormir como Dios manda: más que conciliar el sueño, perdía el conocimiento, y a la mañana siguiente despertaba como quien sale de una sima.

La noche fue fría, como había vaticinado Ruano. Al final, tras mucho buscar, encontramos acomodo al abrigo de unos árboles que, además de ocultarnos a la mirada de los paisanos, por lo menos nos protegían algo del vientecillo que soplaba y calaba el alma con la humedad de la tierra. Para poder vigilar mejor el perímetro, localizamos una masa densa de arbustos, a unos cincuenta metros de los árboles y algo más próxima al caserío, en la que nos turnamos a lo largo de la noche. Así en todo momento había dos en los árboles y uno en los arbustos, y la pareja podía organizarse para que uno echara una cabezada. Durante el rato que estuve solo en los arbustos recordé las noches que me había pasado en la *muga* de Navarra, también en apostaderos individuales para cubrir la mayor extensión posible, esperando comandos que, al menos en todas las noches que me tocó pelarme de frío allí, no llegaron nunca a pasar. En cierto modo nuestra tarea era como echar redes en el océano, casi a ciegas, esperando que entrara algo. En el mapa el País Vasco parecía pequeño, y Navarra sólo un poco mayor, pero en la realidad, valle a valle y monte a monte, era un espacio que se hacía infinito e inabarcable, para los pocos que allí tratábamos de ponerle cerco y siendo tantos los apoyos y las simpatías, con mayor o menor grado de compromiso, con que contaban nuestros oponentes. Por no hablar de las pasividades, que tanto o más los favorecían.

Fue a primera hora de la mañana, cuando apenas el día comenzaba a encender el cielo sobre el valle. Estaba yo con Aurora en los árboles, ella dormitando, yo atento a la jugada, con esa lucidez del alba que había reforzado con un buche de café guardado al efecto en el termo. Vi salir al hombre: mochila al hombro, aire decidido. Echó a andar a buen ritmo colina abajo. Sacudí de un codazo a mi compañera.

—Nerea —la llamé por su alias—. Despierta.

Saltó como una ballesta y, antes de que le pudiera decir yo nada, ya estaba con los prismáticos y había cazado con ellos al individuo.

—No puede ser —exclamó—. Joder, joder.

—¿Qué hacemos? ¿Lo seguimos? —pregunté.

—No podemos —descartó—. Vamos a avisar al sargento. Volverá, si no levantamos la liebre. Este caserío puede ser una mina de oro.

—¿Lo conoces?

Aurora, Nerea para la guerra, me respondió sin responderme:

—Felicidades, compañero. Acabas de pescar tu primer *gudari*.

12

El lugar del crimen

Cuando me sonó el teléfono que tenía programado como despertador a las siete de la mañana en aquella habitación de hotel de Ibiza, lo primero que pensé fue que alguna noche debía probar a dormir ocho horas, como las personas. Había vuelto a los clásicos, y la melodía que tenía para ponerme en pie era *El camino de las utopías*, del gran Robe Iniesta, al frente de Extremoduro. La canción empezaba con suavidad, por eso era buena para despertarse, pero aquella mañana sentí que me taladraba el cráneo. La paré cuando Robe cantaba aquello de que no le gustaban los maderos ni la gente con banderas. En lo segundo, a partir del conjunto de mi experiencia y de algunos acontecimientos recientes, coincidía cada vez más; en lo otro, como me sucedía con charcuteros, odontólogos, telefonistas y rockeros, dependía del madero en cuestión. Las sienes me latían y sentía una presión insoportable en la tapa de los sesos. Si la ducha y el café no me sacaban de aquel aturdimiento, iba a tener que acabar echando mano de la caja de aspirinas que siempre llevaba conmigo. En lo siguiente que pensé fue en lo que Arnau me había contado pocas horas antes, de camino al hotel desde el Sin Ibiza tras nuestra fructífera performance —sobre todo suya— en aquel antro que resistía en solitario al frío noviembre en la calle de la Virgen.

No le había costado mucho entablar conversación y

ganarse la complicidad del camarero. Para ello, con toda legitimidad, se había servido de mí: al pedirme la copa, rezongó que a ver si servía para conseguir que se le durmiera el viejo de una vez. El camarero le guiñó entonces un ojo y le dijo que tuviera cuidado. Arnau hizo como que no entendía y el otro dejó caer que algunas historias acababan de muy mal rollo. Mi sagaz cabo no preguntó: dejó que fuera su interlocutor el que se diera importancia con una confidencia no solicitada. El del club le dijo que si no veía las noticias, a lo que Arnau contestó que acababa de llegar a la isla. Fue entonces el camarero el que, de corrido, le habló del muerto, le reveló que había estado en el club días atrás y que iba con un chico mucho más joven que le había dicho algo parecido, que se estaba arrepintiendo de ir con aquel viejo pegajoso. Según le contó, lo había conocido a través de internet y se había citado con él en la isla porque resultó que los dos la conocían y les gustaba. Al día siguiente se iban a Formentera, a una casa que al más joven le había dejado un amigo, pero el plan cada vez le apetecía menos. Y tan sólo dos días después, el viejo había aparecido muerto a golpes en una playa de esa isla. A eso Arnau respondió que él no era violento, que lo más que haría sería dejarme plantado. El camarero se encogió entonces de hombros y le dijo que nunca se sabía, que a saber en qué situación se había acabado viendo aquel chaval. Añadió que no era la primera vez que el viejo venía por el club, siempre con chicos a los que les doblaba la edad y haciendo alarde de dinero. Una costumbre peligrosa, en aquella isla y en cualquier otro sitio. Ahí Arnau se hizo el cándido y le preguntó si no había pensado en ir a contarle aquello a la policía.

El de la barra le aclaró que en Formentera estaba la Guardia Civil, no la Policía Nacional, y que lo último que se le pasaba por la cabeza era contarle a un guardia civil nada de lo que pudiera oír o ver. Ya lo descubrirían ellos cuando le miraran el ordenador a la víctima. «No sacas nada, sólo complicaciones», dijo. Arnau estuvo de acuerdo.

El relato de Arnau me permitió dormirme aquella noche henchido de satisfacción por el arrojo y la finura de mi pupilo, y de paso por lo que en ellos pudiera haber de mi influencia. También saboreé, por adelantado, la sensación de contemplar la cara de panoli que se le iba a quedar al teniente Tomeu cuando le contara en el desayuno que los dos forasteros, desoyendo la sabiduría local y hurgando donde según ella no habría nada, habían dado con una pista que iba mucho más allá de tener una fotografía sin nombre identificada por un par de testigos. La sensación valía más por el hecho de que Tomeu no fuera ni mucho menos un indocumentado, y por ser nuestra hazaña fruto de la suerte, arrancada al destino gracias al empeño. Gusta que el empeño tenga recompensa, cómo no; pero sentir que la fortuna te favorece y te pone donde no deberías estar es, de largo, mucho más reconfortante.

He de reconocer que Tomeu lo encajó con elegancia y, por encima de todo, con una impecable profesionalidad. Cuando terminé para él mi resumen de lo que Arnau había sacado aquella madrugada, se pasó el dedo por la nariz, buscó la mirada de su sargento y le dijo:

—Ahí tienes una buena razón para apretar a los de Guipúzcoa, a ver si nos pueden acelerar al máximo lo del mandamiento judicial para hacer el clonado del disco duro de los ordenadores de la víctima.

—Me encargo —dijo el sargento Prados.

—Y para acceder cuanto antes a sus redes sociales.

—También me ocupo.

—¿Tenía varias? —pregunté.

—Que sepamos, dos: Instagram y Facebook —dijo el teniente.

—¿Ninguna para ligar?

—Eso lo veremos cuando accedamos a sus dispositivos.

El teniente Tomeu se quedó pensativo un momento. Al final, no nos regateó el reconocimiento que nos debía, sobre todo al cabo Arnau.

—Impresionante —dijo, mirándole—. Justifica vuestra fama.

—Igual podríamos haber perdido la noche —reconocí.

—Igual, pero este acelerón es todo vuestro. Y pinta bárbaro.

—Es pronto aún para decir.

—Lo que me parece —prosiguió Tomeu— es que, siendo los dos de fuera de aquí, tiene todo el sentido que esto lo asumáis vosotros.

Era un gesto que le honraba. Cualquier otro habría intentado retener una investigación que tenía visos de acabar pronto y exitosamente. No dejaba de haber razones para lo que decía: nuestra unidad era mucho más eficaz a la hora de coordinar la acción en varias comandancias, sobre todo porque teníamos equipos destacados en todas y cada una de ellas. Pero tampoco era nuestra política acaparar investigaciones que sólo con nuestro apoyo pudieran solventar los del terreno.

—También es pronto para decirlo —opiné—. A ver cómo sigue esto.

—Nosotros tenemos tarea, en todo caso. Espero que también nos den esta mañana el informe de la autopsia. Te lo hago llegar en cuanto me lo pasen. Y vamos a mirar todas las cámaras que podamos: aeropuerto, estaciones marítimas, etcétera, a ver si nos sale el tío. ¿Te ha llamado ya Eva? Me dijo Ferrando que lo haría a primera hora.

—Aún no. Se ve que es una chica prudente, no son las ocho.

Me llamó a las ocho y un minuto, cuando ya íbamos camino de la compañía en el coche. Propuso que nos viéramos directamente en la estación marítima. Le consulté a Tomeu. No se lo pensó un segundo.

—Tira para el puerto —le dijo a Prados, que iba al volante.

El sargento cambió de dirección en la siguiente rotonda y unos cinco minutos más tarde, el intervalo temporal estándar allí, entrábamos en el aparcamiento de la estación marítima. Antes de bajarme del coche con Arnau, me acordé de algo. Le pedí amablemente a Tomeu:

—¿Me harías el favor de poner al día al comandante?

El teniente asintió. No dejaba de complacerle que le reconociera la jerarquía y por tanto la preferencia para informar a la superioridad. Aquella petición mía venía dictada además por el afán de ahorrarme trabajo, ya que a mí me tocaba informar a mi propio comandante; pero, como siempre que intento eso, escaquearme de una tarea, fracasé de modo estrepitoso. Apenas vi alejarse el coche con Tomeu y su sargento, mi móvil empezó a sonar. Miré el número: el comandante Tuñón.

—A la orden, mi comandante.

—Buenos días, Vila. ¿Has leído los periódicos?

—No, pero si me lo ordena los leo...

—Te bastará con uno. Reportaje a toda página sobre la muerte en Formentera de Igor López Etxebarri. Habla la madre. Te leo el titular: «No me hago ilusiones, sé que mi hijo, homosexual y militante de ETA, será un muerto de segunda clase para la Guardia Civil».

—¿Así, sin anestesia? —pregunté.

—Y el texto va en consonancia.

—¿Y ha dicho eso la madre, literal?

—¿Te extraña?

—Lo de militante de ETA, no, lo de homosexual, sí.

—Bueno, lo mismo eso lo ha añadido la periodista, tampoco a esta se le hace muy cuesta arriba, si le parece que sirve para decorar.

—Válgame Dios. Se acabó la tranquilidad.

—Del todo. También dice que ha venido la UCO, lo que en cierto modo se da de patadas con lo anterior, pero tampoco a la periodista le importa, mientras aumente el ruido. Así que ya sabes lo que hay.

—Espléndido.

—A fastidiarse. Es lo que tiene haberos convertido en *pop stars*.

—¿Y lo de la UCO quién demonios se lo ha contado? —pregunté, antes de recordar que yo mismo había desvelado torpemente nuestra procedencia al camarero del restaurante vasco la noche anterior.

—Cualquiera, no te tortures. Esto es un gua.

—Quizá habría que hacerle una llamada al juez.

—Quizá no: seguro. Es lo que voy a hacer, tan pronto como cuelgue después de hablar contigo. ¿Tenemos alguna novedad?

—Pues ahora que me lo pregunta, el caso es que sí.

De modo que al final me tocó a mí contarle lo que le había pedido al teniente que le contara. Tuñón se tomó nota de todo y celebró tener algo que decirle a su señoría para compensar el ruido mediático.

—Que vea por lo menos que tener a la UCO sirve para algo. Eso sí, no descartes que quiera hablar contigo en algún momento.

—Si puede cubrirme hoy, mi comandante, me gustaría reconocer el escenario del crimen. Estoy esperando a la guardia Eva en el puerto.

—Haré lo que pueda. Pero quien manda, manda.

—Y también habría que darle un cariñito a esa madre.

Oí el resoplido de Tuñón en la línea.

—Ostras, ese toro sí que te lo dejo a ti.

—No tengo inconveniente, aunque no podré hasta esta tarde.

—Por esperar un rato más no pasará nada.

—Usted decide, pero yo no la dejaría todo el día sin atender.

—Bueno, ya me lo pienso.

Cuando colgué, vi que la mañana no dejaba de mejorar. Mientras hablaba con Tuñón, me habían llamado mi comandante y el teniente general Pereira. Lo bueno de la milicia es que en estos casos no te deja dudar ni un segundo. Los galones deciden por ti. Marqué primero el número del más caracterizado. No tardó dos tonos en cogerlo.

—Buenos días, Vila. ¿Te gusta Ibiza?

—Como todo, mi teniente general. A ratos.

—¿Qué novedades tenemos? ¿Qué has averiguado?

—Llegué ayer tarde, le recuerdo.

—Seguro que ya tienes algo. Sé a quién le pido las cosas.

Le puse al corriente, qué remedio. Al llegar a lo del periódico y la madre, me detuvo. Aquello ya lo sabía. Entonces recordé que Pereira estaba en su despacho todas las mañanas a las siete, y que a las ocho, cuando los demás estaban empezando, ya se había empapado de todo lo que debía empaparse: noticias, informes, chismes, todo. Llegar a jefe máximo en otros sitios puede ser cuestión de tiempo o de suerte, pero hacerlo en el cuerpo en el que ambos servíamos era algo que había que sudar y merecer día a día, durante décadas. También exigía no dudar y ser expeditivo a la hora de tomar decisiones. Y Pereira lo era.

—Entre lo uno y lo otro, lo tengo claro —dijo—. Voy a llamar ahora mismo a tu jefe y al coronel de Baleares. Esta investigación es para la UCO y a partir de ahora la llevas tú. Los demás, lo mismo me da si son tenientes, comandantes o archipámpanos, harán lo que tú decidas.

—Bueno, será un poco más complicado que eso.

—Ya me cercioraré de que les queda claro y lo dejan claro.

—Como usted ordene, mi teniente general.

—¿Necesitas más gente de la unidad sobre el terreno?

—De momento, no. El personal de aquí es competente. Y además se conoce las islas, lo que es una ventaja. Ahora mismo estoy esperando en el puerto para ir a Formentera con una guardia que vive allí.

—No dudes en pedir lo que necesites, a mí o a tu jefe.
—Prefiero a mi jefe, si no le importa.
—Me parece bien. Que te cunda. Y oye: gracias.
—No hay de qué. Me pagan por esto. Espero.
—Poco, y no te van a pagar mucho más.
La llamada a Ferrer, después de aquella conversación, me pareció un trámite redundante y casi vacío de sentido, pero a pesar de todo había una razón para hacerlo y lo hice. Las formas tienen importancia, algo que ignoran todos los que las han olvidado, con el derrumbe del sistema educativo y la fiebre de las redes sociales. Así que le dije a mi jefe inmediato que quizá era el momento de reclamar el liderazgo de la investigación, y asistí conmovido a sus dudas, que me prometió elevar a nuestro coronel para que él tomara la decisión pertinente.
Mientras hablaba con mi comandante, la guardia Eva bajó del barco en el que venía como cada día de Formentera. Esperó, charlando con Arnau, hasta que acabó mi conversación con Ferrer, que mantenía por discreción a una docena de metros de distancia. Cuando me reuní con ellos, fue mi cabo, que tenía más confianza, el que me preguntó:
—¿Todo en orden?
—No exactamente. Hay ruido en los periódicos. A la madre le ha dado por ponernos el aliento en el cogote. Lo tenemos merecido.
—¿Por?
—Hemos incumplido una de las reglas. Atender lo primero de todo a la familia. Que en este caso sea problemática, o que estuviéramos con otras cosas que parecían apremiar más, no es excusa suficiente.
—Se lo dije a mi teniente —coincidió Eva—. Pero es nuevo, y a veces duda. No es torpe; de hecho, y como todos los que salen ahora de la academia, el tío es un coco, pero tiende a estar demasiado pendiente de lo que cree que el mando espera de él. Y como venían los de Palma

y la UCO, pensó que esa era una tarea que no le correspondía.

—Al final nos va a tocar a nosotros, me temo, así que no iba muy descaminado. Pero ahora estamos a lo que estamos: Formentera.

Como todos los hombres de tierra adentro, me gustan los barcos y experimento una invencible fascinación ante el acto de navegar. Sin embargo, en mi caso se da la peculiaridad de que antes de llegar al uso de razón, que me ha tocado ejercitar la mayor parte del tiempo sobre una meseta, tuve una infancia remota y borrosa en muchos detalles, pero diáfana en otros, donde el horizonte era ese río-mar que llaman Río de la Plata. A su rambla en Montevideo, que estaba cerca de donde vivía, me llevaba mi madre de paseo desde que aprendí a andar. Por allí fue por donde vi pasar por primera vez los barcos, y no uno ni dos, sino muchos. Unos cerca, enormes, y otros muy lejos, como siluetas espectrales en la calima que flotaba sobre el río. Cada vez que me veía a bordo de uno, no lo podía evitar, regresaba a mí aquel niño que los miraba embobado, como criaturas fabulosas, casi de otro mundo.

En la travesía hasta Formentera aquel barco rápido apenas invertía media hora. Nos la pasamos entera en cubierta, aprovechando que la mañana era soleada y la temperatura, suave. A medida que el barco avanzaba, la guardia Eva nos contaba lo que íbamos viendo. Al salir del puerto y rodear el peñón sobre el que se asentaba la antigua ciudadela nos preguntó si habíamos dado una vuelta por Dalt Vila. Le dije que sólo habíamos estado al pie, en Sa Penya, y de paso le resumí lo que habíamos descubierto allí. Se sorprendió de que hubiera algo abierto en la calle de la Virgen y nos recomendó que no dejáramos de visitar el recinto amurallado y subir a lo alto de la ciudad vieja. Luego nos fue diciendo los nombres de las playas que el barco iba dejando a su derecha: Ses Figueretes, d'en Bossa y por último, tras un tramo de costa escarpada, Es Cavallet. Según nos comentó, era esta, la más alejada, la preferida por el abundante turismo gay que visitaba la isla.

—Por si sirve para dar una idea, el chiringuito se llama Chiringay. Seguro que nuestro Igor se tomó allí un mojito alguna vez.

Me lo imaginé en esa tesitura, y me imaginé también la sensación de libertad, tan lejos de Guipúzcoa, de su pasado y de una sociedad en la que, pese a su poso matriarcal, imperaba un machismo tan inveterado como el que existía en el resto de España. Así lo probaban las muchas tradiciones autóctonas, desde las sociedades gastronómicas hasta los alardes o desfiles, donde la masculinidad era condición inexcusable. Un poco más allá, ya rebasada la punta de la isla, había un islote con un faro, cuyo nombre también nos reveló nuestra compañera: Illa des Penjats. Como todos los nombres, tenía una historia, que nos contó:

—Según la leyenda local, ahí colgaban a los piratas berberiscos a los que capturaban, para dar ejemplo y asustar a sus compañeros.

Miré entonces a Arnau.

—Ya ves, apenas escarbas en la historia de la condición humana, siempre la misma delicadeza hacia el semejante —le hice notar.

—Y que lo digas, mi subteniente.

El islote marcaba aproximadamente la mitad del canal entre las dos islas. A partir de él, la silueta de Formentera se iba haciendo cada vez más presente: una forma achatada que se alzaba apenas del mar salvo por su extremo oriental, bastante más alto que el resto. Al cabo de unos diez minutos más de travesía, dejando a la izquierda la isla de S'Espalmador y la playa de Illetes, el barco enfiló la bocana del puerto de La Savina, el punto de acceso a la isla. En el barco apenas viajaba una docena de personas y el puerto no se veía mucho más concurrido.

Me imaginé que la estampa debía de ser muy distinta en temporada alta, y volví a celebrar que se me concediera conocer la isla en el mes de noviembre, cuando no estaba desfigurada por la multitud.

Eva nos señaló dónde estaban las oficinas de alquiler de coches, al lado del muelle. Me preguntó si quería que echáramos un vistazo, por si coincidía que estuviera la empleada que había atendido a Igor.

—¿Crees que aportará algo?

—Bien, sólo le vio a él. Lo dudo.

—¿Sabemos qué coche alquiló?

La guardia sonrió con picardía.

—Lo sabemos. Un Smart. Descapotable.

—El plan era para dos —subrayó Arnau.

El coche de Eva, un Toyota Aygo, no era mucho más grande, pero por lo menos tenía cuatro plazas. Dejé a Arnau atrás y me acomodé en el asiento del copiloto para ver mejor el paisaje. Eva me consultó:

—¿A dónde primero?

—Empecemos por el principio.

—¿Lugar del crimen?

—No, donde se grabó el vídeo.

—Ah, cierto. Vamos allá. Veréis que aquí todo está aún más cerca que en Ibiza. Y siento si vas ahí un poco estrecho, pero tener más coche para esta isla es un delito que debería llevar aparejada cárcel.

—Voy bien —la tranquilizó Arnau.

Abandonamos el puerto y cruzamos la población. A nuestra derecha vi una laguna de aguas casi inmóviles. Le pregunté a Eva:

—¿Y eso?

—El Estany des Peix. Hay otro a ese lado, más grande, desde aquí no se ve, que se llama Estany Pudent. Flanquean La Savina.

Me fijé en la gran cantidad de pequeñas embarcaciones que estaban fondeadas en la laguna. Eso permitía deducir que esta tenía una salida al mar, y me asaltó una duda que quise contrastar con ella.

—Veo que la laguna viene a ser como un puerto. ¿Lo controlamos?

—Nosotros, de aquella manera. Lo controlan los paisanos. Cada uno tiene su sitio, y si se les cuela un extraño lo fichan en seguida.

—En todo caso —razoné—, se me ocurre que no deja de ser un buen lugar para entrar en la isla sin que quede ningún registro.

Eva se rio.

—Si sólo fuera este. Toda la isla es ideal para eso. Y lo mismo pasa en Ibiza. Aquí, en verano, ni sabemos quién está ni podremos saberlo nunca. Alguna vez se la pega con el coche algún turista, en Ibiza sobre todo, y resulta que es un extranjero extracomunitario que ha entrado por las bravas, sin visado ni pasaporte. Es lo que tienen las islas.

Mientras dejábamos atrás la laguna, me acordé de Chamorro. Era una hora prudencial para llamarla. No quise retrasarlo más.

—Si me perdonas, voy a aprovechar el trayecto para llamar a una compañera que tenemos en el hospital —le dije a Eva.

—Ya me he enterado —dijo—. Menuda movida, ¿no? Mira, eso no creo que nos pase nunca aquí. O bueno, toco madera, por si acaso.

Esta vez no me lo cogió la madre, lo que tomé por una buena señal. La voz de Chamorro me sonó además animada y vigorosa.

—Qué tal, Rubén. ¿Ya estáis en faena?

—Acabamos de poner el pie en Formentera. Una maravilla, oye: sol, paz, ni un humano. Tienes que ponerte buena pronto y venirte.

—Mejor será que lo resolváis antes.

—Eso ya se verá. ¿Cómo estás?

—Molesta, dolorida, pero casi no tengo fiebre. Décimas.

—¿Te han dicho cuándo te sueltan? Si sigues atendiendo llamadas te pegarán la patada pronto, que hay que bajar el gasto sanitario.

—Por lo menos estaré aquí un par de días más. Pero bien, la gente es agradable. Y por ahí, ¿tenéis ya alguna idea de por dónde tirar?

—Nuestro Arnold se salió anoche. Si me da su permiso, luego te lo cuento, porque afecta a su reputación. Ahora vamos a ver el escenario del crimen y un par de lugares más por aquí. ¿Te importa si te llamo luego, un poco más tranquilo? Sólo era para saber que ibas bien.

—Voy bien, no sufras. A currar, anda. Y gracias por llamar.

Tomamos la desviación que indicaba Cap de Barbaria. Me acordé de pronto de la chica del avión y de su recomendación de visitarlo.

—Cap de Barbaria... ¿Es ahí donde vamos? —pregunté a Eva.

—No, el lugar se llama Cala Saona.

—Ah. Me han dicho que no deje de ir a ver el atardecer ahí, en el Cap de Barbaria. Que es algo fuera de serie. ¿Me han engañado?

—No, no le han engañado. Y ahora atardece pronto, además.

—Oye, si quieres, me tuteas —le ofrecí.

—Procuro no tomarme confianzas, si no me las dan.

—Dada está. Ya ves que este me tutea. No vas a ser tú menos. Y así es más relajado, por lo menos mientras no haya nadie más.

—Como tú digas, mi subteniente.

Cala Saona era un lugar tan bello como fantasmagórico en aquella mañana radiante de noviembre en la que ni un pie hollaba su arena, blanca y deslumbrante. Ni un pie, literalmente: cuando nos acercamos a la orilla, dejando atrás el hotel y el restaurante cerrados a cal y canto, comprobé que nuestras pisadas eran las primeras que se imprimían allí aquella mañana. El mar, de color turquesa, se iba oscureciendo hasta el añil a medida que la mirada se alejaba de la costa. Al fondo se veía Ibiza y a la izquierda un islote de altas paredes verticales.

—Es Vedrà —dijo Eva—. De cerca es una preciosidad.

—¿Has navegado por allí?

—Sí. Un amigo mío tiene un *llaüt*, una barca tradicional.

—No os lo montáis mal aquí, ¿eh? —dijo Arnau.

—Se hace lo que se puede.

La seguimos hacia el extremo de la cala. Se detuvo un poco antes.

—Más o menos aquí es donde los grabó la cámara.

Levanté la vista. Sobre el promontorio que llevaba de la playa a un acantilado de poca altura se veía una especie de cabaña asomada al mar. Estaba pintada en azul y blanco, con la fachada trasera apoyada en la pendiente y la delantera en la playa. Disponía de una terraza y sobre ella giraba, lento y perezoso, un pequeño aerogenerador.

—¿Y eso? ¿Vive alguien ahí?

—Es un chiringuito. Para el verano. Ahora no creo que haya nadie. Aunque te lo puedo comprobar, si hace falta.

—No, de momento no.

Me quedé mirando aquella playa. Si Igor era, como había dado en imaginar, alguien que quería poner distancia con su vida y su tierra, tuve que reconocerle el mejor de los criterios. Allí uno se olvidaba de todo, por lo menos en noviembre: ya me imaginé que con el hotel, el restaurante y el chiringuito a pleno rendimiento el lugar debía de tener muy diferente color. Sentí, por primera vez, una afinidad profunda con el hombre cuya muerte investigaba: a mí también me gustaban aquellos parajes fuera de tiempo y de lugar y aquella sensación de no tener que rendir cuentas de nada a nadie. Y me dio pena por él, por ese amor apasionado, desenfrenado y no correspondido, hasta que caí en que estaba interpretando unas imágenes de vídeo. Las imágenes son engañosas y más allá de lo obvio —aquí, un hombre que le daba placer a otro, que después no conseguía devolverle el favor— mienten todo el tiempo; tanto que es casi cómica la fe que les profesamos.

—Bueno, esto está visto —dije—. La hipótesis más verosímil es que vinieron los dos en el mismo coche de alquiler, así que no tenemos que atormentarnos buscando rodaduras ni gaitas por el estilo.

—¿Vamos entonces al lugar del crimen? —preguntó Eva.

—Vayamos.

—Es curioso, no es para nada la mejor playa de aquí. No es, desde luego, a la que yo iría. Tiene dos particularidades interesantes, eso sí.

—¿Cuáles? —le preguntó Arnau.

—Está muy cerca de la carretera, y a la vez bastante oculta.

—Dos circunstancias convenientes para un asesino —anoté.

Eva asintió, complacida.

—Eso mismo pensé yo cuando apareció el cuerpo.

Deshicimos el camino desde Cala Saona hasta la carretera principal de la isla, que la recorría de oeste a este como una espina dorsal. Allí Eva tomó la dirección de La Mola, que era como se llamaba la parte elevada de la isla. Mientras se incorporaba al tráfico, observó:

—Vamos casi a la otra punta. Ya veréis lo que lleva eso.

No llegó a los diez minutos de viaje. Nuestra conductora se salió de la carretera antes de llegar a las rampas que marcaban el inicio del ascenso a la altura de La Mola.

Giró a mano izquierda y tras pasar junto a unas casas buscó sitio para el coche en una explanada de tierra.

—Hay que caminar un poco. Cuidado, el suelo es muy irregular.

La seguimos por un terreno accidentado y escabroso, hasta llegar a una sucesión de calas, con poca arena y mucha roca, protegidas por aquella especie de plataforma de piedra, no demasiado alta, pero sí lo bastante para esconder a un bañista de quien pasaba por la carretera. Incluso de quienes, fuera ya de ella, no estuvieran justo al lado.

—Este es el lugar. Es Caló. De ahí justo lo levantamos.

El mar se veía en aquella costa oriental de la isla un poco más vivo que el de Cala Saona, en el lado occidental. Soplaba con insistencia un viento que deshacía las olas en espuma contra las rocas.

—No es el sitio más agradable para bañarse, desde luego —dije.

—Depende del día —dijo ella—. Tampoco creo que se bañara.

—¿Cómo lo encontrasteis?

—¿El cuerpo? Hecho un cromo. Le dieron con algo bien duro. Quizá no de hierro, habría tenido más fracturas. De madera o de aluminio. Eso sí, un montón de veces. Y con una saña brutal. Estaba desfigurado y tenía el cuerpo lleno de moratones. La autopsia nos concretará.

—¿Y la ropa?

Eva señaló un hueco entre las rocas.

—Ahí, doblada en un montoncito. Como me imagino que él la había dejado. La mochila estaba un poco más allá, con la cartera.

—Se desnudó él mismo, sugieres.

—Sí, para tomar el sol, supongo. El agresor lo pilló en bolas, nunca mejor dicho, y le sacudió a placer. Sobre todo si él no lo estaba. Un hombre calzado tiene una ventaja enorme sobre alguien descalzo, en este terreno. Me fijé en los pies del muerto, los tenía desollados. Y los dedos de la mano rotos. Trató de zafarse, pero no lo consiguió.

—Imagino que se recogieron muestras de las manchas de sangre en el suelo. Por si el otro estaba también descalzo y dejó alguna.

—Se recogieron, pero dudo mucho que lo estuviera.

—¿Y eso? —preguntó Arnau.

—¿Tú ves algún palo por aquí? Lo trajo el asesino. Fue premeditado. Y yo no dejaría de ir calzado, si quisiera matar a alguien.

Sopesé su razonamiento. Era consistente. En ese preciso instante, mientras trataba de hacerme cargo del lugar y de afinar mi imagen de los hechos, sonó mi teléfono móvil, con su inoportunidad proverbial. Pedí que fuera alguien a quien pudiera no cogérselo. Mi súplica fue desoída: era el comandante Tuñón, y tenía noticias ingratas.

—Tendréis que abreviar por ahí. Nos acaban de decir que os hacéis vosotros cargo de la investigación y el juez quiere verte. Para que le expliques, y también para que le quites de encima a la madre.

Suspiré, resignado. Nunca dura la paz en la casa del subalterno.

13
Gente que huye de sí misma

Su señoría sabía que estábamos en Formentera y como natural de las islas le constaba que no íbamos a poder desplazarnos inmediatamente a verle, porque dependíamos de un barco que tenía sus horarios. Así que en lugar de salir despavoridos hacia Ibiza le propuse a Eva ir a tomar un café a un sitio agradable que no estuviera muy lejos.

—Subamos a La Mola. Y de paso os enseño el faro.

De nuevo, el trayecto duró tan sólo unos pocos minutos. La subida era agradable, entre la densa vegetación que tapizaba la falda de aquella elevación de poco menos de doscientos metros que marcaba la cota superior de la isla. Sobre el altiplano que la coronaba había un pueblo, El Pilar de la Mola, que se veía vacío y apacible bajo la poderosa luz del mediodía. Había que hacer un esfuerzo para recordar que estábamos en noviembre: la temperatura no bajaba mucho de los veinte grados y aquel sol y aquel aire transparente hacían pensar en un eterno verano. Al bajar del coche, junto al faro que se alzaba en el extremo oriental de aquella pequeña meseta y de la isla, el viento nos recordó en seguida la estación, aunque tampoco suponía una excesiva molestia.

El faro era hermoso, como todos los faros, aunque hacía tiempo que no lo encalaban. Junto a él había una pequeña casa, la residencia del farero en tiempos, supuse, y me pregunté si aún la ocuparía algún funcionario de aquel cuerpo que según me dijo uno de los pocos que quedaban, y al que conocí durante una investigación en Almería, se había declarado ya a extinguir. Aquella mañana allí no había nadie; una vez más sólo Eva, Arnau y yo. Al fondo se veía el horizonte azul del Mediterráneo. Eva propuso que fuéramos hasta el acantilado.

—Aquí es bastante respetable.

Lo era: los casi doscientos metros de caída a pico al agua producían una rotunda impresión. Eva reparó en cómo se quedaba mi mirada prendida a la línea del mar y a la distancia que marcaba. Siempre me ha gustado escudriñar ahí, en el límite que le impone la curvatura de la Tierra, en esa raya que el ser humano ha soñado con traspasar desde que es humano y, por tanto, esclavo irremediable de sus sueños.

—En el Cap de Barbaria también hay una buena altura y una buena vista, y otro faro. Quizá más bonito que este. Más solitario aún.

—Quedará para otra visita, me temo —dije—. ¿Vamos por ese café?

Al volver al coche me fijé en un monolito que se levantaba cerca de la explanada del aparcamiento. Se lo señalé a nuestra anfitriona:

—¿Y ese monolito?

—Está dedicado a Julio Verne —dijo—. Sacó la isla en una novela.

—Es cierto —recordé de pronto—. *Hector Servadac*.

Eva me miró con asombro.

—Increíble, mi subteniente. Es usted la primera persona con la que me tropiezo que no es de Formentera y se sabe el título del libro.

—Bueno, es que lo he leído.

—¿De veras?

Me pareció que estaba feo no decirle toda la verdad.

—En realidad, no la novela original. Leí una versión

abreviada y en tebeo de una colección que publicaba Bruguera cuando yo era niño, allá por el Pleistoceno. Joyas Literarias Juveniles, se llamaba. Recuerdo poco; que iba de un militar francés y que era una historia muy rara. Al final, de eso sí me acuerdo, el misterio se resolvía aquí, en Formentera, me llamó la atención que Julio Verne citara una isla española.

—Yo no la he leído —dijo Eva—, pero por lo que me han contado, no sólo pasa en Formentera, sino justo aquí, en La Mola, que es donde vive un personaje del libro. Por eso pusieron ahí el monolito.

—Tengo en casa de mi madre aquel tebeo. Lo releeré.

Lo hice, y encontré el nombre de aquel personaje, Palmirano Roseta, un sabio que se ha ido a la cima más alta de Formentera para hacer cálculos astronómicos y que explica el extraño fenómeno que provoca que la gravedad se haya reducido y los días duren la mitad. Aquella descripción dejaba bastante claro que el novelista nunca había estado en Formentera: al parecer, se guiaba por una imprecisa referencia de la isla tomada del archiduque Luis Salvador. No era la más lograda de las historias de Julio Verne, pero cuando la releí, aquello de la gravedad reducida me hizo pensar: también en Formentera tenía yo la impresión de pesar menos y de arrastrar una mochila más ligera. Y me permití imaginar que aquella era una sensación que compartía con Igor.

Tomamos café en un local, entre cafetería y restaurante, que había cerca de la carretera. Tenía terraza, estaba a resguardo del viento y el sol calentaba lo suficiente para que nos decidiéramos a utilizarla.

—¿Llevas mucho tiempo viviendo aquí? —le pregunté a Eva.

—Cuatro años.

—Esto será muy tranquilo fuera del verano.

—Y en verano, si sabes esconderte, también...

—Y poco trabajo criminal, supongo.

Eva se echó a reír.

—No te dejes engañar. Esto es el siglo XXI. No hay lugar sin malos.

—Pero muertes, pocas...

Eva meneó la cabeza.

—La gente se suicida. Y en las islas, más. Y en las islas como esta, a donde viene alguna gente que huye de sí misma, más todavía.

—Sí, es mala estrategia. De uno mismo se huye difícilmente.

—Eso es. El día menos indicado se acaban saliendo al paso y zas.

—¿Y homicidios?

—Este es el primero en mucho tiempo. Pero la isla tiene sus cosillas: hay droga que traer, una tradición de contrabando, crímenes sexuales, malos tratos y algún angelito que se nos ha refugiado aquí.

—¿Angelito?

—Algún italiano que no se saca el dinero de las pizzas, por ejemplo. Y bueno, esto es el Mediterráneo y la Unión Europea. Hay quien ve la oportunidad de traer inmigrantes ilegales y la aprovecha.

—No está mal el muestrario.

—Y si quieres colocarle la guinda, incluso tenemos algún que otro *indepe* radical. ¿No has visto antes la pintada en la carretera?

—No.

—Fíjate ahora a la vuelta. Tenemos nuestros propios CDR, o lo que es lo mismo, Comités de Defensa de la República. Para ti esto será una isla española, pero para ellos es un trozo de los *Països Catalans*.

—Qué complicado se ha vuelto todo —constaté.

—Y aquí somos pocos, pero nos arreglamos. Lo bueno de los lugares pequeños es que todos somos vecinos de verdad. Y si ayudas a alguien cuando le deja tirado el coche o tiene un problema jodido, ponle por caso que una hija o una familiar se ha echado un novio chulo que la trata mal, el tanto te lo anotas y acaba teniendo su rendimiento.

—No lo había pensado.

—Técnica fundamental de gestión del paisanaje en la Benemérita rural. Como vosotros estáis en Madrid, os pilla lejos, pero los que nos movemos en provincias tenemos que cuidar estos detalles. Eso sí: no veas el subidón que te da cuando en la fiesta de la patrona del cuerpo, y a la vez de España, ahí está el primero el concejal *indepe*...

No quise dejar de deshacer el posible malentendido.

—No sé si damos otra impresión, pero conste que aquí el cabo y yo tenemos el máximo respeto por lo que hace y aporta la gente que está sobre el terreno. Y procuramos aprender. Por eso te pregunto.

—De hecho, su hijo está en rural —dijo Arnau—. Y en una isla.

—¿Ah, sí? ¿En Baleares? —preguntó Eva.

—No, en las otras —respondí—. En Lanzarote.

—Tampoco está mal.

—Volviendo al tema, ¿no habéis encontrado aquí ningún testigo? Aparte de la mujer del alquiler de coches, quiero decir. Si Igor pasó una noche en la isla, debió de dormir en alguna parte, ya sea en la casa de ese amigo del joven o en otro sitio. ¿No ha aparecido nadie?

—Esta mañana hemos mandado la foto del joven al puesto de aquí, para que pregunten. Y la de la víctima lleva circulando días, pero sin resultado. Por una parte, es muy posible pasar dos días en Formentera, en estas fechas, y no cruzarse con nadie, o casi nadie; por otra, no te esperes que un *formenterenc*, de origen o adoptivo, te cuente algo que no necesite imperiosamente contarte. Habrá que seguir currándoselo, pero muy bien podríamos acabar no teniendo un solo testigo.

—Se tomarían algún café, comerían algo —dijo Arnau.

—O no, lo mismo traían comida ellos.

—Le pondrían gasolina al coche...

También esta se la sabía aquella concienzuda guardia.

—Negativo. Se lo dieron con el depósito lleno y apareció con apenas la mitad. A la vista de las distancias de la isla, no repostaron.

—Habremos pedido los vídeos de las gasolineras, en todo caso.

—Pedidos y recogidos están. Y hay gente mirándolos.

—Bueno, a ver si suena la flauta —dije.

—No esperes demasiado.

De regreso hacia La Savina, al otro extremo de la isla, para volver a coger el barco, Eva nos señaló la pintada que había mencionado antes. Estaba en una pared larga y bien visible, algo debía de habernos distraído a la ida para no verla, porque era además contundente: SOM REPÚBLICA. 1-O. ESPANYA FEIXISTA. Al leerla, suspiré.

—No aprendemos. Qué ganas de hacernos daño.

—A estos los conozco. No son tan mala gente, un poco exaltados nada más. Y no le van a hacer daño a nadie, o eso juraría yo.

—Los del Norte empezaron tirando bombas fétidas en actos oficiales y acabaron abrasando mujeres y niños en un Hipercor con una especie de napalm casero —recordé—. Abrir esas cajas de Pandora es un poco más peligroso de lo que se creen algunos aprendices de brujo.

—No lo harán. Los del Norte, después de todo, perdieron y están en la cárcel, o se han pasado allí media vida —apuntó Arnau.

—Confiemos en eso —dije—. En la función pedagógica del talego, que la tiene, mal que nos pese y por feo que sea encerrar gente.

—De todos modos, con estos ha faltado cintura —dijo la guardia.

No pude sino estar de acuerdo con ella.

—Y ha sobrado tapar los fallos y las grietas con guardias civiles y policías. No somos el mejor relleno de la fractura social. No lo hemos sido nunca, por mucho que al ponérsela delante el guardia o el poli de turno se esmere en medir. Y siempre habrá alguno que no mida.

—Ahí ya mejor no me meto —se replegó Eva, prudente.

—Yo sí, porque soy viejo, pero igual da porque tampoco me van a preguntar la próxima vez; ni a mí ni a nadie que sepa y pueda darles algún consejo sensato: harán lo que se les ocurra sobre la marcha y así se seguirá escribiendo la Historia. Lo bueno es que este ya no es un país lleno de hambrientos y de veteranos de guerras africanas. Con un poco de suerte, la sangre sólo correrá por los perfiles de Twitter.

Mientras aguardábamos en la estación marítima, volvió a sonarme el móvil y vi que era, otra vez, el número del comandante Tuñón:

—¿Habéis cogido ya el barco?

—Estamos esperándolo —le dije—. Veinte minutos.

—Me ha vuelto a llamar el juez.

—Si está muy nervioso, lo que podemos hacer es requisar alguna lancha, o robarla a punta de pistola. ¿Tú llevas la pipa ahí, Eva?

—No me jodas, Vila —gruñó el comandante—. Me dice que si vais a llegar después de las dos, nos vemos en el Club Náutico. Os viene bien porque está ahí mismo, al lado del puerto. Y podemos picar algo.

—No creo que lleguemos antes de las dos.

—Le cito ahí entonces. Eva sabe dónde es, que os guíe.

—Se lo digo. A la orden.

Creo que igualmente habríamos podido encontrarlo sin ninguna ayuda, porque el Club Náutico estaba a pocos metros de la estación marítima y resultaba inconfundible. En la barra, con una cerveza sin alcohol, estaba esperándonos el comandante. Eva se cuadró ante él, Arnau se medio cuadró y yo me di licencia para limitarme a cabecear con indolencia. Tuñón nos dirigió a los tres el mismo mensaje.

—Descansad. ¿Tomáis algo?

—Con su permiso, mi comandante —dijo Eva—, yo debería volver a la compañía, el teniente me había pedido unas cosas y no he...

—Claro, como prefieras. Sólo invitaba. ¿Tienes coche?

—No, pero llamo a alguien.

Tuñón le tendió unas llaves.

—Toma, llévate el mío. Con que alguien me venga a buscar a las tres y media o las cuatro, va que arde. Vamos a comer con el juez.

—Mi subteniente —me dijo Arnau—, quizá podría aprovechar para irme yo con ella, así veo lo que han avanzado por la mañana.

Reconocí a mi cabo la discreción y el buen sentido. Para atender a su señoría era suficiente con el comandante y conmigo, y en vez de estar como un pasmarote escuchándonos era mucho más útil que se uniera al resto del equipo para arrimar el hombro e informarme luego.

—Me parece muy bien, Juan —aprobé su propuesta.

Tuñón se encogió de hombros.

—Pues nada, si quieres tú algo, Vila, ya me dices, y si no, ahorro.

—Otra como la suya, mi comandante, gracias.

Eva y Arnau se cruzaron con el juez en la puerta. Era un hombre de unos sesenta años y complexión mediana, y tenía una alopecia que le despejaba la frente hasta bien entrado el occipucio. Vestía un traje azul convencional y una corbata que tampoco llamaba mucho la atención. Vino hacia nosotros directamente y me tendió veloz la mano:

—Emilio Prats, mucho gusto.

—A sus órdenes, señoría. Subteniente Bevilacqua.

—¿Becómo?

—Be-vi-lacqua —marqué para él—. Bebe el agua, en italiano.

—¿Y eso de dónde le viene?

—Hay varias teorías. La más aceptada es que algún antepasado mío debía de tener problemas con la bebida. Por eso le recomendaban que de vez en cuando, en vez de vino, bebiera agua. Dicen que de ahí, de un apodo para borrachines, surgió el apellido en la Edad Media.

—Veo que usted ese gen lo ha perdido —dijo, señalando el botellín de cerveza sin alcohol que el camarero me acababa de poner.

—La mezcla, que todo lo estropea. Y que estoy de servicio.

—Pues yo ya no, así que la mía con alcohol —pidió.

—¿Y si pone un auto esta tarde, señoría? —bromeó Tuñón.

—Ya lo releeré mañana por la mañana. Lo hago siempre, nunca los firmo sin darles otra vuelta. Como decía uno de mis maestros, eso es lo que exige el poder omnímodo y aterrador del juez de instrucción: el único funcionario que en un Estado de derecho tiene la potestad de encerrar a un ciudadano al que aún no se le ha probado culpa.

—No es mal consejo, ni mala costumbre.

—Es una broma —aclaró—. Tampoco pienso encerrar a nadie hoy. Así que viene usted de la famosa UCO. Bueno, famosa ahora.

—Sí, antes no tanto. Por fortuna.

—Dígamelo a mí. Como yo ya soy un dinosaurio de la judicatura, la pude conocer hace veinte años, cuando no la conocía nadie.

—¿Otro homicidio? ¿Aquí?

—No, un atraco a una caja de ahorros, lejos de aquí. Otros tiempos.

—Confío en que la experiencia no fuera mala.
—Al revés, una gente extraordinaria.
—Pues ahora somos aún mejores.
—¿Ah, sí?
—No lo dude. Por fuerza. Habremos metido la pata unos cuantos cientos de veces desde entonces. Y cada una te enseña algo.
—Estupendo, pero esta vez aciértenme, si no les importa.
—Pondremos todo de nuestra parte.
—¿Nos sentamos a comer?
—Cuando usted diga.
—Cada uno paga lo suyo —advirtió el juez—. Hay menú del día.
—Yo tengo dietas, confío en que podrán cubrirlo —dije yo.
—Y yo como a diario —dijo Tuñón—, así que vamos allá.

El juez Prats no perdió el tiempo. Tan pronto como tomaron nota de los platos, se remangó y entró sin más preámbulos en harina:
—Han visto el informe de la autopsia, supongo.
—Yo no, estaba en Formentera, ya sabe —me excusé.
—Yo sí —respondió Tuñón, circunspecto.
—Le doy los titulares —dijo el juez, dirigiéndose a mí—. Confirma la data de la muerte en torno al mediodía del domingo, como decía el informe preliminar. En total, recibió más de medio centenar de golpes, tenía varias costillas fracturadas y algún hueso roto en el cráneo, en los brazos y las manos. En los dedos presentaba heridas de defensa de las que se han podido extraer pequeños restos de madera de pino.
—Madera de pino... —anoté.
—Sí, la más común en estas latitudes, con la que se fabrica multitud de utensilios, muchos de ellos utilizables como garrote.

—A bote pronto se me ocurren unos cuantos, sí.

El juez pareció tratar de interpretar mi gesto.

—No se preocupe —me dijo al fin—. A estas alturas de mi vida he llevado unas cuantas instrucciones y también he leído unas cuantas novelas policiacas, pero no me confundo sobre mi papel. A mí no me va a ver nunca en una escena del crimen con guantes de látex, como a algún otro por ahí; ya sé que no sólo no hace falta que yo toque nada, sino que es mejor que no lo haga. Me limitaba a hacer una deducción más o menos sencilla, que seguro que usted desarrollará mejor.

—No necesariamente. En una investigación criminal, toda intuición es bienvenida. Sobre todo ahora, que estamos al principio.

El juez engulló en silencio un par de porciones de su ensalada.

—Y qué —dijo luego, con la boca todavía llena—. ¿Qué le parece la isla, o mejor dicho, las islas? ¿Había estado antes por aquí?

—No, es mi primera vez. Sí conocía Mallorca y Menorca.

—Ah, eso es otro mundo. ¿Qué, no le va la marcha?

—Si se refiere a la que se suele venir a buscar aquí, no mucho.

—A mí tampoco, le confieso. Disfruto a muerte de estos meses sin turistas, porque cuando llega el verano me dan ganas de irme, no sé, a Soria o Albacete. Tanto por lo profesional como por lo personal.

—Le comprendo perfectamente. También a mí me gustan así. Y Formentera esta mañana era una verdadera gozada.

—Esa isla es un paraíso. Y esta también tiene todavía sus rincones, no se crea, ¿ha estado usted por Benimussa, en el interior?

—Entre ayer y hoy, del aeropuerto a la compañía y poco más.

—No deje de ir. Verá usted hasta rebaños de cabras, en medio de una naturaleza maravillosa. Los árabes sabían vivir, antes de que los echáramos y les pusiéramos los nombres de nuestros santos y nuestros arcángeles a todos los pueblos de la isla. Apenas quedó ese.

—Me anoto la recomendación.

—Ya me ha contado el comandante lo que han averiguado hasta el momento —retomó el hilo del caso, sin previo aviso—. ¿Diría usted que ese muchacho que quedó grabado en la playa de Formentera y con el que al parecer Igor contactó por internet es nuestro hombre?

—Es pronto para afirmar nada, pero tiene muchas papeletas. Esas relaciones, esa forma de contactar, lo que se ve en la grabación... No sería nada incongruente con una posible autoría del crimen.

—¿Cree usted que es un chapero?

Di un respingo. Su señoría se dio cuenta.

—Perdone, soy ya mayor, vengo de tiempos sin corrección política donde todo se nombraba a lo burro y a veces se me olvida que estoy ya en otro siglo. Si era un acompañante pagado, quiero decir.

—No lo sé. Parece que no en el sentido más burdo. Si es cierto lo que le dijo al camarero del club, creo que podemos descartar que Igor lo conociera recurriendo a la prostitución masculina, que por otra parte parece que no dejaba de utilizar en sus visitas a la isla.

—Si quieren buscar fuentes en ese entorno, por cierto —dijo, al tiempo que se partía un trozo de pan—, en temporada alta sería otro cantar, porque entonces la prostitución, femenina y masculina, está por todas partes y es de todos los niveles y procedencias, pero ahora en estos meses se concentra en varios pisos del paseo marítimo, aquí en la ciudad de Ibiza, aparte de las chicas que hacen la calle en las afueras. No es que yo la use —se apresuró a advertir—, pero instruyo diligencias que alguna vez llevan a esos ambientes. Y no sólo eso.

—¿No sólo?

El juez me guiñó un ojo.

—Soy de aquí. Tengo amigos. Algunos gais y con necesidades.

—De la prostitución de la ciudad la que sabe es la Policía, que es la que tiene la competencia en la capital —me aclaró el comandante—. Esa otra callejera de las afueras sí es ya nuestra, como la que revolotea en verano por las discotecas a la caza de turistas. Todo el jaleo y el desmelene nos acaba cayendo al final a nosotros. Pero bueno, si hay que contar con el cuerpo hermano, hablamos con el comisario.

—Me imagino que, en alguna ocasión —apuntó entonces el juez—, nuestro hombre también iría a intentar ligar detrás de Dalt Vila.

—Sería en verano, señoría, ahora... —dudó Tuñón.

—¿Detrás de Dalt Vila?

—Al otro lado de la parte amurallada, el que da al mar, hay una zona de rocas que en el buen tiempo es un lugar de encuentro.

—De encuentro de *ellos*, sobre todo —precisó su señoría.

—Tiraremos de esos hilos si este no nos da resultado —dije—; si esto es lo que tiene pinta de ser, no hablamos de un prostituto, en sentido estricto, sino como mucho de alguien que se dejaba invitar.

—Mala cosa, en todo caso —juzgó Prats—. Son relaciones que tienen aristas feas. Tuve una vez un caso parecido, en Sitges. Un homosexual mayor al que mató a golpes un chapero; o bueno, un prostituto, en ese sentido más estricto del término. Todavía me acuerdo de lo que me dijo el *sotsinspector* de los Mossos para explicarme el asunto.

—¿Qué le dijo?

—Fue todavía más bestia de lo que yo puedo ser, y eso que dicen que son una policía nueva, enrollada y todas esas historias.

—Nos tiene ya en ascuas, señoría —dijo Tuñón.

El juez disfrutaba de la expectación que había creado.

—Pues que un chapero es una puta con testosterona. Si las putas en general tienen carácter, cuando a eso se suma lo que da la testosterona, la mezcla es explosiva. Hay que tener cuidado con humillarlos.

—O con provocar que se sientan humillados —sugerí.

—Ese subinspector de los Mossos debía de ser exmadero —apostó Tuñón, sonriente—. O a lo mejor ex de los nuestros, quién sabe.

—No le pregunté. Experimentado parecía. En fin —el magistrado volvió a adoptar la actitud judicial—: díganme, qué más puedo hacer para que tengan todos los recursos para identificar a ese hombre. Si no supone violentar a la ligera a un ciudadano, cuenten con ello.

—Yo creo que con los mandamientos que están en curso por ahora es suficiente —dijo Tuñón—. Si ese hombre vino de fuera, y no había tomado precauciones especiales, no nos debería costar mucho localizarlo. Lo más probable es que pasara por el aeropuerto, es cosa de mirarse bien las cámaras y los registros de los vuelos. Si entró por mar, será un poco más laborioso, pero también puede hacerse. Y los ordenadores, las redes sociales y las cuentas de correo de la víctima, si es verdad que contactaron por internet, deberían ayudarnos a centrar el tiro. Vamos, esta es mi opinión, pero ahora la voz cantante la llevas tú, Vila.

Lo recordé, y no me hizo mucha gracia recordarlo, porque en el caso de que no hubiera coincidido con él me habría resultado incómodo exponer mi criterio discrepante. Por suerte, estaba de acuerdo.

—Suscribo lo que dice el comandante.

—Bien, pues enfocada esta parte, vamos a la otra.

Tuñón me lanzó una mirada significativa. Ahora venían las curvas.

—Sinceramente, señores —empezó Prats—, me ha dado mucho por saco, hablando mal y pronto, leer lo que he leído en el periódico esta mañana. Cuando he ejercido en otros lugares me las he arreglado para no leer nunca, o casi nunca, lo que publicaba la prensa sobre las causas que instruía, para no contaminarme. Pero este es mi pueblo: aquí todo el mundo me conoce desde que llevaba pantalones cortos y yo conozco a todo el mundo. Hay días que pienso que no fue del todo buena idea pedir este destino para acabar apaciblemente mi carrera como juez, pero hecho está, y tengo ya la casa pagada y un *llaüt* en el puerto, y a estas alturas no voy a desmontarlo todo, así que es lo que hay y, lo quiera o no, me toca enterarme de lo que se publica sobre mi trabajo.

El proemio no prometía. Tragué saliva discretamente.

—Lo primero que me fastidia —siguió— es que se diga o se piense que la investigación se hará así o asá porque la Guardia Civil le tenga más o menos simpatías a un muerto. Ustedes investigan, pero el que dirige la investigación soy yo, y a mí todos los muertos me caen igual de bien o mal y es lo último que condiciona mi trabajo como juez; ya sean hombres o mujeres, homos o heteros, zurdos o diestros, etarras o hermanos mayores de la Real Cofradía de Jesús del Gran Poder.

—Estamos en línea, señoría —apuntó Tuñón.

—Y lo segundo que me fastidia, y es lo que les pido que controlen, es que por culpa de una madre con la lengua larga y ganas de enredar, que está en su derecho, para eso le han matado al hijo, esto se vaya por donde no debe. Si no me equivoco, que este hombre fuera etarra en el pasado es algo que no tiene nada que ver con su muerte, ¿no?

—Por ahora, que sepamos, no —osé decir.

El juez asintió con energía.

—Muy bien, pues nosotros vamos a estar a lo que

estamos y a ver si tenemos avances pronto y sacamos todo ese ruido de la escena.

—Compartimos plenamente el enfoque —dijo Tuñón.

—Y como le he dicho al comandante, tengo que pedirles un favor personal —se dirigió a mí—. No me importa atender a las víctimas, pero no tengo ni los medios, ni el tiempo, ni la formación, ni tampoco soy quien debe manejarlas para explotar la información que puedan aportar, así que le ruego, subteniente, que usted, que es un especialista acreditado en estas lides, me desactive a la madre, me la pastoree y se ocupe de que no esté todo el día merodeando por mi juzgado.

—Estábamos pendientes de tener más datos para hablar con ella, a la vista del perfil digamos *sensible* de esta persona —me disculpé—. También hay que tener cuidado: preguntará, y mientras no tengamos una línea sólida, le diría que mientras no lo tengamos todo atado, incluso detenido al autor, no es gran cosa lo que podemos contarle.

—No le estoy regañando por el pasado —me aclaró—. Intento darle otra forma al futuro. ¿Tiene usted para apuntar un número?

Me dictó, expeditivo, las nueve cifras del teléfono móvil de Amaia Etxebarri. Una vez que comprobó que lo tenía, me hizo saber:

—Le agradeceré que la llame tan pronto como acabe esta comida.

El mensaje era claro, mi condena inapelable. Sólo pude acatarla:

—Faltaría más, señoría.

El resto del almuerzo fue mucho más distendido. El juez Prats era un buen conversador, y un archivo viviente de viejas historias de la isla: le llamaban especialmente la atención los personajes célebres que habían pasado por ella, y cuya nómina mantenía viva y actualizada. Salió, cómo no, el nombre de Freddie Mercury, de cuyas andanzas por la calle de la Virgen y otros lugares de la ciudad me dio confirmación y sobre cuyo paso por la isla hizo un juicio cargado de malicia:

—Ya ven, muchos aquí entonces lo tomaban por una loca famosa, poco más. No sabían que era un genio llamado a perdurar. Y por una buena razón. Han escuchado *Bohemian Rhapsody*, imagino.

—Claro —asintió Tuñón.

—¿Atendiendo a la letra? Es bestial, una confesión desgarradora. «Madre, he matado a un hombre» —evocó—. Y el ritmo, esos cambios: un fuera de serie. También este lugar, por cierto, tiene su famoso.

—¿Este lugar? ¿El Club Náutico? —pregunté.

Señaló la barra.

—Ahí se plantaba Errol Flynn, borracho como una cuba, las veces que recalaba aquí en su barco, una goleta. Se ponía a gritar que era Errol Flynn y que era una estrella y que si alguien tenía cojones.

—Menos mal que entonces no había móviles con cámara —opiné.

—Pero el más grande —dijo el juez— es alguien a quien casi nadie conoce: Walter Benjamin, que estuvo aquí dos veranos, en 1932 y 1933. Bueno, aquí no, en San Antonio, al otro lado de la isla. Un poeta local, Vicente Valero, acaba de sacar un libro donde cuenta su estancia aquí. *Experiencia y pobreza*, se llama. En aquellos días, acosado por los nazis, Benjamin empezaba ya a ser un fugitivo, pobre como una rata.

Las palabras del juez me hicieron pensar en Igor, que no era pobre, pero también venía a ser un fugitivo en la isla. Y en su madre, cuyo número me quemaba en la agenda del teléfono móvil: poco o nada me atraía el viaje al pasado para el que ese número era pasaporte.

14

Los nómadas se mueven poco

Un día más comenzó con la constatación de que Álamo estiraba los calcetines más allá de lo que recomendaban la higiene, la prudencia y hasta el sentido común: el aroma de sus pies llenaba por completo la atmósfera ya bastante enrarecida del cuarto de aquel piso-patera de Intxaurrondo en el que dormíamos ambos con otros dos compañeros. Al final, nos volvíamos a ver allí muchas mañanas, en un alojamiento algo más incómodo que el que teníamos antes, cuando aún estábamos destinados en Guipúzcoa. Los pisos que ocupábamos eran de tres dormitorios, del tipo avaro en metros y menesteroso en materiales que gracias a una alianza cruel de políticos y arquitectos se había impuesto en la construcción de protección oficial de los setenta y ochenta. Allí llegábamos a meternos hasta doce guardias, que durante nuestras largas estancias sobre el terreno teníamos que compartir el minúsculo salón, una y otra vez convertido en sala de *briefing* para las operaciones, la cocina aún más diminuta y los dos cuartos de baño que como mucho tenían aquellas viviendas. Con desventaja para los varones, porque por deferencia se tendía a dejarles uno a las chicas, que siempre eran menos. En aquel piso y aquella mañana, sólo dos, que además estaban mucho más desahogadas que nosotros en el dormitorio reservado para ellas.

Por si fuera poco el olor, que me había saludado al

rompérseme el sueño poco después de las cinco de la mañana y me había amargado el posterior duermevela, a las seis en punto sonó el radiodespertador de Álamo, en el que siempre tenía sintonizada una emisora de música discotequera. Cuando te sorprendía en mitad del sueño profundo, te hacía saltar de la cama al borde de la angina de pecho. Agradecí estar aquella mañana ya despierto cuando empezaron a sonar Transvision Vamp y su *Landslide Of Love*. La canción tenía algún pasaje tranquilo, pero lo que emitieron justo a las seis fue el estribillo, una de las partes más ruidosas; en particular, el trozo en el que la solista cantaba aquello de *Landslide you hit me from above*. La reacción no se hizo esperar:

—A ver cuándo cambias esa mierda de emisora, Moro —protestó Serrano, uno de los guardias más veteranos del grupo.

—¿Qué pasa? Eres un carca, tío —se defendió el aludido.

—Tiene criterio —sugerí.

—A mí estos me molan y la tía está buena.

—A otra hora lo apreciaríamos mejor.

—Sois unos sosos. ¿A quién le toca ir primero al tigre hoy?

—A Gardelito —murmuró Serrano.

—Pues venga, no te duermas —me espoleó Álamo.

En momentos como aquel, para qué negarlo, le odiaba con todas mis fuerzas y más que aliviar la vejiga me apetecía buscar la pipa debajo de la cama y vaciarle el cargador en los riñones a través del colchón de arriba de la litera que compartíamos; pero el cuarto de baño era un bien escaso y había que ser disciplinado y diligente a la hora de usarlo. De modo que me levanté y, arrastrando los pies, salí al pasillo.

Un día más, me miré en el espejo, poco limpio y de saldo, del que estaba provisto aquel baño de uso comunal. Vi a un tipo todavía joven, pero desmejorado por el poco sueño, la barba de varios días y el pelo desgreñado que en aquel momento era parte de mi caracterización. Luego me senté en el inodoro y mientras me libraba de los residuos líquidos y por fortuna también sólidos —llevar estos últimos encima podía ser un engorro considerable, con las jornadas que hacíamos— le eché un vistazo detenido al cuarto de baño. Estaba equipado, todo él, con material del más bajo coste posible. La tralla que se le daba había exigido su renovación reciente, y para solventarla el subteniente de la unidad había recurrido a las ofertas de un almacén de saneamientos. Había comprado unos sanitarios de color rosa para las chicas, que le agradecieron el detalle. Lo que no se le agradeció tanto fue que para nosotros también los comprara de esa misma tonalidad. Cuando la tropa masculina elevó su protesta, el subteniente se justificó:

—Me hacían precio de dos por uno. A ver si os creéis que los fondos reservados sobran para daros caprichos. Mear podéis mear igual.

Eso era verdad, pero aquellos primeros momentos del día, sentado en el váter rosa de un cuarto de baño compartido con un regimiento, me invitaban irremediablemente a preguntarme qué estaba haciendo con mi vida; qué fruto tenía al final todo aquello y si era el empleo más juicioso y razonable que podía dar a los días de una juventud que se me iba escapando y pronto sería sólo un recuerdo. Por suerte, la existencia que llevaba impedía ahondar en estas cuestiones, y me exoneraba de encontrarles respuesta. Me quedaban sólo tres minutos de uso del baño y más valía que tirara de la cadena y me metiera sin más tardar en la ducha. La mejor terapia para el ánimo sombrío es que no te dejen un segundo para regodearte en él. Lo sabían los antiguos, que salvo dos o tres llevaban una vida acuciada, y se nos olvida en esta época donde se atribuye un valor excesivo a la ociosidad y su disfrute.

Media hora después estábamos todos congregados, o mejor dicho apiñados, en el salón donde el brigada Ruano nos impartía las últimas instrucciones. Lo que íbamos a hacer aquella mañana, como muchas otras de las cosas que hacíamos, no se había hecho nunca. Por eso era especialmente importante que todo el mundo tuviera claro su papel y lo representara con aplomo y con la mayor desenvoltura posible.

—Como esta movida no es apta para féminas, Iranchu y Nerea se ocuparán de las tareas de apoyo —explicó el brigada—. Eso quiere decir que se situarán a una distancia prudencial, enlazadas por radio y cada una con un vehículo por si hay que acudir deprisa a alguna parte o traer ayuda o suministros. Los demás, muchachotes, asimiladlo: sois unos desechos humanos a los que vuestro buen padre, este que os habla, está intentando enderezar. No tenéis opinión, ni libertad, ni derechos, ni autonomía ni nada. Si alguien pregunta, no sabéis nada, no pensáis nada, sólo estáis centrados en recuperaros y dejar de ser los despojos que sois. Podéis darlo a entender con los gestos, los movimientos o la forma de hablar, pero sin pasaros nunca. Que no estáis en el circo, y el público que tendremos no va a valorar los alardes. Al revés, pueden servir para que se mosquee y todo el invento se nos vaya al carajo. Y creo que no necesito explicaros por qué eso no puede pasar.

—No, mi brigada —respondieron al unísono los más aplicados; en cuanto a Álamo y a mí, nos limitamos a asentir con la cabeza.

—Esto iba sobre todo por vosotros, Moro y Gardelito. *Capisci?*

Ahí ya no nos podíamos callar.

—Por supuesto —dije.

—Alto y claro, jefe —dijo Álamo.

Ruano se quedó mirándole con los brazos en jarras.

—Como vuelvas a llamarme jefe, te corto un huevo.

—Perdón, mi brigada.

—A lo mejor te creías que estabas en la pasma —se burló Ruano—. Tómate un café doble, anda, a ver si te ayuda a despertarte.

La broma a cuenta del cuerpo policial hermano levantó la carcajada que Ruano sabía garantizada. La víctima no la encontró tan graciosa.

—No te pongas así, hombre. Lo del huevo no iba en serio.

Álamo se limitó a asentir. Con Ruano no era inteligente enfrentarse sobre aquella arena, que era la suya. Sobre ninguna arena, tal vez.

—Muy bien —zanjó el brigada—. Visto todo entonces. Tenéis quince minutos para desayunar, máximo, y luego todos a los coches.

Salimos en tromba del piso. La guardia Aurora le echó la mano a una maleta de material de cierto tamaño y bastante peso; al verla con ella, Serrano se apresuró a quitársela de las manos. Ella se revolvió:

—Eh, que no soy una inválida.

—Era por ayudar, mujer. ¿Tan mal está ser caballeroso?

—Cuando necesite un príncipe que me salve, ya lo pediré yo —dijo Aurora, apartándolo y levantando en peso la maleta.

—Nerea tiene razón —intervino Ruano—. Aquí no hay ni damas ni caballeros, sólo guardias, o lo que en cada momento toque ser.

Serrano, pese a su experiencia, se quedó algo desconcertado. Y eso que no era la primera vez que Aurora protestaba por algo así. Al verlo, Ruano se le acercó, le puso una mano en el hombro y alzó la otra.

—Tranquilo, hombre —le dijo—. Que aquí no ha pasado nada. *Ego te absolvo*, en el nombre del Padre y del Hijo y del Espíritu Santo.

Hizo aquel movimiento con la mano derecha como

si llevara toda la vida haciéndolo. Aun así, quiso cerciorarse. Le preguntó a Aurora:

—¿Doy el pego, Nerea?

La verdad era que entre el porte, los ademanes y el alzacuellos, tenía toda la pinta de ser un sacerdote de verdad. No era necesario mentir para darle gusto, por lo que nuestra compañera no tuvo que hacerlo:

—Yo de misa no soy mucho, pero a mí me convence.

—Lo que te estaba diciendo, Serrano —se dirigió al guardia—. Lo mismo si toca ser cura: con convencimiento y sin gaitas. Ella igual que tú, y déjate de galanterías. Lo que cuenta es clavársela al enemigo.

—Hombre, ella como cura... —dudó el otro.

—O monja. Lo que encarte.

Los vehículos nos dejaron a tres o cuatro kilómetros del pueblo. Formábamos un grupo pintoresco, tanto que nadie habría pensado que aquello era la cobertura de una operación antiterrorista. Detrás de Ruano, que abría la marcha animoso y ligero de equipaje, vestido de cura de cintura para arriba pero enfundado en unos vaqueros y con botas de monte, nos arrastrábamos los demás: una decena de tipos con pinta de quinquis, desaliñados y renqueantes, cargados con mochilas y un gesto agrio bajo la llovizna que poco a poco nos iba calando.

—Vamos, señoritas, con más alegría —dijo—. Que limpiarse cuesta.

La idea había sido suya, o quizá de Pereira, o quizá era el fruto de alguna deliberación diabólica entre los dos, pero el cuento tenía el sello y el estilo inconfundibles del brigada. Como solía repetirnos:

—Lo decían mis maestros del Mossad: no importa que el cuento sea estrafalario, aparatoso, idiota o incluso ridículo. Lo que importa es que no se huelan que es una cobertura, que les haga pensar en cualquier cosa menos en que eres el fuego de Yavé, que se les va a colar hasta la cocina para hacerles morder el polvo y pagar todos sus pecados.

Así que allí estábamos, cargando con nuestras mochilas y fingiendo que éramos un grupo de toxicómanos en rehabilitación que íbamos de acampada al monte, a hacer allí una convivencia en plena naturaleza que nos ayudara a superar la dependencia. Era la pantalla que se les había ocurrido a los jefes para poder desplegar a una decena de guardias por el entorno del caserío que nos interesaba vigilar sin que los habitantes de aquel pueblo, pequeño y cerrado como pocos, y mucho menos quienes usaban el caserío como escondrijo, se olieran que la Benemérita los tenía en su punto de mira. Por momentos pensaba que tanto Ruano como Pereira habían perdido el juicio; pero por otra parte la ocurrencia era tan descabellada que bien podía funcionar.

Y a juzgar por las reacciones del paisanaje, funcionó. El monte sobre el que íbamos a plantar las tiendas lo habíamos escogido de antemano: no estaba ni muy lejos ni muy cerca del caserío, pero en sí mismo era un punto de observación excelente, utilizando los medios técnicos que dispusimos dentro de una de las tiendas y que durante las veinticuatro horas del día y de la noche siempre había alguien atendiendo. Además era la base desde la que partíamos, en grupos de dos o tres o hasta de cuatro, simulando pasear por los alrededores, para tomar posiciones que iban variando y mantener controlado el perímetro. No tardó en acercarse a husmear por el campamento una vecina, una mujer sobre los cuarenta años que pasó caminando con una bicicleta y que miró con recelo hacia el grupo que formábamos. En cuanto la vio, Ruano, que esperaba el momento, la cazó al vuelo. Se fue hacia ella.

—*Kaixo*, ¿es usted del pueblo? —le preguntó.

La mujer, de entrada, dio un paso atrás, pero al ver el alzacuellos de aquel hombre que la abordaba se tranquilizó y le respondió:

—*Bai.*

—Ya me perdonará usted, soy de Vitoria —se justificó Ruano— y sólo hablo tres palabras mal contadas de euskera. Verá, es que estoy aquí con estos chavales, me los he traído de España, para ver si les ayudo con un poco de este monte y esta naturaleza nuestra a que se limpien de todas las cosas malas que se han estado metiendo.

La mujer le escuchó, precavida y sin despegar los labios.

—Traemos comida —siguió—, pero quería saber si en el pueblo hay alguna tienda donde podamos comprar pan, bebida, esas cosas.

—Hay, sí —asintió, lacónica.

—¿Dónde?

—En la plaza. No tiene pérdida.

—*Eskerrik asko*. Estaremos por aquí una semana o dos, como mucho. No se preocupe, son buenos chicos, sólo que no han tenido suerte en la vida y han tomado malas decisiones, pero yo respondo por ellos.

—Ah, bueno, muy bien. *Agur*.

—*Agur.*

Una hora después estábamos Álamo y yo con él en la tienda del pueblo, donde nos atendió otra mujer, esta en la cincuentena, pero tan recelosa como la anterior. Ruano repitió su interpretación, con escasas variaciones. A la de la tienda, quizá para que hiciera de retransmisora, le facilitó antes de irnos un par de detalles suplementarios.

—Ah, yo soy el padre Patxi, jesuita. Mucho gusto y ya nos iremos viendo. *Agur.* ¿Podéis bien los dos con esas bolsas, muchachos?

Tanto Álamo como yo íbamos cargados como mulas, no tanto por el pan como por las latas de Coca-Cola y las botellas de agua para once personas, pero ya sabíamos que no podíamos esperar su ayuda.

—Podemos, padre —dije yo—. No se preocupe.

La mujer nos miró con recelo, pero menos que al vernos entrar. La verdad era que Ruano bordaba el papel de un jesuita amigo de los desheredados, y mi dócil réplica transmitía la sensación de que aquel clérigo tenía bien amarradas a las ovejas descarriadas que conducía. Mientras atravesábamos la plaza, el brigada me dijo entre dientes:

—Muy bien, Gardelito, ceñido y en tu sitio. Sígueme así.

Durante los días siguientes desarrollamos una actividad frenética. Había que simular los ejercicios de la convivencia, por un lado, con la duración, la intensidad y la apariencia necesarias para que colaran ante los lugareños; por otra parte, había que cuidarse de la vigilancia y el patrullaje, que tenía aparejado tomar nota de todos los detalles relevantes del escenario, no dejar de hacer la ficha de todos los que nos encontrábamos y anotar matrículas y otras informaciones de interés. Además de eso, Ruano se encargaba de consolidar la credibilidad, de él y nuestra, como benefactor y exdrogadictos respectivamente. Tal y como había dejado claro en el último *briefing* antes de la operación, esa tarea le incumbía a él en exclusiva, sin que aguardara de nosotros más que apoyo ciego e incondicional en cuanto diera en hacer. A tal efecto iba entablando con cualquier pretexto relación con todos los habitantes del pueblo con los que se cruzaba, y a los que nosotros, en cambio, nos limitábamos a saludar con pocas palabras y el gesto huidizo que les correspondía a unos seres poco dotados para la vida en sociedad. De entrada todos se mostraban algo reticentes, pero en tan sólo dos o tres días Ruano ya se había ganado las simpatías de unos cuantos y, sobre todo, de unas cuantas. Un logro que no dejó de reportarle, como pasa con cualquier éxito que el destino nos depara, alguna dificultad.

Una de ellas sobrevino, justamente, en la tienda a la que íbamos a diario a comprar el pan. La mujer que la atendía y que luego supimos que era su propietaria, y a la que Ruano se había ido ganando sin prisa pero sin pausa, le llamó aparte una mañana, después de que el brigada le pagara la compra que acabábamos de hacer. En voz baja, pero no lo bastante como para que no la oyéramos Álamo y yo, le dijo:

—Padre, quería consultarle una cosa.

—Tú dirás, hija mía —repuso Ruano, bajando la voz también.

—¿A usted le importaría confesarme? —le espetó ella.

Cualquier otro habría reaccionado con estupor, pero Ruano era un profesional de la acción encubierta y no tenía ni vergüenza ni miedo al fracaso, es decir, a no ser ducho en el arte que le pedían ejercer.

—Cómo iba a importarme, hija —exclamó, paternal—. Un sacerdote debe estar y siempre estará ahí para confortar a un alma cristiana.

—Se lo agradecería muchísimo.

—Cuéntame, qué te aflige. Aunque si quieres el sacramento, exige confidencialidad, ¿tienes algún lugar a donde podamos retirarnos?

—Sí, claro, venga por aquí, por favor. Usted primero.

Así fue como pasaron a la trastienda, de la que en seguida salió otra vez la mujer para cerrar la puerta del comercio, girar el cartelito para indicar que estaba momentáneamente cerrado y volver a toda prisa donde la aguardaba el sedicente sacerdote. Álamo y yo nos quedamos como dos memos, con las bolsas en la mano. Al final terminamos por dejarlas en el suelo y nos dispusimos a esperar lo que hiciera falta.

Al cabo de diez minutos volvieron a salir los dos. La mujer traía un perceptible gesto de alivio y Ruano una sonrisa beatífica. Si aquello continuaba mucho tiempo más, temí que lo viéramos oficiar misa.

—De verdad, no sabe cuánto se lo agradezco —dijo la mujer.

—A mí no, hija, agradécele siempre y en todo lugar a Dios nuestro señor, que es amor y perdón infinitos. Que tengas un buen día.

—Buen día para ustedes también.

Aquel deseo nos incluía también a nosotros dos, como la sonrisa de una mujer que apenas unos días antes nos había recibido con un gesto agrio y distante, cargado de recelo y sospecha, si no de algo peor.

De camino hacia el campamento, Álamo no se pudo reprimir:

—Qué, mi brigada, quién se tira a escondidas a la doña.

Ruano lo fulminó con la mirada.

—Leandro, hijo —le dijo con voz suave—, hay dos cosas que a estas alturas deberías saber. La primera, que mientras estemos aquí no soy brigada de nadie, por lo menos en voz alta. La segunda, que por estos pagos se folla poco, en general, mucho menos que en tu tierra.

—Vamos, padre, no me sea sieso, que ahora no nos oyen.

Ruano miró discretamente en derredor y comprobó que, en efecto, no había nadie en las inmediaciones. Nos hizo concebir así la esperanza de que iba a chismorrearnos algo de aquella jugosa experiencia, pero lo que hizo a renglón seguido fue defraudarla, sin apelación posible:

—¿Vosotros no habéis oído hablar del secreto de confesión?

—¿De verdad que no nos va a contar nada? —insistió Álamo.

—No, hijo mío, las miserias de esa mujer me las llevaré a la tumba. Aunque no lo creáis, este cura tiene su decencia y sus principios.

—Por muy digno que se ponga, fingir ser cura debe de ser pecado.

—Mortal, incluso —calculé.

Ruano le quitó importancia.

—Ya me confesaré yo. Y fue por una buena causa.

—¿No nos va a decir ni siquiera qué penitencia le ha impuesto?

—He sido benigno. Tres avemarías y dos padrenuestros.

—Entonces no era para tanto —deduje—. Si le hubiera confesado pecados graves le habría puesto más, para que no sospechara.

—Eres astuto, mi querido Rubén, pero no lo sigáis intentando. Lo único que os voy a decir es que esta pobre pecadora, como lo somos vosotros y yo, conducida hábilmente por quien ya sabéis al terreno en cuestión, me ha hecho saber que la vida en el pueblo es difícil, porque hay vecinos que están en pasos comprometidos, y eso genera tensiones que acaban afectando a todos. Que hay gente que sólo anda a lo suyo y no comprende, y a veces otros tienen que recordarles lo que hay.

—En plata: que esta es una amiga de los guarros —dijo Álamo—. A lo mejor hasta acaba de confesar a la comisaria política del pueblo.

El brigada sacudió la cabeza.

—Leandro, a veces eres un borrico. Lo dudo mucho. Simplemente nuestra buena señora forma parte de la porción pasiva, de los que se dejan llevar, porque está claro quién manda y qué le pasa a quien se le opone, y ha preferido creer que la causa es justa y necesaria porque eso es más confortable que decirte a ti mismo: «comulgo con esto porque estoy jiñado por si me enfilan a mí». Pero no vamos a darle más vueltas al tema: no estamos aquí para juzgar a la tendera del pueblo.

—Empiezo a preguntarme para qué estamos aquí —se me escapó.

Ruano me escrutó con aire de reproche.

—Os lo digo siempre: las cosas, normalmente, son lo que parecen, pero hay que comprobarlo. Esto ratifica que el rastro es fetén, y que ahora que hemos conseguido que nos acepten como parte del paisaje, tenemos que espabilar para sacarle partido al asunto. No podemos quedarnos acampados aquí tres meses. Hay que moverse y estar con los ojos muy abiertos para averiguar qué se cuece en ese puto caserío del que vimos salir a un liberado que no ha vuelto a aparecer.

Nos movimos, y no poco, a lo largo de los días siguientes, en los que fichamos al paso a todo el vecindario, todos los vehículos que usaban los residentes, estuvieran o no a su nombre, y todos los que circularon esporádicamente por allí. En lo que toca al caserío en sí, no se le quitó ojo durante todo el tiempo. Sin embargo, nunca vimos en torno a él la menor actividad, lo que no dejaba por otra parte de ser sospechoso. No parecía en absoluto una vivienda abandonada o deshabitada: la fachada estaba en buen estado, así como ventanas, puertas y acceso. Era verdad que su propietario, lo habíamos comprobado, era un señor mayor que hacía un año, por problemas de salud, se había trasladado a vivir a una residencia, pero tenía sobrinos que según la información de que disponíamos se acercaban de vez en cuando por la casa y que se abstuvieron de acudir. Aquello hizo que se instalara entre nosotros un temor creciente a que nuestra presencia, además de no pasarle inadvertida al enemigo —cosa imposible y que no era lo que se pretendía, más bien al revés, se trataba de enmascarar nuestra condición con lo notorio del montaje—, hubiera terminado por despertar de algún modo su suspicacia.

En ese compás de espera estuvimos durante unos cuantos días con sus correspondientes noches. Cuando no tocaba patrullar o cubrir el turno de vigilancia del caserío había tiempo para el aburrimiento, que cada uno afrontaba como podía. Álamo se tumbaba a escuchar música en su *walkman*, yo trataba de matarlo leyendo. Por aquellos días, y a la vista de que aquello iba a prolongarse, había escogido un volumen gordo, abstruso y que daba mucho de sí, porque casi me exigía parar en cada párrafo: *Mil mesetas*, segunda parte de la crítica del capitalismo de Deleuze y Guattari, que se acababa de traducir al español.

A aquel librote denso y sesudo, muy alejado de mis inclinaciones lectoras habituales, había llegado por el camino de tratar de entender mejor la inspiración ideológica del movimiento al que combatía. Sobre la base nacionalista y los textos clásicos del marxismo-leninismo, que formaban su sustrato ideológico originario, ETA, según supe, había echado mano, para completar su ideario y definir su estrategia, del aparato teórico del maoísmo, con sus crudas recetas para el control de la población por la violencia revolucionaria, y también de filósofos franceses como Louis Althusser y otros vinculados al Mayo del 68, como Gilles Deleuze, de cuya obra eran estudiosos avezados varios intelectuales del movimiento que en algún caso incluso habían llegado a ocupar puestos en la dirección de la organización armada. El grado de abstracción de aquellos autores hacía evidente que debían de ser por completo desconocidos, incluso ininteligibles, para la mayoría de los pistoleros y colaboradores que operaban sobre el terreno. Pero tras aquella lucha había unos cerebros: de otro modo no se podía entender su éxito, su capacidad demostrada de echarle un pulso a un Estado y mantener extorsionado a un país. Y en busca de lo que esos cerebros procesaban y reproducían, cuando vi que además del original francés, que me costaba un poco leer, *Mil mesetas* estaba accesible en castellano, destiné un pellizco de mi sueldo a adquirirlo y una parte de mi tiempo libre a tratar de entenderlo. Buena parte de las ideas que contenía me eran tan remotas y ajenas que no recuerdo nada de ellas. Otras, en cambio, me resultaban sobrecogedoramente concretas y próximas.

Por ejemplo, la descripción que hacían Deleuze y Guattari de lo que ellos llamaban la «máquina de guerra», que vinculaban al nomadismo y oponían al Estado:

una máquina cuyo rasgo principal era la velocidad, y no el movimiento. Como razonaban, no sin agudeza, los nómadas se mueven poco, pasan la mayor parte del tiempo a la espera o sentados: el que monta un caballo o un camello está quieto en la silla. Así era como estábamos nosotros ahora, al acecho de aquellos a quienes se nos encomendaba encontrar y neutralizar, y así era como estaban ellos siempre: esperando la ocasión para salir de su escondrijo, asestarnos a toda velocidad uno de sus golpes letales y volver a desaparecer.

Estaba precisamente repasando esa parte, una de aquellas noches, a la luz de la linterna dentro de la tienda que compartíamos, cuando Álamo, que estaba más aburrido de lo habitual, me preguntó:

—¿Qué lees? No parece una novela. ¿Un libro de loqueros?

—No exactamente. Pero tampoco creo que te entusiasmara.

—Raro sería. Yo con leer el bote de champú ya tengo bastante.

—Por eso te digo.

—Demasiadas lecturas, Gardelito. Eso no puede ser bueno.

—Qué le voy a hacer. Tengo la costumbre.

—A ver, prueba a leerme algo —propuso—. No me viene el sueño.

—Que no, que te va a parecer un coñazo.

—Mejor, así me duermo. Tú prueba, hombre. ¿Qué es?

—Algo que leen los malos. Sus gurús, más bien.

—Ah, mira tú, eso me interesa. Léeme un trozo.

Traté de buscar algo que no le resultara demasiado indigesto. Había marcado un pasaje sobre la máquina de guerra que le leí en extracto, quitando todas las referencias míticas y eruditas. En él se sostenía que esa máquina es exterior a la soberanía y previa al derecho del Estado, tiene otro origen que la conecta con la fuerza de la manada y de lo efímero; de ahí que sea transformadora y sirva para deshacer el lazo. Los autores la describían a continuación por los recursos que emplea para conseguir sus objetivos: frente a la mesura prefiere el furor, frente a lo público el secreto, frente a la soberanía es una potencia y frente al aparato, una máquina. Así, concluían, la máquina de guerra crea otra justicia, a veces de una crueldad incomprensible, pero a veces también de una piedad desconocida, justamente porque deshace los lazos.

Llegado aquí, creí prudente detenerme. Álamo tenía la vista clavada en la lona de la tienda y meditaba sobre lo que le acababa de leer.

—Todo eso podría decirse mucho más sencillo —juzgó al fin.

—No te digo que no —me vi obligado a concederle.

—Pero está bien traído. Ese tío no es un gilipollas.

—Son dos —le aclaré.

—El que lo escribiera. Se lo tienes que enseñar a Ruano.

Enseñarle el libro al brigada era lo último que se me pasaba por la cabeza, y así se lo hice saber, pero Álamo, que era de ideas fijas, se las arregló para que fuera el propio Ruano el que me pidiera ver el pasaje. Ante eso, no tenía opción: se lo mostré. Lo leyó con atención, lo releyó, miró a Álamo, me miró a mí y sin más despachó su veredicto:

—Está bien.

—¿Ah sí? —dudé—. ¿Le parece?

—Me parece. Porque vale para ellos y vale para nosotros.

Álamo se quedó descolocado. Aquel giro no lo esperaba.

—No pongas esa cara, Moro —dijo Ruano—. Los extremos se tocan. Y así ha de ser, si no, cómo íbamos a poder acabar con ellos.

—Ellos son terroristas, mi brigada. Delincuentes. Asesinos.

—Sí, no te digo que no. Pero se lo creen, nunca lo olvides. Nosotros nos lo tenemos que creer tanto como ellos. Y ser igual de duros.

Vio que Álamo y yo dudábamos del sentido de sus palabras. Meneó la cabeza y volvió a aquel papel de sacerdote que se le daba tan bien.

—Lo que no quiere decir, hijos míos, que tengamos que convertirnos en unos desalmados como ellos. Al revés. Nosotros somos gente de honor. Esa es nuestra divisa, nuestra diferencia y nuestra ventaja.

Un par de días después, Ruano se nos acercó, con aire misterioso.

—Oye, Gardelito, le he estado dando vueltas a eso que me dejaste leer. Me ha servido para entender mejor a estos, te lo reconozco.

—Me alegra, mi brigada.

—Lo malo es que aquí hemos venido a otra cosa —dijo el brigada—, y a estas alturas está claro que no está funcionando. Habrá que seguir echándole un ojo al caserío, pero no podemos alargar este despliegue. Lo he hablado con el capitán, levantamos el campamento. Esta tarde.

También así se escribía aquella historia: bordar la maniobra, en este caso arreglártelas para adueñarte de un terreno hostil, y que al final no te sirviera para nada. Aparte de ganarte la confianza y averiguar los pecados que cargaban la conciencia de la dueña de una tienda.

15

Antes volarán los perros

Que ni en mil vidas podría ganarme la confianza de Amaia Etxebarri fue algo que me quedó claro ya desde antes de echármela a la cara, con unos pocos segundos de conversación telefónica. Cumpliendo la orden directa que el juez Prats se había tomado buen cuidado de hacerme recibir y entender, marqué su número apenas nos despedimos de su señoría. Lo cogió al instante. Ya debía de esperarse que fuera alguien del enemigo, porque su saludo fue a la vez seco y destemplado:

—¿Dígame? ¿Quién es?

—¿Hablo con Amaia Etxebarri? —dije, más por aplazar un poco el trago que por hacer una comprobación que no parecía necesaria.

—Sí, soy yo. ¿Quién es?

—Soy el subteniente Vila, de la Guardia Civil.

Se lo solté así, a bocajarro, porque ni cuando se arranca una tirita ni cuando se aprieta un torniquete hay que andarse con remilgos. El silencio que se hizo a continuación tal vez fuera el más espeso que jamás se instaló en una línea telefónica, al menos en mi experiencia personal. Sin embargo, sabía que ella seguía ahí, y la dejé tomarse su tiempo.

—Vaya, al fin se dignan —dijo al fin.

—Le debo una disculpa, pero para todo hay un motivo. Si tiene un momento me gustaría explicárselo, y también hacerle alguna pregunta. Cuestiones de rutina, para completar nuestra información.

—Tengo mucho más que un momento. Por lo que me han dicho, hasta mañana no me entregan el cuerpo para llevarlo a casa. Quiero decir, a Euskal Herria, para darle el homenaje que se merece.

Dejé correr aquella pulla, la primera de las que habían de venir: el homenaje que se merecía por haber colaborado con quienes se habían ocupado de enviar al cementerio antes de tiempo a más de doscientos de mis compañeros y diecisiete familiares, entre ellos once niños.

—Yo estoy en el puerto, ¿y usted? —le consulté.

—En el centro. Hay un hotel, Montesol se llama, ¿lo conoce?

—¿Hotel Montesol? No, pero pregunto. No se preocupe.

—Usted dirá a qué hora.

No podía darme tiempo para arrepentirme.

—¿Ahora? O en quince minutos, para asegurar.

—Ahí le espero. Verá que tiene una terraza, justo enfrente.

—De acuerdo. Hasta ahora.

Cuando vio que colgaba, el comandante Tuñón se limitó a decir:

—Está aquí al lado, te acercamos si quieres.

Le miré, saludé al cabo primero Rodríguez, que me saludó a su vez desde el coche oficial en el que había venido a recoger al comandante, y sin necesidad de pensarlo mucho preferí declinar la invitación.

—No, muchas gracias, mi comandante. Si me indica por dónde está, voy a pie y así de paso estiro un poco las piernas y me despejo.

—No tiene pérdida. Todo de frente. Te lo encontrarás a tu derecha, justo en la esquina del paseo Vara de Rey. Es lo que viene a hacer de plaza mayor de este pueblo. Donde se encuentra todo el mundo.

—Gracias.
—Cuando acabes, avisa y mando alguien a buscarte.
—Ya me arreglo, no se preocupe.
—Suerte. Y si algo se complica, me la mandas a mí.
—Confío en que no será necesario.

Subió al coche y yo eché a andar hacia el centro. No me disgustaba aquel lugar, su aire de pueblecito mediterráneo, con un poco más de empaque por su condición de capital de la isla. Era agradable que todo estuviera tan a la mano, que se asomara a un puerto, que tuviera en lo alto una fortaleza vigía. Permitía pensar en otros tiempos y en otros afanes, muy diferentes de los que marcaban la contemporaneidad. Ni peores ni mejores: diferentes, y por eso mismo útiles para sacudirse el peso de los propios días, a veces demasiado conocido, demasiado gris y demasiado apremiante para que nos resulte grato arrastrarlo.

El paseo Vara de Rey, muy ancho en proporción a su longitud y por completo peatonalizado, más parecía en efecto una plaza. En un lugar central y eminente había una estatua del héroe que le daba nombre: un tipo ya de edad, calvo y con barba, con unos prismáticos en una mano y un sable alzado sobre la cabeza en la otra. El apellido me sonaba, fue después cuando me informé en detalle sobre la peripecia que le había valido la celebridad, la Cruz Laureada de San Fernando y en última instancia aquella plaza y aquel monumento: la defensa del fortín del Viso en la batalla del Caney, durante la guerra de Independencia de Cuba. En una de esas hazañas tan hispanas, el brigadier general Vara de Rey plantó cara con sólo quinientos soldados a una división de siete mil hombres bajo el mando del general norteamericano Lawton. El desafío acabó, como era previsible, en derrota, y con la muerte de Vara de Rey a manos de los rebeldes cubanos que le salieron al paso cuando lo evacuaban malherido en camilla y sobre ella lo ajusticiaron. Luego los estadounidenses le rindieron honores y devolvieron su cuerpo para que fuera enterrado en España. Sus restos fueron a parar al mausoleo de los héroes de Cuba y Filipinas del cementerio de la Almudena de Madrid. Quizá habría sido mejor manera de darle descanso al hombre aliviarlo de su aura de héroe y reintegrarlo a Ibiza: la isla donde había nacido en 1841 y que tanto tiempo después, en un siglo sin héroes donde sólo los locos resistían hasta morir —y no frente a la amenaza de divisiones de infantería, sino de los misiles de drones teledirigidos desde otro continente—, aún lo recordaba por medio de aquella plaza y de aquel monumento. En lo que una y otro acertaran a guardar, para los ibicencos de hoy, la memoria de un soldado decimonónico.

Al ver a la madre de Igor López Etxebarri, sentada junto a un café en una terraza de la que era en ese momento la única clienta, pensé que su hijo, aunque como tal se empeñara en honrarlo, no había sido un héroe bajo ninguna circunstancia. No había asumido el noble riesgo del combate de frente, se había limitado a colaborar en emboscadas y muertes a traición. Ni siquiera había cargado con el peso moral de apretar el detonador o el gatillo. Y al final, después de caer vivo en manos del enemigo, se había rendido para mejorar su suerte. En el mundo de Vara de Rey nadie le habría erigido nunca una estatua. Luego pensé que mi pensamiento era perfectamente estúpido y ocioso: yo mismo había estado en aquella guerra y había conocido de primera mano su poca gloria, y me inclinaba a pensar que, salvo excepciones contadas, las glorias bélicas de todos los tiempos eran pura invención propagandística. Sólo cabía guardar un silencio prudente ante quien aceptaba sacrificarse, sin terminar nunca de estar seguro de que ese sacrificio no fuera más que una forma de locura o inconsciencia.

Apuré aquellos últimos segundos de seguridad, mientras yo la veía a ella pero ella todavía no me veía a mí. Era una mujer escueta y recia, vestida sin ningún alarde de coquetería —vaqueros, zapatillas oscuras de deporte, anorak azul— y con el pelo corto teñido de un color caoba rojizo y acabado en mechones ásperos sobre su frente, orejas y nuca. Llevaba gafas que se colocó con un gesto brusco sobre el puente de la nariz mientras miraba en mi dirección. Ahí comprendí que ya había detectado mi presencia y sin postergarlo más me dirigí hacia ella.

Cuando estuve a un par de pasos, se puso en pie como un resorte. Si las miradas taladraran, el aire habría corrido ya sin impedimento entre mi frente y la pared posterior de mi cráneo. Aunque ella mantenía las manos férreamente adheridas al cuerpo, probé a tenderle la mía.

—Subteniente Vila. Mucho gusto.

Se quedó mirando la mano que le ofrecí. Al final debió de pensar que la mirada era suficiente represalia y me alargó cuatro dedos fríos y huesudos que yo apenas estreché y que ella retiró en seguida. Volvió a sentarse y con una amabilidad forzada descendió a preguntar:

—¿Quiere usted algo?

—Acabo de tomar café, muchas gracias —decliné.

Inició la conversación sin concederme el menor respiro.

—No quiero que se engañe conmigo, así que le seré sincera. No me gusta un pelo que sean ustedes los que se ocupen de esto. Cuando el juez me recibió, le pregunté si era posible que la investigación la llevara la Ertzaintza, ya que mi hijo era vecino de Guipúzcoa. Me dijo que no. Por lo visto tampoco pueden llevarla los Mossos, porque para España esto no es Cataluña. Y entre ustedes y los otros, la verdad, ya me da igual. Aunque, ya que están, agradecería que hicieran su trabajo.

Aquello iba a ser aún más difícil de lo que pensaba. Me la imaginé delante del juez Prats, pidiéndole que se apartara a los *txakurras* de las diligencias por la muerte de su hijo. Me imaginé luego al magistrado tratando de explicarle que las competencias policiales no son asunto donde uno pueda elegir a la carta, ni que un juez pueda alterar a su antojo. Me dije que lo mejor era no darle la sensación de ofenderme.

—Por «los otros» se refiere a la Policía Nacional —deduje.

—A esos, sí, que tampoco me gustan un pelo.

—Ellos no están en Formentera. Allí sólo estamos nosotros. Y desde el primer momento, es decir, desde que dieron aviso de que lo habían encontrado, mis compañeros de la isla están haciendo su trabajo, se lo aseguro, y sin escatimar esfuerzos. Tampoco mis compañeros de Ibiza, los que han venido de Palma o yo mismo, que vengo de Madrid.

—Ya sé, ya.

—Formo parte de la unidad central. No tiene por qué saberlo usted, pero no nos mandan con urgencia a todos los homicidios. De hecho, sólo a algunos, donde se quiere disponer de todos los recursos.

Amaia se quedó mirándome, mientras rumiaba mis palabras.

—Eso me hace dudar de que lo que les importe sea aclarar la muerte de mi hijo. A lo mejor viene usted a otra cosa.

—¿Y a qué iba a venir?

—¿Trabaja usted en la lucha contra ETA?

—No. Trabajo en delitos contra las personas. En tratar de hacerle justicia a cualquiera al que matan, secuestran o hacen daño. En tratar de darle a la familia de la víctima todo el apoyo y alivio que podamos, y por eso tengo que pedirle perdón, porque ahí no hemos estado muy finos hasta ahora. Y si me permite, quisiera contarle por qué.

Mis disculpas, reiteradas, pero esta vez mirándola a los ojos y no tras el parapeto de la línea telefónica, obraron el efecto que perseguían: desconcertarla. Por primera vez sentí que el feroz *gudari* que habitaba en aquella mujer dejaba de apuntarme con el arma. No la bajaba, aún, y era probable que no la bajara jamás, pero ya era un avance.

—Le permito —dijo—. Cuénteme.

Discurrí a toda prisa acerca de lo que no podía revelarle, lo poco que le podía decir y la manera mejor de decírselo sin que ello perjudicara la investigación y, a la vez, de modo que sirviera para aplacarla y lograr que fuera de alguna ayuda. Mentiría si dijera que conseguí armar una estrategia y la ejecuté a continuación. Como tantas veces en mi vida, todo lo que hice fue improvisar para tratar de salvar la papeleta.

—Apenas llevamos un par de días de investigación —le recordé— y, en cuanto a mí, ni siquiera hace veinticuatro horas que llegué a la isla. En estos casos las primeras horas son cruciales, para no perder rastros y pruebas que luego puedan ser determinantes. La gente que tenemos en el asunto se ha volcado en eso: en buscar posibles testigos, recabar imágenes de cámaras de videovigilancia, preservar los registros de las redes de telefonía. Si esto es importante, en general, lo es mucho más, incluso le diría que es crítico, tratándose de una isla. Por si existe la posibilidad de dar con el responsable antes de que la abandone.

Amaia me observó con incredulidad.

—¿Quiere decirme que ya lo han pillado?

—No, señora Etxebarri. Ojalá. Se puede tener resultados tan rápido cuando al criminal se le coge in fraganti, o casi. Si no es así, hace falta reunir pruebas, y que sean sólidas y estén bien ensambladas. De lo contrario, nos arriesgamos a que después de todo al culpable lo acaben absolviendo. Esto es un Estado de derecho, y eso, que está muy bien y que es lo que todos queremos, también tiene sus complicaciones.

—Ya, eso depende. Si son de los nuestros, los meten

en la cárcel por terrorismo aunque sólo hayan estado en una pelea de bar.

No dijo más. Sabía que yo estaría al corriente de aquella historia, que había llevado un año antes a varios jóvenes *abertzales* a la cárcel por agredir a dos guardias civiles y sus parejas en un bar nocturno. Me sentí tentado de decirle que ni para mí ni para casi todos los guardias civiles con los que había hablado aquello era terrorismo, aunque no me pareciera tampoco una irreprochable efusión pastoril. Preferí no entrar en aquel pantano; no había ido allí a polemizar con ella.

—Esto que tenemos ahora entre manos, como cualquier delito, lo crea o no, acabará ante un tribunal donde se aplica la presunción de inocencia, porque, si no, el riesgo de que al tribunal le tiren de las orejas es importante. Y le diré algo más: por mi propia conciencia, me gusta estar seguro de que tengo motivos para detener a alguien y llevarlo delante de un juez que puede acabar enviándolo a una prisión.

—De prisiones puedo hablarle yo largo y tendido, si quiere.

—Lo sé. Yo también las conozco. Por eso no me las tomo a la ligera.

—Me da que las conocemos de manera un poco diferente, usted y yo —dijo—. Si no lo han pillado, ¿qué es lo que han hecho?

—Hemos reconstruido los pasos de su hijo. No todos, pero sí una buena parte. Hemos encontrado testigos que aseguran haberle visto con otras personas. Tenemos una descripción de esas personas, incluso hemos podido confirmar por vías distintas dónde estuvieron. Falta aún amarrar detalles, pero una de ellas, de la que hemos conseguido imágenes, tiene visos de que podría ser la que estamos buscando.

—¿Y eso es todo? Si es así como dice, esa persona ha tenido tiempo de sobra para largarse de la isla. En el tiempo que llevo aquí, que es poco más que usted, he visto despegar unos cuantos aviones.

—Si se ha ido, ha quedado registrado. Lo encontraremos, aunque se meta debajo de una piedra. No es tan fácil huir de la justicia.

—¿Y quién es?

—Por discreción, y para no perjudicar una investigación en curso, no puedo decirle más por ahora, señora Etxebarri. Sí quiero que sepa que tiene desde ahora mi compromiso de que tan pronto como haya algo que podamos contar, usted va a ser la primera en saberlo.

—¿La primera? ¿Y espera que me lo crea?

—La segunda. Después del juez. Lo que le he dicho, aunque no le parezca mucho, no lo sabe nadie, además de él. Nosotros no contamos a los medios lo que hacemos mientras lo estamos haciendo. Y le ruego que tampoco lo cuente usted, si quiere que averigüemos la verdad.

Confié en que me ayudara a ablandarla aquella confidencia, que a fin de cuentas lo era sólo hasta cierto punto: de que teníamos imágenes de un sospechoso, que era tal vez el dato más sensible, ya estaban al tanto otras tres personas, aquellas a las que se las habíamos mostrado. Era también una manera de ponerla a prueba, para saber hasta qué punto debíamos cuidarnos de darle información en el futuro, aunque tuviéramos el deber moral de contarle cuanto fuera posible. Algo se debió de oler Amaia, resuelta a no apearse de su desconfianza.

—Quiero que averigüen la verdad —dijo—. Lo que no tengo seguro es que quieran averiguarla, o contar de verdad lo que hay aquí.

—De momento, no lo sabemos. Pero no parece tener que ver con esa etapa anterior de la vida de su hijo que lo llevó a la cárcel.

La madre de Igor no dejó de subrayar mis palabras.

—Ha tardado en mencionarlo, pero ya lo ha hecho.

—Para que no se engañe. Por lo que a mí respecta, su

hijo era un ciudadano —me mordí la lengua antes de decir «español»— con sus cuentas saldadas con la justicia. Y aunque tuviera alguna pendiente, no regatearía esfuerzos en encontrar a quien le mató. Y si me permite, en esa tarea nos vendría bien contar con alguna ayuda por su parte.

—¿Mi ayuda? ¿En qué sentido?

Me paré un instante a ordenar mis ideas. Había logrado sortear la primera embestida, la había podido conducir más o menos hasta mi terreno, aunque se resistiera a mantenerse ahí, y ahora venía lo más difícil: rematar la faena persuadiéndola de convertirse en una fuente para los aborrecidos esbirros que investigaban la muerte de su hijo. No tenía grandes esperanzas de conseguirlo, pero debía intentarlo.

—Querría hacerle algunas preguntas sobre Igor.

Me sostuvo la mirada. Midiendo mi fuerza, mi pulso, mi resolución.

—Usted hágalas. Ya veré yo qué le puedo o le quiero responder.

Me arrimé al peligro sin pensarlo.

—¿Mantenía usted una relación cercana con su hijo?

—¿Qué coño quiere decir con eso?

—Buena —simplifiqué—. Si se llevaban bien.

—Y cómo nos íbamos a llevar.

—A veces padres e hijos no se llevan. Ni se entienden.

—Soy su madre. Claro que le entendía. Y nos llevábamos bien. Me he pasado años cruzando su país en autobús para ir a verle a la cárcel, eso debe de querer decir algo, ¿no? Y él era un buen hijo, no iba a dejar de querer a su madre. Además, ¿por qué me lo pregunta?

—¿Se veían a menudo? ¿Hablaban con frecuencia?

—Pues claro.

—¿Cuántas veces se veían al mes o hablaban en la semana?

—Perdóneme, pero no le entiendo. ¿A qué viene todo esto?

Percibí la irritación en su voz. Opté por templar un poco.

—Sólo trataba de ver cuánto estaba usted al tanto de la vida de su hijo. Qué es lo que puedo preguntarle y me puede contar.

—Pregunte lo que le parezca. Ya le diré yo si lo sé o no.

No dudé. Acababa de ofrecerse. Era el momento de la estocada.

—¿Sabía usted que su hijo era homosexual?

Por primera vez, Amaia Etxebarri se quedó sin palabras. No debía de sorprenderla mi pregunta, incluso debía haberla esperado y haber preparado una manera menos reveladora de reaccionar. A veces, sin embargo, nos empeñamos hasta el final en no asimilar que las cosas tienen que tomar un curso que no es el que preferiríamos. Con aquel silencio, Amaia no sólo me dijo que lo sabía, que temía que ese hecho estuviera detrás de lo ocurrido y que no le hacía ninguna gracia que yo lo sacara; también me dejó intuir que no había aceptado que su hijo, después de enorgullecerla como luchador por la libertad de su pueblo, la hubiera defraudado, primero consintiendo en recibir la clemencia vergonzante del Estado opresor, y luego permitiendo que se supiera que entre sus deseos se contaba el de acostarse con otros hombres.

—Disculpe si la pregunta le resulta desagradable —le dije—, pero no tengo más remedio que hacérsela. Entre otras razones porque los que declaran haberlo visto en esta y en otras visitas suyas a la isla nos han contado que anduvo por aquí con distintos hombres, siempre más jóvenes, y en actitud que dejaba clara su orientación sexual.

Aquella mujer hasta entonces de granito vio abierto ante sí el pozo de todas sus fragilidades. Por un momento, hasta me pareció que le faltaba el aire, y me sentí culpable por mi falta de delicadeza.

—¿Se encuentra usted bien? —le pregunté.

Percibir mi piedad obró en ella como un revulsivo.

—Me encuentro hecha una mierda —replicó, muy digna—, me han matado al hijo y tengo que hablar de sus miserias con un guardia civil, pero descuide, no es la primera vez que en mi vida pintan bastos.

—Sólo intento ayudarla —le dije—. Sé que le va a costar creerlo, que a lo mejor no se lo va a creer, pero lo seguiré intentando igual.

Amaia inspiró hondo.

—Sí, sabía que a mi hijo le gustaban los hombres. No sabía que le gustaran tanto, aunque no me engañaba sobre la razón por la que le tiraba Ibiza de esa forma. Ya conocía la fama que tiene este sitio.

—Yo no estoy juzgando a su hijo —le aseguré—. Al que persigo que juzguen, y me esforzaré por que así sea, es a quien lo mató.

—Ya, qué más da eso. Me guste o no, es usted el que va a meter las narices en su vida. Y ya que estamos, le diré que tampoco le juzgo yo, porque soy su madre, pero me dio un disgusto. Quizá porque lo llevó en secreto durante tanto tiempo. A lo mejor si me lo hubiera contado antes me habría dado tiempo a mentalizarme. Descubrir que tu hijo tiene esas aficiones, cuando ya es un hombre hecho y derecho, te hace pensar que dónde estabas y en qué pensabas para no notarlo.

Dudé si aceptaría que le echara un cable. Lo hice, pese a todo:

—No es raro que quien siente esa clase de inclinaciones las oculte a su entorno. Incluso hoy, que la ley le protege, sigue habiendo gente dispuesta a mirarlo mal. Con mayor motivo hace treinta años.

—Si usted me pregunta si yo lo sabía es porque busca algo. Aparte de para poder compadecerme —dijo, rechazando mi consuelo.

—Algo busco, sí —admití—. ¿Qué sabe de la vida

sentimental de su hijo? Por ejemplo, ¿sabe si tenía o había tenido pareja estable?

—De eso no hablábamos mucho, ni él tampoco me contaba. No me vio nunca demasiado receptiva, supongo. El año pasado, por lo que me dijeron terceras personas y por algo que él me dejó caer, me enteré de que tenía una especie de novio. Un chaval de Donosti, bastante más joven, como esos a los que dice usted que venía a ver por aquí.

—No sabrá su nombre...

—No, no lo sé. Quizá en la gestoría puedan decírselo. Lo vieron ir a buscarle allí más de una vez. De todos modos, creo que rompieron.

—¿Cree?

—Casi estoy segura. Dejó de aludir a él. Y estuvo algo tristón.

—¿Cuándo fue eso?

—Antes del verano.

—¿Y cómo estaba en las últimas semanas? ¿Notó usted algo raro?

Amaia se quedó pensativa. Imaginé que estaba preguntándose si no me estaba dando demasiados pelos y señales de la vida de su hijo; a mí, que por encima de ser quien investigaba su muerte, era uno de esos a quienes había festejado ver caer y deseaba fuera de su tierra.

—No sabría decirle —se cerró.

—¿Cuándo habló con él por última vez?

—El día antes de salir para aquí. El martes pasado, creo.

—¿Y qué le dijo?

—Que se venía diez días a Ibiza, a descansar.

—¿A descansar de qué? —forcé un poco.

—De la vida, de los malos recuerdos, yo qué sé. Pruebe a ponerse en su lugar. Estuvo en las cárceles de Francia, que son horrorosas, todavía más tristes que las de aquí, y luego en las de España, unos cuantos años más.

Lo dejaron salir porque tragó con su justicia amañada, y no todos en su tierra lo vieron bien, así que le tocó volver a sufrir.

—¿Usted no lo vio mal?

—Ni yo, ni la mayoría de la gente de su pueblo. Si hubiera sido diez años atrás, no le digo que no; pero cuando él salió estaba claro que la lucha armada ya no llevaba a ninguna parte. Se sigue admirando a los que aguantan la represión carcelaria del Estado español, pero a quien se busca la forma de salir ya no se le rechaza como antes.

—En todo caso, no es lo que se dice un ejemplo de resistencia. Tal vez no quieran hacerle muchos homenajes —me atreví a sugerir.

Amaia sacudió la cabeza.

—Se ve que no sabe de qué habla, ni conoce aquello, ni lo que ahora pasa allí. ETA ha dejado la lucha, estamos en construir Euskal Herria de otra manera. Y a quienes como Igor se dejaron un trozo de su vida por nuestra causa, acabaran como acabaran con la organización, se les respeta. Tendrá su homenaje. De eso ya se encarga su *amatxo*.

—Tiene razón, no lo conozco como usted —admití—. Sólo pensaba en voz alta. Parejas aparte, ¿le conoce algún amigo cercano? Alguien con quien se viera, a quien pudiera contarle cosas en confianza.

—Pues no muchos, aparte de los empleados de la gestoría, que eran eso, empleados, y algún compañero de lucha al que veía de vez en cuando, tampoco demasiado. Igor nunca fue muy sociable, y después de salir de la cárcel se volvió todavía más suyo de lo que ya era.

—¿Podría darme algún nombre?

—A la gestoría puede ir usted mismo, está abierta al público, pero no espere que le dé el nombre de ningún luchador por Euskal Herria para que vaya a incordiarle y recordarle lo que le hicieron pasar.

—No pensaba hacer nada de eso, pero como prefiera.

Se me estaba yendo, lo notaba por momentos. Y sin embargo, no podía dejar de pedirle algo más, aunque se me escapara del todo.

—Quería comentarle otra cuestión —le dije.

—¿Qué cuestión?

Por un segundo dudé si facilitarle ciertos detalles. Comprendí que si no lo hacía no iba a tener ninguna posibilidad de convencerla.

—Verá, estamos tratando de acceder a todas las comunicaciones de Igor. No descartamos que contactara por internet con esta persona a la que buscamos. Tenemos mandamientos judiciales, pero es posible que en algún caso nos ayudara reactivar su línea de teléfono móvil para recuperar con él las contraseñas, vía SMS. Y para eso podría hacernos falta el consentimiento de usted, como heredera legal de su hijo.

Amaia se tomó su tiempo para procesar lo que acababa de decirle. Me entró la duda de si se lo había explicado con suficiente claridad como para hacerme entender. La disipó de forma categórica:

—Ni sueñe que voy a ayudar a la Guardia Civil a fisgar en la vida de Igor. Miren lo que puedan con esas órdenes del juez. Me resigno a tratar con usted porque no tengo otra, pero que le quede claro que ni me fío de usted ni me fiaré nunca de los suyos. Y me da igual lo que me diga y lo que me prometa; me guiaré por lo que le vea hacer.

Intentado quedaba: podría alegarlo ante el juez y ante mis jefes. No creí que debiera pedirle nada más a aquella primera entrevista.

—Está bien, lo entiendo —desistí—. No la voy a presionar.

—Se lo agradeceré. No quiero ser grosera.

—Sólo le pido que se lo piense. Por si cambia de opinión.

—Pensado está. Y antes volarán los perros.

No desaprovechaba una. Era mejor no insistir.

—Por ahora no tengo nada más que pedirle —le dije—. ¿Hay algo que necesite usted? Respecto del traslado, o cualquier otra cosa.

—Según me han dicho en el juzgado y la compañía de seguros, ya está organizado todo. Podíamos volar vía Madrid o vía Barcelona. Les pedí que fuera vía Barcelona, Madrid me trae malos recuerdos.

Procuré mantenerme impasible, pero el gesto debió de traicionarme.

—No le costará entenderlo —explicó—. Allí tuve que ver varios días a mi hijo, en la Audiencia Nacional, en una de esas peceras donde los metían para juzgarlos, como si fueran animales en el zoológico.

—Era por su seguridad. Y para que estuvieran más cómodos. Sé que da mala impresión, pero le aseguro que estar esposado es peor.

—Permítame que no les agradezca esa deferencia suya.

—Tampoco me hacía muchas ilusiones. ¿Se ha grabado mi número? La llamé antes sin ocultarlo, para que pudiera apuntarlo usted.

—No, pero lo tendré en el registro de llamadas.

—Guárdeselo en la agenda. Subteniente Vila, con uve.

—¿Es su apellido de verdad?

—Casi.

—No entiendo.

—Es demasiado largo, por eso lo acorto. Llámeme si hay algo que crea que debería saber, cualquier cosa que le preocupe o que quiera saber usted. A cualquier hora. La atenderé lo mejor que pueda.

Se quedó otra vez mirándome, sin concederme excesivo crédito.

—No voy a dejar de tener mis dudas sobre eso —me advirtió.

—Haga la prueba. Siempre que quiera.

En sus labios se dibujó un amago muy remoto de sonrisa.

—Al menos en las relaciones públicas han mejorado algo.

—No sabría decirle. No sé con qué me compara usted.

—Ni quiera saberlo.

Se puso en pie, se estiró el anorak y se colgó el bolso en bandolera. Antes de marcharse, se preocupó de informarme, por si acaso:

—El café ya lo pagué cuando lo pedí.

Y con esa despedida, tan dudosamente cordial, echó a andar a través de aquella plaza con nombre de héroe y de paseo. No me levanté en seguida. Me quedé sentado allí, viéndola alejarse y acordándome de otras mujeres como ella, o parecidas a ella, a las que había conocido mucho tiempo atrás, cuando mi trabajo era atrapar a sus hijos, a sus maridos, a sus novios o a ellas mismas: a las que daban el paso de ayudar a matar o de empuñar la pistola para hacerlo. Me pareció toda una paradoja, y a la vez la realización de una misteriosa necesidad, que al cabo de treinta años mi misión fuera tan distinta, ofrecerle mis servicios y la reparación de aquella ley que ellas despreciaban.

Al verme solo y sin tomar nada, el camarero se acercó. La tarde era agradable, aunque algo fresca para estar a la intemperie. Sostuve su mirada incriminatoria y acabé por ofrecerle mi capitulación:

—Un cortado, si es tan amable —y antes de que se volviera, añadí—: Y una pregunta, por favor. ¿Sabe dónde hay por aquí una librería?

16
Una especie de transformación

La librería a la que me remitió el camarero estaba muy cerca del paseo. Tenía un nombre sugerente, Hipérbole, y aunque hiperbólicos sus fondos no eran, ya en ninguna librería lo son, mantenía a disposición de los lectores una oferta algo más que decente, en la que se contaba, dentro de la sección de autores locales, aquel libro sobre la estancia de Walter Benjamin en la isla, *Experiencia y pobreza*, de Vicente Valero. El personaje me atraía desde joven, cuando estando en la facultad un profesor nos recomendó un texto suyo sobre la niñez, *Infancia en Berlín hacia 1900*, y otro sobre la prostitución, sacado de su *Libro de los Pasajes*. En ambos afloraba una personalidad rica y compleja, un observador profundo de la vida y sus más recónditos motivos. Luego lo había ido leyendo a salto de mata, que era quizá la única manera de leerlo, y me había acabado vinculando de una forma extraña a su peripecia vital, tan solitaria, tan precaria, y al final tan desdichada. No podía dejar de buscar aquel libro, ahora que el azar de la profesión me arrojaba a la misma isla donde él, como mi víctima, había encontrado refugio.

Acercarme a la librería para hacer aquella compra era también una manera de hurtarle al día un pequeño espacio personal. Ante mis jefes, estaba entrevistando a la madre de nuestro difunto. Tomarme media hora más de lo que me había llevado en realidad la diligencia no iba a alterar el curso de los acontecimientos, y me permitía recordar que mi vida era algo más que seguir rastros cada vez más fríos de acciones execrables. De camino a la librería, por ejemplo, comprobé que tenía un par de wasaps de mi hijo, que respondí enviándole una foto de aquel héroe del descalabro de Cuba. Le puse un comentario: «Ya ves, aquí uno que era más viejo que tu padre, y mira qué guerra daba». Le debió de llegar en buen momento, porque respondió en seguida: «Eso es un hombre. Puntazo los prismáticos». No le escribí más, no le llamé, aunque me habría gustado oír su voz. Con aquello bastaba para saber que estaba ahí, que estaba bien. Todo lo demás era accesorio.

Antes de pagar el libro, me detuve a hojearlo, esa sensación cada vez más olvidada de examinar un objeto potencialmente valioso, en la propia mano y hecho materia ante uno, en lugar de revisar una ficha digital en una página web que sólo ofrece la imagen de una portada y como mucho un extracto o un avance. Quizá ese hábito cada vez más extendido en todos los órdenes de la vida, y no sólo en el comercio de libros, nos haya conducido a un pensamiento cada vez más hecho de sinopsis y de tráileres, sin una verdadera profundidad, sin la entrega de tiempo y al tiempo, la combinación de conjunto y detalle que lleva a entender de verdad las cosas. Me alcanzó para leer el prefacio, donde se hablaba de la época en que Benjamin conoció Ibiza, una isla que por aquel entonces todavía conservaba su forma de vida ancestral, anclada en las tradiciones acumuladas por las distintas culturas superpuestas sobre ella, y un paisaje natural intacto. Decía el autor que había podido entrevistar aún a algunos testigos de aquellos días, que le hablaban de un señor extranjero llamado Walter, que tenía unas gafas redondas y que iba siempre tomando notas en unos cuadernos muy pequeños. Era un notario del colapso de su mundo y de su tiempo, que en aquella isla lejos del corazón de Europa, a la luz del Mediterráneo, levantaba acta febril de la tragedia que estaba a punto de prenderle fuego.

En el libro había citas del propio Benjamin; entre otros, de los textos que había escrito durante sus viajes a la isla. Me llamó la atención, por la inercia natural de la mirada, uno que estaba en página impar y en la parte superior. Recordaba una frase de Horacio, «uno puede huir de su patria, pero no por ello logrará escapar de sí mismo», que Benjamin ponía en cuestión con estas palabras: «¿No es viajar una superación, una purificación de pasiones instaladas que están arraigadas en el entorno habitual, y con ello una oportunidad de desarrollar otras nuevas, lo cual, ciertamente, es una especie de transformación?». Por si me quedaba alguna duda, el pasaje terminó de convencerme de pagar el precio de aquel libro y llevarlo conmigo. Una buena compañía no debe eludirse y aquellas páginas lo eran, para aquel viaje que me ocupaba y para los que con toda probabilidad aún me tocaría emprender.

Salí de la librería preguntándome, como no podía ser menos, si Igor López Etxebarri buscaba huir de su patria, de sí mismo o de las dos cosas a la vez, y en qué medida lo conseguía allí, esto es, hasta qué punto lograba eludir la maldición de Horacio para experimentar la transformación superadora y purificadora de Benjamin. Por lo que me había dicho su madre, algo cambiaba en él: ni las imágenes de vídeo que yo había visto ni el testimonio de quienes se lo habían tropezado hablaban de un hombre reservado, como ella lo describía. El influjo de la isla, ya fuera en medio de su frenesí estival, tan contrario a aquella paz que había encontrado el filósofo, o en los resquicios más ocultos de su temporada baja, activaba en él un espíritu alejado de su biografía y su origen, una rebelión contra sí mismo que me daba que pensar.

En este punto comprendí que la hora del recreo tocaba a su fin y me resigné a sacar el teléfono móvil. Tenía un par de llamadas perdidas del cabo Arnau y otra de mi comandante, Ferrer. Llamé antes de nada al jefe, a quien aproveché para poner al día. Él me confirmó lo que ya sabíamos, esto es, que el caso se nos adjudicaba finalmente a nosotros, y me ofreció ampliar el equipo sobre el terreno. Lo último seguía sin parecerme necesario, de momento, pero había algo que me surgía de la conversación con Amaia Etxebarri y que no dejé de plantearle:

—Habría que hablar con alguien de policía judicial de Guipúzcoa, por si pueden hacernos una gestión. Hasta antes del verano, Igor tuvo un novio, o algo semejante. Rompieron, al parecer. No sé el nombre, pero por lo que me dice la madre podrían darnos razón en la gestoría propiedad de la víctima. No estaría de más ir localizándolo.

—De acuerdo, me ocupo —prometió Ferrer—. ¿Eso quiere decir que crees que al final habrá que darse un salto a Guipúzcoa?

—No lo descarte. Yo cada vez lo descarto menos. Así que cuanto más tengamos avanzado, si al final hay que ir, mejor que mejor.

—¿Con la madre bien?

—Ha tenido su punto, pero en términos generales ha sido bastante civilizado. Sólo me ha llamado perro de forma indirecta.

—Eres un artista.

—Sobrevivo, mi comandante. Que ya me basta.

Arnau no me lo cogió a la primera. Me llamó luego él.

—Perdona, mi subteniente, estaba en el servicio.

—Nada que perdonar. Me parece muy bien que no te aguantes, que entorpece el pensamiento. Estoy aquí tirado en el centro, ¿serías tan amable de pedir un coche y venir a buscar a tu viejo suboficial?

—Claro, ¿dónde te recojo?

—Tú consigue el coche y ven para acá y cuando llegues me llamas y te digo dónde estoy exactamente. Voy a aprovechar para reconocer un poco esta parte de la ciudad. ¿Me llamabas antes por algo?

—Nada urgente. Seguimos en lo que estábamos, los de Palma y los de aquí se han repartido el visionado de imágenes, que es la paliza de costumbre, y yo les doy algún relevo para que descansen. Estamos también mirando el detalle de llamadas y movimientos de su móvil, y en Guipúzcoa ya han clonado sus ordenadores del despacho y de casa, fijo y portátil, y acaban de darnos acceso a los ficheros.

—¿Y?

—Nada concluyente, aún. Te llamaba por otra cosa. Parece que nos ha aparecido otro testigo. Lo están comprobando los del puesto.

—¿Dónde?

—En San Antonio, al otro lado de la isla.

—¿Y eso?

—Lo están mirando todavía. Parece que anduvieron por allí, Igor y el otro, el viernes y también el sábado a primera hora. Antes de irse desde aquí a Formentera. Por cierto, tomaron el barco de las doce, los tenemos grabados a los dos en una de las cámaras del puerto.

—¿En qué actitud?

—Amigable. Nada raro. Cada uno con una mochila.

—¿Y qué hacían esa mañana en San Antonio?

—Eso mismo me pregunto yo. Ni idea.

—Bueno, ahora vemos. Aquí te espero.

Mientras Arnau pedía el coche y recorría aquel trayecto, calculé que tenía quince minutos para echar un vistazo al recinto amurallado, cuya pared occidental se veía al final de una especie de avenida a la que acababa de salir. Me acerqué a buen paso hasta la muralla, que atravesé por una de sus puertas. La sensación, de pronto, era como si hubiera viajado en el tiempo. Tras la imponente barrera defensiva, había un laberinto de callejas empinadas, de traza inequívocamente medieval, que conducían en dura pendiente hacia la parte más alta de Dalt Vila, donde mandaban la catedral y su torre. Era un trecho mínimo, que de no ser por las rampas habría podido cubrirse sin el menor esfuerzo. Las casas y los callejones ofrecían una imagen de paz y recogimiento y, por su estado, había recursos para mantenerlas. Aparte de algún hotel, algún museo y dependencias oficiales, allí sólo podía tener domicilio gente con un buen pasar económico, ya fueran forasteros o miembros de alguna de las familias más arraigadas en la isla. Me imaginé que también aquello empeoraría en verano, cuando por el empedrado en el que sólo resonaban mis pasos se apiñara la masa de turistas.

No llegué hasta la catedral. A medio camino me sonó el móvil. Mi buen Arnau había sido aún más diligente de lo que esperaba. Estaba ya entrando en la ciudad y me preguntó dónde me recogía.

—Vete hacia la parte de atrás de la muralla —le indiqué.

Después de un par de malentendidos acabamos encontrándonos en la calle que rodeaba por detrás la ciudadela. Arnau traía un Escarabajo de color amarillo, que me costó reconocer como un coche oficial.

—¿Y esto? —le pregunté.

—De los de policía judicial de aquí. Incautado, qué si no. Lo tenía la amante de un ruso, si te fijas todavía huele a perfume.

—Es verdad —comprobé—. Y sin fijarse. Casi te emborracha.

—¿Qué has comprado? —curioseó, señalando mi bolsa.

—Un libro.

—¿Ya terminaste con el griego?

—No, pero está permitido leer dos libros a la vez.

Esquivó la ironía. Mientras metía primera, preguntó:

—¿Qué tal con Amaia?

—Creo que no se puso perfume. Yo no se lo he olido, al menos.

—Es un resumen muy gráfico.

—Tira para la compañía. Te cuento de camino.

En aquella oficina de ocasión que el comandante Tuñón nos había habilitado a los investigadores visitantes reinaba una actividad febril. Había al menos tres personas mirando grabaciones de cámaras en las pantallas de sus portátiles y el resto procesaba documentación diversa. En la sala se mezclaban los venidos de Palma con el personal de Ibiza, entre ellos la guardia Eva, que era una de las que estaba con las imágenes. Como ya había demostrado en el curso de aquella investigación, tenía buen ojo y olfato para una tarea que es ingrata y tediosa, pero acababa dando pistas cada vez más determinantes. Entre otros motivos porque, como suele pasar con cada nuevo recurso que se aporta a las diligencias, los jueces y los jurados se habían acostumbrado, y sin un vídeo costaba más que se convencieran de que había que condenar a alguien.

En el corcho de la pared alguien había colgado el reportaje a toda página del diario local sobre el caso, con la entrevista en exclusiva a la madre de Igor. Sobre el titular, habían rodeado con un círculo trazado con rotulador las palabras «etarra», «homosexual» y «segunda clase». Vi que el periódico publicaba una fotografía bastante buena y bastante reciente de la víctima. Mostraba a Igor como un hombre de aspecto agradable, bien vestido y que daba sensación de estar en forma. Era, con mucha diferencia, la mejor fotografía que había visto de él, y me permití suponer que había sido la madre quien se la había facilitado a la periodista que la había entrevistado y firmaba la información. No dejé de advertir en el detalle el gesto de amor maternal: si su hijo iba a convertirse, para su mal, en personaje de la actualidad informativa, que por lo menos en la imagen que circulara de él se le viera guapo; más que en las fotografías que se habían publicado en otros medios, sacadas de fichas policiales y tomadas con motivo de su detención. Me entretuve leyendo en diagonal la entrevista, que no aportaba grandes novedades respecto de lo que ya sabía y lo que me había contado Amaia, hasta que vino Tomeu a sacarme de mi ensimismamiento.

El teniente me preguntó por la conversación con la madre. Le pedí que fuéramos a ver al comandante Tuñón con Ferrando, para poder así dar el informe a los tres en el mismo lote. Reproduje para ellos, con poca variación, el resumen que ya le había hecho a mi comandante y después a Arnau. Cuando terminé, Tuñón tomó la palabra:

—Ya que estáis aquí, os cuento lo que tenemos de San Antonio. El testigo parece sólido. Lo ha entrevistado el equipo de policía judicial del puesto del pueblo, que es el principal de esa parte de la isla. Es un jubilado que sale todas las mañanas a la misma hora a pasear al perro. Por lo visto, los vio las dos mañanas, viernes y sábado, con ropa de deporte, corriendo por el paseo marítimo que rodea la bahía y que conecta los municipios de San José y San Antonio. O vamos, Sant Josep y Sant Antoni, si alguno prefiere decirlo en la lengua vernácula.

—Por mí no se apure usted, mi comandante —aclaró Tomeu—. Una abuela me regañaba en castellano y la otra en mallorquín.

—Más binomios de abuelas como ese harían falta —dijo Tuñón.

—Tampoco se crea que es garantía de nada.

—¿Ese testigo está localizado? —pregunté.

—Por la relevancia, y por precaución, es un señor mayor y más vale amarrar estas cosas, se le ha pedido que vaya al puesto para tomarle manifestaciones formalmente y para que deje firmada el acta.

—¿Cuándo?

—Esta misma tarde. Posiblemente esté ahora ahí.

—¿Le parece bien que mi cabo y yo nos vayamos para allá?

El comandante se encogió de hombros.

—Tú mandas en el caso, Vila. Si lo crees oportuno...

—Pues con su permiso, me voy pitando.

—Llévate a alguien mío para que os haga de guía.

—Se lo agradezco. ¿Le importa si me llevo a Eva?

—No eliges al tuntún —juzgó.

—Bueno, así de paso puede descansar un poco de mirar grabaciones de videocámaras, que la he visto con los ojos rojos, a la pobre.

El jefe de la compañía me observó con indulgencia.

—Buen pretexto. Llévatela.

Para ahorrarnos extravíos y rodeos, dejamos que Eva se pusiera al volante del Escarabajo amarillo. La distancia era escasa, poco más de quince kilómetros por una autovía cuya construcción había creado en su día, según nos dijo nuestra compañera, una polémica considerable. Además de las rotondas que se sucedían en su trazado, y las pasarelas que había habido que colocar para que los pasajeros del autobús de línea que hacía aquella ruta pudieran tomarlo en las dos direcciones, muchos dudaban de que la distancia justificara una vía rápida, con el impacto que tenía sobre el paisaje y el tramo mínimo en que realmente lo era. De poco sirvieron todas las movilizaciones, protestas y pancartas. Los intereses pecuniarios prevalecieron al final.

—Por ejemplo, ahí está la famosa Amnesia —nos indicó Eva—, que nuestro trabajito nos da en el verano, por cierto. Y en San Antonio y en San José se concentra buena parte del turismo de la isla, los ingleses y alemanes que vienen aquí a desbarrar como si no hubiera un mañana. Aunque a eso, para ser justos, más los ingleses que los alemanes.

La luz iba cayendo y apenas pude apreciar el paisaje del interior de la isla, verde y con suaves ondulaciones montañosas. La mayor altura de la ruta era el pueblo de Sant Rafel de sa Creu, o San Rafael de la Cruz, que también estaba más o menos a mitad del camino. Pensé que en otra época serviría como descanso para que los que no eran buenos andarines pudieran hacer el recorrido en dos etapas. Para los que sí lo eran, estaba perfectamente al alcance hacerlo en una sola jornada.

—No es feo esto —opiné—. El juez me ha recomendado un lugar del interior, ahora no recuerdo bien el nombre. Beni algo.

—Benimussa —dijo Eva—. A tu izquierda, tras esos montes.

—¿Y merece la pena?

—No parece Ibiza. La Ibiza que todo el mundo se imagina, digo.

—Eso suena bien.

—Podríamos desviarnos, pero está anocheciendo. Poco vas a ver.

—Deja, deja. A lo que estamos.

El puesto de San Antonio era también, como la compañía de Ibiza, bastante nuevo y aparente. Estaba en las afueras de la población, lejos de la playa que concentraba a su alrededor toda la vida nocturna y diurna de aquel lugar que en los tiempos en que Benjamin lo visitó era poco más que un puerto y un pueblo de pescadores. Ahora se había convertido en un emporio turístico, con hoteles y edificios de diez y más pisos que formaban en su frente litoral una muralla blanca y compacta tras la que quedaba escondido el núcleo originario. Durante el año tenía más de veinte mil habitantes fijos; en temporada alta ni quise imaginar la gente que podía concentrarse allí. Los aventureros y vagabundos centroeuropeos que llegaron cien años antes huyendo de un continente convulso, esos mismos que pusieron a Benjamin en la pista de un sitio apacible y con buen clima en el que podía subsistir y trabajar con el poco dinero que lograba ganar desde que su condición de judío lo convirtiera en un paria, habían acabado abriendo paso a un tsunami que había arrasado aquel paisaje idílico. La misma historia, tantas veces repetida, al servicio de la primera industria del país.

Eva entró en el puesto con la soltura de una buena conocedora. Llamó al guardia que estaba de servicio de puertas por su nombre de pila y le preguntó por el sargento Hernán, el jefe del equipo de policía judicial que llevaba la gestión del testigo. El guardia, que venía a ser el primer dique contra el que chocaban todas las tormentas en un puesto como aquel —una experiencia que yo sólo había conocido fugazmente en mi primer destino en Lérida—, se puso en pie y nos indicó:

—Está en la sala del fondo, tomando unas manifestaciones.

Respiré con alivio. Eso quería decir que habíamos llegado a tiempo.

—Muchas gracias, ya les llevo yo —le dijo Eva.

Ya ante la puerta, llamó y la entreabrió con cuidado:

—¿Da su permiso, mi sargento?

Por la rendija vi a un par de hombres alrededor de los cuarenta: uno, el más alto, rubio, despeinado y con los ojos azules, era Hernán; y el otro, un guardia de su equipo. Frente a ellos se sentaba un anciano que pasaba de los setenta, pero al que se veía saludable y con un color estupendo. Conservaba una nube de cabellos blancos flotando sobre el cráneo y tenía unos penetrantes ojos grises. Vestía unos vaqueros y un anorak rojo de entretiempo que no se había quitado. No había mucho resquicio para la duda: aquel era nuestro testigo, y desde el principio me dio buena espina. Se le veía un hombre meticuloso y despierto; las dos cualidades, junto con un cierto control sobre la propia fantasía, que contribuyen a hacer de un testigo una herramienta válida, incluso letal para el delincuente, en manos de un investigador que conozca su oficio. El sargento salió a recibirnos, Eva hizo las presentaciones y sin más dilación nos unimos al interrogatorio. Antes de nada, Hernán se ocupó de poner al testigo en antecedentes sobre nuestra presencia.

—Son unos compañeros que están con el caso y acaban de llegar de la compañía. Él es el señor Kurt Bran... dauer. ¿Lo he dicho bien?

—Perfecto —aprobó el aludido, con una sonrisa comprensiva.

Le agradecí al sargento que no revelara que Arnau y yo éramos de la UCO; a la escala modesta que corresponde a un asalariado público y militarizado, la fama de la unidad era cada día más un engorro, una lata análoga a la que sufre un futbolista cuando llega a un aeropuerto. Todavía no nos obligaban a posar en selfis, pero no cabía descartarlo, si la dinámica de autoexposición compulsiva en que estaba inmersa la humanidad mantenía su ritmo de progresión exponencial. Prefería, con mucho, que aquel hombre no nos viera sino como dos miembros más del equipo, sin las connotaciones indeseables que despertaba la alusión a nuestra procedencia de Madrid y de la unidad central.

—Siento haberles interrumpido —me excusé—. Sigan, por favor, por donde iban, ya nos contarán los compañeros lo que nos hemos perdido.

El sargento hizo recuento sobre la marcha:

—Os habéis perdido poco. El señor Brandauer nos estaba diciendo la hora de las dos veces que se cruzó, el viernes y el sábado pasados, con la persona a la que nos identifica como Igor López Etxebarri.

—Ha sido esta mañana, cuando me he puesto a leer el diario y he visto la foto que publicaba —dijo Kurt, que hablaba un español con acento pero sin titubeos, como de alguien que llevaba mucho tiempo haciéndolo—. No he tenido ninguna duda. Es el mismo hombre al que vi. Me fijé bien, sobre todo la segunda vez, en la cara y el gesto. Y en la mirada, la tenía igual que en la fotografía: ese mismo aire un poco triste, y a la vez esa energía que desprende. No sé si me explico.

Recordé la fotografía que acababa de ver, en el recorte clavado sobre un corcho en la compañía de Ibiza. Se explicaba de maravilla.

—También ha reconocido el señor Brandauer a su acompañante. Es el mismo joven de la fotografía que nos mandasteis ayer.

—Ahí, la verdad, estoy menos seguro —aclaró el testigo—, me fijé menos, con el que me tropecé de frente fue con el mayor, el joven iba corriendo unos metros por detrás. Le seguía a duras penas.

—¿El joven al mayor? —dudé.

—Sí. Este hombre, Igor, se veía que corría regularmente. El otro no estaba tan en forma. Eso fue lo que hizo que me fijara en la pareja.

—Sobre todo el segundo día, ¿no? —apuntó Hernán.

—Eso es —confirmó Brandauer—. El viernes me llamó la atención que dos hombres de edades tan diferentes corrieran juntos y que el que le doblaba los años al otro fuera más rápido. El sábado hubo algo más. Al joven no le sentaba nada bien que lo dejara atrás el otro. Tenía una cara de enfado tremenda. Y el mayor no aflojaba el ritmo.

Recordé la duda que aquel hombre acababa de sembrar. Para que la información tuviera algún valor, debía intentar disiparla.

—Dice que no está tan seguro de que el joven fuera el de la foto.

Kurt Brandauer negó con la cabeza.

—Que no lo recuerdo con tanta claridad. Pero si no era él, debía de ser un pariente. Mismo tono de piel, misma complexión, mismo corte de pelo, misma forma de la cara. Apostaría que era él al noventa por ciento. De que el otro era el muerto estoy seguro al cien por cien.

Miré de reojo a Hernán. Aquello del noventa por ciento no tenía por qué ir en el acta de manifestaciones, porque las probabilidades, frente a un jurado al que se pasan todo el juicio recordándole que su deber es aplicar la presunción de inocencia, las carga el diablo. Tiempo había para acumular otras pruebas a las que aquel testimonio se sumara, sin que el peso de una posible acusación recayera en exceso sobre él.

—En cuanto a cuándo los vio —intervino el sargento—, nos dice el señor Brandauer que no tiene duda, porque todos los días sale a la misma hora a hacer el mismo recorrido, que tiene cronometrado. Con muy poco margen de error, se los cruzó el viernes a las 8.15 de la mañana en la playa de Es Pouet, donde se unen los términos municipales de San José y San Antonio, y el sábado a las 8.25 cerca de Sa Punta des Molí, en San Antonio. Son dos lugares que no tienen pérdida.

Crucé entonces una mirada con Arnau. Los dos estábamos pensando lo mismo: salir a correr el sábado a las ocho de la mañana, después de haber prolongado la fiesta hasta la madrugada, era algo que tampoco nos habría sentado nada bien ni a él ni a mí. Se comprendía el fastidio del acompañante de Igor, y más si la costumbre de la carrera matinal formaba parte de las aficiones de uno más que de las del otro.

El sargento quiso especificar un detalle:

—Entiendo que en los dos casos iban por el paseo marítimo, sin más. Quiero decir, que no los vio entrar ni salir de ninguna parte.

—Así es —dijo el testigo—. Las dos veces me los crucé en el paseo, y los vi justo el tiempo que dura eso, el cruzarse. Para serle sincero, la segunda vez un poco más, porque me volví a mirarlos. Tampoco más de un par de segundos. Lo que quizá les interese es que las dos veces venían corriendo desde San Antonio, así que el sábado iban con un poco de retraso respecto del viernes, porque me los encontré un poco antes en su recorrido y eran alrededor de diez minutos más tarde.

Vi que Eva tomaba notas en su libreta. Aquella información era de su interés, aunque todavía no podía imaginar a qué efectos.

—Cuando se cruzó con ellos, tanto el viernes como el sábado, ¿les oyó usted decir algo? —le pregunté a nuestro testigo.

—No, la verdad. El joven no creo ni que pudiera hablar, y el otro... Espere, ahora que lo dice, sí que le oí decir algo así como «vamos» o «tú puedes». Como si quisiera darle ánimos a su compañero.

—¿En buen tono o burlándose de él?

—No sé. Bien, diría. No me pareció que se burlara.

Recogimos todas las informaciones que Brandauer nos proporcionó en el acta de manifestaciones y luego se la dimos a leer y firmar. Kurt repasó escrupulosamente el texto, sugirió introducir una precisión, le señaló al guardia que había transcrito sus declaraciones la falta de tres tildes y, subsanadas esas deficiencias, estampó su firma al pie. Luego el sargento y yo lo acompañamos a la salida. Antes de despedirnos, y tras agradecerle su cooperación, no pude evitar preguntarle:

—¿Lleva usted mucho tiempo en la isla?

Brandauer volvió a obsequiarnos con su sonrisa afable.

—Viviendo, casi quince años ya. Viniendo, más de medio siglo.

—¿Puedo preguntarle a qué se dedica, o se dedicaba usted?

—Ahora, a mirar la bahía. Antes, cuando todavía vivía en Baviera, fui ingeniero. Para BMW. Estaba bien, pero prefiero la bahía.

—Nos ha venido bien que tenga la costumbre de mirarla.

—Me alegra. Es bueno ser útil. Suerte con esa investigación.

—Gracias. La suerte nunca está de más.

Cuando Hernán y yo regresamos a las dependencias del equipo de policía judicial nos cruzamos con Eva, que caminaba deprisa hacia la puerta con el móvil en la oreja. Tapó el auricular y nos explicó:

—Tengo mala cobertura ahí dentro. Estoy comprobando una cosa.

La vimos rebasarnos y salir a la calle. El sargento me preguntó si quería alguna información en particular sobre la zona de San Antonio y de San José: hoteles, restaurantes, empresas de alquiler de vehículos. De paso, me hizo saber que había algo que ya habían indagado:

—Hemos mirado los registros de huéspedes de todos los hoteles de la zona que están abiertos. Ahora en temporada baja no son tantos. Y en ninguno de ellos consta que se alojara Igor López Etxebarri.

—Si lo hizo, la habitación podía estar a nombre del otro.

—Esa es mi conjetura.

—Y un buen dato, si pudiéramos confirmarlo.

—Si quiere, mi subteniente, nos paseamos mañana por todos ellos con la foto, a ver si hay suerte y algún recepcionista lo reconoce.

—Me parece bien, y tutéame, por favor. De suboficial a suboficial, que para eso somos la columna vertebral de la empresa.

—Sí, sobre todo de las vértebras de abajo —bromeó.

—Columna al fin y al cabo. Y si lo piensas, la parte que más soporta. ¿Podría echarle un vistazo al puesto? Tiene bastante buena pinta.

—Es el más grande que tenemos en la isla. No está mal.

Me enseñó las oficinas y las viviendas y le pedí ver también algo que siempre me gusta conocer: los calabozos. Para quien tiene como oficio meter a la gente en ellos, es bueno verlos desde dentro, a ser posible con la puerta cerrada. Ayuda a ponerse en la piel y la mente del otro: en la situación, el miedo y la angustia del detenido, al que a menudo hay que arrancarle una verdad que no le conviene decir. Aquellos eran lóbregos y solitarios, como todos, pero no tenían mal tamaño. Hernán me contó la que parecía ser la anécdota culminante del lugar:

—Ahí donde lo ves, en alguno de esos hemos llegado a meter a diez tíos. El verano pasado. Una *rave* ilegal que acabó de mala manera, con los guiris pasados de rosca enfrentándose a palos y pedradas contra nosotros. Pedimos refuerzos, cargamos y acabamos engrilletando y llevándole al juez a setenta. No veas qué subidón de adrenalina.

—Me puedo imaginar.

En ese momento apareció a mi espalda la guardia Eva.

—Mi subteniente —me dijo—. Acabo de hablar con la policía local de San José y de San Antonio. Mañana me pasan las imágenes del viernes y el sábado. Ese paseo es un plató de televisión, hay cámaras por todas partes. Con un poco de suerte, mañana tendrá la película completa de las dos carreras que se dieron Igor y su joven amigo.

La miré, traspasado de gratitud. No pude callarme lo que pensaba:

—Ya sabía yo que eras tú quien tenía que traernos.

17
Estar ahí

Igual que te depara regalos imprevistos, hay ocasiones en la vida en las que te sale al paso justo lo que no esperas y menos quieres. Hasta qué punto sus quiebros pueden llegar a resultar indeseables lo pude comprobar una tarde de primavera de principios de los noventa, cuando andaba con mis compañeros en un dispositivo de vigilancia sobre dos personas integradas en la infraestructura de apoyo de un comando de liberados. Aquellos individuos ya habían cometido un par de atentados y nuestros jefes estaban empeñados en localizarlos y neutralizarlos antes de que siguieran con su campaña. Para entonces, con casi un año de servicio en el grupo, Álamo y yo éramos agentes curtidos. De las dudas y las inseguridades de los comienzos habíamos pasado a tener una actitud cada vez más resolutiva, que habría podido tomarse por temeridad si no nos hubieran adiestrado —y a cada paso Ruano no nos insistiera— para que no dejáramos jamás de tener en cuenta todos los riesgos de cada uno de nuestros movimientos.

Era aquella resolución la que nos había permitido dar con el más que probable escondrijo de un comando operativo. Las idas y venidas de aquellos dos colaboradores nos conducían, una y otra vez, a la misma dirección: un piso en las afueras de un pueblo de la costa de Guipúzcoa. Sólo nos faltaba asegurarnos de que los etarras paraban por allí. Para ello, aparte de vigilar el piso, no les quitábamos ojo en todo el día a los *laguntzailes*, por si en alguno de sus viajes llevaban o traían a quienes nos interesaban de veras: los que empuñaban las armas.

Aunque ya habían pasado algunos meses, seguía escociéndonos el fracaso de nuestra operación sobre el caserío. Nunca supimos si aquel liberado al que Aurora y yo habíamos visto salir con una mochila no había vuelto más por allí, y tampoco sus compañeros de comando, porque habían cambiado de planes, porque les habían mandado pasar a Francia o porque de alguna forma nuestra presencia había acabado por ponerlos sobre aviso, aunque la gente del pueblo, según todos los indicios que teníamos, se tragara el cuento de los toxicómanos en rehabilitación y su benefactor jesuita. En la vigilancia que no dejamos de mantener con medios más reducidos y esporádicos en las semanas siguientes, vimos que uno de los dueños de la casa iba por allí y cargaba el maletero de su coche con unas bolsas de basura, de las que se deshizo poco más tarde en un contenedor cercano. Las examinamos y descubrimos que estaban llenas de comida caducada. Dedujimos que debía de tratarse de la que le habíamos visto comprar a la Abeja Maya, la colaboradora encargada del aprovisionamiento. Bien podía ser ella, como correo de algún mensaje recogido en la cita anterior y entregado junto con los víveres sin estar al tanto de su contenido, la que había provocado que el comando cambiara de aires, antes de que nosotros pudiéramos instalar nuestra vigilancia y sin que esta tuviera nada que ver. La hipótesis la reforzaba el hecho de que a partir de entonces nuestro seguimiento sobre Maya no arrojara ningún resultado.

Ahora, en cambio, teníamos la sensación de que estábamos encima de ellos y a punto de conseguir frutos, y eso redoblaba a un tiempo la tensión con que trabajábamos y las precauciones que debíamos tomar para que aquellos a quienes seguíamos, y que habían de llevarnos al objetivo, no se percataran de que estábamos allí. En particular, aquella tarde estábamos detrás de uno de ellos, al que habíamos bautizado como Calimero por su gesto, entre agobiado y compungido. Era un hombre de mediana edad, de profesión legal carpintero, y que por esos días estaba trabajando en la reforma de un comercio en un pueblo del interior. Para poder moverme con más rapidez, me había provisto de una bicicleta y me había disfrazado como uno de los muchos que por allí tenían afición a pedalear. Cada cierto tiempo, para despistar a quien pudiera fijarse en mí, me cambiaba el maillot, cuidando de que ninguno fuera demasiado llamativo. Mientras iba y venía me mantenía siempre cerca de nuestro hombre, pero fuera de su campo visual.

Hacía una tarde agradable, de sol y sin viento. Me había sentado en una plazoleta próxima, donde fingí que me tomaba un descanso y de paso dejaba que aquel solecito me bronceara y caldeara la piel. Estaba así, calculando lo que faltaría para que Calimero acabara la jornada y volviera a moverse, cuando oí un ruido inconfundible. En total fueron cinco disparos, en dos tandas: pam, pam, pam... pam, pam. Abrí los ojos de golpe y procuré que no se me notara mucho, al ponerme en pie, que era un guardia civil. Comenté con una mujer que pasaba:

—¿Qué ha sido eso?

—A mí me han parecido tiros —dijo, sin mucho énfasis.

En ese momento se oyó un chirrido de neumáticos mezclado con un griterío, sobre todo de voces femeninas, que me ayudó a localizar la dirección de la que provenía el sonido de las detonaciones. Agarré la bicicleta, bajo la mirada algo recelosa de la mujer, y me la puse despacio debajo de las piernas. Instantes después me llegó un mensaje por transmisiones. Era de uno de los coches que teníamos apostados a la salida del pueblo. El compañero sonaba apremiante y alterado:

—Vehículo dándose a la fuga a mis tres, ¿voy tras él?

—¿Ocupantes? ¿Lo tienes cerca? —preguntó el sargento Cepeda.

—Dos varones. A medio kilómetro, ya por la carretera.

El sargento dudó un segundo.

—Está bien, ve e informa. Los demás mantened posición.

Me aparté un poco para poder hablar discretamente.

—Yo estoy cerca de donde han sonado los disparos. Voy a ver.

—Con cuidado —me advirtió Cepeda.

Arranqué a pedalear con todas mis fuerzas, despertando, ahora ya sí, las sospechas de la mujer, que no me quitaba ojo de encima. Avancé haciendo eses entre los coches hasta que salí a una calle más ancha. Al fondo vi un colegio y la gente que se arremolinaba alrededor. Me di cuenta de que era la hora de salida de los chavales y forcé aún más el ritmo de mi pedalada. Al griterío de antes había sucedido una especie de rumor sordo. Entonces reparé en que la multitud se movía poco a poco y se pegaba a la valla del centro escolar, dejando despejado un trozo de calle. En él vi un coche con la puerta del copiloto abierta. No me lo pensé, aunque el movimiento no sólo arruinaba mi cobertura: también me sacaba de la operación, novedad que debía poner cuanto antes en conocimiento del sargento que la estaba coordinando.

—Aquí ha pasado algo gordo —informé por las transmisiones—. Permiso para comprobar y abandonar mi puesto.

—¿Cómo algo gordo? —preguntó Cepeda.

Justo entonces, mientras me acercaba al coche, mis ojos registraron aquella imagen que ya no iba a borrarse nunca de mi memoria. En el parabrisas, perfectamente agrupados, los cinco impactos de bala, que me resultaban visibles a través del hueco que dejaba la puerta abierta.

En el asiento del conductor, la cabeza vencida y ensangrentada de un hombre. En el suelo, junto al coche, una cartera escolar. Y unos metros más allá, cruzando a duras penas la calzada, un niño que se arrastraba, a gatas, hacia un banco, bajo la mirada de un gentío que no movía un dedo para levantarlo, ampararlo ni ofrecerle ayuda alguna. Ensamblé las piezas y no me costó interpretarlas. Di cuenta al sargento:

—Ha sido un atentado. Junto al colegio. Hay una víctima y un niño solo. Me quedo aquí, que alguien pida una ambulancia y refuerzos.

—Joder —maldijo Cepeda, a quien aquel dispositivo de vigilancia le acababa de saltar en pedazos—. El del coche, no lo pierdas y dame la posición. Moro, tú ve con Gardel, lo antes que puedas. Los demás, a mi orden. Aviso a base para que manden refuerzos urgentes.

En ese momento, aunque seguía oyéndolas por el miniauricular que llevaba incrustado en el oído, me desentendí por completo de lo que me iban cantando las transmisiones. Tiré la bicicleta junto al coche, me acerqué a echar un vistazo a aquel hombre, suficiente para comprobar que no se movía y que debía de estar muerto, y sin más me dirigí hacia el niño, que ya había alcanzado el banco y se encaramaba a él. Estaba temblando y llorando, pero no llegaba a emitir ningún sonido. Cuando me vio venir abrió los ojos de par en par y empezó a boquear de tal manera que creí que se asfixiaba. Lo sujeté entonces por los hombros, tratando de hacerle sentir más el calor que la fuerza de mis manos.

—No tengas miedo —le dije—. Vengo a protegerte.

La mirada del chaval me hizo ver lo absurdo de mis palabras. No podía tener más miedo, nadie podía protegerle de nada ya. Lo que le acababa de suceder era tan inapelable como irreversible. Había visto cómo un pistolero se colocaba delante de su padre y le pegaba cinco tiros, pero también había visto algo más, en la acción y en el ejecutor: el odio infinito que un ser humano puede sentir por otro, la crueldad con que la mano de un hombre se puede llevar la vida de otro hombre. No de cualquiera, sino del que era su sostén y su resguardo frente a los males del mundo. Tras sufrir en su carne aquella explosión atómica, el poder devastador con el que un conflicto que lo sobrepasaba se había concentrado de golpe en su pequeña vida para hacerla trizas, cómo iba a dejar de tener miedo, hasta su último día. De qué iba a protegerle un ciclista ridículo que salía de pronto y a destiempo de la nada, y que a la nada, dijera lo que dijera e hiciera lo que hiciera, iba a volver.

Entonces, después de tanto aguantarse, el niño rompió a gritar, y para calmarlo no pude hacer nada más que estrecharlo en mis brazos. Aquella tarde, abrazando en un banco a un niño al que no conocía, también yo, aunque de forma indirecta y sin que me destrozara como a él, tuve noción del mal absoluto y del miedo que causa y no puede dejar de causar a quien lo sufre. Mientras sentía sus espasmos y sus sollozos, mientras sus lágrimas me iban empapando poco a poco el maillot, me comprometí a no olvidar aquel dolor ni condonar jamás aquella infamia: la inconsciencia inhumana que permitía ser el ángel exterminador de la alegría de una criatura inocente y que reducía a simple podredumbre toda causa o idea que pudiera justificarlo. Me dije que tampoco me iba a ser lícito borrar de mi memoria a aquella gente que había sido capaz de ver a un niño arrastrarse sin acercarse a socorrerlo; aquella gente que nos miraba desde lejos y desde fuera, que no sentía nada o que a lo mejor creía tener —o tenía, qué más daba— la excusa del horror y del miedo para abstenerse de comportarse como dictaba el imperativo de la más elemental misericordia. Porque ellos, su inacción, su silencio, su bendición implícita, eran el mal tanto como el odio y el gatillo y la pólvora que habían empujado las balas.

Vi venir a Álamo, a la carrera. Era uno de los que vigilaban el local donde Calimero estaba trabajando, así que había tenido que correr un buen trecho. Aquella tarde estaba caracterizado con la indumentaria habitual de nuestros enemigos: vaqueros gastados, chupa de cuero, camiseta del grupo Kortatu y hasta un pendiente de aro bien visible en la oreja izquierda. Se detuvo también al llegar al coche, aunque él se metió por el hueco de la puerta para comprobar más de cerca que el hombre ya no respiraba. Un minuto más tarde se me acercó con una cartera en la mano. Se acuclilló ante el banco y, aprovechando que mi cuerpo lo ocultaba a los curiosos, la abrió y me dejó ver la placa.

—Uno de los nuestros —susurró—. ¿Es el hijo?

—Eso parece.

—¿Lo ha visto?

—Peor. Lo ha vivido.

A Álamo se le escapó un puñetazo que hizo temblar la madera del banco. Luego respiró y le pasó la mano por la espalda al chaval.

—Tranquilo —le dijo—. Somos compañeros de tu padre. Te vamos a sacar de aquí ahora mismo. Ya viene nuestra gente a buscarnos.

El murmullo creció entre quienes nos observaban, como si fuéramos alienígenas que acabaran de estrellarse con su platillo volante. Había hombres y mujeres, jóvenes y viejos. Hasta había algún niño, a quien sus padres no habían considerado oportuno llevarse de allí lo antes posible. Entre las voces se distinguió entonces la de un hombre:

—Qué quieres que te diga, lo siento mucho por el chaval, pero mira, ya está bien, ya era hora de que le dieran a alguno por aquí.

El fuego que se encendió en la mirada de Álamo me hizo saber que él también lo había oído. Temiéndome lo peor, traté de retenerle:

—Déjalo correr. Lo que importa es lo que importa. Y estamos solos.

Se oían ya sirenas en la distancia. Aunque no se hubieran oído, creo que Álamo habría hecho exactamente lo mismo. Se puso en pie, se abrió la chupa, y con los puños apretados y el pecho fuera, hinchando bien el logo de Kortatu, se fue hacia la gente que nos contemplaba.

—He oído rebuznar a un burro. ¿Se atreve a levantar la pezuña?

—Moro —le llamé, sin esperanza.

Se hizo el silencio. Las sirenas estaban cada vez más cerca. Álamo le mantenía el pulso a la muchedumbre de curiosos, paralizados por el espectáculo que ofrecía aquel tipo que de pronto los desafiaba.

—¿Qué pasa, que en esta mierda de pueblo no hay cine?

—Moro —insistí.

Le vi colocarse con los brazos en jarras. Luego se llevó la mano al bolsillo de atrás del pantalón y sacó su cartera. Cerré los ojos. Lo iba a hacer, y no tenía manera de impedirlo. Abrió la cartera en el aire y les mostró la placa. Más bien la movió en abanico, de un lado a otro.

—Ya sabéis quién soy. Fuera de aquí. Ahora. Al que se quede me lo llevo a Intxaurrondo, le arranco las uñas y se las hago comer.

Por fortuna, y antes de que la furia le llevara a hacer o a decir más disparates, aparecieron en la calle los primeros todoterrenos del GAR, nuestra fuerza de acción antiterrorista, que venía en avanzadilla con la misión de acordonar y de controlar la zona. Fueron ellos los que se ocuparon de crear un primer perímetro de seguridad, hasta que llegó el grueso de las fuerzas, la gente de Información y de Criminalística y las patrullas de la propia demarcación. Uno de los miembros de estas últimas reconoció a la víctima y a su hijo, con los que compartía casa cuartel, y se hizo cargo del chaval. Cuando se lo entregué, se abrió una especie de vacío ante mí. No iba a ser fácil taparlo. En adelante tendría que llevarlo conmigo y sería parte de mi alma y de mi nombre.

Nuestra jornada estaba muy lejos de terminar. Una vez que vimos que la situación estaba controlada y no éramos necesarios, retomamos el contacto con el sargento Cepeda para reincorporarnos al dispositivo al que nos habíamos sustraído. El sargento nos pidió que fuéramos a la entrada del pueblo a reunirnos con él. Cuando llegamos al punto de encuentro que nos había designado, vimos que todo el grupo estaba allí, o lo que es lo mismo, que nadie se ocupaba ya de Calimero.

—¿Se confirma que es un guardia? —preguntó el sargento.

—Del puesto del pueblo de al lado —le expliqué, como antes me lo habían explicado a mí—. Cinco tiros, delante de su hijo.

—Qué hijos de puta —mascullό Cepeda—. En fin, os pongo al día. Hemos perdido al coche en el que se dieron a la fuga.

—Vaya por Dios —dijo Álamo.

Me fijé entonces en la expresión de mis compañeros. Pese a lo que acababa de decirnos el sargento, no era de desánimo. En sus rostros se mezclaba la rabia por el atentado con una extraña expectación.

—Esa era la mala noticia, o la segunda mala, después de lo que ha pasado hoy en ese pueblo —dijo Cepeda—. Ahora la buena, que os va a hacer entender por qué estamos todos aquí, esperando a que vinierais y pasando olímpicamente de Calimero. No os lo vais a creer.

—¿Qué ha pasado? —pregunté.

El sargento nos dedicó una sonrisa triunfal.

—Adivina a dónde han ido a meterse los guarros.

—No me diga, mi sargento —exclamó Álamo.

—Ahí mismo —confirmó—. Es una putada que no fuera ayer, o la semana pasada, antes de que hicieran lo que han hecho hoy. Pero los tenemos controlados y rodeados. Son tres, el comando completo. Uno está identificado; los otros, en ello andan. La unidad de intervención viene ya de camino. Esta noche, si el juez nos lo bendice, les echamos la zarpa. Y esto es fruto de vuestro trabajo, podéis estar orgullosos.

—Si no hubiéramos llegado tarde para ese chaval —dije.

—Piensa que ya no van a poder dejar huérfano a otro.

—A ese otro no le he visto llorar. A este sí.

El comando había logrado zafarse de nuestro seguimiento gracias al recurso a un segundo vehículo de seguridad, en el que su tercer miembro estaba esperando a los dos que habían cometido el atentado y que allí mismo abandonaron el coche en el que huían, robado pocas horas antes. Hicieron la maniobra con rapidez y cuando llegaron nuestros compañeros sólo encontraron el vehículo al que perseguían con las puertas abiertas y ni rastro de los asesinos. Lo que no se esperaban los etarras fue que el piso que habían preparado como refugio seguro después de la acción estuviera rodeado por un enjambre de guardias civiles, que los fotografiaron a su entrada en el bloque, como hacían con todos los que pasaban por allí. Aunque tomaron más medidas de seguridad, entre ellas ir de uno en uno y con un intervalo de un par de minutos, su aspecto y su mirada, la de alguien que está inusualmente atento a lo que ocurre a su alrededor, ya despertaron las sospechas de los que controlaban el lugar. Las fotografías permitieron reconocer a uno de ellos, un etarra fichado, y uno de los nuestros que vigilaba con teleobjetivo el piso en cuestión vio unas siluetas que se movían tras una ventana cuya persiana no estaba bajada del todo. Era material más que suficiente para ir al juez, pedirle el mandamiento y organizar el asalto. El asesinato reciente ayudaría a persuadir a su señoría.

Esperamos a la noche, el momento en el que era más

seguro hacerlo porque los ocupantes del piso estarían menos pendientes, habría menos gente en las calles y sería más fácil aproximarse sin que nadie se diera cuenta. A eso de la una de la madrugada, la fuerza que iba a llevar a cabo el asalto y las unidades uniformadas que tenían la misión de acordonar la zona llegaron en furgonetas sin distintivos y tomaron posiciones. Nosotros ya llevábamos horas allí para asegurarnos de que ninguno de ellos salía del piso, aunque no era previsible que lo hicieran, tan pocas horas después de cometer el atentado. Una vez que todos estuvieron en su sitio, los de intervención abrieron el portal y se deslizaron dentro. Poco después, oímos gritar «¡Guardia Civil!» un par de veces y eso fue todo. Minutos más tarde, nos dieron el aviso de que el piso estaba asegurado y despejado. Cuando llegamos al portal, ya se había hecho visible el cordón de seguridad, la zona estaba tomada por varios todoterrenos de los GAR y algunos vecinos se asomaban a las ventanas. Alguno de ellos gritó algo en euskera que no entendimos, pero la mayoría asistía con el aliento contenido al espectáculo. Por el despliegue y por la hora, eran conscientes de que la operación iba en serio y de que nos habíamos cobrado una pieza de caza mayor.

Luego nos contaron los de la unidad de intervención que los habían sorprendido durmiendo. Uno de ellos tuvo tiempo de reaccionar y echar mano al arma, pero uno de nuestros agentes anduvo más rápido y le libró de un culatazo del disparo que habría recibido si le hubiera dado tiempo a montarla y apuntar. Cuando llegamos al piso los tres estaban en calzoncillos, sentados en la cama con las manos esposadas a la espalda. Uno mantenía la vista apuntada al suelo, pero los otros dos se esforzaban en levantar la barbilla y mirar desafiantes a todos los que entrábamos en la habitación para verlos de cerca. Los observé a los dos desde debajo del pasamontañas, aguantándome a duras penas las ganas de quitármelo; podría haberlo hecho sin riesgo, porque iban a tardar muchos años en volver a salir a la calle, pero preferí dejarlos en esa desventaja, obligarlos a buscarme los ojos, mientras me fijaba en sus facciones y en su expresión. Uno era el jefe del comando; el otro, según averiguamos luego, el que había apretado el gatillo. Aunque se esforzaban en hacer ver que no tenían miedo, el jefe temblaba un poco. Comprendí que nuestras caras enmascaradas eran para ellos el rostro de la adversidad suprema. Uno puede haberse mentalizado mucho para enfrentar el trance, puede echar mano de todo su orgullo para impedir que se le note, pero resistirlo no está al alcance de todos.

—Qué coño miras —me espetó el verdugo.

—Los ojos de un hombre capaz de matar a un padre delante de su hijo pequeño —le respondí, marcando cada sílaba.

—Y a ti, si tuvieras huevos de devolverme la pistola.

Lo consiguió: me entraron ganas de golpearle. Me las aguanté.

—Lo que no tengo es la necesidad.

—Ni los huevos —porfió.

—Guarda tus energías. Que esto sólo acaba de empezar.

No era una amenaza, entre otras cosas porque yo no estaba entre quienes iban a encargarse de su interrogatorio, pero me imagino que durante el cuarto de siglo largo que aquel hombre se pasó en la cárcel, así fue como debió de recordarla muchas veces. Horas después, volví a verlo en una dependencia de la comandancia de Intxaurrondo, donde lo estaban reseñando junto a sus dos compañeros. Ya les habían hecho las fotos y les habían tomado las huellas, y los tenían a los tres de cara a la pared, desnudos y con las manos en la nuca. Si alguno bajaba los brazos, el cabo que los vigilaba, un veterano del grupo de Información de la comandancia, se los volvía a colocar a la fuerza en su sitio.

—Si puedes sujetar una pistola puedes sujetarte el melón —le dijo al que se me había encarado antes—. He dicho que las manos quietas en la nuca y no lo voy a repetir. A la próxima no seré tan amable.

—¿Y qué vas a hacer, *txakurra*? —le desafió el otro.

El cabo decidió recurrir al lenguaje no verbal. Tomó impulso y de un empellón lo estampó contra la pared. La fuerza del golpe dejó medio aturdido al detenido. Tuvo que esforzarse para seguir en pie, pero al final consiguió no caerse. Y captó el mensaje: por lo que pudiera pasar, a partir de ahí mantuvo las manos arriba y la boca cerrada.

No fui el único espectador del incidente. Conmigo estaban las dos mujeres de nuestro grupo, Aurora y Silvia, Nerea e Iranchu según sus nombres de guerra. Al cabo no se le escapó la impresión que a los tres nos causaba lo que acabábamos de ver, especialmente a ellas, y sobre todo a Iranchu, que era la más nueva de las dos. A ella se dirigió para justificar la contundencia con que manejaba a aquel detenido:

—No pongas esa cara, muchacha. Si fueras tú la que estuviera de espaldas a él, este bicho ni se lo pensaría. Te pegaría un tiro.

Podía entender la ira de aquel hombre, que llevaba unos cuantos años viendo morir a sus compañeros a manos de sujetos como aquel, y que, como una vez me contó un viejo del lugar, incluso era probable que hubiera tenido que recoger sus trozos del suelo. Para decirlo todo, quizá nunca estuve tan cerca de prestarme a ensañarme con aquellos hombres indefensos y desnudos, en quienes antes y por encima de eso no podía dejar de ver a los mismos que a traición le habían destruido la infancia al niño cuyos temblores aún podía notar contra mi pecho. Y sin embargo, preferí no quedarme a contemplar el espectáculo, que hacía tambalearse algunas de las convicciones a las que me agarraba para mantener el esfuerzo que a diario me exigía aquella tarea. No me confortaba percibir entre los míos el mismo encono que veía en los de enfrente, pero menos aún me gustaba advertirlo dentro de mí: ver cómo la espita del odio, que no deja de tener cualquier corazón humano, se abría en lo más profundo del mío. Con una mirada les sugerí a mis compañeras que era mejor que nos quitáramos de en medio. Para lo que allí se ventilaba ya no éramos necesarios, ni siquiera útiles.

Nos reunimos con el resto de los miembros del grupo en el piso que compartíamos, donde los sentimientos se entremezclaban. Por un lado, pesaba en todos, en mayor o menor medida, una sensación de fracaso, a cuenta del atentado que no habíamos llegado a tiempo de impedir y que nos ponía muy difícil creer que teníamos algo que festejar. Pero por otra parte, y como nos había dicho el sargento, nuestros esfuerzos habían acabado dando su fruto. Los autores de aquel asesinato estaban en nuestras manos, pronto estarían a disposición de los jueces y todo lo que tenían por delante era un horizonte carcelario que se les iba a comer la vida y serviría de advertencia para otros. También ayudaría a dar algún alivio a aquellos que iban a sufrir la pérdida de la vida que ellos se habían arrogado el poder de arrebatar. Nos constaba que había muchas viudas y muchos huérfanos que ni siquiera sabían quién les había matado al marido o al padre, ni tenían la menor esperanza de averiguarlo nunca. Para alguno de nosotros, como Álamo o yo mismo, era además nuestro primer gran éxito: la primera prueba tangible de que las horas que echábamos siguiendo y vigilando a aquella gente podían conducir a quitar de la circulación a quienes más daño hacían. A aquellos que, gracias a su determinación para matar, alimentaban la extorsión que otros muchos, desde su posición en el movimiento, se ocupaban de mantener sobre una sociedad ya casi resignada a aceptar que nunca podría vivir libre de aquella sombra amenazante.

Fue el guardia Serrano, el decano del grupo, el que

propuso ir a comprar unas cervezas al economato de la comandancia y bebérnoslas en homenaje al compañero caído y para celebrar, por lo menos, que su muerte no iba a quedar impune. Allí estábamos, sosteniendo nuestros botellines en el salón, sin saber si reír o llorar, cuando sonó el timbre. Alguien fue a abrir y en el umbral apareció el capitán Pereira, seguido por el brigada Ruano y el sargento Cepeda. El capitán recorrió de una ojeada el grupo que componíamos. A continuación, preguntó:

—¿No hay una cerveza para nosotros?

—Si aportan ustedes al bote, mi capitán —dijo Álamo.

—Moro, eres de lo que no hay —le reprendió Ruano.

—Invito yo a todas —respondió Pereira, sacando la cartera.

Alguien trajo otros tres botellines y se los dio a los recién llegados. Pereira volvió a recorrer al grupo con la mirada y alzó su cerveza:

—Por todos vosotros. Hoy habéis dado la talla.

Correspondimos al brindis, sin demasiado entusiasmo. El capitán no dejó de percatarse. Ya sabía de sobra a dónde había venido.

—Es normal que estéis jodidos —dijo—. Todos lo estamos. Y lo peor será esta tarde, en el funeral, antes de llevarlo a su tierra. Habrá que hacerlo aquí, como si fuéramos leprosos, para variar, pero estaremos ahí para arropar a la familia. Parece que va a venir el ministro.

—Eso está muy bien, pero a ver si además de venir a hacerse la foto, y de paso a ponerse la medalla por la caída del comando, alguien se ocupa de que esa mujer tenga para sacar adelante a sus hijos.

Nos miramos, sorprendidos. Había sido el sargento Cepeda quien había hecho de portavoz de aquella queja que estaba en la mente de todos. Encima que perdían al marido y veían cómo su funeral tenía que celebrarse de forma clandestina, por aquel entonces las viudas quedaban todavía desamparadas, sin más sostén que una pensión que a duras penas les alcanzaba para vivir. Además tenían que dejar la vivienda de la casa cuartel y buscar un lugar donde empezar de nuevo con sus hijos. Muchas, ante la imposibilidad de subsistir de otro modo, acababan volviendo a sus pueblos de origen, donde podían al menos contar con el apoyo de la familia. Pereira se mostró comprensivo.

—Tienes razón, sargento, pero eso ya sabes que nos sobrepasa. Lo que podemos hacer nosotros es estar ahí. Poner nuestra parte.

—Muertos ya hemos puesto unos pocos —dijo Álamo.

—No va a ser en balde —aseguró el capitán.

Pereira hizo una pausa. Aproveché para fijarme en el brigada Ruano, que como siempre que estaba en presencia del oficial abría la boca lo justo y nos observaba con atención. En cierto modo, no dejaba nunca de evaluar a quienes estábamos a sus órdenes, acechando esa debilidad o esa capacidad que podía aconsejar nuestro relevo o darnos alguna misión que aún no se le hubiera ocurrido encomendarnos.

—Lo que quería deciros —prosiguió Pereira— es que a pesar de la desgracia de ayer estamos haciendo progresos. Podéis comprobar que cada vez tenemos mejor información y le sacamos partido. No es la primera vez que cazamos a un comando al completo, y lo que importa de verdad: yendo por delante. Estos se creían que tenían un escondite seguro y allí los estábamos esperando. Y vamos a seguir dándoles. Quiero que sepáis que estáis haciendo un buen trabajo y pediros que no os descuidéis, porque ahora vamos a tenerlos cada vez más cerca, y eso también significa que la tarea cada vez tendrá más riesgos.

Sabía estar en su sitio como jefe, eso había que reconocérselo. Como la elegancia y la solidaridad. Aquella arenga no nos quitó el mal sabor de boca, pero nos lo hizo un poco más llevadero. Luego se bebió sin prisa la cerveza y antes de marcharse de allí me llamó a un aparte.

—¿Cómo lo llevas tú? —me preguntó.

—Imagínese, mi capitán.

—Me imagino. Quería decirte algo. Si nada se tuerce, en principio la idea es que mañana regreséis a Madrid y daros libre lo que queda de semana, por todas las horas que lleváis echadas de más. El lunes, a primera hora, ven a mi despacho. Tengo una propuesta para ti.

También eso hube de reconocérselo: sabía crear una expectativa.

18
Pequeñas cosas

Aquella noche, después de tres durmiendo mucho menos de lo que era saludable, mi viejo cuerpo me pidió tregua y le propuse a Arnau una cena rápida de picoteo y recogernos cuanto antes en el hotel. Las averiguaciones que habíamos hecho esa tarde en San Antonio, y las demás que teníamos en marcha, prometían resultados y aconsejaban estar lo más frescos posible al día siguiente. Después de que Eva nos devolviera a la compañía, y de poner en común la información de la jornada con el comandante y con Tomeu, alegué la falta de descanso que arrastrábamos mi cabo y yo, me excusé con el resto del equipo y nos montamos en el coche del primer compañero que salió para el centro. Fuimos a tomar un par de tapas en un bar de Vara de Rey y luego dimos un paseo nocturno por el interior del recinto amurallado, donde en el silencio de la noche y a la luz de las farolas reinaba una atmósfera casi irreal. Fue un paseo tranquilo, en el que prácticamente no hablamos. A veces eso es lo que te apetece, más que cualquier otra cosa, cuando estás por ahí, lejos de casa, con un camarada leal al que conoces y que te conoce y con el que nada hay que demostrar.

No eran las diez cuando me encontré tumbado boca arriba sobre la cama, recapitulando los acontecimientos, lugares y personas del día, que no eran pocos, ni habían carecido de interés. Me acordaba sobre todo de mi conversación con la madre de Igor. En más de veinte años investigando homicidios habían sido muchas las madres y las viudas, y algunos los padres, los maridos o los huérfanos. Siempre presentaba sus dificultades el trato con ellos, los titulares de la pérdida que para los demás era ajena y para mí algo más comprometido: una obligación profesional. Sin embargo, la entrevista con Amaia me había removido demasiadas cosas. El rastro de otras pérdidas, lejanas ya en el tiempo, pero enraizadas y aún vivas en la memoria; la cicatriz de otras heridas, propias y extrañas. Escenas, imágenes, rostros que guardaba en ese baúl arrinconado en el fondo de mi sótano y que no solía abrir, pero que explicaba en buena medida lo que había acabado siendo y por qué. Volví a ver, una a una, a aquellas otras víctimas a las que no les pude ofrecer un consuelo. A aquellos otros verdugos a quienes nunca me fue dado comprender, ni siquiera aproximarme a su conciencia o a sus razones, como sí había podido luego descifrar las de otros.

Me acordé de Chamorro. No quise llamarla, por si estaba dormida. También temí que su teléfono siguiera en manos de su madre, por la que no me veía con demasiadas ganas de pasar. Le puse un wasap más o menos neutro, para comprobarlo. Unos pocos segundos después me entró la respuesta: «Despierta. Pensé que ya no me llamabas».

Marqué su número. Lo atendió en seguida.

—Siempre estás en mi mente —le dije.

—¿Eso no era una canción de Elvis?

—La versión que oí anoche era de los Pet Shop Boys.

—¿Ah, sí? No sé si preguntarte dónde estabas.

—Pregunta y te respondo. Sabes que no tengo secretos para ti.

—Ya, seguro.

—¿Cómo estás?

—Mejor. Sin fiebre. De esta no me retiran.

—Me alegra. Te necesito conmigo hasta que me retiren a mí.

—Gracias por tu preocupación desinteresada.

—Las cosas como son.

—Cuéntame, anda. Que me aburro como una ostra. Estoy sola, he conseguido que mis padres se vayan esta noche a descansar.

—Te habrá costado convencer a la coronela.

—Soy su hija. Cuña de la misma madera.

—¿Y qué quieres que te cuente?

—Todo, desde el principio y sin saltarte nada.

Repasé para ella lo que nos habían dado de sí los dos últimos días. Tanto la investigación en sí como lo que se refería al recorrido por las dos islas y lo que habíamos visto de su paisaje humano. También le di cuenta del equipo que me había encontrado sobre el terreno, del juez que nos había caído en suerte y del momento emocionante que había sido pasar examen con la madre abiertamente proetarra de la víctima. Después de escuchar mi resumen, Chamorro me preguntó:

—¿Quieres para algo las impresiones de una impedida?

—Por favor.

—Apóyate en esa chica, Eva, es la que sabe.

—Hasta ahí ya llegaba —bromeé.

—Quiero decir que te apoyes en ella de forma permanente. Hazle ver que es de quien te fías para cuando no estés ahí. Es una isla y no vas a poder quedarte todo el tiempo, será bueno tener a alguien.

—Buena idea. Seguiré tu consejo.

—En cuanto al caso, hay algo que no termina de encajarme.

—¿A saber?

—¿Qué puede haber pasado en sólo tres días, entre dos personas que sólo se conocían por internet, para que uno acabe matando con ese derroche de violencia al otro? Y en un sitio y de un modo que...

Se interrumpió. La animé a proseguir:

—Dime.

—En un sitio y de un modo que, como te comentó esa chica, sugiere que fue un ataque con premeditación. Además, si tienes el propósito, por qué no hacer el trabajo completo, por qué dejarlo a medias.

—¿El trabajo completo?

—Por qué no deshacerte del cadáver, borrar las huellas, convertirlo en una desaparición que tardará más en investigarse.

—No sé, Virgi, me parece que te complicas demasiado. A veces a la gente se le nubla la cabeza, sin más. A lo mejor habían discutido antes, el chaval se fue a por algo con lo que darle y donde lo pilló, lo mató. Y al ver lo que había hecho se asustó y se marchó aturdido de allí.

—Aturdido, no. Llevándose el arma del delito —recordó.

—Espera que no aparezca. Cuando hayamos visto bien todas las imágenes sabremos la hora a la que tomó el barco de vuelta a Ibiza y, con un poco de suerte, el avión. Y eso va a ser muy significativo.

—Si es que no sigue todavía en la isla.

—¿Tú crees?

—Traería billete de ida y de vuelta. No es tan fácil cambiarlos. Y cuesta dinero y ya no tiene el recurso de que se lo pague el muerto.

—Bueno, le robó lo que llevara en la cartera.

—En todo caso, jefe, lo que te digo es que no te confíes. Por lo que me dices, pronto vais a tener identificado a vuestro sospechoso. Y es muy probable que encontréis restos de su ADN en el cadáver o en las pertenencias de la víctima, pero eso lo puede explicar perfectamente el hecho de que se estuvieran dando el lote pocas horas antes. Yo que tú no dejaría de mantener una puerta abierta a otra posibilidad.

—¿Qué otra posibilidad?

—No lo sé, me faltan datos. Pero cuidado si resulta que cuando os pasen los resultados del laboratorio os aparece material biológico de alguna otra persona. Ya sabes el juego que le da algo así a un abogado listo, con los miembros de un jurado que preferirían no estar ahí.

Lo sabía amargamente. No hacía mucho que se nos había escapado el que teníamos la plena convicción de que era el autor material de un asesinato, gracias a la duda que había sembrado en el jurado un hábil abogado defensor a cuenta de las muestras de ADN encontradas sobre la víctima. Aquí, sin embargo, teníamos más pruebas de cargo.

—Esa grabación de la playa, bien utilizada por un fiscal competente, creo que nos ayudaría a sacarlo adelante en todo caso —dije.

—El fiscal competente no lo tienes garantizado, mi subteniente.

—Eres malvada, mi brigada.

—Tengo alguna que otra experiencia, nada más —se justificó.

—No son muchos, y a veces les pasan los autos con poco tiempo. En todo caso, me tomo nota de tus impresiones, como siempre.

—Ya me fastidia no estar ahí para tenerlas de primera mano.

—No dejaré de ir contándote, descuida.

Se hizo entonces un silencio. El sueño empezaba a poder conmigo, pero no quería ser yo quien diera por concluida aquella llamada.

—¿Y tú cómo andas? —me preguntó.

—¿Yo? Como siempre. Me va bien estar entretenido.

—¿Y esos fantasmas del pasado?

A aquellas alturas, no me sorprendía su perspicacia. Tampoco que adivinara lo que tenía en la cabeza. Eran muchos los kilómetros y las horas que sumábamos como compañeros y aquel asunto, el de mi paso por el Norte y sus consecuencias, había salido más de una vez.

—Bien, bajo control —le respondí—. Aunque hace un rato me ha venido a la memoria algo de lo que tal vez preferiría no acordarme, para poder ocuparme de esta investigación con más entusiasmo.

—¿Y de qué se trata? Si no es información clasificada.

A pesar de los muchos años que llevábamos juntos, nunca le había dado demasiados detalles de mis actividades en la lucha antiterrorista. Había para ello unas cuantas razones, algunas de índole personal, en general no era una historia que me atrajera mucho remover, y otras estrictamente profesionales: entre los que habíamos participado en aquella campaña, por discreción y por seguridad de los que seguían en ella, era una regla no escrita contar por ahí lo menos posible. Aquella noche, sin embargo, sería la distancia, saberla sola en una habitación de hospital o la intimidad que crea un teléfono en esa última hora de conciencia del día, pensé que no debía escatimarle la historia.

—¿Te acuerdas de aquello que te conté hace tiempo, de un atentado al que llegué justo cuando apenas acababan de cometerlo?

—¿El del niño?

—Ese mismo.

—Sí, todavía se me pone la piel de gallina.

—Lo que no te he contado nunca es por qué llegué tan pronto. Lo que pasó antes, lo que vino después y cómo y cuánto me afectó.

—Esta es una estupenda oportunidad para que me lo cuentes. Estoy tumbada, tengo tiempo de sobra, no tienes que mirarme a los ojos.

—Quizá me vendría bien eso, poder mirarte a los ojos.

—Vamos, lo necesitas. No te lo pienses más.

Se lo conté. No todo, pero casi. Cómo habíamos llegado a aquel pueblo, en qué consistía mi trabajo, la captura posterior del comando, la sensación de ver a quienes lo formaban inermes y a nuestra merced, el odio que costaba tanto no tenerles y no desahogar sobre ellos. La frustración por no haber podido pararlos a tiempo que nos amargó aquel éxito, logrado con tanto esfuerzo y sudor. Las dudas que en aquellos días me asaltaron sobre mi papel en aquella guerra, a la que había llegado no sabía muy bien cómo ni por qué, y la paradoja mayor de todas, cómo fue que a partir de ahí me involucré aún más.

—Tal vez tenía que haberme ido en ese momento —le confié—. No porque hubiera terminado mi trabajo, no porque no mereciera la pena estar ahí, sino porque entonces tuve la primera señal de que aquello no era lo mío. Para aquella tarea se necesitaba a otra clase de gente, que llevara mejor tener que vivir a diario con aquel resentimiento y aquel desprecio por lo que representábamos. Gente que se planteara menos preguntas, o que supiera sacrificarlas por lo que había que hacer. Pero ahí estaba Pereira, al quite. No sé si me lo olió, o si vio sin más que le convenía más tenerme en otra tarea, y obró en consecuencia.

—Te tiene bien calado. ¿Qué fue lo que te propuso?

Creí llegado el momento de poner coto a su curiosidad.

—Si te parece, te lo contaré otro día. Tú tienes que descansar y yo ya ni te digo. O esta noche recargo las baterías o mañana estoy a cero.

—Qué pena, me tenías enganchada.

—Otro día. Vamos a dormir.

—Gracias por contármelo.

—No hay nada que agradecer. Es una historia triste y amarga.

—De esas historias nos vamos haciendo, al final. De cómo nos las arreglamos para seguir abriéndonos camino con ellas a cuestas.

—Si tú lo dices... Buenas noches, mi brigada.

—Buenas noches, Rubén.

Esa noche, antes de dormirme, busqué la versión de Elvis de *Always On My Mind*. Acabé dando con una grabación sinfónica junto a la Royal Philharmonic Orchestra. En comparación, la versión de los Pet Shop Boys tenía gracia, y había que reconocerles la valentía, pero no llegaba ni de lejos a provocar el estremecimiento que aquella voz ya perdida en los pliegues del tiempo provocaba al recordar las pequeñas cosas: esas que debimos hacer o decir y no hicimos ni dijimos nunca. Eran tantas para mí, a aquellas alturas del viaje, que me eximí de hacer la lista y dejé que la canción me empujara suavemente al sueño.

Recuerdo el día siguiente como una especie de carrusel. No es raro que suceda, en el curso de una investigación, que todos los hilos que uno va tendiendo, sin sensación aparente de progreso, empiecen de pronto a anudarse y a tejer la red que servirá para llevar la caza hasta su desenlace. Eso era lo que nos tenía reservado aquella jornada, que no empezó, sin embargo, de la manera más alentadora. Lo primero que hice, cuando llegué por la mañana a la sala donde trabajaba el equipo, fue sentarme con quienes se ocupaban de la tarea más tediosa, el visionado de imágenes. Estaban dedicados a ello un guardia de Palma y dos de Ibiza, pero después de encontrar las de Igor y el otro hombre en el viaje a Formentera en el ferry no habían podido dar con ninguna más. Ni en las de las cámaras de la estación marítima ni en las del aeropuerto. Y la falta de resultados empezaba a preocuparles.

—Hemos mirado ya dos veces —me dijo el guardia del equipo de Palma—. Desde el jueves, cuando pensamos que pudo llegar el joven, hasta anteayer. Dentro de un rato nos darán las de ayer. Siempre hay una posibilidad de que la persona pase por un ángulo ciego, o que no se la vea bien, sobre todo si está atenta y toma precauciones. En las imágenes del aeropuerto tenemos un par de candidatos, tipos de edad y complexión similares que van con gorras de visera, pero no se puede hacer una identificación fiable sin tener más datos del sujeto.

—A lo mejor no ha salido aún de Formentera —dije, acordándome de la conjetura que horas antes me había planteado Chamorro.

—O se ha ido por otros medios —me respondió el guardia.

—Denia está a poco más de tres horas, en una barca que se ponga a veinte nudos —sugirió uno de los guardias de Ibiza.

—Y Jávea un poco más cerca todavía —apuntó el otro.

Anoté el dato: nunca se sabía. Aunque suscitaba otra cuestión:

—Hay que tener esa barca, o hacerse con una. ¿Tenemos noticia de algún robo de embarcación en Formentera en los últimos días?

—Ninguno —dijo a mi espalda el comandante Tuñón, que venía acompañado por el teniente Ferrando—. Por cierto: por si acaso, he dado orden de que estén pendientes de los que toman hoy el ferry.

—Quizá tendríamos que haberlo vigilado también ayer.

El comandante se encogió de hombros.

—Quizá no: seguro. El caso es que no se nos ocurrió, y tampoco te creas que me sobra personal para hacer vigilancias, ni en Formentera ni en Ibiza. Bastante tengo con poder cubrir los servicios ordinarios.

—¿De Eva sabemos algo? —le pregunté.

—Está con la policía local de San Antonio. Sabremos pronto.

En eso llegó el teniente Tomeu con su segundo, el sargento Prados. Tenían novedades esperanzadoras. Gracias a los ordenadores de Igor habían encontrado varias cuentas de correo electrónico y otras tres de Skype a las que se conectaba el muerto. Las probabilidades de que en alguna de ellas hubiera comunicaciones de interés eran altas. Era una pena que no tuviéramos las contraseñas ni pudiéramos recuperarlas usando para ello la línea de teléfono móvil de la víctima, porque eso nos abocaba al camino lento de pedir órdenes judiciales; pero antes o después accederíamos a alguna de ellas y algo nos aportarían.

Sobre las diez de la mañana me sonó el teléfono. Era Eva.

—Mi subteniente, yo que usted agarraba un coche y me venía para acá lo antes posible —dijo—. Tengo delante las imágenes del viernes y del sábado. Las de San Antonio y las de San José, que los compañeros de la policía local han sido tan amables de traerme hasta aquí.

—¿Y?

—O mucho me equivoco, o estamos a dos pasos de ponerle nombre, apellido y todo lo que va detrás a nuestro joven sospechoso.

No le pregunté más. Eva era de fiar. Me fui hacia Tomeu.

—Mi teniente, Eva dice que tiene algo. ¿Nos dejas el coche?

Me tiró las llaves antes de que pudiera llegar a su altura.

—Cuéntanos lo que haya en cuanto lo sepas —me pidió—. A ver si podemos ir más orientados con lo que estamos haciendo por aquí.

—Descuida, que serás el primero en saberlo.

Arnau, al volante de aquel coche prestado, me llevó con seguridad y rapidez hasta la sede de la policía local de San Antonio. Allí dimos al policía del mostrador el nombre del responsable por el que nos había dicho Eva que preguntáramos y cinco minutos después estábamos con ella y con un par de agentes de San Antonio y otro de San José viendo en la pantalla aquellas imágenes, que permitían trazar el itinerario completo que habían seguido Igor y su joven acompañante en sus dos carreras matinales. En ambos casos era el mismo: comenzaba en San Antonio, no lejos del Club Náutico, e iba recorriendo la bahía hasta el término municipal de San José, en el que se adentraba un buen trecho, el viernes hasta pasada la llamada Cala Pinet y la punta del mismo nombre y el sábado, a la vista del agotamiento del corredor más joven, un poco menos, apenas hasta rebasar la playa de Es Pouet. Durante el recorrido se apreciaba, en las imágenes correspondientes al sábado, la tensión que había entre ambos, por aquel ejercicio que para uno era tonificante y para el otro, un suplicio. También se podía ver, los dos días, el momento en el que se cruzaban con nuestro testigo, Brandauer, y cómo la segunda vez este se los quedaba mirando. Después de llegar hasta el punto más alejado de la carrera, y tras hacer una breve pausa, tomaban el camino de vuelta, más deprisa el viernes que el sábado. Y era al final cuando aparecía lo más revelador: los dos hombres andaban en dirección a un hotel y en unas imágenes grabadas el sábado se les veía con toda claridad entrar en él. Miré a Eva y le pregunté:

—¿Y a qué estamos esperando?

—Ya he llamado para que nos consigan el registro de huéspedes de esas dos noches. Para ir a mirar al hotel, os esperaba a vosotros.

—¿Te has hecho copia de esas imágenes?

—De todas. Y ya les he pedido a los compañeros que me preparen la certificación de las originales, para unirlas como prueba.

Me dirigí entonces a los policías locales.

—No sabéis cómo os agradecemos este material. Es oro molido.

El más veterano, más o menos de mi quinta, sonrió satisfecho.

—Para eso estamos. A mandar. Y que lo pilléis.

—Si no ha puesto ya agua de por medio —dijo su compañero.

—Nuestros tentáculos son largos —le recordó Arnau.

Nos presentamos en el hotel con la fotografía de nuestro hombre, la que habíamos sacado de la grabación en la playa de Formentera, y la impresión en papel de varias imágenes de las que habían registrado las cámaras del propio San Antonio. Nos identificamos como guardias civiles y pedimos hablar con el gerente. Le hicimos saber la gravedad del asunto que nos llevaba allí y que ya habíamos pedido el registro de huéspedes, con los datos que obligatoriamente debían facilitar a las autoridades de quienes se alojaban en el hotel. El gerente, un inglés de unos treinta y pocos años, recibió con aprensión nuestra visita. Miré la plaquita que llevaba sobre la americana y traté de explicárselo:

—Es sencillo, señor Robson. Nos gustaría hablar con quien estuviera en la recepción esos dos días, para ver si los reconoce. Y si no le parece a usted mal, ver las fotocopias de los DNI de los huéspedes de esos días. Podemos conseguirlos por otra vía, pero es para ganar tiempo.

—No sé si guardamos esas fotocopias —alegó.

—¿Podría comprobarlo?

—Eh... sí.

—Y mientras tanto, ¿podría decirnos quién estaba en recepción?

—Los dos recepcionistas que están ahora.

—Vamos hablando con ellos, si no tiene inconveniente.

Los recepcionistas, una joven de nacionalidad alemana y otro inglés, como el gerente, reconocieron a los dos hombres, aunque por lo que a ellos les constaba sólo el joven se había alojado en el hotel.

—Me temo que el otro pasó de contrabando —les dije.

—A veces ocurre —admitió la chica—. En todo caso

estaba en una habitación doble, y el precio en temporada baja es el mismo.

—Por eso no extreman ustedes el control —dedujo Arnau.

—No, la verdad.

—¿Recuerdan el nombre del cliente, o la habitación?

—Yo no —respondió el inglés.

—Ni yo —dijo la chica—. Habría que mirar el registro.

—¿Hacen fotocopia de los DNI de los clientes? —le pregunté.

—Normalmente sí.

—¿Hubo algo que les llamara la atención en él? —intervino Arnau.

Los dos se miraron. Respondió ella.

—Yo le hice la entrada el jueves sobre las seis de la tarde y la salida el sábado por la mañana. El jueves lo vi solo. El sábado, ahora que lo dice, le esperaba fuera el señor mayor. También vi que salían a correr juntos, pero no pensé que pudiera dormir con él en la habitación.

—Nadie piensa en lo que es menos frecuente —la excusé.

Arnau se dirigió al otro recepcionista.

—Y usted, ¿recuerda algo que le llamara la atención?

El interpelado negó con la cabeza.

—Lo vi entrar y salir, solamente. El sábado, con el otro hombre, un poco colorado después de correr, pero no puedo decirle nada más.

—¿Y no le pareció raro que entraran los dos juntos?

—No sabía a dónde iban. Podían ir a la cafetería.

—Y en todo caso, la habitación cuesta lo mismo —recordé.

El inglés me observó con una sonrisa de complicidad.

—Exactamente.

Entre tanto, el gerente había encontrado el registro de los huéspedes del viernes y del sábado. En la carpeta correspondiente al primero de los dos días había varias fotocopias de DNI y pasaportes. Las fuimos mirando una por una. Las fotografías de los titulares no se veían muy bien, pero cuando llegamos a aquel DNI ninguno de los tres tuvimos la menor duda: aquel era el rostro del hombre al que llevábamos dos días buscando. La recepcionista era diligente y había copiado anverso y reverso. Fue Eva, el momento le pertenecía, la que los leyó:

—Álvaro Reyes Redondo, hijo de Álvaro y María Natalia, nacido en Madrid el 8 de mayo de 1992. Vecino de Alcobendas.

—Lo tenemos —dijo Arnau.

—¿Puede sacarse otra copia y darnos esta? —le pedí al gerente.

—Claro, cómo no.

—Ocupaos de recoger toda la información —les dije luego a Eva y Arnau—. Identificación de todos los testigos, número de habitación, hora de entrada y salida, lo que gastó, cómo lo pagó, etcétera. Yo voy a llamar a Tomeu, este nombre tiene que tenerlo cuanto antes.

El teniente lo cogió al primer tono.

—Iba a llamarte ahora mismo yo.

—¿Y eso?

—Te va a gustar saberlo. Ayer casi te cruzaste con nuestro hombre. Vino en el mismo barco en el que habías ido tú a Formentera.

—No fastidies.

—Como te lo digo. Cuando hemos recibido las imágenes de ayer de la estación marítima y las hemos mirado, ahí estaba, de los primeros.

—¿Cómo se le ve?

—Nervioso. Y con una gorra que no se quita.

—¿Con la misma mochila del viaje de ida?

—La misma. Qué me cuentas tú.

—¿Tienes para apuntar?

—¿Qué vas a darme?

—Su nombre. Su DNI. Su dirección.

—¿Nada más?

—Y nada menos. Voy a pasárselo todo también a una persona de mi equipo en Madrid. Para que me saquen todo lo que tengamos sobre él y para que me vayan mirando una dirección de Alcobendas en la que voy a proponerle a mi jefe que montemos una vigilancia.

—¿Cómo lo habéis conseguido, por curiosidad?

—Durmieron en un hotel. Con la habitación a su nombre.

—Siempre se acaba dejando alguna huella.

—Alguna no: varias. Y dando con una, salen las demás.

—Me pongo a ello.

Apenas colgué, marqué el número de Salgado.

—Dichosos los oídos, jefe —me saludó su voz cantarina—. ¿Cómo lo estáis pasando en la isla? Ya creía que te habías olvidado de mí.

—Ya ves que no. ¿Estás haciendo algo?

—Nada que no pueda esperar.

—Voy a mandarte un nombre, un DNI y una dirección. El nombre y el DNI se los pasas a Lucía, o a cualquiera que tenga tiempo, y que averigüe todo lo averiguable de su propietario. Y lo más importante: te agarras a un chaval y te vas a esa dirección, a ver si en algún momento entra o sale el maromo que viene en la foto del DNI. Te pasaré algunas otras que tenemos de él para que puedas reconocerlo mejor.

—¿De dónde es esa dirección? Por la intendencia lo digo.

—Tranquila. Alcobendas. Llegas allí en seguida.

—Entendido. Mándamelo y salgo echando virutas.

—Y otra tarea: evalúame las condiciones del lugar para poner una vigilancia veinticuatro horas y para una posible intervención.

—¿De verdad? ¿Lo tenéis? ¿En sólo día y medio?

—De momento, es sólo una posibilidad. De las buenas.

—Qué rabia. Ya veo que me quedo sin ir a Ibiza.

—Me haces más falta ahí. Espabila, anda.

—A tus órdenes.

En el coche, de vuelta a la compañía, avisé a mi comandante y le propuse que sugiriera al coronel la conveniencia de activar al grupo de seguimientos para mantener controlado a nuestro hombre hasta que tuviéramos armado el aparato incriminatorio contra él. En las películas y en las novelas el sabueso detiene primero y pregunta después; en la realidad de un Estado de derecho imperfecto, pero no tanto como para que un imputado con alfileres no se pueda acabar sacudiendo el traje que tratas de hacerle, se detiene cuando existe una razonable certeza de que tienes munición para encerrarlo, aunque al sujeto no le dé en el momento de la detención por sucumbir a la vergüenza y la contrición y facilitarte la tarea aviniéndose a confesar el delito. Ferrer se mostró de acuerdo con mi propuesta y prometió trasladársela al jefe.

Al teniente general Pereira, que sabía que querría estar informado, me limité, por discreción, a mandarle un wasap: «Identificado posible autor. Confirmándolo». Me respondió con otro: «¿Ciervos a la vista?». La pregunta me dio que pensar, proviniendo de quien provenía. Le escribí todo lo que podía escribirle al respecto: «Ninguno. Por ahora». Acusó recibo y lo agradeció con el emoticono del pulgar en alto.

El carrusel de revelaciones y descubrimientos continuó al llegar a la compañía. Sobre el tablón, además de las imágenes de Álvaro Reyes bajándose del ferry en Ibiza, estaban colocando otras que le habían tomado en el aeropuerto. Tomeu me pidió que me acercara:

—Estas son del jueves pasado —me señaló las dos primeras—. Poco después de aterrizar en el avión de las cinco. Y estas, de ayer por la mañana, poco antes de coger el avión de las doce. Teniendo el nombre es fácil averiguar el vuelo, y teniendo el vuelo se reduce el volumen de imágenes que hay que mirar. Se nos ha ido, con destino Madrid.

—Allí también estamos esperándole —le recordé.

—Lo bueno es que no ha cambiado de planes. Se fue en el vuelo que traía reservado. Quizá se cree a salvo. Y si ha podido salir sin que en el aeropuerto lo parara nadie, se confiará todavía un poco más.

—¿No tenía nuestra gente del aeropuerto su foto?

—Se les envió ayer. Quizá no llegó a tiempo. Tampoco son cien, ni una foto borrosa una herramienta infalible. Ah, y tenemos también su número de teléfono. Gracias a las llamadas que le hizo la víctima.

—Esto está, mi teniente —dije.

—Eso parece.

La confirmación llegó esa misma tarde, cuando me sonó el móvil y vi que era Salgado. Me dio la noticia con su estilo inconfundible:

—Mata-Hari desde Alcobendas. El pajarito está en el nido.

19
Una masacre

No fue hasta tres semanas después cuando por fin me encontré, en carne mortal, con el joven que respondía al nombre de Álvaro Reyes Redondo. Al verme abrió los ojos con la intensidad y la efusión del pánico. No era para menos, atendiendo a las circunstancias. Lo traían esposado los dos benjamines del grupo, Revuelta y Cerdán, bajo la atenta supervisión de la cabo primero Salgado. Eran ellos quienes lo habían detenido, tras irrumpir en su domicilio con una orden judicial, y lo habían acompañado en el vuelo que lo había traído desde Madrid a Ibiza. Yo los estaba esperando en el aeropuerto, junto a Arnau y los tenientes Tomeu y Ferrando, con quienes había estado preparándolo todo para tratar de aprovechar al máximo el tiempo que nos quedaba, quitando el del registro de su domicilio y el del viaje, de las setenta y dos horas del plazo legal máximo de detención. Nos acompañaban un par de guardias uniformados, con la intimidación suplementaria que eso suponía, y el plus de vergüenza frente a las miradas curiosas de los usuarios de la terminal. Por si toda aquella parafernalia fuera poca, me presenté de una manera que logró infundirle más inquietud:

—Muy buenas tardes, señor Reyes. Soy el subteniente Vila y estoy a cargo de la investigación. Vamos a llevarle a nuestro cuartel, donde ya le está esperando su abogada de oficio. Intentaremos que las horas que tenemos por delante le sean llevaderas y resulten fructíferas.

Aquellas tres semanas fueron las que nos llevó armar en condiciones nuestro arsenal incriminatorio, trabajando contra reloj. Durante ese tiempo habíamos documentado las declaraciones de todos los testigos, rastreado varias cuentas de correo electrónico, analizado aplicaciones de mensajería, perfiles de redes sociales, movimientos de tarjetas de crédito, comunicaciones telefónicas, posicionamientos de teléfonos móviles, muestras biológicas y todas las imágenes de videocámaras que habíamos podido localizar. Luego habíamos tenido que resumir todo eso en un informe para el juez, sin perder entre tanto de vista a nuestro sospechoso. De esta última labor se había encargado el grupo de seguimientos de la unidad, que no encontró en esa vigilancia, de veinticuatro horas al día, otro indicio extraño que un comportamiento en ocasiones nervioso y dubitativo. Por lo demás, el objetivo se había limitado a cumplir con su rutina como empleado precario, es decir, eventual, de un centro logístico al que le llevaba la mayor parte de sus desplazamientos. En esos días no se le vio tener contacto social con nadie, y la intervención de su teléfono apenas nos permitió asistir a unas cuantas conversaciones, muy breves y sin ninguna trascendencia investigativa; un laconismo telefónico que en sí no dejaba de resultar un tanto sospechoso. Como lo era, en fin, la frecuencia con que sus búsquedas de Google iban dirigidas a averiguar la última hora de las informaciones sobre la muerte de Igor López Etxebarri. De la suma de todas aquellas diligencias vino al fin la convicción de su señoría para darnos vía libre y ordenar la entrada y registro de su domicilio.

En el breve trayecto del aeropuerto a la compañía de Ibiza, que hice con él sentado a mi lado, no traté de darle ninguna conversación. Era un momento, ese de compartir la estrechez del habitáculo de un coche, que siempre aprovechaba para estudiar a mi oponente. Esa cercanía física, que te permite percibir el olor y el calor del cuerpo ajeno y te transmite como una vibración el carácter y el estado de ánimo del otro, es una forma de conocimiento del presunto criminal que no alcanza nadie más en el transcurso del proceso: ni quien lo defiende, ni quien lo acusa ni mucho menos quien tiene que resolver sobre su libertad o juzgar en última instancia sobre su culpabilidad o inocencia. Es uno de los privilegios del investigador y una de las indeseadas prerrogativas del policía: la de estar tan cerca como nadie, salvo la víctima, del mal y de quienes lo hacen. A esa misma forma de conocimiento, o muy similar, acceden quienes tienen que ocuparse de los delincuentes en prisión, pero para ellos llega tarde y en cierto modo a destiempo: cuando ya está todo decidido, cuando el sistema ha disipado sus dudas.

De Álvaro Reyes pude sentir el miedo, la zozobra, la vergüenza. Aquel joven, que por edad podía ser mi hijo, no sabía cuánto sabía yo de él, pero se temía lo peor y dudaba de su coraje para afrontarlo.

—Yo no lo hice —murmuró, buscando mi mirada.

—Tranquilo, tendremos tiempo para hablarlo —le respondí, con mi tono más afable, sin dejar de mantener la vista al frente.

Nada más llegar le dejamos reunirse a solas con su abogada. La suerte del turno de oficio de la isla le deparó una letrada de poco más de treinta años. Una chica llena de energía, sin excesivos resabios y con la experiencia suficiente como para no arrugarse ante aquel caso que lo tenía todo para convertirse en el crimen estelar del lugar durante una buena temporada. Mientras hablaban de sus cosas, Salgado me dio las novedades del registro. Antes de nada, puso sobre la mesa de nuestra sala de trabajo un puñado de bolsas con material incautado.

—Aquí tenéis. El portátil, el móvil y la tableta —enumeró—. Nos ha facilitado la contraseña de los tres. Y de los tres hemos sacado copia íntegra y certificada, que ya está analizando Lucía en Madrid.

—¿No se ha resistido a dar la contraseña? —le pregunté.

—No, aunque se le informó de su derecho a no dárnosla.

—Eso es que los ha limpiado.

—Siempre se te escapa algo, cuando limpias deprisa.

—Ha tenido tres semanas —le recordé.

—No desesperemos. Si no te parece mal, Revuelta se los va a triturar a fondo aquí, en paralelo con Lucía, a ver si alguno tiene suerte.

—Hay que hacerlo, de todos modos. Por si de aquí a dos días suena la flauta y dan con algo que nos ayude antes de llevarlo al juez.

—No para de decir que es inocente —me avisó la cabo primero.

—También me lo ha dicho a mí. Vamos a ver si lo sigue diciendo, y con qué convicción, después de que lo enfrentemos con lo que hemos reunido en su contra en estas tres semanas. Muy fuerte no parece.

—Nunca se sabe. ¿Y la abogada?

—Hará su trabajo. No me preocupa. Mejor así.

—¿La has informado de lo que hay contra él?

—Hasta donde me permite mi estrategia. Lo suficiente como para que en esta conversación que están teniendo ahora mismo se le quiten un poco más las ganas de mentirme, cuando me siente con él.

—¿Quieres que entre contigo?

—Entra. Eres la primera a la que ha visto. Y una mujer. Me viene bien que tenga que responder delante de dos mujeres. Por joven que sea y por mucho que le gusten los hombres no estará exento de esos atavismos machistas que nos ponen en desventaja ante vosotras.

—Si yo te contara...

Antes de entrar en la sala donde teníamos ya al detenido esperando para interrogarlo, me crucé en el pasillo con el comandante Tuñón.

—¿Listo para hacerle confesar? —me preguntó.

—Para intentarlo. Lo que salga, ya se irá viendo.

—Parece poca cosa.

—También lo tiene fácil. Le basta con callar o negar. Y yo no puedo aplicarle descargas eléctricas ni meterle la cabeza en un barreño.

—Para suplir esas carencias están tus armas secretas.

—Las de cualquier guardia de pueblo. Paciencia e intuición.

—Pues suerte con ellas.

Abrí la puerta y dejé que Salgado me precediera y fuera la primera en sentarse frente al detenido y su abogada. Cerré sin apresurarme y del mismo modo me acerqué a la mesa y tomé asiento a mi vez.

—¿Y bien, letrada? —preferí dirigirme a ella.

—Mi defendido se declara inocente de los cargos —me anunció.

—Perfecto. ¿Y va a responder a nuestras preguntas?

—Dependerá de las que le hagan.

—Algo es algo —dije y, mirándole a él, le consulté—: ¿Te apetece agua, un café, algo de comer, está la sala bien de temperatura?

—Agua, si puede ser.

—Claro, ahora mismo. Inés, por favor.

Salgado se puso en pie y fue a por un botellín de agua. Mientras volvía, me quedé mirando a Álvaro, que mantenía la vista baja y se pasaba nerviosamente las manos por el interior de las muñecas.

—Te han resultado incómodas las esposas —observé.

—Sí que lo son. Más de lo que imaginaba.

—Es el protocolo de seguridad, por el avión —le expliqué—. Para tranquilidad de los pasajeros. Mientras estés por aquí trataremos de que las lleves puestas lo menos posible. Si no nos das motivos.

—No tengo intención.

Volvió Salgado y colocó el botellín de agua sobre la

mesa, delante de Álvaro. De propina, le puso otro a la abogada. Aprecié aquel detalle, tanto por la deferencia como por su valor de guerra psicológica.

—Muy bien, Álvaro —comencé—, antes de preguntarte nada, lo que me gustaría es tratar de situarnos todos, para perder el menor tiempo posible y para que esta experiencia no sea más desagradable de lo que de por sí ya es. Le he hecho un resumen a tu abogada, y me imagino que ella te habrá puesto en antecedentes, pero si te parece te lo voy a hacer también a ti y te desarrollaré más algún punto, para que sepas mejor dónde estamos y a qué atenerte. ¿Me vas siguiendo?

—Lo intento —dijo—. Pero le insisto: yo no le maté.

—Vale, luego llegaremos a eso. Lo que me gustaría que te quedara claro es que no hemos ido a tu casa a detenerte porque de pronto nos haya parecido que lo más probable es que a un hombre lo mate quien resulta que durmió alguna vez con él, o salió de fiesta o fue a la playa en temporada baja en una isla por la que pasa poca gente. No somos tan ligeros, y sobre todo no lo son los jueces, que son los que nos dan permiso para abrirle la puerta por la fuerza a un ciudadano.

—Eso ya lo imagino —murmuró—. Pero se están equivocando.

En este punto intervino la abogada:

—Quizá debería preguntarle lo que necesite preguntar, ¿no?

—Desde luego, letrada. Sólo quiero asegurarme de que entiende bien las preguntas y el contexto en que se le hacen. La cuestión, Álvaro, es que no sólo sabemos que volaste a Ibiza con un billete que te había sacado Igor López Etxebarri y te alojaste en San Antonio en un hotel que él te había reservado, pagando en ambos casos la factura por adelantado con su tarjeta de crédito. No sólo sabemos que pasaste con él las dos primeras noches en ese hotel de San Antonio, y la tercera en el piso de La Savina que te prestó tu buen amigo Jesús González Aranda, o mejor dicho sus padres, y en el que estuviste prácticamente escondido desde el domingo en que murió Igor hasta el miércoles, cuando tomaste el avión de vuelta de Ibiza a Madrid. No sólo sabemos que estuviste con él de fiesta en las salas llamadas Teatro Ibiza y Sin Ibiza, cenando en un restaurante vasco o corriendo por la bahía de San Antonio. Es que tenemos testigos de todos y cada uno de esos hechos, y todos ellos te han reconocido sin lugar a dudas como quien acompañaba al difunto, y así nos lo han ratificado y lo hemos recogido en las diligencias.

Le dejé asimilar, en toda su pavorosa precisión, aquella avalancha de datos sobre sus propias andanzas, que durante semanas se había empeñado en desear y creer que hubieran pasado inadvertidas. No pude evitar, mientras lo hacía, acordarme del momento en que había ido con Arnau a convencer al camarero del Sin Ibiza para que contra su filosofía vital se acercara a la compañía a testificar ante la Guardia Civil sobre lo que había visto y oído la noche que Igor y Álvaro habían pasado por allí. Su resistencia duró lo que tardé en advertirle de lo que significaba negarse a colaborar en un caso de homicidio, aunque no dejó de hacerme sentir el rencor que nos guardaba por el engaño.

—En resumen —continué—, que no nos hemos quedado de brazos cruzados durante estas tres semanas, que estás en nuestro radar casi desde el principio y que no hemos ido a por ti hasta que hemos atado en condiciones todo lo que íbamos descubriendo. Y lo que te he dicho es tan sólo una parte. A eso tienes que sumarle que del cadáver se han recogido rastros de ADN de un varón que por las características físicas tenemos pocas dudas de que serás tú, y así podremos probarlo. También que hay constancia de que tu teléfono móvil estaba en el entorno del crimen a la hora en la que se cometió, que tenemos el historial de las llamadas entre los dos, a lo largo del mes y pico que transcurrió desde que conectasteis en una aplicación de contactos sexuales hasta el día de la muerte de Igor, incluidas las tres que te hizo ese mismo día. También hemos encontrado mensajes y chats, alguna foto que te envió, alguna foto que le enviaste... En fin, lo que no quisiera bajo ningún concepto, Álvaro, es abrumarte ni hacerte sentir mal mostrándote todo este material. Lo que preferiría es que reflexionaras y te avinieras a contarnos lo que pasó, como lo recuerdes y sin guardarte nada.

El detenido cruzó una mirada con su abogada. Trató de reaccionar:

—No voy a negar que estuve con él. Ni esa relación que tuvimos, primero online y luego en persona. Pero eso no es un delito.

—No, no lo es —admití—. El problema es que coincide con uno.

—No me pueden condenar por una coincidencia.

—Las cárceles están llenas de coincidencias, Álvaro. Cuando son tantas, y tan llamativas, y tan difíciles de explicar de otra manera.

—Insisto, quizá debería preguntarle algo —recordó la abogada.

—Desde luego —convine—. Ahora ya puedo hacerte mi pregunta, Álvaro, es sólo una y es muy sencilla: ¿qué se torció entre vosotros en esos tres días? ¿Qué fue lo que pasó para que acabaras haciendo lo que hiciste? Cuéntanoslo y a lo mejor encontramos una manera de bajarte la culpa y bajarte la pena. Si no, tendremos que ir a por todas.

Vi entonces cómo le temblaban las manos. Aquel era el momento en el que el miedo le calaba los huesos, el desfallecimiento donde podía perder el control. Justo lo que yo esperaba y quería propiciar.

—No tengo nada contra ti —le aseguré—. Tampoco tengo ningún interés en que te condenen a lo máximo que puedan condenarte. Sólo busco la verdad y que lo que hiciste tenga su justa consecuencia.

—Yo no lo hice —gimió—. No puede caerme esta ruina porque sí.

—¿Por qué te escondiste entonces? ¿Por qué te fuiste?

—Tuve miedo. De que pasara esto.

—Pensaste que nadie te encontraría. Que habíais viajado los dos por separado, que en el hotel de San Antonio sólo estabas registrado tú y en Formentera nadie. Que no averiguaríamos tu existencia.

—Pensé que con suerte no tendría que dar explicaciones.

—La suerte es poca protección en estos casos. Lo miramos todo, y en los tiempos que corren dejamos muchas huellas. Las llamadas que te hizo desde su teléfono, los correos electrónicos, los mensajes de chat... ¿De verdad pensaste que no íbamos a dar con nada de eso?

—Sabía que se veía con más gente. Que en esos mismos días estuvo con algún otro. Pensé que no tenían por qué ir a por mí...

—Pero aquí estamos, Álvaro —le recordé—. Y qué vamos a hacer ahora. Dame alguna alternativa. No me dejes sólo el peor camino.

Sacando fuerzas de donde no las tenía, intentó sobreponerse:

—Verá, no lo niego: me pagó el viaje, estuve con él, pasamos juntos tres días y tres noches, tuvimos sexo, pero el domingo por la mañana decidimos seguir cada uno por nuestro lado y ya no supe más de él.

Sopesé sus palabras.

—Lo decidisteis. Los dos. Amistosamente.

—Sí, eso es, amistosamente.

Miré a Salgado. Ella extendió la mano, invitándome a seguir.

—Vamos a ver, Álvaro —le dije—. Esto es algo engorroso y hasta me resulta un poco violento, pero creo que tenemos que darle a esta charla entre nosotros y tú una pequeña vuelta de tuerca. Hay una cosa que no te he dicho antes. No sólo tenemos testigos. También hay algo más que en estos tiempos podemos encontrar con cierta frecuencia y un poco de fortuna: grabaciones de cámaras. Y resulta que la fortuna nos ha acompañado. Os tenemos grabados a los dos. A ti y a Igor.

—Ya me lo ha dicho la abogada. Y ya sé, también me lo ha contado, que hay cámaras en el puerto, y que seguramente son las...

—No sólo en el puerto —le corté.

Le dejé imaginar dónde más, antes de mostrarle mis cartas.

—Inés, ¿puedes traerme el portátil? —le pedí a mi compañera.

—Claro —respondió.

Los dos minutos que tardó en ir y volver me los pasé en silencio y con la mirada fija en Álvaro Reyes. Noté cómo tragaba saliva, cómo se le aceleraba el pulso, cómo era incapaz de controlar su temblor.

Cuando Salgado me tendió el ordenador portátil, lo abrí y busqué en el directorio donde guardaba los archivos de vídeo del caso. Di con el que me interesaba, lo pinché y maximicé la ventana. Sin decir nada, le di la vuelta al portátil para que lo vieran la abogada y él. Por un momento su latido se detuvo, pero en seguida respiró, aliviado.

—Es verdad, salimos a correr juntos. ¿Y? —dijo, desafiante.

Me gustó que me desafiara. Para darle un poco más de tensión al duelo, dejé entonces de tutearlo y opté por el tratamiento formal.

—No parece que usted le siguiera mucho el ritmo.

—Él corría a diario, por lo que me dijo. Yo no.

—Ahí no parece tomárselo usted tan deportivamente.

—¿Insinúa que lo maté porque me ganó corriendo?

—Anoto sólo que la relación no fue siempre agradable para usted.

—¿Y esto va a hacer que me metan en la cárcel?

Recuperé entonces el ordenador, lo volví hacia mí y busqué otro clip de vídeo. El anterior sólo era para que se confiara. Pinché y agrandé la ventana. Lo dejé comenzar y le dejé a él preguntarse, durante un buen rato, qué estaban viendo mis ojos y se ocultaba a los suyos. Cuando me pareció que estaba lo bastante intrigado, y que las imágenes eran lo bastante embarazosas, di la vuelta al portátil y lo enfrenté con ellas y con la conciencia de que su abogada las veía al mismo tiempo.

El semblante de Álvaro se contrajo en un rictus de horror. Apenas aguantó unos segundos la visión de su cuerpo desnudo en aquella playa, junto al cuerpo desnudo de la víctima de un homicidio. Luego se llevó las manos a la cara y empezó a llorar. No interrumpí su llanto, no le ofrecí consuelo, no volví ni abatí la pantalla del portátil.

—Está todo, hasta el final —le dije—. Habría preferido no tener que enseñártelo, te lo aseguro. Ahora sólo te pido que te imagines lo que pensarán los miembros del jurado cuando tengan que verlo. Lo que se imaginarán sobre tus sentimientos hacia ese hombre. Si se creerán que os separasteis amistosamente y que todo fue bien entre vosotros.

—Yo no lo hice, se lo juro —musitó, entre sollozos.

—Vamos a dejarlo aquí por ahora, si te parece. No vamos a hacer ningún acta de esta declaración, salvo que tu abogada insista. Te voy a dejar que descanses, que pienses, que te tranquilices. Te daremos de cenar. Te dejaremos que duermas. Y mañana será otro día.

Lo devolvimos a los calabozos. Me reuní con Salgado y el resto del equipo en la sala de trabajo común. Fue Tomeu el que me preguntó:

—¿Cómo ha ido?

—Una masacre, mi teniente —se adelantó a responder Salgado—. Lo ha dejado hecho un pingajo. Al borde del precipicio.

—Este está decidido a resistir, como sea —dije yo.

—No se te ve muy contento —opinó el teniente.

—No me gusta lo que he tenido que acabar haciendo. He apretado el botón nuclear. Ya sabes tú a qué me refiero —me dirigí a Eva.

—Me lo imagino —dijo la aludida.

—No deja de ser un fracaso —reconocí—. Habría preferido darle confianza, convencerle por las buenas de que colaborase. Y ahora ya no sé si esa vía va a ser posible. Lo hemos debilitado, nada más.

—Y nada menos —apreció Salgado.

—Voy a informar a mis diversas superioridades —dije, resignado—. Os pido a todos que busquéis algo nuevo que podamos utilizar para hacerle cambiar de opinión en el siguiente interrogatorio. O si no, para que al menos el juez lo tenga más claro cuando se lo llevemos.

Le di cuenta primero al comandante Tuñón, a quien en su calidad de responsable en la isla le interesaba especialmente estar al tanto de la última hora, y luego por teléfono a mi comandante. Tuñón se ofreció a llamar al juez Prats, lo que por lo menos me eximió de contárselo a él. Aunque su señoría me había facilitado su número personal y nada se había hecho sin su aprobación, prefería esperar al final del plazo legal de detención para decirle que los indicios contra el sospechoso eran en sustancia los que ya teníamos antes de detenerlo. A nadie le apetece mucho informar a otro de que su esfuerzo ha sido infructuoso.

Al final, aplacé el segundo interrogatorio de Álvaro hasta la tarde del día siguiente. Por un lado, confiaba en que las horas de espera y de nerviosismo le pasaran factura. Por otro, quería apurar al máximo para sentarme ante él con todas las bazas que pudiera reunir. No me hacía ilusiones: tras aquel segundo interrogatorio, el tiempo apremiaba y no nos quedaría otra que proceder con lo que hubiera. Antes de que lo trajéramos, su abogada se me acercó y me habló en un aparte:

—Se mantiene en lo de ayer. Que él no lo hizo.

—No me sorprende mucho —le dije.

—He tratado de hacerle ver que su situación es delicada. Que lo más probable es que el juez le decrete prisión incondicional.

—Usted sabrá qué tiene que decirle. Líbreme Dios de meterme ahí.

—Lo que trato de hacerle ver es que o es un chiflado o un inocente. Ni por esas está dispuesto a cambiar de opinión y confesar.

—Está en su derecho.

—Subteniente, no es un criminal entrenado para resistir la presión. Ni siquiera tiene antecedentes. A lo mejor esto es un error.

—Nunca se sabe. Y homicidas sin antecedentes previos, letrada, ya me he echado a la cara unos cuantos. En todo caso, ya sabe que ni yo ni mis compañeros decidimos nada. Cuénteselo usted al juez.

—No quería dejar de compartir con usted mi impresión.

—Y es su deber, y se lo agradezco —le dije—. Ahora vayamos ahí dentro y hagamos cada uno el papel que nos corresponde.

Esta vez, y me detuve a explicárselo a ella para que lo entendiera, preferí que en lugar de Salgado entrara conmigo Arnau. Ahora sí que íbamos a hacer un acta de la declaración, y Arnau era más pulcro y metódico para esas labores, pero, sobre todo, quería alterar un poco el paisaje por si contribuía a que la actitud del detenido fuera distinta. A Álvaro, como a cualquiera que no tuviera la costumbre, le había hecho mella el encierro. Se lo veía demacrado y abatido, el cabello revuelto y cubierto de una pátina grasienta, como el de alguien que se hubiera pasado todo el tiempo mesándoselo. Tomamos asiento los dos frente a él y frente a la abogada y traté de quitarle hierro a la situación:

—Aquí estamos otra vez. Empezaré de la misma forma. ¿Está bien? ¿Hay algo que quiera que le traigamos? Dentro de un orden.

—No necesito nada. Aparte de salir de aquí.

—Eso se sale de mis competencias.

—Ya me imagino. Por eso no se lo pido.

De una forma inesperada, y en cierto modo sorprendente, las horas en el calabozo, más que erosionarlo, parecían haberlo enrabietado. Me entró una duda incómoda: si haberlo avergonzado con las imágenes de la playa no habría sido un tiro que me iba a salir por la culata.

—¿Ha pensado en nuestra última conversación?

—En qué si no.

—¿Su respuesta sigue siendo la misma?

—Básicamente.

—¿Hay algún matiz?

—Mire, le voy a reconocer algo. No era la primera vez que tenía una cita como esta. A veces te sale bien, hay química desde el principio y todo el tiempo. Otras, hay un momento en que deja de apetecerte, la persona no te pone, o te pone tenso, y tratas de cortar el asunto. No es una situación que guste, ni al que corta ni al que le cortan, pero forma parte del juego, y se suele aceptar. Eso es lo que hubo aquí, ni más ni menos, y no fue diferente de alguna otra vez que me ha pasado.

—Igor no se empeñó en algo que a ti ya no te apetecía.

—No. Era un hombre muy educado. Muy correcto.

—¿Demasiado cariñoso, tal vez?

—Eso ya va en gustos.

—Quiero decir, demasiado cariñoso para alguien que no es que se sintiera atraído precisamente por él, sino más bien por su cartera.

Era un golpe duro, quizá demasiado, pero dado estaba.

—Ahí se equivoca, me atraía. Por lo menos al principio.

—¿Ha ido más veces con hombres mayores?

—Muchas veces.

—Sin que el hombre mayor le invite, digo.

El detenido hizo un esfuerzo para sonreír, pero le salió una sonrisa amarga. Era consciente de que aquel era su penúltimo cartucho.

—¿A usted nunca le atrajo a mi edad una mujer mayor?

Me quedé pensando.

—Es posible, hace ya tanto que casi ni me acuerdo, pero estábamos hablando de usted. Verá, entre ayer y hoy hemos seguido trabajando. Hemos examinado su teléfono, su ordenador, su tableta.

—Suponía. Para eso les di las contraseñas.

—Nos ha llamado la atención alguna cosa.

—¿Cómo cuál?

—¿Por qué borró usted todos sus chats de WhatsApp con Igor? ¿Por qué en sus cuentas de correo guarda toneladas de mensajes antiguos pero borró también todos los que tenía de él? ¿Por qué ha hecho lo mismo con el historial de llamadas recibidas y enviadas y los mensajes directos que se intercambiaron por Instagram? ¿Por qué ha limpiado todas las fotos que le mandó, pero guarda en una carpeta creada hace un mes una docena de capturas de pantalla íntimas del fallecido, en las que no se le ve la cara y que identifica usted con su nombre?

A Álvaro aquella última revelación le pilló a contrapié.

—Me olvidé de que abrí esa carpeta —confesó.

—Ya imagino. ¿Qué era, una especie de seguro? ¿O tenía el plan de hacerle chantaje si la cosa no iba como esperaba? No te voy a juzgar, Álvaro —volví a tutearle—, he visto tu nómina, y este hombre tenía más dinero del que podía gastar él solo: es lógico que pensaras que era justo favorecer una cierta redistribución de rentas entre él y tú.

—Espero que nunca se vea con una nómina como la mía —dijo, en un arrebato de dignidad—. Que no tenga que aceptar que le inviten. Yo no lo hice, subteniente, pero si disfruta siga riéndose de mí.

Traté de buscarle la mirada. Siguió sin ofrecérmela.

—No disfruto, Álvaro, y discúlpame si te he ofendido. Sólo trato de ayudarte a que no te eches encima toda la ruina. Cuéntame algo, joder, que intentó violarte, que se te fue la cabeza. No quedes como un frío asesino que le sacó los cuartos, le tendió una trampa y luego trató de borrar, mal, todas sus huellas. Porque eso es lo que van a pensar.

—No puedo inventarme lo que no pasó para impedirlo.

—Está bien. No quiero forzarte. ¿Te reiteras entonces en eso que nos has contado antes, y que mi compañero ha recogido en el acta?

—Me reitero.

—¿Ratificas también lo que nos dijiste ayer, que pasaste tres días en las islas con el fallecido, y que tuviste sexo consentido con él?

—Lo ratifico.

—Y por última vez, qué es lo que quieres que conste que respondes a esta pregunta, clara y directa: ¿mataste a Igor López Etxebarri?

—Que no.

—Pues conste así, Juan —me dirigí a Arnau—. Ahora imprimiremos el acta y te la pasaremos para que nos la firmes si crees que refleja tus palabras, y si no, nos dices lo que hay que corregir. Y si de aquí a mañana cambias de idea, nos avisas y llamamos a tu abogada otra vez.

No nos avisó, no hubo que volver a llamar a su abogada. Con esa declaración y con el resto de las pruebas se lo entregamos al juez, que tal y como su defensora había previsto y le había advertido, dictó para él prisión incondicional, en espera de que se completara la instrucción y se señalara fecha para el juicio. Mi equipo y yo abandonamos Ibiza al día siguiente, con la felicitación de su señoría, de la fiscal y de nuestros superiores. Sólo faltaba confirmar que el perfil genético de los restos biológicos hallados sobre el cadáver coincidía con el de Álvaro. Así lo certificó el laboratorio dos días después: eran suyos y sólo suyos. En primer lugar llamé a la madre de Igor, para avisarla de lo que pronto iba a leer en los periódicos. Encajó la noticia sin mayor entusiasmo, me dedicó un par de monosílabos y me colgó. Tampoco esperaba mucho más. Luego llamé a Chamorro, que se recuperaba ya en casa.

—Problema resuelto —concluyó—. No tienes que preocuparte ya de otras opciones. Tenías razón, no había que complicarse.

—¿Y por qué no termino de estar satisfecho?

—Porque no confesó. Y porque si lo estuvieras, no serías tú.

Quise creer que no había otro motivo. Por más que lo intenté, no me quitaba la fea sensación de que aquel trabajo no estaba terminado.

20
Su bestia negra

Cuando el capitán Pereira, después de darme permiso para entrar en su despacho, me invitó a que tomara asiento, no pude no fijarme en aquel librote que tenía encima de su mesa. Era grueso y el título estaba en francés: *Mille plateaux*, de Gilles Deleuze y Felix Guattari. A él no se le escapó tampoco a dónde se me iban los ojos: que tuviera el libro en un lugar tan visible era cualquier cosa menos una casualidad.

—Lo compré hace un par de semanas —me explicó, aunque no tenía por qué—, aprovechando un viaje a París. Estuve allí con el coronel, estableciendo contactos. Saqué tiempo para ir a una librería.

—¿Lee francés?

—*Raisonnablement*. Aunque el libro este es denso.

—Me consta, como ya sabe usted.

—El brigada Ruano procura tenerme informado de todo lo que cree que puede ser de interés para el servicio. Y en este caso, como en la mayoría de los casos, no se equivocó. Me ha interesado.

—¿Ya lo ha leído?

—No, ni mucho menos. Lo he hojeado a saltos, aquí y allá. Entera sólo me he leído la introducción, el asunto ese del rizoma. Bueno, es una metáfora un poco rebuscada, pero no parece del todo inútil. Y es cierto lo que dicen sobre la metáfora del árbol, que ha hecho estragos. Tendemos a explicarlo casi todo recurriendo a las raíces, el tronco y las ramas, y hay estructuras que no obedecen a ese esquema. Que no se asientan en un entramado que las sujeta al suelo, que no tienen una columna que las levante y las vertebre o que no producen ramas para alcanzar sus objetivos. Es verdad que hay estructuras que se expanden en un mismo plano, y que esa dinámica hace más difícil cercarlas y, en caso necesario, desmantelarlas. Diría que por ahí van a ir cada vez más nuestros enemigos, que son los del Estado y sus leyes, ese viejo árbol bajo el que peor o mejor nos cobijamos la mayoría de las personas. Aunque no es una estrategia sencilla, y de momento y por fortuna ellos también cometen fallos y caen en la trampa arborescente.

No me sorprendió que Pereira fuera capaz de análisis intelectuales. Como tantos otros en el seno de la oficialidad, había hecho estudios al margen de la academia. En su caso, había optado por el derecho, y al cabo de los años, arañando ratos libres, acabaría obteniendo incluso un doctorado. Lo que me desconcertó fue que se prestara a entrar para mí en semejantes disquisiciones, tan alejadas del trabajo que con arreglo a sus directrices yo había estado haciendo. Y sobre todo que buscara ese plano de igualdad entre él y yo, cuando hasta aquel momento nuestra relación se había desarrollado en la distancia de un esquema piramidal que lo situaba a él en el vértice y a mí como un punto de la base.

—A lo que me refiero —prosiguió—, es que al final también ellos, para explicarse a sí mismos, se olvidan de estas teorías y echan mano de las raíces, se empeñan en tener un tronco y se conciben como una estructura con ramas. Y para explicarnos a nosotros nos reducen a un simple aparato vertical, cuando también, aunque ellos no lo sepan ni lo entiendan, ni lo vayan a entender nunca, en nosotros hay algo de rizoma. Somos algo más que unas cuantas decenas de miles de tipos de uniforme encuadrados en compañías y comandancias. En cada uno de nosotros, hasta en los más brutos y los más débiles, está el potencial de esa frase tremenda que el duque de Ahumada escribió en la cartilla que ya me contaste que te leíste algo más que por encima.

—¿Cuál de todas?

—«Prudente sin debilidad, firme sin violencia, político sin bajeza.» Dondequiera que hay alguien que se siente guardia civil, está entero ese espíritu, que es el que más daño puede hacerles. Lo intuyen, y por eso nos han convertido en su bestia negra: por eso ponen sus bombas en nuestras casas cuarteles y no les importa matarnos a los niños, o matarnos a nosotros delante de ellos; pero no saben hasta qué punto somos lo que más deben temer. Entre otras cosas, siguen creyendo que somos todos unos zopencos, no imaginan que debajo de un tricornio pueda haber, sin ir más lejos, un individuo como tú o como yo.

A aquellas alturas de su discurso, empecé a ver por dónde iba. Sin embargo, no entró aún en materia. Prefirió hacer una digresión.

—No sé si has pensado acerca del atentado del otro día. Sobre el momento y el lugar en el que se produjo. ¿No te dicen nada?

—Lo que a cualquiera, mi capitán. Que son unos hijos de puta.

—Más allá de eso, Vila. Es humano, pero dejarnos llevar por la rabia no nos conduce a ninguna parte. Te hablo de análisis.

—Buscaron una coyuntura donde la víctima era vulnerable.

—Desde luego. Estás recogiendo a tu hijo del colegio: incluso si te da tiempo a ver al pistolero que se pone delante del coche, el instinto paternal te lleva a preocuparte antes que nada del niño, y te expone todavía más ante quien está decidido a quitarte de en medio.

—A eso me refería.

—Pero hay algo más. Piensa un poco. Para buscar y seleccionar sus objetivos viven de la información que recogen sus colaboradores sobre el terreno. El guardia al que mataron trabajaba en otro pueblo, nunca se le vio de uniforme por allí. Y sin embargo sabían que era un guardia civil y dónde podían ir a por él con todo a favor. Entre otras cosas, porque en este caso el punto de recogida de la información y el lugar en el que finalmente se produce el atentado están muy cerca.

Intuí, con espanto, a dónde apuntaba.

—¿Quiere decir que...? Joder, no puede ser.

Me observó con un gesto sombrío.

—Es, Vila. La hemos detenido ayer. Una profesora del colegio que estaba en la red de informadores del comando. Fue ella la que le sacó al niño a qué se dedicaba su padre, después de atar un par de cabos: lo que al niño se le escapaba de vez en cuando, el origen de la familia, el tiempo que llevaban allí. Fue ella la que les señaló a los pistoleros al hombre al que podían matar y cuándo solía ser él quien venía a buscar al niño. Podrían haber aprovechado esa información para seguirlo y dispararle en otro momento y otro lugar, pero para qué complicarse: se lo cobraron delante del propio colegio. Me imagino que la profesora no se perdió el espectáculo. Te aseguro que voy a hacer lo imposible para que se coma el asesinato como el que apretó el gatillo. Aunque eso depende de sus señorías, y abogados tendrá que la defiendan.

No pude callarme lo que me pasaba por la mente.

—Nos odian todo lo que un ser humano puede odiar a otro.

Asintió con aire grave.

—Así es. Y ni a ti ni a mí nos toca resolver si tienen motivos, si están enfermos o si, como dijiste antes, son unos hijos de puta. Lo que a ti y a mí nos toca es atraparlos, desarmarlos y limpiar las calles de este país, el vasco y el que va más allá del vasco, de su presencia. Porque infringen la ley, impiden a los ciudadanos vivir con seguridad y los amedrentan a diario. Lo demás, ni nos va ni nos viene. Y para hacer este trabajo, después de haber probado otras vías que lo único que han conseguido ha sido agravar el desastre, está claro que no tenemos más armas que la ley, echar horas y ponerle toda nuestra inteligencia.

—Eso lo podría suscribir el duque —observé.

—Él tenía mejor prosa, me temo, pero sí, la idea es la misma. A estas alturas te estarás preguntando para qué te he llamado a mi despacho. No lo voy a retrasar más. Que tienes que actuar dentro de la ley ya te lo dijeron en la academia y ya has visto que por la cuenta que nos trae y para que no nos anulen las diligencias procuramos aplicarlo. O si nos tomamos alguna licencia, que sea pequeña y que no se note. De echar horas también has aprendido algo en el grupo al que has estado adscrito hasta ahora, pero me gustaría que en adelante lo consideraras como una parte de tu entrenamiento. No era esa la labor en la que pensé, cuando te entrevisté, que ibas a acabar dedicándote.

—Y entonces, ¿por qué me asignó a ese grupo?

—Quería que pasaras por ahí, para foguearte y ponerte a prueba, pero creo, y después de estudiarte todos estos meses y de ver lo que lees no me queda ninguna duda, que tu sitio está en otra parte: entre los que intentamos crear esa inteligencia del enemigo que nos permita, algún día, acorralarlo, quitarle los dientes y reducirlo a la nada.

—¿Usted cree? —no pude dejar de preguntarle.

—Ten más fe en tus capacidades, hombre —bromeó.

—Me refiero a que vayamos a poder reducirlos a la nada.

—Si no lo creyera, no pintaría nada aquí.

—No parece que vaya a ser fácil, ni rápido.

—La facilidad y la rapidez son para los pobres de espíritu.

—No sé si entiendo exactamente la propuesta, mi capitán.

Asintió, comprensivo.

—No te la he concretado como para que puedas entenderla. Lo que te propongo, antes de nada, es que te presentes al curso de cabo. Con tu cabeza y tus condiciones es lo menos que deberías ser ya. Cuando lo saques, tendrás que pedir destino, pero que eso no te preocupe. Saldrá al mismo tiempo una vacante en mi grupo: quiero que te incorpores a mi equipo de confianza. Ya no vas a tener que ocuparte de hacer seguimientos de gente que no sabes quién es. Vas a ser uno de los que saben quién es quién, de los que deciden a quién hay que seguir.

—Mucho poder me parece ese para un cabo —dudé.

—Formalmente, decidiré yo. Pero atenderé a tu criterio.

—¿Puedo preguntar en qué consistirá mi trabajo?

—Todo tipo de tareas de información. Puede que aún te toque hacer algún seguimiento, pero ya no como labor principal. También puede que tengas que infiltrarte, alguna vez, en algún lugar comprometido. Sobre todo se trata de reunir, armar e interpretar la información. La que nos llega de nuestras fuentes, la que recoge nuestro personal sobre el terreno, la que extraemos de archivos ajenos y propios, la que les sacamos a los propios terroristas cuando los detenemos. Para eso, una de las artes que tendrás que aprender es la de interrogarlos.

El capitán captó al vuelo la sombra que pasó por mi rostro.

—¿Qué te preocupa, de todo lo que te he dicho? No te asustes, no vamos a pedirte que te vayas a Francia e intentes entrar en ETA.

—No pensaba en eso, mal podría dar el pego. Soy uruguayo.

—Por eso mismo, y por otras razones que ya te contaré: lo de meter a alguien en ETA hay que prepararlo mucho y con mucho tiempo y hay soluciones más directas, más rápidas y bastante más sencillas.

—¿Como por ejemplo? —osé inquirir.

—Captar a alguien que ya esté dentro.

—¿Y eso puede hacerse?

—Todo puede intentarse. Y a veces sale lo que no imaginabas. No te calles, cuéntame qué es lo que te preocupa de lo que te he dicho.

—El otro día vi a los detenidos, en la comandancia.

—Contra mi criterio —no se privó de señalar.

Ante mi desconcierto, me aclaró lo que quería decir:

—Siempre insisto a la gente en que los llevemos directamente del lugar de detención a Madrid, pero tal y como estaban los ánimos tras el atentado alguien pensó que era bueno que la gente los viera.

—¿Y por qué hay que traerlos directamente a Madrid?

Pereira me dedicó su sonrisa zorruna.

—Fácil, Vila. Si nos denuncian por torturas, que ya sabemos que lo van a hacer noventa y nueve de cada cien veces, mejor que el asunto lo lleve un juzgado de Madrid, y no uno de Guipúzcoa. A los de aquí no pueden hacerles la presión que sí les van a hacer a los de allí.

—Entiendo.

—Y dime. Qué pasó. Qué viste.

—A los tres detenidos, desnudos, cara a la pared, con las manos en la nuca. Los tenía así un cabo de Información de la comandancia.

—Es lo normal, para que no vean ni puedan identificar a nadie, y para asegurarnos de que no se guardan nada que no deban tener.

—La escena era bastante cruda.

—La situación lo es. Si no tuvieran afición a dispararnos en la nuca podríamos dejarles ver nuestras caras y ser mejores anfitriones.

—Uno de ellos estaba un poco subido. Y vi cómo lo bajaban.

El capitán se encogió de hombros.

—Es difícil evitarlo, tanto lo uno como lo otro. En todo caso, no es así como los interrogamos. Lo que tú quieres saber es si les metemos la cabeza en el váter o les ponemos electrodos en los testículos.

—Hablando mal y pronto, sí. No me veo haciendo eso.

—Ni te veo yo, tampoco, ni vas a tener que hacerlo. Te agradezco la sinceridad, en todo caso. Que saques las cosas y no te las guardes me invita a confiar más en ti. Me confirma que no me equivoco.

—¿Cómo los interrogamos, mi capitán?

—Lo verás, antes de que te toque hacerlo. Como pasa con todo, esto ha tenido sus épocas. Hay una que yo no conocí, más que por lo que me han contado los mayores, donde se hacían verdaderas animaladas. Aquí y en Albacete, que entonces lo de los derechos fundamentales no se llevaba en ninguna parte: el español tenía derecho a obedecer lo que le mandaban y punto. Luego vino la democracia, que es una sustancia que tarda en colarse por todos los intersticios, y más de uno siguió a lo suyo: a lo que sabía y creía que funcionaba, aunque a la hora de la verdad no funcionara una mierda. Que la persona a la que interrogas se sienta en desventaja es útil; machacarla no te da mucho más de lo que puedes conseguir igual sin tener que mancharte las manos.

Pereira se interrumpió aquí para aclararme:

—No lo digo por experiencia. Es lo que me han contado.

—Ya me imaginaba, mi capitán.

—Historias del pasado aparte, lo que importa es dónde estamos ahora, que es lo que tienes que considerar si te conviene o no. Para que te sitúes, ten en cuenta que casi todas nuestras detenciones acaban en los juzgados, porque nuestros clientes tienen instrucciones de sus jefes de denunciarnos y porque es la única manera que tienen los que cantan de salvar la cara ante los suyos. Por eso, y porque interesa dar a los jueces argumentos para que archiven esas denuncias lo antes posible, hay un protocolo de atención continua al detenido por los forenses de la Audiencia. Si como máximo podemos tenerlos cinco días, lo menos los visitan cinco veces, cuando no son diez. Al final, acaban teniendo más atención médica que cualquier ciudadano que cumple la ley.

—Ya veo.

—Comprenderás que en esas circunstancias, pasando examen con unos forenses que no están bajo nuestro control, todo eso de romperles huesos, ahogarlos o ponerles electrodos está fuera de lugar.

—Me tranquiliza saberlo.

—Ya lo verás. Se los somete a una presión razonable, nada más. A esa desventaja que te dije antes. La principal herramienta para lograr que te cuenten lo que saben no es intimidarlos. ¿Sabes cuál es?

Por un momento me pareció que me invitaba a adivinarlo, pero era evidente que semejante alarde estaba más allá de mis aptitudes.

—No lo sé —reconocí.

—Hacerles ver lo que sabes de ellos. Que lo peor de todo lo que han hecho ya te consta, y no es lo que te preocupa. Que no persigues que delaten a sus compañeros y colaboradores, no antes de haberles dado tiempo para escapar, eso lo llevan a gala: a fin de cuentas son tipos que creen en lo que hacen, que se sienten soldados y por lo menos para con los suyos intentan mantener alguna forma de honor. Que todo lo que quieres es saber lo que han hecho ellos, para no cargárselo a otro. Por haber matado a tres o a diez la pena va a ser la misma: se van a pasar treinta años en la cárcel igual, y ellos lo saben perfectamente.

—Verse rodeados de guardias civiles ya debe de ser para ellos un buen bajonazo. No les sobrarán los ánimos para plantar cara.

Pereira respaldó mi suposición con su gesto.

—Ahí son víctimas de sí mismos. Nos han demonizado tanto que hasta hay quien teme que lo mates. A alguno he tenido que decirle que a los etarras los quiero vivos, que muertos no me rinden nada.

—En fin —discurrí en voz alta—. Si es así como dice...

El capitán aún percibió en mi voz un rastro de duda. Sintió que tenía que terminar de envolverme en su red, y no rehuyó el esfuerzo:

—¿Tú te acuerdas de aquel del peaje de Irún? El que sobrevivió.

—¿No fueron dos?

—Sí, pero me refiero al jefe. Al más legionario, si quitamos a los dos que se hicieron matar antes que entregarse. ¿Sabes cómo acabamos el interrogatorio con él? Quince muertes a las espaldas, te recuerdo.

—No.

—Vaciando una botella de pacharán. Y tan contento, dentro de lo que cabe, camino del trullo y de una condena de cientos de años.

—No me lo puedo creer.

—Lo creerás cuando lo veas. ¿Qué me dices?

—¿Me lo puedo pensar unos días?

—Dos días, no más. Tengo que tomar decisiones. Si no eres tú, será otro, y tengo que cubrir más plazas. Ten en cuenta, además, que el curso de cabo dura tres meses. ¿Puedo hacerte una pregunta?

—¿Sobre?

—Sobre tu compañero, Álamo.

—No sé si debo...

—Relájate, no te voy a pedir que me hables de sus defectos. Te lo voy a preguntar al revés, en positivo. ¿Dirías que puede ser de ayuda para lo que aquí perseguimos, obtener y elaborar información?

—Mientras no le pida que le haga un resumen de ese libro...

—Ni falta que hace, esto del libro, entre tú y yo, sólo era una forma de romper el hielo. Tampoco creo que pasen de tres los que leen algo así entre los malos. Información concreta, quiero decir.

Me ponía en un compromiso. Elegí no mentirle:

—Es listo, es valiente, es rápido, no suele ponerse nervioso.

—Me estás respondiendo que sí.

—Esa es la idea que yo tengo. Me puedo equivocar.

—No lo creo. Gracias, Vila. Espero a que me digas algo.

Era la señal para ponerme en pie. Lo hicimos a la vez los dos.

—A sus órdenes, mi capitán.

Pereira me tendió la mano, mirándome a los ojos.

—Piénsalo con cariño. Nos hace falta gente como tú.

Me pregunto a menudo si de verdad lo pensé. Esa misma tarde lo comenté con Álamo, que había recibido una propuesta similar. Lo del curso de cabo le daba pereza, pero le atraía la posibilidad de cambiar de trabajo y de estar más cerca del meollo de aquella guerra. A mí el curso me importaba poco, casi agradecía la oportunidad de volver tres meses a la academia y tomarme ese tiempo para meditar; lo que me preguntaba una y otra vez era si quería implicarme todavía más en una campaña que no permitía embarcarse a medias y que podía acabar devorándote la vida. Al final, Álamo me convenció de hacer el curso juntos. Luego ya vería, me dije. Así es como uno suele engañarse.

Tres meses y medio después, estaba en mi primera operación como cabo del servicio de Información contra la estructura de un comando operativo. El capitán Pereira me involucró poco antes del desenlace, por lo que mi aportación a aquel éxito fue prácticamente nula. Lo que pretendía, según me dijo, era que aprendiera, sobre una operación ya hecha, cómo se conseguía y se procesaba la información, cómo luego se explotaba y se administraba, en el interrogatorio a los detenidos, y, sobre todo, cómo se cuidaba de dejar siempre vías abiertas para que un logro no impidiera logros posteriores, sino que diera pie a seguir avanzando en el conocimiento de la organización, sus estructuras y, en última instancia, su cadena jerárquica. Pereira lo explicaba así:

—El éxito no es capturar comandos, los comandos se renuevan. El éxito es hacerlo de manera que sepamos cada vez mejor quién y cómo los activa, dirige y aprovisiona. El día que terminemos de descubrir esos mecanismos y a sus responsables, no importará que haya cafres dispuestos a tomar las armas, porque no tendrán armas, ni órdenes, y sólo les quedará irse a la *herriko taberna* a cagarse en nosotros.

Cuando le oía decir eso, no podía evitar pensar que era un optimista incorregible. Y más lo pensaba cuanto más sabía, y más claro veía lo mucho que nos faltaba todavía para tener ese conocimiento exhaustivo y profundo que permitiera desarmar al enemigo. Entre otras razones, había una gran zona de sombra a la que las investigaciones apuntaban una y otra vez: Francia. Desde donde les llegaban a los comandos las órdenes y los suministros y donde nosotros apenas podíamos operar, a través de unos canales rudimentarios de coordinación que dejaban bien claro que para los vecinos franceses el problema estaba muy lejos de ser prioritario. Quince años después de la muerte de Franco, y aun integrada en la Unión Europea, a España le seguía siendo difícil hacer ver al otro lado de los Pirineos que su posición era legítima y que los que negaban la democracia eran quienes ponían bombas y no tenían reparo en matar con ellas a uniformados, civiles, mujeres o niños.

En aquella operación vi por primera vez cómo Pereira afrontaba el interrogatorio de un detenido. La escena tuvo lugar en Madrid, en los calabozos de la Dirección General, y no fui su único espectador. Junto a Pereira estaba Romero, uno de sus cabos de confianza, aunque no abrió la boca en todo el rato. A mi lado, otros ocho o nueve miembros del grupo, incluido Álamo, todos con bloc y bolígrafo. Además de una diligencia de investigación, aquello era una clase práctica, para los que algún día no lejano podíamos tener que hacer de interrogadores.

Comprendí entonces a qué se refería Pereira cuando decía que a los etarras se los sometía a una «presión razonable» para interrogarlos. A aquel hombre lo habían detenido veinticuatro horas antes, en el piso situado en un pueblo de Navarra donde se escondía junto con otro compañero de comando. Tras despertarlo de mala manera en mitad de la madrugada, encañonarlo, reducirlo y esposarlo, le habían obligado a asistir al registro de la vivienda, en la que se habían encontrado armas y explosivos que le ponían muy cuesta arriba negar su pertenencia a una organización terrorista. Después lo habían traído hasta Madrid en un coche en el que había viajado encajonado entre dos guardias civiles que no le habían dado una conversación amigable. Según me contó uno de ellos, todo lo que le dijeron fue que recordara que, gracias a la ley antiterrorista, teníamos por delante cinco días de convivencia. No era una coacción, se había limitado a recordarle lo que la ley aprobada por el Parlamento contemplaba para su caso; pero para un miembro de ETA, acostumbrado a pensar en los guardias civiles como esbirros de Satán, tampoco era la más feliz de las noticias. Nada más llegar a la Dirección General lo habían metido a rumiar las proporciones de su desventura en un calabozo sórdido y sin ventanas, pintado en un color indistinguible a causa de la pobre iluminación. Allí había estado varias horas, le habían servido una cena triste, y se había tendido a tratar de dormir. Quizá acababa de conseguirlo, por puro agotamiento físico y mental, cuando a eso de las tres de la mañana la puerta se abrió y le ordenaron que se pusiera en pie. Esposado, lo condujeron entonces hasta la sala de interrogatorios donde lo estábamos esperando. Antes de entrar, le colocaron una capucha de tela, transpirable, pero que le impedía toda visión. Recuerdo la explicación que me dio el capitán cuando le pregunté por aquella evidente muestra de maltrato:

—No puede vernos la cara, nos podría identificar. La alternativa es ponernos nosotros capucha, y en un espacio cerrado te acaba dando mucho calor. Es preferible que pase calor sólo uno a que lo pasemos diez. Y es mejor, ya puestos, que el calor lo pase él y no nosotros.

Cuando entró en la sala, además de su cabeza encapuchada y de sus pasos dubitativos, acompasados con recelo a la guía del guardia que lo conducía, reparé en otro detalle: al otro lado de la mesa en la que se sentaban el cabo Romero y Pereira no había silla alguna. También aquello formaba parte de la presión y la desventaja: responder de pie a quien te pregunta sentado, mientras sientes a medida que el interrogatorio se prolonga cómo el cansancio hace mella en ti. Cuando se quedó solo, sin saber ante quién, aquel hombre movió la cabeza a los dos lados, en busca de algún apoyo o alguna referencia que no obtuvo. Acabó por quedarse mirando al frente, esforzándose por ver algo a través de una tela lo bastante tupida como para impedírselo.

—Buenos días, Gorka —comenzó Pereira.

—¿Quién es usted?

—Un amigo. ¿Estás bien? Ya me perdonarás que no te invite a café, pero con la capucha sería un lío. Y ya nos perdonarás por la capucha, pero no quiero que le cuentes cómo somos mis hombres y yo a nadie a quien podamos encontrarnos cuando vayamos por tu pueblo.

—Quiero un abogado.

—Tranquilo, que lo tienes. En Madrid hay un turno de oficio y hay un montón de abogados apuntados. No vas a firmar ningún papel ni ninguna declaración sin un abogado delante. Esto es sólo para que nos conozcamos un poco mejor antes de tomarte manifestaciones.

—No voy a hablar.

—Eso nunca se sabe. La vida es impredecible. Si te contara cuántos de los tuyos que no iban a decir nada han cantado *La Traviata*...

—¿Qué me van a hacer?

—Nada, aquí no hacemos nada. Sólo te invitaremos

a que analices tu situación, y consideres si puede convenirte decirnos algo.

—La capucha me está dando calor.

—Lo siento de verdad. Eso no puedo evitártelo.

—¿No puedo sentarme?

—No.

—Por qué.

—Porque aquí no mandas, ya no llevas pistola. Mando yo.

—Muy amable.

—Puedo ser amable, también de eso pueden dar fe unos cuantos de tus compañeros, pero para serlo necesito alguna colaboración.

—Qué colaboración.

—Estás enmarronado hasta las cejas. Armas, explosivos, papeles, de todo hemos encontrado en el piso donde estabas con tu colega. No sé si sabes que cada pistola imprime en cada bala que dispara una firma única. Voy a saber todo lo que has hecho. Lo que deberías preguntarte es si merece la pena que nos pasemos cinco días así, de mal rollo, para no contarme lo que voy a acabar probándote de todas formas.

—Ya me está amenazando. Poco ha tardado.

—No, qué te voy a amenazar, hombre. Tampoco te voy a vender ninguna moto ni te voy a prometer nada, tú ya sabes lo que hay: vas a pasarte en la cárcel lo que te queda hasta la jubilación, salvo que los tuyos se disuelvan y consigan así que salgas un poco antes. Lo que te doy es la oportunidad de asumir tus actos como un *gudari*. Con dos pelotas y sin esconder nada. No te pido que me entregues a nadie.

—Eso lo lleva claro. Aunque me hostie.

—Aquí nadie hostia a nadie. Tampoco arrancamos las uñas. Eso era una película, una historia muy antigua. Si pudiera quitarte la capucha verías que somos gente normal. Ni llevamos bigote, siquiera.

—¿Qué es lo que quiere saber?

—Cuéntame tú.

—Pregunta tú, y yo respondo.

No se me escapó el giro que acababa de tomar la conversación, por las dos partes: el etarra había pasado a tutear al capitán, y este, que al fin había logrado abrir una rendija en la coraza del otro, buscaba ahora la manera de abrirla con delicadeza, sin perder lo conseguido.

—Empecemos por algo fácil. Cómo pasaste la *muga*.

—Por el monte Larrún.

—¿Quién te pasó?

—No sé quién era. Me llevaron con él.

—Tus jefes.

—No voy a cantar a nadie.

—Está bien. Vamos a cambiar de tema. Lo del policía local, hace tres meses. La pistola lo va a confirmar, no tiene sentido que lo niegues.

—Qué quieres saber.

—Por dónde llegaste al pueblo.

—Desde detrás, desde el monte.

—¿Y por dónde te fuiste?

—Por la carretera nacional.

—Imposible, había un control. Dime la verdad.

—Está bien. Por donde entramos.

—Ibais tú y el otro, entonces.

—Sí.

Cinco días después, cuando pusimos a Gorka y a su compañero a disposición de la Audiencia Nacional, había reconocido delante de su abogado la autoría de cuatro muertes y, una vez que supuso que ya habrían puesto tierra de por medio, los nombres de media docena de colaboradores del comando. Y lo que era más importante: sin darse cuenta nos había facilitado otros muchos datos que íbamos a explotar. Al final, en señal de gratitud, Pereira acabó poniéndole una silla.

21

Prejuicios, como todos

Algo debía de olerse, pero supo hacerse la sorprendida. Cuando abrió la puerta de la sala de trabajo del grupo y le cayó encima una lluvia de confeti y vio las guirnaldas colgando de esquina a esquina, aquella pancarta de bienvenida y a todos soplando nuestros matasuegras, Chamorro se limitó a bajar la cabeza y menearla a un lado y a otro.

—¿A quién se le ha ocurrido esto? —preguntó.

—¿Tienes alguna duda? —la abordó Salgado, copa en mano.

Todo había sido, cómo no, idea suya. Si hubiera tenido la inocencia de consultarlo conmigo, o con el comandante Ferrer, habría topado con una resistencia más o menos correosa. Aquello de montar un sarao en la oficina, a primera hora y con cava corriendo por las mesas, era algo que a mí me habría hecho dudar y a Ferrer entrar en cortocircuito. Por eso Salgado, que a aquellas alturas de la vida de inocente tenía lo justo, se lo fue a proponer directamente al coronel Hermoso, a quien abordó delante del ascensor. Así que allí estábamos todos, el coronel, el comandante y yo los primeros, con nuestro capirote con estrellitas y pompón de remate, haciendo un ruido de mil demonios y recibiendo a la hija pródiga que después de tres meses de baja y rehabilitación se nos volvía a unir en la siempre inacabada lucha contra el mal.

—Bienvenida, brigada —le dijo Hermoso.

—Gracias, mi coronel —dijo ella, sin saber qué hacer con la copa.

—Ya que nos dejan beber, habrá que brindar, ¿no? —intervine.

—Por Virginia —brindó el coronel.

—Por tenerte de nuevo aquí —lo secundó el comandante.

—Por el fin del recreo —dijo Salgado, fingiendo un puchero.

—Porque volvemos a estar todos —propuse yo.

A Chamorro se le apretaron los labios y se le empañó la mirada.

—No debería decirlo, pero os he echado de menos.

—Y nosotros a ti, mi brigada —dijo Arnau—. Te hemos dejado unas carpetas encima de la mesa, para que puedas comprobarlo.

—Y seréis así de cabrones.

—Así la próxima vez que te disparen aprendes y alargas más la baja.

—Más me valdrá evitar que me vuelvan a disparar.

—O por lo menos, que te den —sugirió Salgado.

Lucía se le acercó con una bandeja de *croissants*.

—Coma algo, mi brigada. No es cosa de volver borracha al tajo.

—También hay café —informó Revuelta, a cargo del termo.

Media hora más tarde las guirnaldas, el confeti, los vasos y las copas de plástico y los restos del festín de bienvenida estaban almacenados en un bolsón de basura junto a la puerta, el coronel y el comandante en sus despachos y cada uno enfrascado en sus afanes. No era aquel un momento demasiado malo: teníamos dos operaciones en marcha y en la fase buena, es decir, rematando ya detalles para llevárselas al juez y explotarlas, y otra en el mismo punto de empantanamiento en el que llevaba ya tres años. Cuando un caso se tuerce, se atora y se estanca, cuesta sacarlo de ahí, aunque nunca dejábamos de intentarlo. De todo ello puse al corriente a Chamorro, aunque por encima no había dejado de ir contándole durante su baja. Aquella mañana de lunes, como cosa excepcional, tenía una cita que había concertado la semana anterior. Por diversas razones, me pareció que pedirle a Chamorro que viniera conmigo era la mejor manera de reincorporarla al trabajo. Por un lado, se trataba de algo que estaba al margen de las otras operaciones. Por otro, me convenía contar con su olfato y su criterio. Tenía que ver con algo que ella no había investigado, pero conocía lo suficiente. Y sobre todo, implicaba un compromiso para el que confiaba plenamente en su temple y en su mano izquierda: atender el dolor de una madre.

Le había dejado a nuestra interlocutora elegir el lugar de la cita, para su mayor comodidad. Propuso una cafetería, en uno de esos atroces megacentros comerciales que orbitan como satélites rutilantes en torno a las ciudades medianas y grandes de cualquier país desarrollado. Este estaba en las afueras de una ciudad del norte del área metropolitana madrileña, y tanto las tiendas como los locales de hostelería iban orientados a la presumible clientela de esa zona. La cafetería, en suma, tenía algunas pretensiones, y precios ligeramente más altos que los que se esperaba que pagaran los usuarios, menos pudientes, de los megacentros comerciales que también había en el sur. La señora que nos esperaba ya en la mesa rondaba los sesenta años y era una mujer bien vestida y que debía de haberse cuidado durante toda su vida, aunque las arrugas que surcaban su rostro y la tristeza que traspasaba su mirada le daban un aire bruscamente avejentado. Al ver que nos dirigíamos hacia ella, se puso en pie y se alisó nerviosa la falda.

—Buenos días, señora Redondo —la saludé—. Soy Rubén, con el que estuvo hablando, y esta es mi compañera, Virginia.

—Mucho gusto —respondió—. Natalia. ¿Qué toman ustedes?

—Ya voy a pedir yo —dijo Chamorro—. ¿Lo de siempre?

—Sí —le confirmé.

Mientras Chamorro conseguía café para los dos, observé a aquella mujer y dejé que ella me observara. Estaba en su derecho. Yo era el hombre que se había cogido un avión a Ibiza y después de tres días en la isla había reunido pruebas que habían acabado conduciendo a su hijo a prisión sin fianza, primero en Baleares y ahora en la cárcel de Soto del Real; no demasiado lejos de allí, pero más lejos de lo que a ella le habría gustado tenerlo. No me había citado con ella para rendir cuentas de mi trabajo: examinarlo era algo que correspondía a los jueces y en última instancia a un jurado popular. Tampoco era yo quien sostenía la acusación contra su hijo ni había decretado su encierro: esa responsabilidad incumbía a una fiscal y un juez de instrucción que no sólo no se ceñían a mis directrices, sino que eran quienes, llegado el caso, me las impartían a mí. La razón por la que había aceptado verla era la humanidad que no conviene negarle a nadie que sufre, porque es indigno y porque un día seremos quienes suframos y querremos que no nos la nieguen. Y también que aquella mujer decía saber por su hijo algo que, según ella, era bueno que supiéramos. Tenía mis dudas acerca del valor real de lo que su hijo hubiera podido decirle, pero también las tenía, metódicas y particulares, acerca de un crimen sin pruebas cien por cien concluyentes y sin confesión del imputado.

—¿Cómo está Álvaro? —le pregunté.

—Imagínese usted.

—Bueno, ahora tiene que estar tranquilo. El juicio será dentro de unos meses, le toca esperar. ¿Sigue con la misma abogada?

—Sí, su padre y yo le planteamos la posibilidad de

contratar a otro, pero dice que se fía de ella, que es de la isla y que lo hace bien.

—Me pareció una buena profesional.

—Ha intentado que le dejen salir bajo fianza, también habríamos puesto el dinero para sacarlo, pero no ha habido suerte.

—Es un delito grave, pero si tarda el juicio, puede que lo consiga. De todos modos, está en una cárcel bastante decente. De las mejores.

—Cárcel no hay buena, ya sabe usted.

—Lo sé, pero también sé que las hay peores. Y lo tiene cerca.

—Eso sí, aunque cada vez que voy a verle... —se interrumpió.

—Ya, ya me imagino.

—Vuelvo con el alma en los pies.

Llegó Chamorro y me puso mi café delante.

—Y dígame, ¿qué quería contarnos usted? —pregunté a Natalia.

—Supongo que es inútil que se lo diga, pero mi hijo es inocente.

—No, no es inútil. Está en su derecho de creerlo así, y a lo mejor el jurado le da la razón y nos la quita a nosotros. De todos modos, ni yo ni mi compañera lo juzgamos. Reunimos unas pruebas, las interpretamos y luego se las pasamos a los jueces, que son los que deciden.

—Ustedes lo incriminaron.

—Sólo como instrumentos. Lo que nos llevó a detenerlo fue lo que descubrimos. Se lo dije a su hijo y se lo digo a usted: no tenemos nada contra él, mal podría tener nada contra alguien a quien no conozco.

—Como todos, tendrá sus prejuicios.

—Qué prejuicios.

—Contra la gente como mi hijo.

—¿Y qué gente es esa?

—Homosexual, ligando por internet con un hombre mayor...

Crucé una mirada con Chamorro.

—Señora Redondo, mi compañera y yo, en los más de veinte años que llevamos en este trabajo, ya hemos visto de todo. Y le aseguro que eso es lo último que nos influye. No estamos aquí para opinar sobre quién se acuesta con quién, ni por qué ni cómo, sobre todo porque eso entre adultos libres no es delito, y porque lo que buscamos es algo mucho más grave, que puede tener que ver con eso, o no.

—Pero a él lo han condenado por eso.

—No, Natalia. Ni está condenado aún, ni es por eso. Es porque a un hombre lo mataron a palos y no hemos podido encontrar a nadie que estuviera tan cerca de él como su hijo en el momento de su muerte.

—Eso no quiere decir que esa otra persona no exista.

—Lo decidirá un jurado. Es la ley. Y la acataremos.

—Me gustaría contarle algo, ¿teniente era?

—Subteniente —me degradé a mi realidad, una vez más.

—Me gustaría, subteniente, contarle lo que sé de mi hijo, ese chico al que, como bien dice, usted no conoce. Es un buen chico, aunque no lo ha tenido nada fácil. Durante muchos años nos ocultó lo que era y lo que sentía; por su padre, sobre todo, que sigue sin aceptarlo. Eso al principio lo hundió, pasó una adolescencia horrible, y luego le salió la vena rebelde. Podía haberse quedado en casa, empalmando másteres que le habríamos podido pagar, pero cuando terminó la carrera se echó a la calle y como no encontró trabajo de lo suyo se fue un año a Inglaterra. Allí no lo pasó bien, no se adaptó ni al clima ni a la gente, y volvió. Por orgullo o por dignidad o por lo que sea, no quiso quedarse en casa: encontró el trabajo en el almacén y se buscó un piso barato en Alcobendas con unos compañeros, para mantener su independencia. No nos pedía ni un céntimo, y sabía que se lo habríamos dado.

Encajé aquel alegato, que ni era para mí, ni merecía saber. Es otro de los dudosos privilegios del investigador criminal: acceder una y otra vez a los secretos del prójimo, verse invitado al escrutinio del alma de las personas, desde un alma tan averiada como cualquier otra. Traté de hacerle ver a aquella madre que no me debía la confesión:

—Natalia, no pongo en duda que sea como dice. Lo que no sabemos es qué pasó en esa isla. Le pedí a su hijo que me lo contara, para tratar de entenderlo, pero se cerró en banda. A lo mejor ocurrió algo que lo superó, que lo alteró, nadie está diciendo que sea un desalmado.

—No hemos hablado de ese hombre, del que murió.

—Lo mataron, señora Redondo. Morirse es otra cosa.

—No era un hombre cualquiera.

—En qué sentido —la invité a desvelar su argumento.

—Era un etarra.

—Había cumplido condena por pertenecer a ETA. Era un ciudadano con todos sus derechos. Incluido, entre otros, el de seguir vivo.

—No me está comprendiendo usted.

—Disculpe entonces. Si quiere explicármelo...

—Era alguien que había estado mezclado con asesinos. A lo mejor era un asesino él mismo, eso ustedes lo sabrán mejor que yo.

—Se le condenó por colaboración, no como autor de asesinatos.

—En todo caso. Ese era o había sido su mundo. La violencia. Quién le dice que no vino de ahí lo que acabó matándole, y que mi hijo, como un tonto, no se vio sin más en medio y se va a comer el marrón.

Chamorro vio llegado el momento de intervenir.

—Señora Redondo, la investigación contempló esa

hipótesis, como alguna otra, pero no hay ninguna prueba que la respalde. Eso es lo que limita nuestro trabajo, no podemos afirmar cosas que no podamos probar, ni para acusar a alguien ni para tratar de exculparlo.

—Afirman que mi hijo lo mató sin que haya pruebas directas.

Mi compañera le hizo la lista, sin acritud:

—Las hay. ADN. Mensajes. La posición del teléfono. Imágenes.

—No hay imágenes de la muerte.

Aquello era demasiado. Comprendiéndola, como la comprendía, nos estaba llevando a donde no teníamos nada que ofrecerle, ni ella que ofrecernos a nosotros. Traté de reconducir la conversación:

—Natalia, piense que hasta hace muy pocos años no había imágenes de casi ningún crimen, por no decir de ninguno. Ni estaba todo lleno de cámaras ni cada persona llevaba un smartphone. Y sin embargo, le puedo asegurar que se condenaba a bastante gente. Ahora hay muchas más, pero no en todas partes. Y el crimen fue en un despoblado, sin testigos y sin cámara que lo grabara. Sobre esa premisa, y viendo el resto de las pruebas, un juez ha decidido lo que ha decidido, que no es definitivo. Si tiene algo concreto que pueda aportarnos para que nos planteemos otra posibilidad, lo haremos y no dejaremos de mirarlo, pero no podemos enzarzarnos con usted en un debate sobre pruebas. Me dijo usted que su hijo le había contado algo. ¿Qué fue?

Natalia Redondo tomó aire. Sabía lo que se jugaba.

—Quizá deberían ir ustedes a la cárcel, para hablar con él, y que se lo diga directamente. Está dispuesto, si ustedes quieren.

—No tenemos ningún inconveniente. Siempre que la prisión nos lo autorice y su abogada no nos ponga ninguna objeción. Aunque habría preferido que me lo contara en Ibiza, habría sido mucho más útil.

—Póngase en su lugar. Estaba aterrorizado.

—¿No puede adelantarme usted nada?

—Según me cuenta, aquel hombre le dijo algo sobre sus relaciones pasadas. No en Ibiza, sino antes, cuando hablaban por internet.

—Tenemos sus chats, los recuperamos del ordenador del muerto.

—No por chat, por videoconferencia. Se veían, se oían.

—¿Y qué fue lo que le dijo?

—Por lo visto, no todas sus relaciones habían sido tan suaves como la que tuvo con mi hijo. Le habló de alguna pareja violenta. Y también de que había tenido un novio con el que había acabado muy mal.

—Fuera quien fuera, tendría que haber viajado hasta Formentera.

—O encargárselo a alguien que viajara.

—Es otra solución —admití—. Mucho menos frecuente.

A Natalia le brilló entonces la mirada.

—Pero no imposible. Quizá tendrían que mirarlo ustedes. Quiénes son esas personas. Y comprobar si estuvieron por la isla en esos días.

—Si nos da pistas concretas y fiables, lo haremos.

—¿Tengo su compromiso?

—No hace falta. Ya nos comprometimos en su día con cualquier ciudadano al que haya que hacer justicia, o impedir que se le haga una injusticia. Eso incluye a la víctima y también a su hijo. Pero si quiere mi compromiso personal, lo tiene. Pídale a su hijo que solicite la visita y que hable con su abogada e iremos a verle en cuanto podamos.

—Así se lo diré. Muchas gracias, subteniente.

—No tiene que darlas.

—Sí, sí tengo, a pesar de todo. Soy una madre que tiene a su hijo donde por nada del mundo querría tenerlo ninguna madre. No sabe lo que significa que por lo menos se hayan prestado a escucharme.

—Lo sabemos —le dijo Chamorro—. Miraremos lo que nos dice.

Nos despedimos de ella en el aparcamiento subterráneo. Mientras la veíamos irse, camino de su coche, mi compañera observó:

—Yo nunca voy a conocer el sufrimiento que mueve a esa mujer y no sé si lo celebro. Después de todo, es una forma de estar vivo.

Virginia no solía aludir a aquello, su maternidad frustrada. Cuando lo hacía, me dejaba siempre sin saber qué decir, sobre todo porque yo gozaba, seguramente sin merecerlo, del don de la paternidad.

—Para ella lo es —dije—. La forma por excelencia ahora.

—Y si acierta, y lo libra, ni te cuento.

—Seamos escépticos, Virginia, que tenemos una edad.

—Lo soy, mi subteniente, pero sería muy hermoso, ¿no?

—¿Habernos equivocado y haber encerrado a un inocente?

—A mí no me metas, yo estaba de baja.

—Mira tú, las ratas abandonan el barco —bromeé.

—¿Tú qué crees? —dijo, absorta—. ¿Debería comprarme un gato?

—No se dice comprar, sino adoptar: él a ti. Antes que acabar siendo el lacayo de un felino, mejor adoptar a un humano. Mi opinión.

—No creas que no lo he pensado.

—Espero que se te pase. Tendrías que dejar esto. No es trabajo para madres. Ni para padres, pero los padres sabemos ser una calamidad.

—Bueno, tampoco lo he pensado nunca muy en serio.

—Me quitas un peso de encima.

Unos días más tarde, después de arreglar el papeleo y

los permisos correspondientes, Chamorro y yo traspasamos las varias puertas de la cárcel de Soto del Real, cuyo sonido al cerrarse tras de ti no dejaba de retumbar en el alma, aunque lo oyeras con la certidumbre de que poco después sus cerrojos se descorrerían otra vez para permitirte salir. Nos dejamos llevar por un funcionario hasta la biblioteca, donde habíamos convenido hablar con Álvaro Reyes para que la conversación fuera más distendida. Según nos dijeron, se había revelado como un ferviente lector y ayudaba a gestionar los préstamos a los reclusos. Mientras caminábamos por los cuidados jardines de la prisión, bajo el aire frío de la sierra madrileña, que ya a finales de febrero traía los primeros aromas primaverales, no pude por menos que observar:

—Si algún día hago algo malo y me pillan, pediré venir aquí.

—No te engañes —dijo el funcionario—. Esto no está del todo mal y el vecindario no es el más chungo, pero como dice un argentino muy gracioso que tenemos, los que están un poco delincuentes sí que son.

—Bueno, eso va en el lote, ¿no?

—Lo que no va, o al menos a mí no me avisaron antes de hacer la oposición, es tener que pastorearlos en pelotas y con un boli. Poco es lo que pasa, para lo que podría pasar. Y ellos, a fin de cuentas, se van de aquí antes o después. Nosotros nos quedamos, y así día tras día.

—¿Qué tal es nuestro interno?

—De los buenos. De los tranquilos. De los que no tienes que temer que lleve un pincho para rajarte. Pasa a veces con los homicidas. No son peligrosos, sólo lo fueron con el que ese mal día se les cruzó.

—Imputado por homicidio, aún —le recordé.

—Ya, pero aquí ese matiz no sirve de mucho. De todos te cuidas.

La biblioteca estaba cerrada. El funcionario nos la abrió y nos pidió que esperáramos dentro mientras traía al recluso. Al salir cerró otra vez la puerta y giró la llave en la cerradura. Le dije a Chamorro:

—Ya podemos decir que hemos estado encerrados en una cárcel.

—Si te hace especial ilusión...

—Puede valer para ligar. Para quien ligue algo, claro.

—A mí no intentes darme pena.

—Ni se me ocurriría.

Álvaro vino enfundado en el uniforme carcelario por antonomasia: vestía un chándal de color azul oscuro, sobre el que llevaba un anorak del mismo color. Se lo quitó en silencio y se sentó frente a nosotros.

—Os dejo a solas, si no hay problema —dijo el funcionario.

—Gracias —le dije.

—Media hora. Tres cuartos como mucho.

—Entendido.

Álvaro me miraba con una comprensible reticencia. Estaba ante el mismo que lo había acorralado en Ibiza, meses atrás, y había puesto los mimbres para que le hicieran aquel cesto en el que estaba atrapado. Me hice cargo, y por eso mismo traté de desviar su atención:

—Esta es la brigada Virginia —se la presenté—. Es mi compañera, pero no estuvo en la investigación. Viene con los ojos limpios.

—Se agradece el detalle —respondió, sin mucho énfasis.

—Como le dije a tu madre, si de verdad tenías algo que contarnos habría sido mucho mejor que nos lo contaras en Ibiza.

—Tengo algo que contar. De verdad. En Ibiza estaba hecho polvo.

—Pues aquí estamos, hemos venido a escucharte.

—¿Puedo creérmelo? ¿O han venido sólo a sonsacarme algo?

—Si te sientes más cómodo, no te hago preguntas. Dime tú.

Aquella trampa, la preferida de un interrogador, la que casi nunca nos resultaba con los etarras, ni con prácticamente nadie, era justo la que Álvaro, por su circunstancia, estaba obligado a pisar.

—Aquí hay mucho tiempo para pensar —comenzó—. Más del que querrías, en general, aunque a veces es bueno, lo de pararte y darle al coco, sobre todo si has estado una temporada sin hacerlo. En el tiempo que llevo aquí, por algo que no hice, le he dado muchas vueltas a la vida en general y a mi vida en particular. Y eso me ha ayudado, lo tengo que reconocer. Va a ser verdad que la cárcel te reeduca.

Traté de corresponder a aquella sonrisa deslucida.

—Se supone que sólo pretende reinsertar.

—Como quiera llamarlo. El caso es que también le he dado muchas vueltas a lo que pude hablar con Igor. Y me he dado cuenta de que en Ibiza y en Formentera tampoco hablamos mucho. Lo que hubo sobre todo fue sexo, bueno al principio, porque había ese deseo que alimenta la distancia, y peor después, hasta que me rayé y le pedí dejarlo.

—Ya me contaste, ya.

—Sin embargo, antes de encontrarnos, nos pasamos muchas noches chateando o hablando por videoconferencia. En fin, no sólo hablando. En esas conversaciones, a veces uno dice más de lo que querría decir, y me acordé de un par de historias que me contó, no sé si serían verdad, también a veces uno se inventa cosas, para impresionar, o para que el otro se excite, pero creo que tengo que contárselo, por si tuvieran algo de cierto. Puede que no me sirva para nada, pero lo bueno de estar aquí es que tampoco me arriesgo a que mi situación vaya a peor.

—Tú dirás. Me he comprometido a no preguntarte.

—La primera historia a lo mejor la saben, si han investigado su vida. Antes del verano rompió con un chico con el que había mantenido una relación estable, en San

Sebastián, Donosti, como decía él. No me contó mucho, pero parece que acabaron de muy mala manera. Se pusieron los cuernos los dos, se insultaron, hasta creo que llegaron a las manos. Me dio la sensación de que él seguía enganchado, quiero decir, que el chico le seguía gustando, pero había algo que le impedía volver: igual que le ponían, le asustaban la dependencia y los celos furiosos que el chico le demostraba. He pasado alguna vez por una relación así. Es una espiral que te absorbe, y de la que cuesta salir. Son gente que puede llegar a reaccionar muy mal, de la peor forma incluso.

—Esa sería la primera historia —me tomé nota, asépticamente.

—Sí.

—Y hay una segunda.

—Eso es. Esta es un poco más turbia.

Contar aquello parecía no resultarle tan fácil como lo anterior.

—Te escuchamos.

—Me da un poco de vergüenza, la verdad.

—Si te la doy yo, puedo dejaros solos —ofreció Chamorro.

—No, qué más da. Es algo que me toca asumir, mi intimidad ya no es mía. Y si hay un juicio, lo será menos aún. Una noche, estábamos los dos hablando, la conversación había subido mucho de temperatura, y me preguntó si alguna vez había probado a penetrar a un hetero...

Se detuvo, como para observar nuestra reacción.

—No te apures —le dije—. Mi compañera y yo somos heteros, o eso creo, pero también tenemos unos años y somos gente de mundo.

—Me contó que él lo había hecho, y que le había puesto mucho. Fue entonces cuando me reconoció que había estado en la cárcel.

—¿Te dijo por qué?

—No.

—¿Y no le preguntaste?

—Asumí que no era asunto mío, que si quería decírmelo, bien, pero que no podía pedirle más, ya que había tenido conmigo la confianza de contarme algo que normalmente no gusta que nadie sepa de ti.

—¿Y no fuiste con prevención a la cita con él?

Álvaro bajó los ojos.

—Si quiere que le diga la verdad, un poco. Pero me daba morbo.

Chamorro me mostró tres dedos. Comprendí.

—Me está haciendo ver mi compañera que me acabo de saltar mi compromiso y ya te he hecho nada menos que tres preguntas.

—Bueno, tampoco pasa nada.

—Si hay algo más que quieras decirnos...

—Me lo contó para calentarme, pero tenía toda la pinta de que de verdad lo había vivido. Me dijo que aquel hombre primero dejó que él lo penetrara y le gustó, pero que le gustó lo mismo, o más, cuando el otro lo tomó a él, por la rabia con la que se lo había hecho. Que una y otra vez se acordaba y siempre se ponía a cien. Porque aquel hombre, me dijo, se lo hacía con una furia que nunca había visto en nadie.

—También nos tomamos nota de esto —le dije—. Aunque sin un nombre ni más referencias, será un poco difícil sacar algo.

—No me dio ningún nombre, pero ustedes tendrán los datos de los presos con los que se relacionó mientras estaba en la cárcel.

—De los que cumplían en la misma cárcel cuando estuvo en España. Si fue en Francia, estará un poco más complicado hacer la lista.

—Les pido por favor que lo miren. Yo no lo hice, se lo juro.

Había una súplica infinita en sus ojos y en su voz. Como a cualquier ser humano con corazón, o que no lo tenga del todo encallecido, las súplicas me abruman y me incomodan. Traté de calmarlo:

—Lo veremos, Álvaro. Te lo prometo. Es más, no lo voy a hacer yo, lo va a hacer ella, que no está contaminada, y que además es mucho más lista y mucho más meticulosa que yo. Tu asunto está a partir de ahora en las mejores manos posibles. Estaremos en contacto con tu madre, y si te acuerdas de algo más que quieras contarnos, vendremos por aquí todas las veces que haga falta. Puedes darlo por hecho.

—Por favor, investíguelo —imploró a mi compañera.

—Lo investigaré —le aseguró—. Estate tranquilo.

De regreso a la oficina, no pude dejar de darle vueltas a lo que Álvaro nos había contado, pero sobre todo me pesaba en el ánimo su estampa en chándal, aquel rostro que se veía mucho más de tres meses más viejo que el de la persona a la que había conocido en Ibiza.

Chamorro me sacó de mis cavilaciones.

—Ahora comprendo mejor por qué esto te tiene mosqueado.

—¿Sí? ¿Por qué?

—El chaval sabe sonar convincente.

—Tú y yo sabemos que eso no basta para descartarlo. En todo caso, el problema principal para mí no es ese, sino otro bien distinto.

—¿Cuál es?

—Lo que dice la madre. Aunque todo apunta a que este chico se vio con el muerto en alguna de esas situaciones que al otro tanto le ponían y que a él no debían de ponerle igual, y eso ha bastado junto al resto de pruebas para nosotros y para el instructor, no tenemos nada que nos garantice que un jurado quiera finalmente condenarlo.

—Si es así, quizá lo justo es que le absuelvan —razonó.

—Tal vez. Y entonces nos quedará una muerte impune.

Chamorro meneó la cabeza, sin dejar de mirar a la carretera.

—Dame unos días, te ahorraré ese disgusto.

—¿Te has creído lo que nos ha contado?

—No tengo por qué creerlo. Lo voy a comprobar.

—Te llevará algún tiempo. Y lo del novio, un viaje. Para eso habrá que elevarlo a la superioridad y pedir que nos lo autoricen.

—Déjame antes que haga unas comprobaciones con Lucía.

—¿Qué comprobaciones?

—Tenemos el listado de llamadas de Igor y el de las líneas que se engancharon esos días a las antenas de Ibiza y Formentera, ¿no?

—Por supuesto.

—Empezaremos por ahí. Sin salir de la oficina.

Al día siguiente, antes de comer, Chamorro y la guardia Lucía se plantaron con cara de circunstancias delante de mi mesa. Traían bajo el brazo los listados, pero lo que me tendieron fue un escueto folio.

—¿Y esto? —pregunté, antes de mirarlo.

—Léelo. Igor López Etxebarri llamó ahí. Varias veces.

Lo leí. No di crédito.

—No jodas —exclamé.

—Sólo te lo cuento.

Pensé en otras posibilidades, entre ellas seguir el conducto de mis superiores jerárquicos. Pero no pude aguantarme. Le puse un wasap al teniente general Pereira contándole lo que acababa de averiguar. Él me había metido en aquello. Él me debía la explicación. Me respondió al cabo de un minuto: «Ven mañana a las ocho a mi despacho».

22

Los infiltrados eran ellos

Siempre que volvía a la Dirección General, en la madrileña calle de Guzmán el Bueno, me venía el recuerdo de los días en que me tocó trabajar allí, en una oficina en la que nos apiñábamos como piojos en costura y donde por fortuna apenas parábamos, porque pasábamos la mayor parte del tiempo en la zona de operaciones, es decir, en el Norte. No podía evitar que la mirada se me fuera cuando pasaba cerca de donde sabía que seguían estando aquellos calabozos tétricos en los que había echado unas cuantas horas, agradeciendo estar del lado bueno de sus puertas con cerrojo. Tampoco me había olvidado del despacho que entonces usufructuaba el capitán Pereira, tan diferente del otro en el que iba a recibirme el hombre que seguía teniendo su nombre y su apellido pero que ahora contaba veintitantos años más, llevaba al hombro las divisas de teniente general y lucía en la tarjeta de visita una leyenda que le permitía dirigir todas las operaciones del cuerpo, más allá del ámbito concreto y limitado que entonces le ocupaba.

Había pasado mucho tiempo. De aquella guerra que compartimos primero me había ido yo, por razones múltiples cuya suma impedía quizá decir que se trataba de una elección por mi parte. Luego se había ido él, también empujado por algunas circunstancias, pero con una oferta que le imprimía otro cariz: la de formar una unidad central que les diera a las labores de policía judicial un soporte y un músculo similar al que se le había dado a la lucha antiterrorista. Desde esa posición me había repescado, en un momento que por razones personales no era el mejor para mí, brindándome de paso la posibilidad de un cambio de aires que me había resultado providencial. Dos décadas después, yo seguía en la unidad a la que él me llamó, y en la que compartimos buena parte de ese tiempo; pero su camino, como el de los elegidos para la gloria, había recorrido algunas otras estaciones hasta llegar a la cima que ahora ocupaba. Nunca, en todo caso, habíamos perdido la conexión, anudada en vivencias y batallas que, o bien deshacen a los hombres y sus vínculos, o bien los forjan y unen para siempre.

Su despacho de ahora tenía antesala y suboficial mayor sentado en una mesa casi ministerial para filtrarle las visitas y ocuparse de las demás tareas de su gabinete. Allí me presenté, de paisano, aunque por un momento dudé, al situarme frente al armario por la mañana, si no debía descolgar aquel uniforme que muy rara vez me ponía y que de hecho era de una talla algo superior a la que me correspondía ahora, gracias a mis esfuerzos de los últimos meses por no comer demasiado desastrosamente cuando estaba por ahí. Me constaba que Pereira iría de uniforme, como era de rigor en su puesto actual, pero al final me incliné por creer que entendería que yo me abstuviera de ponérmelo. Me dirigí al suboficial mayor, que también iba uniformado:

—Vengo a ver al teniente general. Soy el subteniente Bevilacqua.

—Te está esperando —confirmó el mayor—. Deja que le avise.

Descolgó el teléfono, apretó un botón.

—Mi teniente general, está aquí... De acuerdo.

Colgó y me hizo un gesto con la barbilla.

—Que pases.

Antes de golpear la puerta, consulté de reojo mi reloj. Eran las ocho menos un minuto, la hora adecuada. Con Pereira la regla era estar siempre ahí cuando se te reclamaba: ni mucho antes ni un segundo después. Llamé, empujé la hoja y pronuncié la fórmula de rigor:

—¿Da vuecencia su permiso, mi teniente general?

—Pasa, hombre —me gritó desde la distancia sideral que mediaba entre mi posición y su mesa de madera noble.

Entré, cerré tras de mí, recorrí la mitad de la distancia y me cuadré.

—A la orden de vuecencia, mi teniente general.

Pereira se acercó hasta mí con su paso firme y elástico y al llegar a mi altura, sacudiendo la cabeza, me agarró por los hombros.

—Déjate de vuecencias. Cómo estás. Cuánto tiempo.

Según mi cálculo, casi cinco meses, desde la última celebración en la unidad de la Patrona del cuerpo, a la que había acudido como antiguo jefe. Desde entonces, sólo habíamos tenido contacto telefónico.

—Pues ya ve, un poco más viejo.

—Qué va. Te veo bien. Estás más delgado.

Pereira, para haber pasado de los sesenta, se mantenía en forma. No había perdido la costumbre de salir a correr todas las mañanas, y se las había arreglado para que ese hábito no le machacara las rodillas.

—Los disgustos, supongo.

—Anda, no me seas llorón. ¿Acaso la vida te trata mal? ¿Alguna queja del coronel Hermoso, o del comandante...? ¿Cómo era?

—Ferrer. Ninguna. Era sólo una forma de hablar.

—Si alguno se pasa me lo dices y lo mando forzoso a Mali.

—No creo que por ahora sea necesario.

—Ven acá, siéntate.

Me condujo del brazo hacia los dos sillones de cuero

que hacían una L en un lado de su despacho. Sobre la mesa baja tenía varios libros de historia del cuerpo, varias revistas de asuntos de seguridad y un par de catálogos de exposiciones de fotografía. Me acordé de los días lejanos en los que en su mesa sólo había expedientes, o como excepción aquel libro de Deleuze y Guattari que había usado para engatusarme. Una vez sentados, Pereira adelantó el tronco y entró en materia:

—Me dirás que te debo una explicación.

—No sé si tanto. Que se la agradecería, desde luego.

—Ya sabes cómo va esta empresa. Cada uno sabe lo que tiene que saber, y no más. También vale para mí: cuando tenemos una operación delicada contra políticos chorizos, con orden judicial, me avisan pero me dicen lo mínimo imprescindible, y al director general y al ministro yo les digo menos todavía, y cuando ya no pueden reaccionar. Si lo hiciera de otra manera podrían avisar al malo y el juez me partiría las piernas a mí, con toda la razón. El servicio y la ley ante todo.

—Soy consciente, pero tengo la sensación de que me han mandado a pegar tiros con la mitad de las balas. Y otra algo peor: que por ir así, con el culo al aire, y por no tener todos los elementos de juicio, existe una posibilidad de que le haya dado a quien no tenía que darle.

—¿Eso crees?

—Conoce más o menos lo que tenemos. ¿Lo puedo descartar?

Pereira dejó que se le escapara un suspiro.

—Descartar no se puede descartar nunca casi nada, salvo lo que uno ya ha comprobado fehacientemente que no es. Pero acuérdate de lo que decía siempre el pobre Ruano, que en paz descanse.

—«Las cosas son normalmente lo que parecen.» Me acuerdo.

—No esperaba menos.

—Y también de él. Bastante, últimamente.

Al teniente general se le humedecieron los ojos.

—Y yo, un huevo. Qué carisma tenía el tío.

—Pero creo que no vería bien que lo recordáramos con pena.

—Seguro que no. Volviendo al tema, no te agobies de más. Te has limitado a ponerle al juez en las manos lo que encontraste y con eso ha considerado que podía dictar orden de prisión. Como lo habría hecho el noventa y nueve por ciento de los jueces. ADN, imágenes, llamadas, relación previa y coincidencia espacial en un islote medio desierto en invierno: ese chaval tiene todos los números para ser el asesino.

—Los habitantes se ofenderían si le oyeran llamarla islote.

—Y está muy mal dicho, además: los islotes están deshabitados —se corrigió, con aquel carácter puntilloso que le había permitido llegar a donde ahora estaba—. Era una forma de hablar. A mí, la verdad, me parece que es muy poco probable que esto tenga otro desenlace.

—Pero... —le recordé.

Pereira, de mala gana, admitió la objeción.

—Sí, hay un pero, y por eso te he mandado venir. Para serte sincero, imaginaba que tendría que darte estas explicaciones, antes o después. Prefería no darlas, porque se refieren a un asunto que debería quedar reservado, pero conozco tu capacidad y sabía que corría el riesgo.

—En este caso no fue mi capacidad, sino la de Chamorro. Ella tuvo la idea de comprobar a fondo las llamadas de Igor, después de hablar con la madre del imputado y con él mismo. Así nos saltó.

Pereira dio un respingo.

—¿Habéis hablado con el imputado y con su madre?

—Me llamó la madre. Me contó que el hijo quería verme. Pedimos permiso a la prisión y nos dejaron entrevistarnos con él.

—¿Y qué os dijo?

—Que el muerto había tenido algunas relaciones tormentosas. Que miráramos por ahí, y así comprobaríamos que él es inocente.

—¿Y eso tiene color?

—No lo sé. De momento, mucho menos que lo que hay contra él, pero entiéndame: cuando nos ponemos a mirar y descubrimos que el antiguo etarra ha llamado, más de una vez, a un número de teléfono móvil que corresponde al servicio de Información de la Guardia Civil, se nos encienden todas las luces rojas y necesitamos saber más.

El teniente general se quedó pensativo.

—Cuéntame algo más de esas relaciones tormentosas —me pidió.

—Un novio que tuvo hasta antes del verano, lo teníamos ya visto y los de policía judicial de Guipúzcoa, a petición nuestra, hicieron una somera investigación sobre él. *A priori*, nada sospechoso, y menos cuando todo empezó a apuntar a Álvaro Reyes, pero él dice que era una relación turbulenta, con celos, insultos, peleas, etcétera.

—¿Y qué más hay?

—Bueno, aparte de lo del novio nos contó algo un poco sórdido de los rollos homosexuales que Igor había tenido estando en prisión con otros internos. Tipos que no eran gais, pero que aceptaron esa manera de dar salida a la libido reprimida en el encierro. Sugiere que alguno de ellos podía guardarle inquina por aquello y haberse vengado.

El teniente general guardó silencio durante unos segundos.

—Muy rebuscado —dijo al fin.

—Y sobre todo, muy inconcreto.

—Está bien —dijo, inspirando hondo—. Te voy a contar lo que en este momento me parece que puedo contarte, que no es todo lo que sé, pero sí viene a ser la mayor parte y lo que creo que te debo. Hay una razón para que

Igor López Etxebarri tuviera el teléfono de uno de los nuestros y lo llamara de vez en cuando. Si hubieras podido reconstruir todas sus llamadas entrantes, te habrías encontrado con que el guardia civil al que llamó también lo llamaba a él cada cierto tiempo.

—Con lo que me acaba de decir, me voy haciendo una composición de lugar. No olvide que también estuve en esas tareas. De hecho, me lo huelo desde ayer, aunque no se lo he contado todavía a los míos.

—Puedes contárselo sólo a unos pocos, de los que te fíes mucho. Igor López Etxebarri era confidente nuestro. O si quieres decirlo de otro modo, uno de nuestros infiltrados en la organización; pero no uno más, sino uno de los mejores y de los más rentables que hemos tenido. Y esto que te voy a contar ahora es para tu exclusivo conocimiento.

—No saldrá de aquí.

—Su colaboración no data de ayer. Viene de muy atrás, y gracias a su perfil nos ha dado un rendimiento bárbaro. Lo captamos antes de que pasara a Francia, nos informó mientras estuvo allí de lo que más nos interesaba, la retaguardia y la logística de la organización, en la que llegó a involucrarse siguiendo nuestras directrices. Cuando cayó la estructura de la que formaba parte pasó por las cárceles francesas para no despertar sospechas, aunque ya nos ocupamos con nuestros colegas parisinos de que estuviera bien, y una vez que con cálculos benévolos se le dio por cumplida la condena en Francia, lo trajimos a una cárcel española donde también teníamos gente de confianza.

—Ni se me pasó esa posibilidad por la cabeza —reconocí.

—En nuestra cárcel estuvo cuatro años más. Es un caso excepcional: con otros infiltrados siempre intentamos arreglar que salieran lo antes posible, pero él nos pidió que no hiciéramos ninguna maniobra que pudiera parecer rara: si le buscábamos una cárcel en la que estuviera bien, no le importaba pasar allí cuatro o cinco años, que aprovecharía para estudiar y para prepararse para la vida después de ETA.

—Quizá por eso ni se me ocurrió que pudiera ser confidente nuestro —razoné—. Diez años en el talego, para alguien que había colaborado con nosotros, es algo que me habría resultado inimaginable.

—Era un tipo muy peculiar. Culto, educado, prudente. Yo creo que un poco traumatizado, también, por su homosexualidad, que siempre había llevado a escondidas. Él decía que le venía bien ese tiempo para reconstruirse. En esa etapa siguió prestándonos servicios impagables: durante cuatro años, tuvimos ojos y oídos en prisión para saber con antelación lo que se cocía en el *frente de makos*, el brazo carcelario de la organización. En 2012, cuando pudo hacerlo sin despertar demasiados odios, se acogió a beneficios penitenciarios y desde entonces era una fuente de baja intensidad, pero igualmente útil. Seguía conectado con el entorno *abertzale*, y nos daba impresiones sobre su evolución.

—Un personaje, no hay ninguna duda —observé.

—El mejor de todos —afirmó—, el que nunca se habrían imaginado. Siempre estuvieron obsesionados con nuestros infiltrados, porque a veces les dábamos golpes que no podían no hacerles olerse lo alto y lo dentro que podíamos llegar en su organización. Y sobre todo al final, antes de que dejaran las armas, cuando la partida era ya casi ridícula, porque sabíamos nosotros más de ellos que ellos mismos.

—Quién nos lo iba a decir, cuando estábamos ahí usted y yo.

Pereira sacó pecho.

—Oye, que todos los caminos hay que empezarlos, y cuando tiene más mérito hacerlos es cuando más queda. Ahí estuvimos, y algo se nos debe de lo que se consiguió al final, cuando las condiciones eran mejores y el bólido ya iba lanzado cuesta abajo. También a ti, Vila.

—No me hago ilusiones. Una pizca sólo.

—Lo que sea. El caso, volviendo a lo de los infiltrados, es que se preguntaban quién podía ser ese guardia civil disfrazado, cuando la realidad era mucho más sencilla, y mucho más evidente: los infiltrados eran ellos. Aquellos entre su gente que por muchas razones no veían luz al final del túnel, o se rebotaban por lo que fuera, o simplemente se les escapaban de la prisión mental. Los eslabones débiles de su cadena, a los que siempre estuvimos atentos para ofrecerles una salida.

—Ya lo decía el viejo Sherlock.

—¿Cómo?

—Holmes. «No hay cadena más fuerte que su eslabón más débil.»

—Mira, no sabía que era de él. Pero aquí tienes la prueba. Dicho lo cual, Vila, tenemos que ver cómo manejamos esta información, que es de máxima sensibilidad y que bajo ningún concepto puede trascender. A los tuyos limítate a decirles que sí, que era confidente nuestro.

—No es ese el problema, mi teniente general.

—¿Cuál es, entonces?

—Mi conciencia me dice que tengo que hacer un viaje a Guipúzcoa. Que tengo que ir a hablar con el exnovio, en primer lugar, para ver por mí mismo qué hay ahí. Que en algún momento tendré que echarles también un vistazo a los compañeros que tuvo en la cárcel. Y luego, tengo que hacerme una pregunta que comparto en voz alta con usted: si existe alguna posibilidad de que alguien de la organización a la que traicionó lo descubriera y decidiera hacérselo pagar, aprovechando un momento en el que era vulnerable y que permitía desviar la atención hacia su vida sexual promiscua y las compañías que le deparaba.

El teniente general carraspeó gravemente.

—Lo que dices está bastante puesto en razón, no te lo niego.

—Y para poder investigar todo eso, necesito apoyarme en alguien a quien tendré que dejarle ver algo más de nuestro iceberg.

—¿En quién estás pensando?

—En la brigada Chamorro. Sólo ella.

No le fue fácil darme su autorización.

—Está bien. A ella solamente. Y en lo que sea imprescindible. Me respondes tú de que no se vaya de la lengua con nadie.

—Por Virginia pongo las dos manos y los dos pies en el fuego.

—Más vale que no te equivoques. Hay algo más.

—¿Algo más?

—Espera un momento.

Pereira se levantó y fue hacia su mesa. Descolgó el teléfono.

—¿Ha llegado ya? —preguntó—. Dile que entre.

Aquello era el mando. Si había alguien en la antesala, lo más fácil era abrir la puerta y mirar. Incluso estaba más cerca, la puerta. A quien tiene antesala y subordinado que la atienda le corresponde en cambio comprobarlo de manera que quede patente su posición. De forma que sea quien viene a verlo el que haga el esfuerzo de golpear la puerta, abrirla, empujarla, pedir permiso. Detalles como aquel impedían que me engañara: había compartido fatigas con Pereira, le apreciaba y me apreciaba, pero no estábamos en el mismo plano de realidad.

Sonaron dos nudillazos en la puerta. Se abrió y asomó un hombre.

—¿Da vuecencia su permiso, mi teniente general?

El aludido le hizo un gesto con la mano

—Pasa, Manolo, ven y siéntate aquí.

Me fijé en el recién llegado. Era un hombre de unos cincuenta años, fibroso y marcial, algo moreno de tez y con el cabello muy corto y muy negro. A diferencia de mí, que iba como él con americana y pantalón, pero sin corbata y con camisa de color cualquiera, él vestía una camisa de un blanco impoluto, con gemelos en los puños, y al cuello llevaba una corbata lisa de color azul con el nudo muy apretado y sujeta a la camisa con alfiler con el escudo del cuerpo. Traía en la mano un iPad con funda de cuero negro, que me hizo sentir como un frívolo por no venir a ver al teniente general con otro apoyo que mi labia.

—Te presento al teniente Castán —dijo Pereira, una vez que el otro tomó asiento—. Manolo para los amigos. Los dos sois amigos míos, así que supongo que no le importará que le llames así, pero él te dirá. A este que está a mi lado —le dijo al teniente— le pusieron Rubén y tiene un apellido que es un dolor de cabeza, Bevilacqua, así que los amigos lo llamamos Vila. Lo mismo te digo, ya os arregláis entre vosotros.

El teniente me tendió la mano:

—Mucho gusto, Vila.

Se la estreché, o más bien me la estrechó, y de paso trituró, él a mí. Era uno de esos hombres que lograban concentrar en los dedos de su mano derecha una cantidad ingente de kilopondios, y nunca dejaban de demostrar todo su vigor. Quizá sólo con las damas de edad, a las que bien podían reducir a serrín todas las falanges de los dedos.

—Alguna vez nos hemos visto por el edificio —dije, dolorido aún.

—También me suena tu cara —dijo—. Aunque no paro mucho allí.

—Manolo llegó a Información muy poco después de que tú te fueras —me informó Pereira—. Vimos en seguida que era de los listos y lo pusimos a funcionar. Sólo es teniente porque es un poco vago, como tú, y costó Dios y ayuda convencerle de que hiciera la oposición.

—Más vago soy yo, que no la hice nunca —admití.

—Algún día me lo tienes que explicar, que sigo sin entenderlo.

—Ya pasé demasiados exámenes en la carrera. Cuando aprobé el curso de sargento me juré a mí mismo que no pasaba ninguno más.

—Poca excusa me parece.

—Tampoco soy ambicioso.

—Ya. En fin, el caso es que después de hacer un montón de tareas, porque era tan bueno que se hizo imprescindible y no le dejaron irse, como a ti o a mí, Manolo pasó a ocuparse de un negociado sensible: el de fuentes. Tienes ante ti al usuario del número que marcaba Igor.

—Un giro inesperado, mi teniente general —le concedí.

—A ver si te creías que sólo tú sabes sorprender.

—Te agradezco que nos hayas pillado —dijo entonces Castán—. Vamos a tomar nota para darle otra vuelta al enmascaramiento que hacemos de los números de teléfono que utilizamos a estos efectos.

—Jugaba con ventaja, soy de la Guardia Civil.

—Hasta de eso tendríamos que estar a resguardo —me respondió.

—Le he pedido a Manolo que venga —retomó el hilo Pereira— para que lo tengas como contacto en Información, en primer lugar. Si hay algo que no te encaja o quieres saber, habla con él: si no lo sabe, sabrá a quién preguntar, y también qué se puede decir y qué no. No quiero que puedas volver a acusarme de dejarte con el culo al aire.

—Se lo agradezco, mi teniente general.

—Y en segundo lugar —continuó—, le he hecho venir para que te cuente algunas cosas que se han venido moviendo en el entorno de nuestros amigos, y que creo que te conviene saber. Aunque al final del camino lleguemos al mismo punto donde estamos, es decir, que ese chico que está en Soto del Real es el que tiene que responder por la pérdida de nuestro confidente, también es nuestro interés cerciorarnos de que no hay ninguna otra razón que pueda explicar el crimen.

Me atreví a hacerle la pregunta directa:

—¿Tienen dudas, mi teniente general?

Pereira levantó la vista al techo. Luego la dirigió hacia mí.

—En Información nunca se deja de dudar. Por si acaso.

—Eso creí aprender, cuando pasé por allí.

—Enséñale la foto, Manolo.

El teniente abrió su iPad, puso la contraseña y buscó en una de las carpetas de imágenes. Cuando dio con la que buscaba, me la mostró. Era un funeral. En el centro, un féretro con la ikurriña. Alrededor, un montón de coronas de flores. Gente con el puño en alto, y a un lado un gran retrato de Igor López Etxebarri. Era, ampliada, aquella misma foto reciente que su madre había entregado al periódico de Ibiza.

—El homenaje a Igor, deduzco.

Pereira asintió.

—Sí, nos pasamos a echar un vistazo. Para ver quién iba y quién no, y cómo estaban de afectados los que se acercaban por allí.

—Eso suena a que se olían algo.

—Suena a precaución habitual, nada más —me corrigió Pereira—. Han dejado las armas, pero siguen teniendo malas intenciones.

—La gente que acude a estos actos y el papel que representa nos dan pistas de quién es quién y de lo que se mueve —dijo Castán—. Por si alguno vuelve al mal camino, no podemos bajar la guardia.

—Agrándala y enséñale el detalle —pidió el teniente general.

El teniente obedeció: con los dedos amplió una esquina de la foto y puso en el centro de la pantalla una corona de flores. Sobre una cinta de color verde se leía en letras doradas: «Tus amigos no te olvidan».

—¿Sabes quién pagó esa corona? —preguntó Pereira.

Los miré alternativamente a uno y a otro. Castán no pudo reprimir una sonrisa. El teniente general lo señaló con el dedo índice.

—La pagó este —confirmó—. Y ojo, con verdadero sentimiento. A lo mejor hasta era la corona más sentida de todas las que había ahí.

—Quitando la de la madre, ¿no? —sugerí.

—Psche, no sé yo, ahí le andaría —dudó Pereira.

—Si ellos lo supieran...

—No tienen por qué saberlo nunca. Dile el resto, Manolo.

El teniente cerró ceremoniosamente la carpeta del iPad.

—Como te puedes imaginar, a raíz de su muerte estuvimos muy atentos a lo que circulaba acerca de Igor en los ambientes próximos al movimiento —me explicó—. Sondeamos al resto de nuestras fuentes, aguzamos el oído dondequiera que los tenemos monitorizados y no perdimos detalle de lo que se decía o se dejaba de decir en sus medios, oficiales, oficiosos, clandestinos y semiclandestinos. Y la verdad, y no es por justificar la decisión del teniente general de no informaros, es que no nos llegó nada que nos pudiera parecer inquietante. Hablaban de él como de uno más, no podía ser uno de sus referentes, porque no había hecho grandes cosas en la organización y porque no se había quedado entre los irreductibles a comerse la condena hasta el último día, pero el mensaje venía a ser que era un *gudari* muerto y que había que honrarle como se honra a todos. Alguno sí hacía algún comentario sobre el lugar donde había ido a morir y sobre su homosexualidad, como dando a entender que al final no había caído de manera muy gloriosa, pero predominaba el respeto. Aunque estos nunca han sido muy entusiastas de los gais, como se apuntan a todo lo que les suena moderno, ya sea el ecologismo, el feminismo o la causa LGTBI, incluso hubo quien salió a reprochar a los que hacían bromas con eso.

—Ya le habría gustado al pobre Igor, por cierto, que su condición sexual se viera mejor en los tiempos en que militaba en ETA —apuntó Pereira—. Al parecer, su homosexualidad y los sinsabores que le traía, más lo que podía acarrearle si trascendía entre los suyos, estuvieron entre los argumentos que se utilizaron en su día para captarlo.

—En resumidas cuentas —reanudó Castán su exposición—: que lo que parecía haber tras la muerte era una mala elección de pareja sexual esporádica, un riesgo al que lo sabíamos expuesto, y por eso no vimos ni necesario ni conveniente hacer otra cosa que cerrar su expediente, mandar la corona y dejaros hacer a vosotros vuestro trabajo.

—Deduzco que algo ha cambiado —dije—. ¿O me equivoco?

El teniente consultó a Pereira con la mirada. El teniente general le hizo un ademán para que procediera. Castán midió sus palabras.

—Estas cosas, al final, son lo que son. Entre lo que recogemos hay tanto informaciones como simples rumores. Informaciones precisas y concretas que nos lleven a pensar que puede haber alguna otra razón para que lo mataran, no tenemos ninguna. Lo que sí nos ha llegado por un par de fuentes es un rumor que nos preocupa un poco.

—¿Qué rumor?

—Alguien, no sabemos quién, ha empezado a propalar por ahí que si Igor a lo mejor no sería un chivato. Que si estuvo varias veces cerca de operaciones nuestras, cosa que es verdad y no es casual, y que si por eso, al final, no le acabó cayendo una condena excesiva. Y algo un poco más delicado: si no sería que andaba tan bien de dinero porque había cobrado de nosotros por los servicios que nos prestó.

—¿Y era esa la razón de su fortuna? —pregunté cándidamente.

Castán no osó responder. Lo hizo Pereira.

—Le pagamos, y le pagamos bien. También recibió una herencia de su tío, eso es verdad, pero digamos que el negocio no era tan boyante. Tenía una buena cartera de clientes, que él además supo ampliar, pero había algún que otro agujero y alguna que otra deuda. Se aprovechó la coyuntura para blanquear el dinero que se le había entregado.

—No sé —dudé—. Rumores tan bien orientados me suenan a algo más que un runrún sin mayor importancia. O eso me parece a mí.

—También a nosotros nos escaman —reconoció Castán.

—Ahora me imagino que entiendes por qué ayer, cuando recibí tu mensaje, ni me lo pensé y te convoqué a esta reunión —dijo Pereira—. Tú has encontrado tus razones para darle otra vuelta a lo de Igor, pero nosotros también tenemos las nuestras. Y lo que te dije antes: quizá lleguemos al mismo sitio, en lo que toca al homicidio, pero el trabajo va a haber que hacerlo. Por eso necesito que os coordinéis los dos.

—Me permito interpretar entonces, mi teniente general, que no voy a tener dificultades por parte de mis jefes para reabrir discretamente la investigación y viajar con la brigada Chamorro a Guipúzcoa.

—No las vas a tener. Les voy a pedir yo que lo hagas.

—Eso me allana mucho el camino.

—Siempre en contacto con el teniente, y sin que salga de aquí lo que no debe salir. A tu coronel le diré que Igor era confidente nuestro y que hemos recibido informaciones que nos aconsejan revisar lo hecho en este caso. A ti te toca venderle todo eso que te contó Álvaro.

—Lo intentaré. Una pregunta, mi teniente.

—Tú dirás —me invitó Castán.

—¿Por qué te llamó Igor? Si puedo saberlo.

—Manteníamos un contacto regular. A esta gente hay que darle la sensación de que estás ahí, de que no te desentiendes de ellos. Le tenía un poco nervioso que estuvieran empezando a salir, por cumplimiento de pena, etarras con delitos de sangre con los que había coincidido, aquí y en Francia, cuando aún estaba en la organización.

—¿Nervioso por qué?

—Es el síndrome del delator. Siempre temen ser descubiertos.

—¿Te habló de alguien en particular?

—No, sólo insistía mucho en que le asegurara que si lo descubrían no lo dejaríamos expuesto, que lo pondríamos a salvo.

—¿Y tú qué le dijiste?

—Que estuviera tranquilo. Que haríamos lo que hiciera falta.

Pereira se levantó entonces. Castán y yo le imitamos.

—Y no le engañó —dijo—, lo habríamos hecho. Señores, a las nueve tengo una reunión de coordinación. A vosotros dos, con lo que hemos hablado hasta aquí os doy ya por suficientemente coordinados.

Tal y como lo afirmó, a nadie le dio por ponerlo en duda.

23
El rizoma verde

Según nos contaron más tarde, ocurrió así: en un control rutinario de carreteras, en la provincia de Sevilla, unos guardias de la demarcación vieron un coche con un hombre al volante que le llamó la atención a uno de ellos. Le pareció que la pintura era demasiado nueva, para el modelo y la matrícula. Fue ese mínimo detalle, tras comentarlo con su compañero, el que le empujó a levantar el brazo e indicar al conductor que se saliera de la fila de vehículos y se apartara a un lado de la vía. Lo que hizo entonces el así requerido fue dar un brusco volantazo a la izquierda, invadir el carril contrario y darse a la fuga. A la vista de aquella respuesta, salieron en su persecución en dos todoterrenos. El coche era pequeño, y en teoría más ágil que los de los guardias, pero por alguna razón no lograba abrir brecha con ellos. Al cabo de unos minutos, uno de los todoterrenos se situó a su altura. El conductor del coche empezó a disparar con una pistola, varias de las balas dieron en el vehículo policial y una hirió en el brazo a uno de los guardias que iban dentro. Desde el otro todoterreno devolvieron el fuego y lograron que el fugitivo perdiera el control de su coche y acabara por salirse de la carretera. Dio tumbos por el campo adyacente hasta que se detuvo. El guardia que le había alcanzado se bajó del todoterreno y se acercó, encañonándolo con su arma. Manos en alto, el hombre le gritó:

—¡No me mates, soy de ETA, soy de ETA...!

Pronto se averiguó por qué el coche no había podido zafarse de sus perseguidores: además del peso de su conductor, cargaba con varios cientos de kilos de explosivos. El cedazo que se había tendido a bulto por toda Andalucía, y en especial en Sevilla, para tratar de impedir el atentado que esperábamos contra la Exposición Universal que debía celebrarse el año siguiente, había dado, gracias al olfato de un humilde guardia de un puesto rural, un resultado inaudito. No sólo se había impedido el atentado, con el que la organización pretendía demoler la imagen de España en el exterior y lanzar el contundente mensaje de que no era seguro venir a esa Exposición Universal. Lo que había caído en aquel control, gracias a la diligencia y el valor de los agentes que lo habían establecido —y al fallo del vehículo-lanzadera que circulaba por delante del que cargaba los explosivos, a demasiada distancia para advertir de unos dispositivos que se podían montar casi sobre la marcha—, era algo que tardaríamos aún unos días en entender. No era un comando entre tantos: era El Comando, la joya de la corona.

Ya les llamó la atención a aquellos guardias sevillanos el acento con el que hablaba el detenido. Pronto se confirmó que se trataba de un ciudadano francés, lo que abría un interrogante inédito: ¿qué hacía un francés conduciendo hacia Sevilla un coche cargado de explosivos por cuenta de ETA? ¿Quién era aquel individuo, del que no había ninguna referencia anterior, que no había dudado en enfrentarse a tiros con los agentes que lo perseguían y después se había apresurado a proclamar su pertenencia a la organización armada? Los guardias transmitieron la novedad a sus jefes, estos la transmitieron a Madrid y poco después Pereira nos avisó por el busca a otro cabo y a mí. Cuando le llamamos, nos dijo que nos preparáramos, que nos íbamos a Sevilla con él.

Aquel día conduje yo. El cabo Romero iba en el asiento del copiloto y el capitán Pereira atrás. Mientras yo quemaba el asfalto de uno de los tramos de autovía que convertían ya la vieja N-IV en la nueva A-4 en la llanura de La Mancha, el capitán fue recapitulando los hechos.

—Que pensaban hacer algo en Sevilla lo habíamos deducido por la información recibida de una de nuestras fuentes en Francia. Ya os lo dije: vio cómo se pasaban un plano de carreteras de Andalucía.

—Lo que no nos dijo es quién es esa fuente —se quejó Romero.

—Cada uno sabe lo que tiene que saber —respondió Pereira—. Si sois buenos y aguantáis lo suficiente, a lo mejor acaba llegando el día en que tenéis vosotros esa clase de informaciones. A lo que iba: hasta hoy, eso era todo lo que sabíamos. Ni una pista del comando ni de quién podía formarlo, así que había disparidad de teorías. Que uno de los comandos que tienen sobre el terreno en el País Vasco o Navarra hiciera la excursión. Que se lo encargaran al comando de Barcelona, aunque hay demasiada distancia. Que se ocupara el de Madrid, algo más probable. O bien, en fin, que hubieran formado uno *ad hoc*. Y siempre, esa otra posibilidad: el comando fantasma que se mueve por cualquier sitio y del que nos han llegado rumores varias veces.

—Si puedo apostar, voto por lo último —dijo Romero.

—Yo no lo tenía muy claro —reconoció Pereira—. Por definición, los fantasmas no me tiran demasiado, me suenan a cuentos de viejas. Lo que resulta tan sensacional como desconcertante es que los cientos de kilos de explosivos se los hayamos pillado a un gabacho que además se revolvió como una fiera rabiosa contra los guardias. Es una opción que no nos habíamos planteado, o si acaso llegábamos a contemplarla era para descartarla en seguida. Un comando de franceses. No tiene mucha lógica: qué se le pierde a un francés en esta matanza lóbrega y pueblerina que tenemos montada al sur de los Pirineos, con su *République* centralista y la buena vida que se pegan. Y sin embargo, si lo pensáis, por su propia inverosimilitud el truco es ideal para poner en pie ese comando escurridizo e indetectable, el arma secreta reservada a las grandes ocasiones. A arrearnos donde más nos pueda doler.

—¿Está sugiriendo lo que me imagino, mi capitán? —le pregunté, buscándole a través del retrovisor aquellos ojos rapaces suyos.

—Podría ser —admitió—, por ahora no tenemos ninguna pista que permita descartarlo. Imaginad que fue él, con quienes le ayuden, el que llevó una cantidad semejante de explosivo y la puso en nuestra casa cuartel de Zaragoza. El que se llevó por delante a esos niños.

—Si fue él, tiene que estar ahora mismo acojonado —dijo Romero—. Y con motivo. Si lo hubiera hecho en Francia, le caería la perpetua.

—Sabrá que aquí perpetua no hay —dijo Pereira—, pero lo que no sabe es lo que estamos dispuestos a hacerle. Por eso pidió que no le mataran cuando se vio encañonado por el guardia de Sevilla.

—Siempre se puede aprovechar ese miedo —sugirió Romero.

—No, si es quien nos tememos, lo que importa es ayudarle a que se nos sincere. Que nos reconozca todo lo que podamos colgarle. Es de otra manera como hay que manejar esa baza. Con más astucia.

—Y eso cómo se hace —intervine.

—Tengo un rato para pensarlo. Por cierto, hemos movilizado a los contactos que hemos estado haciendo en Francia. Nos han mirado la filiación del sujeto: un tipo normal, con un trabajo normal, casado, con dos hijos pequeños, sin ningún antecedente. Por lo visto, había pedido un par de días de permiso en la oficina donde trabaja.

—¿Y qué dicen los franceses?

—Están alucinando en colores. Han mandado a un oficial de los Renseignements Généraux a toda leche a Orly para que se coja un avión a Madrid. Quieren estar en los interrogatorios. Les he dicho a los jefes que el interrogatorio lo hacemos nosotros y ya le contaremos al francés lo que hay. Que tomen un poco de su propia medicina.

—No está mal hacerles ver cómo se juega en desventaja cuando no tienes jurisdicción y sí todo el interés —coincidí con su criterio.

—Esa es la idea.

El detenido nos aguardaba, esposado y cabizbajo, en los calabozos de la comandancia de Sevilla. El capitán, Romero y yo pasamos a verle con los pasamontañas puestos. Pereira hizo las presentaciones:

—*Bonsoir*, François. ¿Entiendes español?

El interpelado cabeceó negativamente.

—Por qué será que no me lo termino de creer —dijo el capitán—. ¿Tienes una idea de quiénes somos? Así, aproximada.

El francés repitió gesto.

—Te ayudo. Somos los que vamos a acabar contigo y con los que te llenan el coche de explosivos. Pero hoy venimos en buen plan. Nos gustaría hablar contigo como personas civilizadas. Si estás dispuesto a charlar, tenemos un abogado de oficio esperando. *Un avocat*.

Aquel hombre se mantuvo inmóvil, sin dejar de mirar al suelo.

—Te lo pregunto otra vez. ¿Vas a hablar? *Veux-tu parler?*

François negó otra vez con la cabeza. Pereira tomó nota:

—*Okay*, tenemos cinco días. *Nous avons cinq jours*. Vamos a llevarte a Madrid. Por cierto, que también está de camino un policía francés. De los Renseignements Généraux. *Est-ce que tu connais, mon ami?*

El detenido levantó la cara. Había en ella un gesto de espanto.

En el viaje de vuelta a Madrid tomó el volante Romero. Yo fui con Pereira en el asiento de atrás, con aquel francés esposado entre los dos. Fueron algo más de cuatro horas de viaje ininterrumpido, sin que en el habitáculo se pronunciara una sola palabra. Traté de ponerme en la piel de aquel hombre, que sólo de vez en cuando osaba mirarnos de reojo al capitán o a mí, para toparse en ambos casos con una esfinge con pasamontañas. La mayor parte del tiempo fue mirándose los pies, mientras el coche avanzaba a toda velocidad por la carretera nocturna. Me llegaba su olor, una fragancia empalagosa de colonia masculina, señal esta de coquetería difícilmente compatible, por lo menos en mi cabeza, con el frío designio de volar en pedazos a mujeres y niños. Por debajo de ese olor principal aumentaba poco a poco otro: a sudor y a miedo. Fue ya de madrugada cuando llegamos a la Dirección General, lo introdujimos en el calabozo y nos sacamos de encima con alivio los pasamontañas. Pereira miró el reloj y nos dijo a Romero y a mí:

—Id a casa y dormid algo. Mañana a las ocho lo despertamos.

Por la mañana, nos presentaron al policía francés. Se llamaba Hervé y era un tipo alto, rubicundo y con los ojos muy azules. Demasiado aparatoso para pasar inadvertido, pensé, con la inercia mental de las operaciones encubiertas. Traía bien puestas las pilas: según nos dijo, a sus jefes les alarmaba sobremanera que hubiera un ciudadano francés paseándose por ahí con un montón de explosivos para tratar de ganar la independencia de Euskal Herria. No se les olvidaba que esa patria mítica y ancestral tenía nada menos que tres provincias situadas en el solar de la República Francesa, y temían que la leva de *gudaris* galos fuera una vía para reactivar un día, con más brío y empuje, aquella vía revolucionaria que de forma más bien insolvente representaba hasta entonces un grupúsculo autóctono denominado Iparretarrak. Pereira le escuchó con amabilidad y paciencia y finalmente observó:

—Bienvenidos al club. Espero que esta sea una buena oportunidad para empezar a trabajar juntos en la disuasión de quienes buscan que sus sueños bucólicos se edifiquen sobre una pila de cadáveres.

—Por mi parte, no tengas duda —aseguró el francés.

—Me alegra, de veras.

—¿Puedo pasar entonces al interrogatorio?

Pereira meneó la cabeza, con una sonrisa.

—No, *mon ami*, esto es una diligencia sometida a un juez español, por un lado, y por otro prefiero que tu presencia no nos distorsione la conversación. Hay que crear una atmósfera lo más propicia posible a la confidencia. Busco que nos cuente todo lo que ha hecho, no sólo a dónde llevaba esos explosivos. De hecho, eso viene a ser lo que menos me importa. Me lo imagino, y ese golpe se lo hemos impedido.

—Eh, bien, si lo crees más oportuno —aceptó el francés.

—Pero no te preocupes. Compartiremos contigo todo lo que nos cuente. Si no me equivoco, él es sólo una parte de la operación que podemos tener aquí. Y lo que falta lo tendréis que hacer vosotros.

Lo acompañamos a una oficina con teléfono, para que pudiera estar en contacto con sus jefes en París. Le dimos café y le dejamos a alguien que le tuviera entretenido. A continuación Pereira dio la orden:

—Que me vayan metiendo al miura en el toril.

Entre los muchos defectos que como ser humano le tocaba acarrear, Pereira contaba una afición exaltada a la tauromaquia que le llevaba a emplear con cierta frecuencia aquellos símiles taurinos. Creo que sólo he visto una vez una corrida entera, por la televisión, con mi abuelo materno, a quien también le gustaban. Era un hombre íntegro, cabal y cariñoso, por lo que nunca he podido creer que los que aprecian la fiesta nacional sean unos psicópatas degenerados. Pero lo que vi esa tarde por la televisión tampoco me resultó grato ni edificante. Uno de los matadores erró la estocada y le acertó a la res en la yugular. Ver a un ser vivo desplomarse con un caño de sangre en el cuello, en medio de una multitud enfervorizada, me pareció deprimente y erróneo a partes iguales. Sin embargo, debía reconocer que la aportación retórica del léxico taurino al castellano era tan suculenta como contagiosa. El recurso que a él hacía Pereira no dejó de impregnar mis propios usos lingüísticos, como los de buena parte de la población española, y no he creído nunca necesario apearme de ellos. El verbo se alimenta de todas las dimensiones de la existencia: también del error y el horror.

Cuando entramos en la sala de interrogatorios Pereira, Romero y yo, el detenido estaba ya allí. Le habían dejado sentarse, pero estaba con las esposas puestas y la capucha de tela transpirable en la cabeza.

—*Bonjour*, François —lo saludó Pereira—. ¿Te gusta Madrid?

La pregunta cosechó el previsible silencio. El capitán lo entendió.

—Perdona, era una broma. Poco afortunada, lo reconozco.

Pereira se quedó observándolo durante unos segundos, y no pude evitar observarlo con él. No podíamos ver su cara, pero la derrota y la angustia por su futuro inmediato se desprendían de la postura en la que se sostenía sobre la silla, de la forma en que se apoyaba en la mesa y del nerviosismo con el que sus muñecas negociaban la distancia con los grilletes que le impedían separarlas más de unos centímetros.

—Llama al guardia —le pidió Pereira a Romero.

El cabo obedeció inmediatamente la orden. Vino poco

después con el guardia uniformado que había traído al prisionero.

—Quítale las esposas —ordenó el capitán.

El guardia no osó cuestionar la orden. La cumplió sin más.

—Gracias, déjanos solos, por favor.

Como había venido, el guardia se fue. Pereira se dirigió al detenido:

—¿Mejor así?

Tampoco hubo respuesta. Nuestro jefe nos miró, como si buscara nuestro consejo, creí. Me equivocaba, sabía ya muy bien qué hacer.

—Te pregunto lo mismo que ayer. ¿Piensas hablar o no?

François sacudió a un lado y a otro la cabeza encapuchada.

—¿Por qué? —indagó Pereira, con voz cálida—. ¿Qué sentido tiene que te encierres en no decir nada? Llevabas explosivo suficiente para volar media Sevilla, esto está claro cómo va a acabar, François.

—No puedo hablar —dijo el detenido al fin.

—Explícamelo para que lo entienda —le pidió el capitán.

—Si supierais quién soy y lo que he hecho me mataríais.

En ese momento Pereira alzó las cejas y levantó el índice en el aire. Romero y yo, atentos a aquella señal, contuvimos el aliento.

—Aquí no matamos a nadie, hombre —le dijo—. A pesar de lo que te han contado tus amigos, no somos carniceros. Al revés, lo nuestro es el estudio. No queremos eliminaros, sino entenderos. ¿Captas la sutil diferencia que hay entre una cosa y otra? Importa mucho.

—Lo dudo.

—¿Qué te pasa? ¿Qué te preocupa tanto?

—No se lo voy a decir.

—Tutéame, hombre. Estamos solos. Hay confianza.

—Será para usted.

En ese momento, Pereira hizo algo que ni Romero ni yo ni mucho menos François nos esperábamos. Extendió el brazo hacia él, agarró el extremo superior de la capucha y se la arrancó de golpe. El otro cabo y yo, instintivamente, nos fuimos hacia atrás en la silla. El detenido se quedó desconcertado, lo que sin lugar a dudas era el propósito.

—Ya ves, puedes confiar —le invitó Pereira—. No nos importa que nos veas la cara. ¿Y sabes por qué no? No porque vayamos a matarte, sino porque te vas a pasar toda la vida que te queda, o por lo menos el pedazo bueno de esa vida, en una cárcel de máxima seguridad.

François lo observó, atónito.

—*Qu'est-ce que tu as peur de nous dire? La bombe à Saragosse? Nous savons déjà, François* —le soltó el capitán—. Sabemos que eres el que se cargó a nuestros compañeros, a nuestros niños. Y ya ves, aquí estás, sentado y sin que te hayamos tocado un solo pelo de la cabeza.

—Ah, ¿lo sabéis?

—Pues claro, hombre. Llevamos mucho tiempo detrás de vosotros. Siempre se van dejando huellas, aunque no lo creas. Al final nos ha ayudado la suerte, pero cuando la suerte te cae sobre el trabajo bien hecho y de mucho tiempo, los resultados son inmediatos.

—¿Cómo habéis podido...?

—Con ganas, echándole horas y cojones. En el fondo, de la misma manera en que funcionáis vosotros, pero con más horas, más ganas y más cojones que vosotros todavía, porque vosotros lo tenéis fácil, os vale darle a cualquiera, pero nosotros lo tenemos difícil, tenemos que estar pendientes en cualquier momento y cualquier lugar. Os habéis buscado mal enemigo. No nacimos ayer, ni moriremos mañana.

—Que sois duros ya lo sabemos.

—Entonces qué esperabas.

—Tampoco nosotros nacimos ayer. Ni esto se acabará así como así. Yo he caído, pero quedan muchos más que sabrán vengarme.

—Aquí los esperamos. A estas alturas no nos vamos a asustar.

—No lo sabes tú bien. Si hubiera tenido más explosivos...

—Qué.

—Habría volado España entera.

Pereira lo había conseguido. Le había cambiado el miedo, que nacía de la incertidumbre, y la prevención, que brotaba del cálculo, por la rabia y el orgullo que le llevaba a exhibirse de aquella manera. Había sabido darle seguridad primero, y pulsar su inconsciente y su lado irracional después. No había visto antes una actuación tan magistral. Tardaría en ver algo parecido: años después, en Cataluña, con un viejo suboficial apellidado Robles, frente a una especie muy diferente de asesino. Pereira, que había estudiado Derecho Romano, solía citar para explicarlo la sentencia de un jurisconsulto romano, Ulpiano, también recordado como el Lapidario, al que yo conocí en mi adolescencia en una novela rara y fascinante, *Oficio de tinieblas 5*, de un autor excesivo y atrabiliario que alcanzó la gloria y luego el olvido, Camilo José Cela. *Suum cuique tribuere*. El arte consistía en darle a cada uno lo suyo.

A partir de ahí, el interrogatorio fluyó como la seda. Pereira fue planteándole al detenido todos y cada uno de los atentados que por ubicación, ferocidad y *modus operandi* nos parecía que podían ser obra del legendario comando fantasma. François los reconoció uno por uno, sin arrugarse ni oponer la menor resistencia. Ya que iba a desfilar hacia la cárcel, quiso hacerlo a lo grande, con todos los honores.

Sólo hubo un punto, justo al final, en el que el bisturí

que el capitán le aplicaba pinchó en hueso. Una lástima, habría sido la guinda.

—Tenemos claro que ayer no ibas solo por la carretera —le dijo—. No es vuestro estilo. Llevabas un coche por delante, por desgracia para ti demasiado delante. Y supongo que ahí iban tus dos socios.

Que el comando lo formaban tres no pasaba de ser una hipótesis, basada en lo que era habitual, pero Pereira esgrimió el dato como si le constara de modo fehaciente. François no despegó los labios.

—No hace falta que eso me lo confirmes —le exoneró Pereira—, ya te digo que lo sé, y que habrán escapado por poco del cerco.

—Por poco o por mucho, se han escapado.

Una vez más, el terrorista pisaba la trampa: volvía a convertirnos en certeza lo que sólo manejábamos hasta entonces como conjetura.

—Pues hay una manera estupenda de terminar esta charla, y así te dejamos en paz, te damos de comer bien y esperamos a que venga el abogado de oficio para tomarte manifestaciones —propuso Pereira—. No tienes más que darnos sus nombres y apellidos, a ver si coinciden con los que gracias a nuestros colegas franceses ya suponemos.

—*Pas du tout* —respondió.

—Vamos, hombre, François, ¿quieres acabarlo así, en mal plan?

—Por ahí no paso. Eso ya lo confirmáis vosotros. O vuestros amigos.

—¿Cuánto crees que tardaremos? ¿Un día? ¿Dos? Piénsalo, ellos ya estarán en Francia, lo tendrán algo mejor que tú. Tú estás en la boca del lobo, ayúdate un poco. No dejaremos de reconocértelo.

—Ni lo sueñes. Yo no delato a mis compañeros.

—¿Tampoco me vas a contar entonces quién te daba las órdenes, quién te entregaba los explosivos, quién te pasaba la información?

—Tampoco.

Pereira hizo chasquear la lengua.

—Es una lástima. Pero lo respeto. Por ahora. Te has ganado que te dejemos en paz un rato. Después de que levantemos acta de todo esto con tu abogado delante me pienso si darte otra oportunidad antes de que te llevemos con el juez. Y ahora, me vas a perdonar, pero voy a llamar al guardia y le voy a pedir que vuelva a esposarte.

—Ya contaba con ello.

—Gracias por la deportividad.

—¿Tengo alternativa?

—Podrías haber malgastado tus fuerzas y hacérnoslas malgastar a nosotros. Te agradezco que hayas sido algo más razonable.

—No te confundas. Si te tuviera a tiro...

—No me confundo, ya lo sé. Por suerte para ti, yo estoy del lado de los buenos y no te voy a pegar ningún tiro, aunque pistola tengo.

—Eso es lo que te crees tú. Algunos no olvidamos ni olvidaremos nunca todo el sufrimiento que habéis traído a Euskal Herria.

—Claro, cada uno se maneja con lo que cree, luego la Historia es la que acaba poniendo a cada cual en el sitio que le corresponde.

—No necesariamente.

—También es verdad. Digo en general. A largo plazo.

—Tampoco así.

—En fin. Que tengas buen día, François. Nos vemos.

Se puso en pie, Romero salió a buscar al guardia y minutos después François regresaba esposado al calabozo donde pasó tres días más. En ese tiempo volvimos a sacarlo varias veces, y aunque la conversación con él acabó siendo bastante fluida, sin que faltara el pacharán con que Pereira solía celebrar y premiar a la vez la avenencia del interrogado a colaborar con la justicia, el detenido no nos aportó en sustancia mucha más información de la que ya nos había facilitado la primera vez. Tal y como le había prometido el capitán a Hervé, el policía francés, lo que le sacamos al etarra lo compartimos con él: no todos los detalles, pero sí las principales informaciones y, sobre todo, las que podían servir para que sus compañeros localizaran con la mayor rapidez posible a los dos cómplices del detenido y los llevaran ante los jueces.

Varios días después de entregar a François al juez de la Audiencia, volvíamos a ir los tres, Pereira, Romero y yo, en el mismo vehículo. También era yo el que conducía, pero esta vez el paisaje de fondo no era la llanura manchega, sino los campos y caseríos del País Vasco francés. A diferencia de otras veces, antes y después, no estábamos allí de manera clandestina y arriesgándonos a tener que dar incómodas explicaciones si nos identificaban. Acudíamos en coordinación con los Renseignements Généraux y la Gendarmerie. Los primeros se habían encargado de completar la investigación y los segundos eran los que iban a realizar materialmente la intervención que se nos había invitado a presenciar. Por el retrovisor observaba la expresión de Pereira. Se le veía exultante, y no era para menos. Aquel era un día histórico.

—Ya veis, aquí estamos —dijo—. ¿Y cómo lo hemos conseguido?

—¿Porque nos lo hemos currado? —aventuró Romero.

—Sí, pero no sólo, ni principalmente.

—Porque hemos sabido acumular inteligencia —insinué yo.

—También, pero tampoco es lo principal. ¿Te acuerdas de Deleuze y Guattari, Vila? De lo del principio de sus *Mil mesetas*. Del rizoma.

—Sí, pero ¿qué tiene que ver aquí?

—No hemos llegado a ellos gracias a nuestro trabajo ni a nuestro conocimiento de ellos, aunque las dos cosas han ayudado a explotarlo. Lo que nos los ha puesto en bandeja es esa estructura de rizoma que tenemos: la bendita fortuna de que ahí donde está un guardia, aun sin información y sin tiempo, está el espíritu que nos une a todos y en él se pueden conectar, al instante, todos los puntos del organismo que lo sostiene. Le debemos este día a ese guardia de pueblo que supo estar vivo, que supo ver más allá y que le echó coraje para que aquel malo no se le escapara y acabara pidiéndole piedad manos en alto.

—Es una analogía interesante —admití.

—No he entendido una mierda —dijo Romero—. Qué es un rizoma.

—¿Tú no estudiaste Biología, Romero? —le dijo Pereira.

—Ciencias Naturales, hasta octavo.

—Seguro que lo diste, busca el libro.

—A saber dónde anda. Si no lo tiró mi madre...

—Pues una enciclopedia. Y cuando lo veas piensa en que somos eso. El rizoma verde contra el que se ha estrellado el sueño del *gudari*.

—Esta vez —traté de bajarle la euforia.

—Y vendrán más —porfió—. Y esta hay que disfrutarla.

No negaré que la disfrutamos. Tuvo algo de catártico para nosotros asistir al momento en el que un pelotón de agentes de intervención de la Gendarmerie se abalanzaba sobre uno de los dos integrantes del comando fantasma que habían logrado escapar de Sevilla. Era, como su jefe, un ciudadano aparentemente normal, y aquella mañana, como todas las mañanas, salía con una cartera de su casa para dirigirse al trabajo que le servía como cobertura, y en el que pronto habría una oferta de empleo para reemplazarlo. En el gesto de pánico con el que se quedó después de que lo levantaran ya esposado del suelo había una mezcla de hundimiento y resignación. Había sucedido lo que no podía no temer, y ante él se abría ahora una desastrosa perspectiva. La de responder de su pertenencia a una *association de malfaiteurs*, como lo calificaba el Código Penal francés, y de varias decenas de muertes ante las leyes españolas. Me pregunté si alguna vez había contemplado aquella eventualidad, o si pensaba que podría llevar indefinidamente su doble vida. Me pregunté, también, si en algún momento se habría cuestionado la justificación con que contaba para quitarle para siempre a un niño la protección y el amor de su padre, o para despojar a unos padres de la oportunidad de velar por sus hijos y verlos crecer. En aquella mirada alucinada intuí, como después iba a tocarme ver en otras, la inconsciencia, la ignorancia, el aturdimiento fatídico que una y otra vez permite a los hombres causar los males más inmensos. Que quien había sido capaz de provocar tanto daño, desde la ventaja, la sorpresa y la superioridad más absolutas, se viera ahora reducido a una inferioridad apabullada y vergonzante me aliviaba, pero no se me ocultaba que lo que veía desfilar hacia el furgón policial tan sólo era el instrumento humano de una energía oscura y profunda que iba mucho más allá de él; que después de oficiar tantos sacrificios, ahora él era el sacrificado en el altar de esa deidad tenebrosa, que no forzosamente se debilitaba, o no todavía, con aquel holocausto de su sacerdote.

Al mismo tiempo, en un domicilio no lejano de la misma ciudad, caía su compañero. Al final de la tarde, ya con los dos puestos a buen recaudo, nos encontramos con Hervé. Estaba radiante. Según nos dijo, para él también era un gran día. Ni él ni sus compañeros entendían que en territorio francés encontraran refugio y cobertura un grupo de criminales cuyos métodos y objetivos no podían ser más contrarios a los valores republicanos que sostenían Francia. Aquel comando de franceses había obrado el milagro de sacudir a sus jefes, y podíamos contar con que en adelante habría más colaboración por su parte.

—Los dos se han derrumbado —nos confió—. Con

la información que nos pusisteis en las manos, estaban completamente vendidos.

—No sabes cuánto lo celebramos, Hervé —le dijo Pereira.

—Lo sé, vaya si lo sé. ¿Hasta cuándo os quedáis?

—Hemos buscado un hotel aquí cerca.

—¿Venís a cenar con nosotros esta noche?

—*Bien sûr* —aceptó el capitán en nombre de los tres.

Aquella noche prolongamos la celebración hasta la madrugada. Y la continuamos en Intxaurrondo y en Madrid, días después. Aquella era una alegría largamente esperada y trabajada. Una reparación para los nuestros, que tanto habían sufrido la furia de aquel comando.

Sin embargo, la bestia no estaba muerta, ni siquiera adormecida. El comando que tenía en Barcelona buscó y encontró un objetivo. Vieron no lejos de allí, en Vic, una casa cuartel que tenía una rampa de acceso. Aprovechando un descuido en la vigilancia, acercaron una furgoneta cargada de explosivos a la puerta de entrada y la dejaron resbalar por la pendiente. En el patio interior, pudieron verlos, estaban ese día y a esa hora jugando unos niños. Murieron cinco. La amenaza se cumplía: así se vengaban de la caída del comando fantasma. Seguía la guerra. Y el dolor, y el envilecimiento, y la necesidad de soportarlos.

24
Cuesta arriba

Intenté calcular cuántos años hacía que no iba por allí. Veinticinco, por lo menos. En ese tiempo había regresado varias veces a San Sebastián, pero siempre me había quedado del otro lado del río, por la zona de la playa de la Concha, sin pasar al barrio de Gros, por el que ahora iba con Chamorro y con Txiki, el veterano sargento primero del grupo de Información de Intxaurrondo con el que nos había puesto en contacto el teniente Castán antes de emprender viaje a Guipúzcoa. Me extrañó en un primer momento que con su edad no hubiera ascendido más, pero en cuanto le pregunté me lo explicó de modo convincente:

—He renunciado ya dos veces al ascenso. Lo que te suben es una mierda y me tocaría buscar destino, levantar la casa: un marrón.

Aquel era un buen indicador del nuevo signo de los tiempos: que alguien destinado en el País Vasco, en vez de estar deseando ascender para pedir destino y largarse de allí, renunciara al ascenso para poder quedarse. Con la organización armada prácticamente desmantelada, acorralada y sin poder actuar, después de las sucesivas caídas de sus últimos jefes, Guipúzcoa volvía a ser lo que había sido antes de ETA: un destino cómodo, envidiable por seguridad y calidad de vida. En el caso de Txiki, además, había otro argumento: era de la tierra, o no del todo, pero casi. Había nacido en Bilbao y ostentaba más de un apellido vasco. Como buen bilbaíno, no se privaba de bromear al respecto:

—Tiene su guasa, que habiendo nacido en el centro del mundo, haya acabado viniendo a vivir aquí, con los *giputxis*. Mis amigos de Bilbao se descojonan de mí. Dicen que me he vuelto un blando.

—*San Sestabién* tira mucho —le disculpé.

—¿*San Sestabién*? —repitió mi compañera.

—Así llamamos en broma a esto en Bilbao —le explicó Txiki—. No te creas, el caso es que a mí tampoco me mata. Lo mejor que tiene es que en menos de una hora me pongo en el bocho con mi madre.

—¿El bocho? —volvió a quedarse fuera de juego Chamorro.

—Bilbao, nombre coloquial —le aclaré yo esta vez.

—Vais a tener que pasarme un diccionario —dijo.

—Tampoco sufras, en una semana te apañas —le aseguró Txiki—. Todo lo de aquí se pega rápido, menos la hermosura. Ahí la tenéis: esa era la gestoría de Igor López Etxebarri. Ahora de su señora madre, Amaia Etxebarri. Pero me han dicho que viene poco por aquí.

—¿Crees que el personal se avendrá a hablar?

—He hablado con el gerente. Garikoitz, se llama. Es un chico serio, y parece ser consciente de que el asunto también lo es. Le he dicho que de cara al juicio necesitamos amarrar algunos detalles acerca de los últimos días de su antiguo jefe. Dice que nos contará lo que sepa, pero que de las cuentas y la situación de la empresa, si queremos saber algo, tendremos que hablar directamente con la nueva propietaria.

—Eso quiere decir que Amaia está al corriente —deduje.

—Me temo.

—En cualquier momento de aquí a esta noche me suena el móvil.

—No hay por qué provocarlo —dijo—. De las cuentas de la empresa sé yo más que ellos. Si quieres saber algo, ya te cuento yo.

La gestoría estaba en un bajo, en un edificio de antigüedad mediana y apariencia pudiente. Era un local amplio y bien acondicionado en el que vi trabajando a media docena de personas. Con el nivel medio de las empresas y los profesionales del lugar, y liberado de sus hipotecas, debía de ser un negocio boyante, y me imaginé que sus dividendos eran buen desahogo para Igor, ahora para Amaia. El gerente, Garikoitz Etxarren, según su tarjeta de visita, era un joven de treinta y pocos años y aspecto formal, tal y como nos había anunciado el sargento. Su expresión denotaba un carácter concienzudo y también una tensión que podía achacarse a la situación o a su relativa juventud. Según nos contó Txiki, se había incorporado al puesto poco después de que Igor heredara el negocio, en el que venía a ser su hombre de confianza. Me pareció que ese era un buen lugar para empezar nuestra charla.

—Sí, a mí me contrató el señor López Etxebarri —me confirmó.

—¿Y puedo saber, por curiosidad, cómo le conoció? —pregunté.

Garikoitz Etxarren me dirigió una mirada inocente.

—De la manera más convencional posible, en estos casos. Yo había mandado el currículum a una empresa de colocación. Él acudió a esa empresa para cubrir el puesto de gerente de la gestoría.

—Así que no se conocían ustedes previamente.

—No, de nada.

—¿Pasó algo con el gerente anterior?

—Sé lo que él me dijo y el gerente me confirmó cuando lo sustituí. Era un hombre ya mayor, y después de la muerte del anterior dueño, el tío de Igor, con el que había trabajado toda la vida, no quería seguir y prefería retirarse. Esperó a que me contrataran y se jubiló.

—Digamos que el nuevo dueño buscó savia nueva —interpreté.

—Sí, algo así.

Garikoitz se ruborizó levemente. Además de un profesional joven, se trataba de un hombre bien vestido y bien plantado. En alguno de sus ademanes y en ciertas inflexiones de la voz alguien propenso al juicio somero habría creído atisbar indicios de una posible condición homosexual. A mis años, me había tropezado a heterosexuales puros más amanerados y a algún gay irreductible más viril, lo que me había enseñado a no dejarme guiar en exceso por esa clase de impresiones superficiales. En cualquier caso, no dejé de contemplar la posibilidad y los efectos que hubiera podido provocar en la relación existente entre ambos. Daba que pensar que el gerente tuviera argumentos evidentes para gustar a una persona que se viera atraída por los hombres y no era descabellado suponer que a Igor no le había desagradado, cuando se lo presentaron, la idea de que el gerente de su empresa, además de competente y con formación, fuera un joven bien parecido. Pensé que no estaría de más hacer alguna averiguación discreta al respecto, pero antes era mejor tratar de darle confianza a nuestro interlocutor:

—He visto que alguno de los empleados tiene una edad. No debió de ser fácil para usted, al principio, hacerse con el equipo.

—No se crea. Conté con el apoyo de Igor, es decir, del señor López Etxebarri, los empleados son estupendos profesionales y la empresa tiene una buena cartera de clientes. Tampoco me propuse inventar la rueda: me limité a modernizar un par de cosas, con la aprobación del propietario, y a dejar que cada uno siguiera haciendo lo que sabe.

—¿Venía mucho el difunto por aquí?

—Cuando estaba en Donosti, casi todos los días, un rato a media mañana, o a primera hora de la tarde. Algo más en época de cierres.

—¿Pasaba mucho tiempo fuera de la ciudad?

—No demasiado, pero no era raro que viajara. Una semana al mes, por término medio. Siempre procuraba hacerlo fuera de las fechas más críticas en la empresa, que son los finales de mes, por la coincidencia de los cierres y las declaraciones de impuestos a la diputación foral.

No se me escapó la peculiaridad: en Guipúzcoa, lo había olvidado, no se pagaban los impuestos a la Hacienda española, sino a la de la diputación foral de la provincia. Una de esas competencias de las que gozaban los vascos, la autonomía fiscal casi absoluta, potestad que en muy pocas partes del mundo, ni siquiera en régimen federal, ostentaba ninguna administración pública de nivel inferior al Estado.

—En todo caso —se apresuró a aclarar Etxarren—, siempre estaba pendiente, incluso cuando viajaba. Sabía que si surgía cualquier cosa no tenía más que llamarle y atendía en seguida al teléfono.

—¿Siempre? —dudé.

—¿A qué se refiere?

—Quiero decir, ¿no estaba inaccesible alguna vez?

El gerente, algo envarado, se removió en el asiento.

—Alguna vez podía pillarle fuera de cobertura, u ocupado con algo, pero le dejaba mensaje y él me llamaba inmediatamente.

—Podría decirse entonces que estaba implicado en el negocio.

—Bastante. Como sabrá, tenía formación como economista.

—Lo sabía, sí —le confirmé—. Ya me ha dicho mi compañero que sobre las finanzas de la empresa y demás prefiere usted remitirnos a la propietaria, pero no puedo dejar de preguntarle algo, por si me puede dar usted alguna referencia. ¿Sabe usted de algún problema, algo fuera de lo normal que le sucediera con algún cliente, por ejemplo?

Garikoitz sacudió la cabeza con energía.

—Ya se lo dije en su día a sus compañeros. Nada en absoluto. La empresa iba bien, los clientes son en su mayoría antiguos y los nuevos están contentos. No hay nada que pueda decirle en ese sentido.

Me fijé en que tenía sobre la mesa un marco del que sólo podía ver, desde donde estaba, la parte de atrás. Imaginé la foto al otro lado.

—¿Es una foto de sus hijos? —le pregunté, señalándoselo.

Aquel cambio brusco de tercio lo descolocó. Era lo que buscaba.

—No —respondió, ruborizándose de nuevo—. De mi madre.

Ya sólo me faltaba preguntarle si estaba soltero. El brigada Ruano, como depositario, según afirmaba, de un viejo saber popular, decía que ese era el primer elemento del método infalible para descubrir a un homosexual que no quisiera reconocer que lo era: si está soltero, va siempre bien vestido y quiere mucho a su madre, no hay duda. Lo de la soltería como indicio se había quedado algo desfasado, desde que era legal el matrimonio entre personas del mismo sexo. Y sobre lo de la madre me pregunté, pensando en Amaia, si sería tan inexorable.

—Sabemos que Igor tuvo una pareja estable hasta hace unos meses —volví a cambiar de tema—. ¿Lo conoció usted, por casualidad?

Garikoitz carraspeó suavemente.

—Lo saludé alguna vez, eso es todo.

—¿Y qué impresión le dio?

—No sé, no era asunto mío. Era su vida personal.

—Ya, pero siempre pensamos algo, al ver a una persona.

—¿Tiene algún valor lo que yo piense de él?

—Usted conocía a Igor. Qué impresión le daba la relación.

—Le repito que yo en eso no me metía —insistió, incómodo.

—¿Vio que discutieran alguna vez? O algún mal modo entre ellos.

Etxarren se pensó esta vez la respuesta.

—La última vez que le vi, sí. Ya habían roto, por lo visto. Vino a buscarle y montó un pequeño escándalo. Igor salió, lo tomó del brazo y en seguida se lo llevó. El chaval no volvió más por la gestoría.

—¿Recuerda qué dijo? El chaval.

—Bueno, cosas desagradables, pero sin mayor importancia. Las que se dicen en esas ocasiones. Tampoco le daría yo más...

—¿Recuerda qué, exactamente? —le interrumpí.

—Lo recuerdo, sí, pero es un poco embarazoso.

—No se preocupe. Díganoslo. Somos como los médicos y los curas.

—Le dijo que no tenía corazón. Y que era «una maricona cobarde».

—No está mal. Venía enfadado de veras.

—Bastante, sí.

—Y a Igor, cuando volvió, ¿lo vio afectado?

—Lo normal, lo que en cualquiera sería comprensible.

—¿Algo más bajo de ánimo en esos días, o los posteriores?

—La ruptura le dejó un poco tocado. Y después del incidente estaba algo menos expansivo que de costumbre; pero yo no diría que eso le afectaba hasta el extremo de perturbar su normalidad. No desde luego respecto de la empresa, tampoco en su relación conmigo.

—Garikoitz, ¿puedo hacerle una pregunta algo personal?

Diría que el gerente me vio venir. Había estado reuniendo piezas a lo largo de nuestra conversación, con el mayor comedimiento posible pero sin tregua. Ahora me tocaba imprimirle un giro más brusco.

—Dependerá de la pregunta.

Intentaba plantarme cara, pero pude percibir su inseguridad.

—¿Hubo entre Igor y usted alguna relación de otra índole?

Se quedo clavado al asiento. Tan a bocajarro no se lo esperaba.

—¿Cómo de otra índole? ¿De qué índole?

No me apiadé. No era un lujo a mi alcance.

—Que les llevara a usar alguna vez la misma cama.

—¿Y por qué me pregunta eso?

—No por chismorrear. Sólo es por saber con quién estoy hablando. No es lo mismo hablar con un empleado que con un amante. Hay un mundo entre lo que sabe un amante y lo que sabe un empleado.

—Yo no era su amante.

—Pero la relación llegó ahí en algún momento. A la cama.

Garikoitz tragó saliva y volvió a carraspear, ahora forzadamente.

—Una sola vez —admitió al fin—. Fue un error por su parte y por la mía, y así lo aceptamos los dos. Hay cosas que más vale no mezclar. Para mí, una vez superado, siguió siendo ante todo mi jefe.

Reparé de reojo en el gesto hermético de Chamorro.

—Dígame, Garikoitz, basándose en su experiencia como gerente de su negocio, y también en ese percance, ¿quién diría que era Igor?

Esperaba que me pidiera que le tradujera la pregunta. No lo hizo.

—Un hombre que había sufrido mucho —me respondió—. Que en la conciencia cargaba con cosas que le atormentaban. Y que por encima de todo se empeñaba en ser bueno, considerado y generoso.

—Nada menos.

—Sí, nada menos. No sé, como si necesitara compensar algo.

—Todos necesitamos compensar algo —dije—, pero no a todos nos da por la bondad y la cortesía. Hay quien elige el camino opuesto.

—Entiendo que busca conocer el valor de Igor. Ese era —concluyó.

Con el exnovio de Igor, Asier Muñoz se llamaba, quedamos en una cafetería frente a la playa de la Concha. Su número de móvil lo tenía, entre otras fuentes, gracias a los listados de llamadas de Igor, en los que aparecía hasta la semana anterior a la muerte. Cuando lo marqué y me identifiqué, advertí la conmoción que se producía al otro lado de la línea. A pesar de todo, Asier no se resistió demasiado a atendernos. Preguntó un par de veces qué podía aportar él, pero cuando le dije que estábamos tratando de reconstruir el entorno personal de la víctima de nuestro caso, que ya había en la cárcel alguien imputado por el hecho y que sólo estábamos completando nuestra información, dejó de poner reparos y ya sólo fue cuestión de concretar la hora y el lugar.

A la cita acudimos Chamorro y yo solos. El sargento Txiki tenía que hacer unas gestiones en Intxaurrondo y aquí ya no lo necesitábamos como introductor. En su día habían visitado a Asier otros compañeros, de la Unidad de Policía Judicial de la comandancia, pero a la vista de la rapidez con que las pistas nos habían conducido a Álvaro Reyes, se habían limitado a un cambio de impresiones más bien superficial.

Con arreglo a la sana costumbre benemérita, nos personamos en la cafetería con varios minutos de antelación a la hora estipulada. Gracias a ello vimos llegar a Asier, y pudimos examinarle antes de que él nos divisara a nosotros. Venía ataviado con uniforme de hípster: gabán gris, pantalones negros ceñidos, botas de color camel, fular de muchas vueltas al cuello, tupé apuntando al cielo.

Solamente le faltaba la barba. Gracias a su ausencia pude apreciar aquella coincidencia fisonómica sobrecogedora: Muñoz parecía el hermano gemelo de Álvaro Reyes. O tal vez había que formularlo al contrario: en este había encontrado Igor una réplica física casi exacta del novio con el que había roto.

Cuando le llamamos con una seña, asintió con un cabeceo nervioso y se acercó hasta la mesa con la mirada clavada en sus botas. Apenas la levantó cuando le tendí la mano e hice las presentaciones:

—Soy el subteniente Vila. Mi compañera, la brigada Virginia.

Nos entregó una mano blanda y sudorosa. No era pequeña, ni débil: aquello era una señal de la intimidación que sentía ante dos guardias civiles. No había en él nada que lo asociara a la estética *abertzale*, pero pude adivinar que desde la infancia no le habían transmitido una idea demasiado apaciguadora acerca de nosotros. La expresión de sus ojos era plenamente compatible con la perspectiva de tener que tratar con dos miembros de las más temibles fuerzas de ocupación. Creí que lo primero era sacarle cuanto antes de ese pavoroso lugar mental.

—Te agradecemos mucho que nos atiendas —le dije—. ¿Te importa que te tutee? Me gustaría que nuestra charla fuera distendida.

—Como usted vea, yo no tengo inconveniente.

—Y tutéanos tú también, por favor.

—No sé si me va a salir.

—Inténtalo, anda. Qué quieres tomar.

—Agua está bien.

Pedimos a la camarera un agua y dos cafés. Mientras nos los traían, hice algún esfuerzo suplementario por romper el hielo.

—Mi compañera y yo llevamos más de veinte años en homicidios, pero no dejamos de entender el engorro que es hablar con nosotros. Nos hemos visto unas cuantas veces con personas como tú. Personas corrientes, que tenían una relación corriente con alguien, y que de pronto tienen la mala suerte de que a ese alguien lo matan y se ven rindiendo cuentas de su vida ante una gente a la que no conocen.

—Ya vinieron a verme unos compañeros suyos.

—Espero que te trataran bien.

—Tenían prisa. Y la verdad es que no me hicieron sentir que fuera una persona muy corriente, ni que lo fuera mi relación con Igor.

—Válgame Dios. Ya lo siento. Me disculpo en su nombre.

—No pasa nada, ya me había olvidado. ¿Por qué quieren hablar conmigo ahora? Pensaba que el caso estaba resuelto.

—Y lo está, pero habrá un juicio, con jurado, y no es tan sencillo convencer a nueve ciudadanos de que manden a prisión a alguien. Nos estamos asegurando de que no nos quedan hilos sueltos.

La camarera trajo lo que le habíamos pedido. Fue entonces cuando me di cuenta de que algo le preocupaba a nuestro interlocutor, y le preocupaba mucho. Su rodilla derecha no dejaba de subir y bajar, y sus dedos jugaban compulsivamente con el tapón que le había quitado a la botella de agua mineral que acababan de ponerle. Sin embargo, Asier no me dio ni siquiera tiempo a especular al respecto.

—Creí que me llamaban por lo del seguro —soltó de pronto.

—¿El seguro? ¿Qué seguro?

—¿De verdad no lo saben? —preguntó, extrañado.

—No, ¿deberíamos saberlo?

Aquel muchacho, tendría veinticinco años, experimentó entonces un momento de inseguridad. Temió haber dicho lo que no debía.

—Da lo mismo, supongo —se dijo, más que nos dijo

a nosotros—. Si no lo han averiguado hasta ahora, lo averiguarán antes o después. Les juro que a mí mismo me pilló por sorpresa. No me creerán, pero es la pura verdad. Me enteré a los dos meses de su muerte. Me llamaron de una compañía aseguradora y me dijeron que era el beneficiario.

—¿De un seguro de vida? ¿De Igor?

—Un seguro de trescientos mil euros, en caso de muerte. No era el beneficiario único. De hecho, dos terceras partes, doscientos mil euros, eran para la madre. Pero a mí me han tocado cien mil euros.

Lo dijo con una sonrisa aterrorizada. Y nos lo explicó:

—De qué forma más tonta me he hecho sospechoso, ¿no? Por cien mil euros, y por mucho menos, hay gente dispuesta a matar. Y si se han informado ustedes, sabrán que a mí el dinero no me sobra.

La cara de idiotas que se nos estaba quedando a Chamorro y a mí era para inmortalizarla en un selfi, si ella o yo hubiéramos practicado esa conducta gravemente desordenada. Habíamos asumido que todo el beneficio económico provocado por la muerte de Igor había ido a parar a la autora de sus días, única superviviente de sus ascendientes, en ausencia de descendientes. A la vista de las circunstancias y de la relación que los unía, en ningún momento habíamos considerado que ese móvil económico directo pudiera estar detrás del crimen. Y dado el escaso trato que manteníamos con Amaia, y que ella, por vergüenza, recelo o lo que fuera, se había abstenido de decírnoslo, no habíamos tenido forma de saber que un pellizco de la herencia, a través de esa porción de una póliza de seguro, le había llegado a Asier.

—Lo que llevo mes y pico preguntándome —explicó—, y a lo mejor ustedes no lo entienden, pero hay días que la pregunta me tortura, es si he recibido el dinero porque hizo la póliza cuando estábamos juntos y se olvidó de modificarla cuando rompimos la relación, o porque a pesar de haber roto quiso que si a él le pasaba algo yo no dejara de contar con ese respaldo. Conociéndole, podrían ser las dos cosas, sobre todo la segunda. Y se me saltan las lágrimas cuando lo pienso.

A renglón seguido, y no parecía que fingiera, nos hizo una rotunda demostración práctica. Un par de lagrimones desbordaron el dique de sus párpados y resbalaron por sus mejillas hasta caer en su chaleco.

—Lo entendemos, Asier —dijo entonces Chamorro, más rápida que yo para sobreponerse a aquellas situaciones—. Es muy humano y muy comprensible, y dice algo muy emotivo de vuestra relación.

Le reconocí el toque maestro. De un golpe, lo tenía en sus manos.

—No puedo hablar de esto con nadie —dijo él—. Tiene gracia que acabe hablándolo con dos guardias civiles. Que sea una teniente...

—Brigada —le corrigió mi compañera.

—Eso, que sea una brigada de la Guardia Civil la que me entienda como creo que no me comprende ni mi propia familia.

—No somos tan siniestros como nos pintan —alegó Chamorro.

—Y aquí no saben cómo se les llega a pintar.

—Alguna idea tenemos —apunté.

—Has dicho antes —retomó la tarea Virginia— que crees que Igor hizo el seguro por si a él le pasaba algo. ¿Así en general y por si acaso, o es que tenía algún temor en particular, que tú supieras?

Asier no le respondió a bote pronto.

—Había algo que decía a menudo, sobre su edad. Que era la edad a la que daban los infartos, en la que de pronto un día te descubrían un cáncer. Sobre todo si habías sufrido más de la cuenta. La edad a la que la máquina, de pronto, acusaba todo el desgaste y fallaba.

—Por las referencias que tenemos, gozaba de buena salud.

—¿Buena salud? Corría una hora todas las mañanas. Estaba hecho un toro. Yo a duras penas le podía seguir el ritmo. Me contaba que era algo a lo que se acostumbró en la cárcel, a hacer ejercicio todos los días. Que de joven no era muy deportista, o no muy metódico, pero que en los años de encierro eso le había salvado de volverse loco.

—¿Solía hablar de la cárcel? —intervine.

—No hablaba mucho del tema, pero tampoco lo esquivaba. A mí fue de las primeras cosas que me dijo. Que se había pasado casi diez años en la cárcel por colaboración con ETA. Que era un trozo de su pasado, que ya no estaba ahí, pero había estado y era también parte de él.

—¿Y de sus antiguos compañeros contaba algo?

—Poco, no tenía mucha relación, que yo sepa. No es que le hicieran el vacío, pero como salió de la cárcel antes de cumplir la pena entera, había por lo visto quien no le miraba bien. Con el que tenía mucha confianza y relación, diría que con el que más, era con Xabier, el primo de su padre. O como él decía, el primer etarra de la familia.

—¿El primo de su padre, dices?

—Sí, el primo era, creo, aunque se había criado con su tío y con su padre y era como su otro tío. Se salió de ETA en una de esas escisiones que hubo hace muchos años, pero llegó a estar en la cárcel y todo. De él mamó Igor la militancia, en la adolescencia, y cuando el primo de su padre se salió, él entró de lleno y acabó cumpliendo más años.

—¿Sigue vivo?

—Que yo sepa, sí.

—¿Y sabes dónde vive?

El dato podía averiguarlo por otras vías, pero no estaba de más ver qué era lo que sabía Asier y comprobar si estaba bien informado.

—Si no se ha mudado, seguirá viviendo en el pueblo. En el mismo donde vive la madre. A donde Igor no quería volver ni muerto. Y ya ve, al final, allí es donde lo han enterrado, contra su voluntad.

—¿Por qué no quería volver?

Asier sonrió.

—Fácil. Porque Donosti es más bonito y aquí tenía un apartamento que daba a la bahía. Y porque decía que el ambiente allí era opresivo y le recordaba todo el rato lo que justo quería olvidar. La madre lo sabía, alguna discusión a cuenta del tema les oí, pero al final allí lo llevó. Y el apartamento, me fijé la última vez que pasé, está ahora en venta.

Gracias a la mano izquierda de Chamorro, la conversación había llegado pronto y sin sobresaltos a un terreno de cordialidad exquisita. Había sin embargo un extremo menos amable que, nos gustara o no y le apeteciera o no a él, teníamos que tocar. Para preservar el papel de poli buena de Chamorro, decidí ser yo el que sacara la cuestión:

—Hay algo que no puedo dejar de preguntarte, Asier —le dije.

—Ya me lo imaginaba.

—¿No te importa? No pretendo molestarte, pero es mi deber.

—Pregunte —se sometió, resignado.

—No quiero hurgar más de la cuenta. Sobre todo, nos interesa saber tres cosas: cómo fue tu relación con él, por qué se rompió y en qué términos exactos estabais cuando él viajó a Ibiza y Formentera.

—También eso solía decirlo Igor —observó, con aire melancólico—: el orden ayuda. A pensar, a trabajar, a superar los baches. A vivir. Está bien, voy a seguir el orden, le diré lo que creo que puedo decir sin pasarlo muy mal ni venirme abajo. Y si necesita más detalle, pídamelo.

—Me parece bien.

—En cuanto a mi relación con él —dudó—, cómo podría describirle lo que fueron los siete u ocho meses que estuvimos juntos... Tengo de ellos una mezcla de sensaciones. ¿Le gusta a usted la música?

—Sí, sí me gusta, en general —declaré—. Luego están las músicas particulares y con esas ya depende: unas más y otras menos.

—¿Conoce a los Pet Shop Boys?

En la cabeza se me juntaron dos ideas: la primera, el recuerdo de aquella noche de meses atrás con Arnau en el Sin Ibiza; la segunda, cómo podía decirle a aquel imberbe sin ofenderlo que cuando él no había nacido y yo ya me afeitaba, los Pet Shop Boys sonaban en todas las radios y discotecas. Al final, opté por una respuesta lacónica:

—Sí.

—Tienen una canción, no es la más famosa. *Rent* se llama. Habla de alguien que es feliz siendo la marioneta de otro, que le viste, le da de comer, le paga caprichos, lo lleva a lugares caros. Dice el cantante que le gusta, que le encanta ser el muñeco consentido, pero al final tiene una sensación amarga: él ama, el otro paga su alquiler. La moneda que gastan no es sólo el dinero del que lo tiene, sino las esperanzas y los sueños de quien se deja alquilar a cambio de esa vida regalada.

—No la conocía —hube de confesarle—. La buscaré.

—Fue Igor quien me la puso. Casi le diría que era nuestra canción, y no deja de ser curioso que lo fuera y cada uno la entendiera a su modo. Para él era una canción dulce, simpática. A mí me entristecía.

—Tal y como lo explicas, se entiende —dijo Virginia.

—En cuanto a por qué rompimos... Por lo mismo que nos atrajo el uno al otro, y que acabó siendo lo que nos enfrentó. Era una relación muy intensa. Con Igor he sido tan feliz y tan desgraciado como con nadie. Le quería mucho, y a la vez había cosas de él que no soportaba. Su frivolidad, su desapego. Como creo que le pasaba a él conmigo, aunque él, por la edad y su experiencia, sabía ser más paciente.

—Dicen que tuvieron algún incidente feo.

—Por mi culpa, sobre todo. Me puso los cuernos y yo se los puse, pero él supo llevarlos y yo no. Estoy muy avergonzado por algunas de las cosas que hice y que dije, pero al menos tengo la paz de saber que antes de que se fuera le pedí perdón, y enlazo con su tercera pregunta. Cuando se fue a Ibiza estábamos bien, resignados los dos a no estar ya juntos, diría. Mire, tengo aquí sus últimos wasaps, de un par de días antes de irse. No me había bloqueado, ni yo a él, eso ya es una señal, ¿no? Eran dos canciones, le gustaba compartir música conmigo.

Nos mostró la pantalla. En efecto, los dos últimos mensajes eran los vídeos de dos canciones: el penúltimo, *You Want It Darker*, del disco casi póstumo de Leonard Cohen; el último, *Aldapan gora*, una canción de Huntza, un grupo local. Nos puso un trozo de cada una. La primera ya la conocía, y la entendía. La otra, en euskera, ni lo uno ni lo otro, pero el contraste era perceptible: entre el canto final de un hombre viejo que acata la muerte y el ritmo vivo y frenético de una banda juvenil.

—Así era él, pura contradicción —resumió—. Había en él algo de esa aceptación de lo oscuro que llevamos dentro de la canción de Cohen, y a la vez un impulso de sobreponerse y salir adelante. *Aldapan gora* quiere decir «en la cuesta arriba». Que lo recuerden otros como un hombre muerto a palos en una playa por alguien con quien no debió ir. Yo prefiero recordarlo así, con la alegría de esta canción y de saber que seguía empeñado en subir la cuesta arriba que era su vida.

Me rendí a aquel fulgor. El del amor, que sólo en la pérdida alcanza a brillar de esa manera. Tan radical, tan desesperada, tan definitiva.

25
Matamos la llama

Aquella noche decidimos cenar el menú del discreto hotel de Irún donde nos alojábamos. Había preferido abstenerme de mirar si había plazas en la residencia de Intxaurrondo, como era más que probable, para tener una cierta distancia mental con mis propios recuerdos. También para aprovechar que ahora, a diferencia de lo que ocurría en otros tiempos, era razonablemente seguro alojarse en cualquier sitio, incluso con nuestra propia identidad y sin recurrir a la encubierta que si hacía falta nos daban entonces. Por otra parte, la investigación que estábamos haciendo Chamorro y yo pedía cierto sigilo, y más allá del contacto de Txiki no queríamos remover demasiado las aguas.

Al llegar al hotel, Virginia me dijo que quería tomarse un rato para ducharse y deshacer la maleta. Yo prefería ducharme por la mañana y la maleta, por si acaso, la deshacía lo imprescindible, así que le dije que la esperaría leyendo en el restaurante. Había llamado a mediodía a mi madre, a quien me costó lo suyo convencer de que el País Vasco por el que ahora me movía no tenía nada que ver con el Vietnam que ella recordaba y seguía temiendo que fuera para mí. Con mi hijo me había intercambiado un par de wasaps a primera hora. Era la ventaja de llevar una familia tan corta en el cofre del corazón: se la atendía pronto, y podía dejar que la investigación devorara el grueso de mi existencia. A veces añoraba otras cosas, cómo no, pero pasaba por una época de calma sentimental y, aunque en mi agenda seguía estando algún número con propietaria, no tuve la necesidad de marcarlo. En un ejercicio de resignación filosófica, me dije que hay un tiempo para amar y otro tiempo para mirar cómo otros aman y odian y mueren.

Cuando bajó Chamorro, me pilló subrayando uno de los libros que había metido en la maleta. Me los había bajado al restaurante los tres, para hacer algunos cotejos. Al verme, no pudo evitar preguntarme:

—¿Qué subrayas con tanta aplicación?

—Una cita.

—¿Y todos esos libros, de qué van?

—Todos de lo mismo. Le pedí que me recomendara algunas lecturas a una antigua compañera de fatigas de los años de plomo. Ella no ha dejado de trabajarse, ahora como analista, al personal que estaba y está detrás del proyecto de sacudirle a Euskal Herria por las buenas o por las malas la caspa española. Según me dijo, estos libros ayudan a hacer un buen diagnóstico del momento actual. Me pareció que no estaba de más ponerme al día. Hacía años que no me ocupaba de ellos.

—El libro ese que estabas subrayando, qué es.

—Un panfleto. Infumable, pero ilustrativo.

—*O... rain* —leyó.

—Significa «ahora» en euskera. Viene a ser un programa de lo que se proponen ahora que ya no cuentan con unos diligentes pistoleros para persuadir a los duros de mollera. Estaba subrayando una perla que encierra su pensamiento profundo. Según el ideólogo que se ha sacado del caletre esto, Euskal Herria tiene que hacerse con todos sus recursos, entre otros motivos, para afrontar los desafíos del futuro sin cargar sobre sus hombros con, es cita literal, «los prepotentes hijos de los pizarros de toda la vida que continúan vociferando y blandiendo sus garrotes empeñados en seguir viviendo a nuestra cuenta».

—Eso suena un poco racista, ¿no?

—Por no hablar que olvida el sudor con que los hijos de los pizarros levantaron buena parte de este bonito país, a cambio de unos sueldos de miseria y recibiendo el menosprecio que aquí sigue latiendo.

—¿Tú crees que leer eso te sirve de algo?

—Para situarme, sólo. Son mucho más interesantes, y contienen más pensamiento del de verdad, los otros dos. Este ya lo he leído.

—*La guerra del 58*, Alfonso Etxegarai —leyó en la cubierta del libro que le mostraba—. La guerra del 58... ¿Qué guerra es esa?

—La que le tocó vivir durante tres años a tu viejo subteniente. La que se supone que sigue, mientras ETA no se disuelva. En el 58 fue cuando se celebraron las reuniones de jóvenes militantes nacionalistas que dieron lugar a la organización, aunque las siglas son del 59.

—¿Y quién es el autor?

—Un etarra, deportado en Cabo Verde. Lo que tiene de bueno es que no se empeña en mentirse todo el tiempo a sí mismo, como hacen no sólo los militantes de este movimiento, sino casi todos los que se enrolan en un proyecto totalitario que acaba fracasando. Admite sin paliativos que los han derrotado, intuye que ha malgastado su vida, y que al final todo ha sido un gran error, en el que él y otros se han visto atrapados, porque en cierto modo ya lo era desde sus orígenes.

—¿Así de claro?

—Es mi resumen libre. A lo mejor los suyos lo leen de otra manera. Es un libro honesto, en todo caso. Y tiene aliento poético, incluso.

—Y ya que estamos, el ladrillo ese qué es.

—Una joya, pese al título.

Lo leyó en voz alta:

—*Revolucionarismo patriótico. El movimiento de liberación nacional vasco (MLNV)*. Me imagino que no le ha ayudado a ser un *bestseller*.

—No sé lo que habrá vendido, ya me imagino que no. Aunque se lo merecería. El autor se las ha arreglado para hacer un análisis científico de un tema que sólo se debate con las tripas, sin perder nunca de vista los intereses, porque lo que está en juego, a fin de cuentas, es el poder: el del Estado y sus beneficiarios y el de ese pseudoestado paralelo que la violencia promovió en el País Vasco, con los suyos. Y lo explica con claridad y buena prosa. Incluso con alguna metáfora brillante.

—¿Ah, sí? Como cuál.

—Su definición del MLNV, que es algo que va más allá de ETA, y la sobrevivirá, aunque ETA y la lucha armada fueran su semilla y hayan sido también su principal palanca durante décadas. Según él, su diseño, y te leo sus propias palabras, es el de «un vehículo político-militar todo-terreno que junto a una carrocería patriótica emplea un motor revolucionario». Viene a ser el resumen de su tesis. No sólo viven de la ensoñación nacionalista desaforada: para moverla han recurrido a un engranaje ideológico que es el de las revoluciones de corte leninista y maoísta, que aspiran a un apoderamiento de la sociedad para, según dicen, liberar a los oprimidos. Aunque el resultado es establecer una nueva dominación cuyos titulares son los revolucionarios y que a la patria la utiliza como un catalizador mítico y a la vez inapelable.

Chamorro me miró con aire perplejo.

—A ti esto te ha llevado unas cuantas horas de darle al coco.

No me resistí a reconocerlo. Con ella tenía confianza.

—Desde que estaba aquí. Siempre quise entender por qué y cómo una sociedad entera había caído rehén de semejante pesadilla. Como suele suceder en estos casos, el camino fue la persecución de un sueño, mal concebido, peor proyectado y servido sin escrúpulos. Este libro me ha devuelto a esos años de mi juventud. Me he reencontrado con algún que otro viejo amigo: Lacan, Deleuze, Badiou, Althusser. Todos ellos están en el tejido mental de esta revolución, y aunque no se les puede culpar de sus crímenes, alguno no dejó de simpatizar con ella, porque, como bien aprecia el autor del libro, en el País Vasco ETA y su entramado sostuvieron la mayor experiencia antisistema exitosa de Europa occidental. Luego alguno se dio cuenta también del monstruo con el que había contemporizado y quiso tomar distancias. La historia tiene su lado fascinante, esa alianza entre inteligencia y barbarie.

—No sé si apuntar la referencia —bromeó—. Oyéndote parece un material ligeramente tóxico. ¿Cómo se llama el que lo firma?

—Un profesor de la universidad de aquí, Iñigo Bullain. Lo bueno que tiene es que sus fuentes son ellos mismos: sus publicaciones, sus actas, sus boletines. No hay otra manera de hacerlo. Para entender y poder prevenir la toxicidad hay que manejar los tóxicos.

—Y si te interesaba tanto, ¿por qué abandonaste la guerra?

—Esa es una historia peliaguda, para otro día. ¿Cenamos?

Durante la cena, nos apartamos del tema bélico y repasamos dónde estábamos con nuestra investigación. Ambos teníamos la percepción de que Asier Muñoz no era un sospechoso creíble: por cómo nos había revelado, sin que le preguntáramos por él, aquel detalle del seguro que nosotros ignorábamos, y la naturalidad, la emoción y la seguridad con que se había manifestado. Por si eso fuera poco, su coartada en los días próximos al crimen ya la habían verificado meses atrás nuestros compañeros de Guipúzcoa, por lo que su participación pasaba por imaginar una trama criminal compleja de dudosa verosimilitud.

En esas circunstancias, tocaba profundizar en la otra vía, con todos sus inconvenientes. Seguía siendo poco probable que la organización hubiera descubierto la colaboración de Igor con el enemigo y hubiera orquestado un acto de represalia a cientos de kilómetros de allí. Más color podía tener la venganza homófoba de algún antiguo compañero de celda, pero era una vía muy abierta e imprecisa. Por si acaso, y para tratar de centrar el tiro, a Salgado, Arnau y Lucía, los únicos miembros del grupo que estaban al corriente de la condición de confidente de Igor y de la revisión del caso, les habíamos pedido que obtuvieran el historial penitenciario de la víctima, en España y en Francia, y la lista de personas con las que en ese tiempo hubiera convivido. Atendiendo en especial a sus compañeros de celda y situaciones conflictivas.

Lo que importaba, ya que estábamos allí, era seguir recopilando la información que pudiéramos en el entorno de la víctima, y el siguiente paso estaba claro: teníamos que hablar con el tío Xabier, el primo del padre del difunto para ser más precisos, a quien nos remitió no sólo el testimonio de Asier sino también la llamada de comprobación que le hicimos al teniente Castán. En las reuniones de control que mantenía con Igor, había salido en alguna ocasión su nombre como el de alguien con quien este tenía confianza y al que recurría como apoyo moral. El teniente nos dio su nombre completo, Xabier Astigarraga López, su número de teléfono y una orientación para manejarnos con él:

—Salió de la cárcel con la amnistía del 77, estaba en la órbita de ETA político-militar y dejó la organización cuando se produjo la ruptura de los poli-milis con ETA militar, aunque no siguió ninguno de los dos caminos principales que tomaron los suyos: ni se integró en Euskadiko Ezkerra, el partido que luego absorbió el PSE, ni se fue al PNV. Se quedó en una tierra de nadie no muy lejana de HB, donde sigue ahora, más o menos, con sus marcas sucesoras. Ahí está, aunque más cercano a los que desde hace algunos años ya proponían emanciparse de ETA y renunciar a la lucha armada como un experimento agotado.

Es lo que tiene poder recurrir a un experto: en sólo tres pinceladas rápidas te da lo que necesitas, pero si puede hacerlo es porque lleva años cociendo su conocimiento a fuego lento. Marqué pues el número de Xabier Astigarraga, le abordé con la prudencia que aconsejaba el caso, le expliqué como mejor supe lo que podía confiarle de por qué y para qué queríamos hablar con él y conseguí que se aviniera a vernos, aunque, eso sí, no dejó de tomarse una precaución significativa:

—No hace falta que vengan. Iré yo a Donosti. Tengo recados allí.

Mis lecturas eran en parte una forma de preparar esa cita, o más en general el reencuentro con el mundo que representaba aquel *gudari* retirado de la guerra pero no de su ideal; por eso, además de hacer tiempo, había querido refrescarlas antes de la cena. Acabada esta, le di las buenas noches a Chamorro y cada uno se retiró a su habitación. Antes de dormirme, busqué las tres canciones que habían salido en nuestra conversación con Asier y me hice una lista de reproducción con ellas. Apagué la luz, me puse los cascos y dejé que sonaran.

La energía contagiosa de la canción de Huntza se iluminaba con la traducción que encontré en la red: «Vasco auténtico, sí, pero al lado de las ovejas perdidas prefiero andar, sin rumbo». En la de Pet Shop Boys se me quedaron clavados aquellos dos versos que venían a decir algo así como «mira mis esperanzas, mira mis sueños, eso es lo que hemos gastado». Y en la de Leonard Cohen, la parte en que decía: «Si tuya es la gloria, mía debe ser la vergüenza: más oscuro lo quieres, matamos la llama». Más esa aceptación final: «Estoy preparado, Señor». Recordé que Leonard Cohen se había muerto apenas mes y medio después de publicar aquella canción. Y recordé aquel discurso que dio cuando le entregaron un premio en España, donde evocó a través de la figura de García Lorca el suelo y el alma, *the soil and the soul*, de un país que aun siendo canadiense, es decir, sin el estorbo ni la tiranía de la identidad, había hecho suyo a través de los versos de un poeta de Granada. Y de pronto tuve la sensación de que todo hablaba de lo mismo, y que el eje de todos los poemas y todas las canciones era aquel hombre cuya muerte tenía que esclarecer, aquella guerra en la que se había perdido y dilapidado. También hablaban de mí, que la había conocido como él y que pese a haber sobrevivido a su fuego no había salido incólume ni limpio, porque de las guerras sólo pueden salir intactos los que tienen la fortuna o la astucia de no promoverlas, sufrirlas ni librarlas.

Xabier Astigarraga nos citó en una cafetería de la plaza de Cataluña, en el barrio de Gros. Aunque llegamos diez minutos antes de las diez de la mañana, la hora que nos dijo, ya lo encontramos allí, sentado con la espalda apuntada a la pared en un rincón del establecimiento. Era esa una precaución compartida por los fuera de la ley y los que íbamos tras ellos y, como era su propósito, le sirvió para que nuestra llegada no le sorprendiera. Nos vio entrar, nos examinó y concluyó que sí, que éramos el hombre de mediana edad —procuraba confortarme a mí mismo con este eufemismo piadoso— y la mujer sobre los cuarenta en quienes debía identificar a dos antiguos enemigos que ahora estaban enfrascados en el empeño de tratar de hacerle justicia a su sobrino. Sin pensárselo demasiado, levantó la mano y nos hizo una señal.

Mientras íbamos hacia él, me fijé en su aspecto. Era un vasco casi podría decirse que prototípico. Comenzando por la aparatosa *txapela* que aun bajo techo sostenía sobre la cabeza y que desencadenó en mí un recuerdo conmovido e imposible de esquivar: también mi abuelo se complacía en cubrirse con una boina, que otros consideraban signo pueblerino, pero que él lucía sin avergonzarse de sus orígenes rurales y modestos. Aunque la suya era más pequeña, el detalle me hizo de entrada conectar con nuestro interlocutor. Por lo demás, Xabier era un hombre orondo y de aspecto campechano, en quien adiviné, como tampoco era raro en la tierra, a un buen comedor y bebedor. A aquella hora, no obstante, sólo tenía ante sí lo que quedaba de un café.

—Xabier —nos dijo, poniéndose en pie y tendiéndome la mano.

—Rubén —le respondí, mientras se la estrechaba y percibía a la vez su calidez y su fortaleza—. Y mi compañera, Virginia.

Pedimos café para los dos y él se pidió otro. Mientras esperábamos a que nos los trajeran, Astigarraga observó con buen humor:

—Mira que es rara la vida. Cuando era joven sólo pensaba en cómo tumbar guardias civiles. Y ahora, en la vejez, tomo café con ellos.

—Han ocurrido algunas cosas entre medias —dije.

—Y que lo diga. Más de una que no se imaginó nunca nadie. Y la peor de todas, por supuesto, la que nos ha sentado aquí juntos. Lo que le hicieron a Igor. Según me dijo su madre, ya pillaron al asesino.

—Es pronto para decirlo así de rotundo —le recordé—. Falta que un jurado lo diga y rechacen los recursos que presentará su abogado.

Astigarraga, que había adoptado un gesto grave, volvió a sonreír.

—Sí que han pasado algunas cosas, sí —dijo—. Sus compañeros de cuando yo era joven no se andaban con tantos remilgos. Te juzgaban, te condenaban y te ajusticiaban ellos mismos en un solo viaje.

—No eran los únicos —creí que debía apuntar.

—No, eso es verdad, no lo eran. Están ustedes delante de otro. Otro que fue tan burro como para creerse que la vida o la muerte de una persona estaba en su mano, igual que encenderse un pitillo.

—Por lo que sé, le amnistiaron y no volvió a meter la pata. Vengo a hablar con usted como lo haría con cualquier otro ciudadano.

—De eso me tendrá que convencer.

—Estamos dispuestos a intentarlo.

—¿Saben por qué les he citado aquí? —preguntó de pronto.

—Ni idea —respondí.

—Aquí era donde quedaba con mi sobrino cuando nos veíamos. No le gustaba ir al pueblo, y yo lo entendía. También a mí me gusta salir de vez en cuando y venir a esta bonita ciudad que tenemos la suerte de tener tan cerca. Esta ciudad que es tan vasca y que a la vez parece extranjera, y por la que corre el aire del mar y también otros aires.

Acababa de poner en palabras una sensación que yo mismo había tenido más de una vez, paseando por las calles donostiarras, incluso en otros menesteres, como seguir a alguien sin que me viera.

—Y ahí —añadió, señalando la puerta de la iglesia de San Ignacio, en el centro de la plaza— tuve mi primera cita con un liberado de ETA, cuando me uní a la organización. Ahí fue donde di el gran paso, de ser un ciudadano normal con DNI y el resto de la parafernalia de sumisión al Estado, a hacerme *gudari* y vivir a la intemperie. No se crea, que aquella sensación tenía su punto. A ratos, te creías Dios.

—Lo puedo imaginar.

—También había mucha angustia, y mucho peligro, y al final, ya se vio, a todos nos acababa llegando el momento de ir a la cazuela. Que era un mal trago, pero luego, cuando lo pensabas, tenía también su parte de alivio. Ya no ibas a matar, ni a matarte o hacerte matar tú.

—Tampoco eso me sorprende.

—Pero vaya, no estoy aquí para contar batallitas, sino para ver en qué puedo ayudaros. Amaia me dice que no sois del todo mala gente, pero también me insiste en que sois *txakurras*, aunque seáis educados, y que al enemigo ni agua. Que no os cuente muchos chismes de la vida de Igor, y que ya os apañaréis, dice, con lo que ya habéis encontrado para meter en la cárcel a ese niñato madrileño que se lo cargó.

Tomé nota de que acababa de pasar al tuteo. Dudé si hacer yo otro tanto, pero preferí mantener la distancia y el respeto a la vez.

—Y usted qué dice.

Un brillo de picardía asomó a sus ojos, pequeños y penetrantes.

—Hay varias cosas en las que Amaia y yo no estamos de acuerdo, y esta es una de ellas. Al final, mi sobrino se fue a que lo mataran donde lo mataron y los que tienen que conseguir que el culpable lo pague son ustedes —volvió al tratamiento formal—. Y por lo que me dijo ella y lo que veo y oigo, creo que es lo que intentan. Hay muchas diferencias entre ustedes y yo, pero en esto estamos del mismo lado.

—Como ha observado usted antes, quizá sea un giro inesperado de la vida, pero de eso no tenga duda. Nuestra causa aquí es Igor.

—Usted dirá. Qué quieren saber.

Era el momento de abrir el melón. Con cuidado pero a fondo.

—Nos han contado que usted era uno de sus confidentes —le dije.

Astigarraga dio un respingo.

—Tenga usted cuidado, que esa palabra quema por estos pagos.

La había empleado con toda intención, para ponerle a prueba, pero le ofrecí una explicación a la vez conveniente y tranquilizadora:

—A veces olvidamos que significa también eso: una persona en la que se tiene confianza. Por lo que nos ha llegado, no eran muchas.

—Sí, la tenía —dijo—. Yo lo podía entender mejor que los que nunca dieron el paso de irse a la clandestinidad y dejaron que fueran otros los que les pelearan la patria. Y también me sentía responsable.

—¿Por?

—Fue a mí a quien oyó desde niño difundir el mensaje de ETA. Era yo el que le decía que sus abuelos, los que habían sido *gudaris* en la guerra civil y los habían derrotado, eran hombres viejos que se habían dado por vencidos, como el partido y el Gobierno vasco en el exilio, que mantenían una resistencia débil y melancólica. Era yo el que le hablaba del Che Guevara, de Fidel, de cómo se defendían la patria y la revolución cuando uno tenía un par de huevos, en vez de lamerse la herida de la guerra perdida, acogotados por el miedo al enemigo que había bombardeado Guernica y que nos negaba la lengua y el ser.

Oí cómo Chamorro inspiraba hondo, y pensé que los años a los que se remitía aquel recuerdo eran años en los que ella, que tenía sólo un año cuando murió Franco, aún no había nacido. Imaginé lo que estaría pensando: qué tenía que ver el bombardeo de Guernica —a cargo de unos aviones alemanes que igual bombardearon Madrid, sólo que más veces y con más bombas— con los varios cientos de muertes que una organización como ETA dio en provocar —también en Vizcaya y en Madrid— hasta ochenta años después. Y sin embargo, la música a mí no me sonaba nueva. Sabía que ahí estaba el germen de todo. Los que sueñan y se afanan luego por hacer estallar una guerra civil no saben la longitud ni la profundidad del cataclismo que desencadenan, ni a quién le acabarán dando con la piedra que con su cólera lanzan.

Xabier se detuvo en este punto.

—Supongo que no estarán de acuerdo, pero aquí sigo creyendo lo mismo: que Euskal Herria tiene el derecho de liberarse de un poder que la ha machacado física y moralmente a lo largo de la Historia, y que no ha respondido jamás por ello. España se ocupó de perdonarse todos esos crímenes y a sus verdugos, a los que tanto aprecia.

No entré al trapo que me tendía. Me limité a observar:

—España era diversa, y ahora lo es un poco más todavía, pero lo que opinemos mi compañera o yo al respecto no es importante.

El viejo luchador adoptó una expresión distendida.

—Se lo digo sin acritud, pero es lo que hay. Tienen que conocer de dónde viene la rabia, para entender el paso que dimos Igor y yo. Tras la victoria vino la humillación, y que te humillen te sienta peor que la derrota. El que humilla a otro no sabe lo que está sembrando.

De nuevo, me abstuve de recordarle que los vencedores humillaron también a muchos habitantes de Galicia, o Andalucía, o Extremadura, o Castilla, como mi abuelo, cuyos nietos, gente humilde que acababa vistiendo el uniforme de guardia o policía, iban a convertirse luego en los blancos móviles contra los que disparaban los *gudaris* vengadores. Me interesaba que llevara adelante su argumento, que era también una manera de conocer mejor el proceso que había seguido Igor.

—Lo anterior —continuó— no quita para que lo que hicimos, una vez que Franco estaba ya en la tumba, y a lo mejor incluso antes, no fuera una burrada que nos avergonzará hasta la muerte a los que nos dejamos lavar el cerebro o ayudamos a lavárselo a otros. El problema es que cuando aceptas que la vida de los demás es algo de lo que se puede disponer, empiezas por lo que te parece que es impepinable y acabas matando sin ton ni son. Yo me di cuenta cuando salí de la cárcel, y vi que los duros de entonces, los milis y los *bereziak*, los irreductibles de los míos, los poli-milis, empezaban a darles a los nuestros, a los vascos, incluso *abertzales*, por traidores, por no seguirlos a toda costa. Ahí fue cuando yo me caí del caballo, pero ya era tarde para Igor. Ya tenía el veneno dentro, y lo que es peor, ya se había empezado a meter en labores auxiliares, que son las que te acaban llevando a las otras. Hice por convencerle, pero era joven y estaba ya enredado. Prefirió no escucharme y decirme que era yo el que me había vuelto débil.

—«El que cede no es un fracasado, es más bien un traidor» —cité de memoria. A sí mismo y al resto, aunque ceda junto con otros.

El tío de Igor me observó, escamado.

—No es mío, lo leí en un libro —le aclaré—. La idea original es de Lacan, un poco reelaborada. Disculpe, me licencié en Psicología.

—Y le han quedado secuelas —apuntó Chamorro, sonriente.

Astigarraga asintió entonces con lentitud.

—Esa es exactamente la idea. Para algunos, incluso ahora: cuando está claro que poner bombas y pegar tiros no ha servido para nada, aparte de matar y meter en la cárcel media vida a los que dieron el paso. Sigo discutiendo con los míos, y eso que ahora ya no soy un leproso, hay muchos ya en el movimiento que lo dicen. Les invito a que piensen que si es así ahora, quizá lo fue siempre. Hay una canción de un grupo de aquí que me gusta mucho, se la suelo recomendar.

—¿Qué grupo? —le pregunté.

—Ken Zazpi, no creo que le suene. De Guernica, mire por dónde.

Logré que mi gesto no me delatara. Le dejé pensar que así era.

—Y qué dice esa canción.

—Se titula *Hemen gaude*, «aquí estamos». Habla de los que están en prisión. A los que sabemos lo que es eso nos remueve, pero yo les pido que se fijen en cómo empieza: «*Agian hasieran bertan ekibokatu ginen*». «Puede que desde el principio estuviéramos equivocados.» Se cabrean conmigo, y yo les digo que a lo mejor se puede entender que entonces nos equivocáramos, pero no que hoy nos sigamos equivocando.

—¿Puedo preguntarle cómo respiraba Igor al respecto?

Xabier meditó antes de responder.

—Es curioso, él hizo el viaje más tarde, pero creo que llegó todavía más lejos que yo. No sé muy bien lo que le pasó en Francia, ni luego en las cárceles de aquí. Cuando iba a verle, con su madre, no me parecía que estuviera muy mal. El caso es que cuando salió, se alejó todo lo que pudo. Aprovechó la herencia de su tío, mi primo, un hombre que, como su padre, se quedó siempre al margen. Se volcó en la gestoría, la sacó adelante y no quiso saber nada más. Cuando yo aludía al tema y le decía que dejar atrás la lucha armada no implicaba dejar de lado la causa de Euskal Herria, él se encogía de hombros y me decía que ya había dado un trozo suficiente de su existencia a esa causa. Que él, por suerte, tenía medios de vida y no necesitaba quedarse metido en una urna para que lo expusieran, como los *gudaris* vencidos que volvían al pueblo sin oficio ni beneficio y tenían que vivir del homenaje.

Chamorro y yo levantamos las antenas. Aquello nos interesaba.

—¿A qué *gudaris* se refiere usted? ¿A alguno en particular?

El tío de Igor negó con la cabeza.

—No, a cualquiera. En el pueblo hay algunos, pero los puede ver en todos los pueblos. Piénselo, salen con cincuenta y muchos, sesenta años. No han cotizado ni un solo día a la Seguridad Social. No saben hacer nada, más que un trabajo que ya no sirve y que nadie les da. Al final acaban empleándose de caridad en cualquier cosa. A alguno, allí donde gobernamos, lo han cogido para el servicio de limpieza.

—Bueno, algo es algo —opiné.

—Una mierda, eso es lo que es. En la prensa española se hace mucho ruido con el *ongi etorri*, el homenaje de recepción que se les hace. Sí, les aplauden, les dan flores, pero al día siguiente se levantan y están en el paro. Y los que no se metieron en líos como ellos, los que sólo ponen pancartas de *presoak etxera*, han seguido con su vida, ganan sus buenos sueldos, tienen buenas casas, han ido a Londres, a Nueva York, a la Riviera Maya. Mientras ellos qué conocen: la puta pared de la prisión de Herrera de la Mancha o de El Puerto de Santa María. Algún caso hay de gente que no ha podido con ello y tira con antidepresivos. Y si te cogen como barrendero, ya me dirá la gloria. Aceptar jugártela para acabar metiendo en un recogedor las colillas de tus vecinos.

—Como imagen, no puede ser más demoledora —convine.

—Ustedes tienen muy presente el sufrimiento de los suyos —dijo—, y ya se entiende, porque ETA acabó haciendo locuras horribles, como lo de volar hipermercados y matar niños. Pero aquí también hemos sufrido: antes de que apareciera ETA, eso la trajo, y también después. Las torturas, la cárcel, las vidas rotas, todas las familias que nos hemos comido miles de kilómetros en autobús para ir a ver a los nuestros.

—Tenerlos vivos no dejaba de ser un consuelo —alegué.

—Lo sé, no voy a compararlo con las viudas o los huérfanos. Lo que trato de decirle, y creo que es lo que comprendió Igor, es que aparte de los sacrificados entre ustedes, el movimiento sacrificó a los suyos, a los que se la jugaron, no a los que fueron tan listos como para quedarse en segunda línea. Y lo peor de todo es que los sacrificó para nada.

—También lo leí por ahí: «He sentido el dolor, y he sentido que se prohibía sentirlo a los enemigos». Le aseguro que no es mi caso.

Xabier levantó entonces las cejas.

—Alto ahí, ese libro lo acabo de leer yo.

Al verme descubierto, reconocí la fuente:

—Alfonso Etxegarai, *La guerra del 58*.

—¿Y cómo lo ha encontrado usted?

—Buscando inspiración. Hay que tratar de entender el entorno de la víctima. ¿Sabe usted si su sobrino se vio con alguno de esos *gudaris* que volvían, si pudo llegar a tener algún desencuentro con ellos?

Xabier Astigarraga se quedó pensativo. Comprendí que mi alarde le había hecho intuir de pronto que yo sabía de la historia y de su mundo más de lo que dejaba ver. Quizá también le mosqueó mi pregunta, que no parecía orientada a apuntalar la que por el momento era la teoría sobre la autoría del crimen. Había arriesgado y lo sabía, pero no me salió mal, porque aquel hombre, como afirmaba, estaba del lado de su sobrino y por ayudar a que se supiera la verdad sobre su muerte.

—Ahora que caigo —dijo—, hay algo que quizá debería contarles.

26
El viento en la red

Como suele suceder en la mayoría de los asuntos humanos, quien no vivió en primera línea aquel año 1991 ya no recuerda su horror. El atentado de Vic sólo fue el comienzo de la venganza: por los golpes que poco antes había recibido la organización y por las acciones de los GAL, el grupo parapolicial que bajo la instigación de altas instancias gubernamentales había suprimido años atrás a un par de docenas de miembros de ETA, con algunos daños colaterales añadidos. Así se probó en el juicio celebrado ese año contra los dos policías encargados de captar, remunerar y dar instrucciones a los mercenarios de variada filiación que se ocuparon de la mayor parte de los trabajos. También, aunque entonces no se habían juzgado aún, había acciones drásticas e ilícitas con la firma de miembros de la Guardia Civil destinados en el propio cuartel de Intxaurrondo, con los que alguna vez coincidimos en nuestras operaciones. Aquellos hombres cargaban con un secreto que los rumores nos permitían entrever a los que habíamos llegado más tarde, pero nunca con la certeza suficiente como para concretar el quién, el cómo o el cuándo. Su pacto de silencio no tenía más fisuras que los comportamientos extraños que a veces mostraban. Y es que, como una vez le oí decir enigmáticamente a un veterano, cuando te dan patente de corso y la ejerces un tiempo, cuesta discernir cuáles son los límites que tiene esa licencia, y acabas usándola fuera de ellos.

Fuera cual fuera la razón, y la justificación que unos encontraban con soltura y a otros nos costaba algo más aceptar, a lo largo de aquel año ETA acabaría asesinando a cuarenta y seis personas, trece de ellas guardias civiles. Además del desquite, también perseguía calentar el ambiente de cara a los fastos del 92, la Exposición Universal de Sevilla y las Olimpiadas de Barcelona, que según el plan del Gobierno debían proyectar España al mundo y según el de ETA eran la ocasión ideal para mostrarla como un estado fallido. Fue también el año en el que la organización mató a más menores de edad: un total de siete, incluidos los cinco de Vic. Dos de los tres autores de ese atentado murieron pocos días después en un enfrentamiento con la Unidad Especial de Intervención, que asaltó el chalet en el que se escondían, pero su muerte no resarció el dolor que dejaron hecho antes, ni debilitó el músculo ni la ira de ETA. Al revés: esta presentó el hecho como asesinato policial, lo que le servía para difuminar la responsabilidad de los caídos y le suministró nueva munición moral para golpear aún más fuerte.

Aquel otoño, los ánimos estaban revueltos en el grupo. La confusión y la mezcla de sensaciones, entre la satisfacción por los avances que hacíamos y la desolación por los muertos que se iban amontonando sobre la mesa de negociación que los dirigentes de ETA se empeñaban en armar con huesos humanos, alcanzaban incluso al más frío y cerebral entre todos nosotros, el capitán Pereira. La presión que nos transmitía para que hiciéramos progresos en las investigaciones que teníamos en curso era cada día mayor, como imaginábamos que era la que él a su vez recibía de quienes le mandaban. No podía ir a más, parecía, hasta que un día de octubre entró en la sala del grupo fuera de sí y con el gesto descompuesto. Lo vi venir antes de que abriera la boca.

—Dejad lo que estéis haciendo. Tengo que contaros algo.

Hicimos como nos decía. Le miramos. No encontraba las palabras.

—Me acaban de avisar. Ha explotado en Erandio el coche de un compañero. Él está herido, y también uno de sus dos hijos mellizos. El otro está muerto. Ha sido el padre quien lo ha sacado hecho pedazos del coche. Tenía sólo dos años. El padre los llevaba a la piscina.

Así fue como tuve noticia de la séptima muerte infantil que nuestros enemigos decidieron infligirnos aquel año. Según explicó el padre, cuando pudo articular palabra, el coche donde pusieron la bomba lapa sólo lo destinaba al uso familiar, jamás lo empleaba para ir al trabajo ni en acto de servicio. Quienes lo habían vigilado, quienes colocaron la bomba, eran perfectamente conscientes de que preparaban la voladura de un vehículo en el que solían ir dos niños de dos años. Sólo el ángel de la guarda de uno de ellos impidió que ambos hicieran el viaje al que por la liberación de un pueblo y la grandeza de una patria alguien había aceptado fría y tranquilamente expedirlos. De esa frialdad y esa tranquilidad teníamos constancia sobrada por los comunicados en los que la propia organización justificaba matar menores, aduciendo como motivación que sus padres los utilizaban como escudos humanos. Sus portavoces políticos, a la vista de aquel nuevo infanticidio, se limitaron a dejar claro que no iban a permitir que se utilizase el dolor por la muerte de aquella criatura para realizar «denuncias hipócritas».

En medio de la desesperación y la rabia, sólo recibimos por aquellos días una buena noticia. La trajo también el capitán, que nos pidió un radiocasete para poner una cinta que se sacó de la americana.

—Están grabados en la cárcel. Son dos etarras de peso.

Álamo introdujo la cinta en el radiocasete y pulsó el *play*.

—Esto está claro —decía una de las voces—. A los

que hacen estas cosas se les ha ido la pinza. Y los que mandan son cuatro imbéciles.

—Y todo por no reconocer lo que hay —afirmaba la otra—. Cuanto más la estiran más se demuestra: la lucha armada ya no sirve.

—Mira, tú, que empiecen a hacer política ya de una puta vez, y si lo que resulta es que no hay capacidad, a coger los trastos y a casa.

Eran dos presos, sí, con un horizonte de muchos años de cárcel por delante, y habría tenido más valor si hubieran hecho aquella reflexión sin estar sometidos al régimen penitenciario del Estado; pero no eran de los blandos o los dubitativos. Algo se empezaba a resquebrajar en el corazón del dragón, algo habían roto con esa apuesta por multiplicar las muertes indiscriminadas, pese a los laboriosos parches morales que no dejaban de aplicar a través de sus medios propagandísticos. Pereira detuvo la reproducción y miró en semicírculo a todo el grupo.

—Esta fisura nos dará rendimiento, antes o después. Hay que estar atentos para detectar a quien pueda tener dudas. Y si damos con uno o una así, a lo mejor no hay que detenerlo, sino todo lo contrario.

Nos quedamos pensando, sin saber muy bien cómo interpretar lo que acababa de decirnos. Pereira sacó la cinta del radiocasete y volvió a guardarla en el bolsillo de su americana. Antes de irse, aclaró:

—Es sólo una idea, para que la tengáis presente, para cuando surja la oportunidad. No tiene que ser ahora, ni el mes ni el año que viene. Sólo os pido que toméis nota del detalle, que es relevante: al enemigo le flaquea la moral, por donde es más peligroso que te flaquee, la fe en lo que estás haciendo y en quienes te lo ordenan. Ahora estamos con lo que estamos, y mañana subimos allí otra vez. Así que procurad todos ir con los deberes bien hechos, a ver si aprovechamos el viaje.

Hicimos por aprovecharlo, como siempre. En aquellos días lo que nos ocupaba era acercarnos al entramado del comando Donosti, el que operaba en la zona de San Sebastián y alrededores, y que en ese año 1991 era tan potente y activo como no lo había sido en mucho tiempo. Contaba con varios *taldes* o grupos de pistoleros, y una extensa red de apoyo, informadores y colaboradores. Para tratar de llegar a alguna de sus muchas piezas pasábamos una y otra vez la red por las zonas más calientes, con ayuda de las referencias concretas que nos llegaban a través de las diversas fuentes que manejaba el capitán Pereira con un reducido equipo de manipuladores. Una noche estábamos Álamo y yo en el casco viejo de San Sebastián, convenientemente mimetizados con el entorno, que era casi en su totalidad afín a la causa del enemigo. Había calles que se habían convertido poco menos que en «territorio liberado», espacios de impunidad y control por parte de los afines a la causa. También contaban con zonas así otros cascos viejos, como el de Bilbao, y algunos pueblos, de Vizcaya y sobre todo de Guipúzcoa. Para disponer de alguna información en esos reductos se había recurrido en ocasiones a utilizar como confidentes a los camellos del barrio, lo que produjo como efecto secundario adverso que la propaganda *abertzale* difundiera la idea que las fuerzas de ocupación pretendían destruir a la juventud vasca favoreciendo el consumo de drogas y que ETA se encargara de enviar al cementerio a algún que otro traficante. Por esa y algunas otras razones, era mejor infiltrarnos nosotros mismos, pese al riesgo que adentrarse en territorio hostil pudiera comportar.

A aquellas alturas, teníamos ya un dominio sobrado del camuflaje indumentario, en especial Álamo, a quien costaba mucho distinguir del *borroka* más o menos canónico. Los pelos, el triple pendiente, la chupa, las camisetas, las botas: todo lo lucía como si fuera parte de su propia identidad, con una naturalidad y una desenvoltura que yo no había llegado ni llegaría nunca a igualar. Incluso se sabía de principio a fin las letras de los himnos de la parroquia, como el *Sarri, sarri* de Kortatu, que era poco menos que preceptivo cantar a voz en cuello cuando sonaba en alguna fiesta o algún local. Lo más grande era que se había aprendido los sonidos de memoria pero no tenía ni idea de lo que significaban, ni mostraba el menor interés cuando le buscaba por ahí una traducción y trataba de enseñársela, para que supiera qué era lo que estaba gritando como un loco. En esas, solía decirme:

—Me la suda por completo, compañero. Me hago a la idea de que estoy imitando la berrea de un ciervo o el ruido de un borrico.

Tampoco tenía mucho éxito cuando le invitaba a tratar de ponerse un poco más en los zapatos del enemigo, y a discernir entre este y la población civil, precaución primera de todo combatiente que no quiera causar más destrozos de los indispensables. Él estaba convencido de que mantener ese tabique mental frente a todos ellos era lo que le permitía hacer aquel trabajo y no volverse loco. Le daba tranquilidad, decía, y no encontraba ningún motivo para hacerlo de otra forma.

Y era verdad que aquella manera de proceder le daba una seguridad y un cuajo singulares, pero también tenía alguna contraindicación. Por ejemplo, era inmejorable para cualquier misión que no exigiera abrir la boca. En cuanto había que interactuar con los indígenas, en cambio, salía en seguida su principal limitación: por más esfuerzos que había hecho, y quizá tuviera que ver aquel tabique mental suyo, no lograba quitarse del todo de encima el acento gaditano que lo delataba y que tenía sus riesgos para cualquier conversación prolongada. En caso necesario disponía de un arsenal de cuentos y coberturas más o menos funcionales, que no había dejado de elaborar con cierta gracia, como aquel del activista de la CNT al que habían despedido de los astilleros de Puerto Real por enfrentarse a la policía en las huelgas. Convencía cuando evocaba el gusto con el que había disparado rodamientos con tirachinas a los maderos, pero a la larga alguien con acento de Cádiz en la noche guipuzcoana acababa poniendo la mosca detrás de la oreja, y más a quien ya la tenía. Servía para colársela a los que no estaban muy en el ajo, pero era temerario con quienes nos interesaban.

Por eso, cuando aquella noche en el casco viejo de San Sebastián hice contacto visual con la chica, y después de ese contacto logré invitarla a una cerveza y me la aceptó, busqué en seguida el pretexto para ir al extremo de la barra donde Álamo seguía sentado, escrutando la fauna local, y transmitirle el mensaje de la manera más expeditiva:

—Piérdete.

—¿Estás seguro, Gardelito? —dudó.

—Del todo.

—Y si la cierva te pega, a quién vas a llamar.

—Nunca te llamaría a ti. Nos interesa que sobreviva.

—Si lo ves así de claro...

—Como el agua de la fuente. Aire.

—Me quedaré cerca y os sigo, por si acaso.

—No. Te largas.

—Llevo el busca, si me necesitas.

—Ten fe en tu binomio, anda.

—Está bien, pero cuidado que no te convenza.

—Sé lo que me hago. *Agur*.

Apuró su cerveza y un minuto después tomó el camino de la salida. La chica, que nos había visto juntos, lo advirtió y no dejó de hacerme una pregunta que yo esperaba y para la que ya tenía respuesta:

—¿Se va tu amigo?

—Tiene que currar mañana muy temprano.

—Qué mala suerte —observó, risueña—. ¿Y tú no?

—Mi trabajo es más flexible.

—¿Cómo de flexible? —indagó, con intención.

—¿Me estás preguntando en qué trabajo?
—También.
—Soy diseñador gráfico. ¿Y tú?
—Yo no diseño nada. Trabajo en una tienda.
—¿De?
—De ropa. O bueno, más bien trabajaba.
—¿Ah, sí? ¿Te han despedido?
—No, me he ido yo. Quiero hacer algo distinto con mi vida.
—Algo como qué.
—Algo más emocionante.
—¿Trapecista, piloto de motocross, atracadora de bancos?
—Atracadora de bancos, a lo mejor.
—Tendrás que asociarte con alguien. Para atracar un banco hacen falta tres, por lo menos. Uno que encañona a la gente, otro que recoge el dinero y otro que espera en la calle con el coche en marcha.
—¿Y tú cómo sabes eso?
—Lo vi en una película.
—Ah, mira. ¿Tú te asociarías conmigo? —preguntó, provocativa.
—Depende del banco.
Noté que iba bien. Tan bien que llegó al fin la cuestión inevitable:
—Oye, tú no eres de aquí, ¿no?
—De aquí dónde —se la devolví.
—De Donosti. Vasco.
—No sé qué decirte.
Me tomé unos segundos para disfrutar de su cara de estupor.
—¿Y eso cómo se come? —preguntó al fin.
—Te lo explico, perdona. ¿No notas nada raro en cómo hablo?
—Ahora que lo dices...
—Nací en Montevideo. Mi padre era de San José, una

ciudad no muy grande del interior, de familia italiana. Mi madre, del propio Montevideo, pero de orígenes vascos, de Amorebieta. Mi nombre es una especie de popurrí de todo eso. ¿Quieres reírte un poco?

—No me digas, ¿cómo te llamas?

—Rolando Montefalcone Garamendi.

—¿Rolando? ¿De verdad, Rolando?

—Venga, puedes descojonarte. Todo el mundo lo hace.

—No me lo creo. Me estás tomando el pelo.

—Puedo demostrarlo.

—¿Con qué, con un pasaporte uruguayo? —me retó.

—No, ese hace mucho que no me lo renuevo. Vine a Madrid hace quince años. Tengo un DNI español. Mira, por si no te lo crees.

Saqué la cartera y busqué en ella el DNI falso del que se me había provisto para esta y otras ocasiones similares; más que falso podía considerarse un duplicado, porque el personaje era de ficción pero el documento legal y auténtico. Le dejé que viera la foto, el nombre, los apellidos. Luego le di la vuelta y pudo comprobar mi lugar y fecha de nacimiento, que coincidían con los reales, y el nombre de mi madre y mi padre, adaptados para el caso; en especial el de mi madre, a quien en lugar de su nombre castellano se le acreditaba el vasco Begoña.

—Toma ya —asintió, impresionada.

—Ya ves que no miento. No se conquista con mentiras a una chica.

—Ah, ¿me estabas conquistando?

—Intentándolo. ¿Voy muy mal?

—De momento me haces gracia. No es mal principio.

—Tengo más chistes. Ser uruguayo es muy gracioso. Vengo de un país pequeño, por eso tenemos que saber hacernos los simpáticos.

—Bueno, este tampoco es un país muy grande.

—Euskadi, dices.

—Euskal Herria —me corrigió—: Hegoalde, Iparralde y Nafarroa. Sumándolo todo seremos como los uruguayos, poco más o menos.

—¿Sabes? No termino nunca de saber qué decir.

—¿De qué?

—País Vasco, Euskadi, Euskal Herria...

—Mientras no digas Vascongadas, como los fachas...

—Tú qué prefieres.

—Euskal Herria, porque abarca todo, y dice lo que somos, una tierra y una patria. Lo de país suena más flojo. ¿Y vives en Madrid?

—Vivía, hasta hace un par de años. Mi padre, cuando nos vinimos, prefirió probar suerte en la capital, pero a mí me salió trabajo aquí y me apetecía pasarme una temporada más cerca de mis orígenes.

—¿Y qué tal? ¿Qué te parece?

—Esta ciudad, una pasada. Y lo que he visto del resto, increíble.

—¿Ah, sí?

—Bueno, quizá Amorebieta no tanto —bromeé—, salvo la parte del río, pero como allí están mis raíces, le tengo también cariño.

—¿Y por qué se vino tu familia de Uruguay?

Le había puesto en bandeja la curiosidad, y lo había hecho con toda la intención de que acabara buscando satisfacerla. Era el momento más delicado de aquel baile. Adopté una expresión más confidencial.

—¿Has oído hablar de los tupamaros?

—¿Los qué?

—Tupamaros. Un movimiento guerrillero que intentó la revolución en Uruguay. Hasta más o menos el año que mi familia se vino aquí.

—Sí, he oído hablar, ahora que lo dices.

—Adivina en qué andaba mi padre.

—¿En serio? ¿Y sigue en...?

—¿La revolución? No, ahora es taxista en Madrid.

—¿Y tú?

Me abrí entonces la camisa y le dejé ver la camiseta con la estrella blanca sobre fondo rojo y negro y la leyenda «Tupamaro» debajo.

—Sólo en plan romántico —le dije—. Los tupamaros ya no existen. Ahora están en un partido legal y se presentan a las elecciones.

La chica asintió apesadumbrada.

—Eso es lo que consiguen, siempre. Domesticar la revolución.

—Oye, ¿puedo preguntarte yo algo?

—Claro, ¿qué quieres saber de mí?

—No tanto como tú de mí. Pero ni siquiera sé aún cómo te llamas.

Sonrió. Vi entonces que tenía una bonita sonrisa, con unos dientes muy blancos y bien alineados, y que al mostrarlos se le marcaban dos hoyuelos en cada mejilla. Con aire seductor, me respondió:

—Haizea, me llamo Haizea.

—Haizea, qué lindo —elegí aquel adjetivo adrede.

—¿Sabes lo que significa?

—No, la verdad, de euskera controlo aún poco. Es muy difícil...

Me miró tan intensamente como no lo había hecho en toda nuestra conversación. Deduje que no era la primera vez que aprovechaba el efecto que su nombre era capaz de producir en un desconocido.

—Viento —tradujo, misteriosa—. Haizea es el viento.

Y sopló suavemente en mi cara, entre la nariz y los ojos. En su aliento, junto a la cerveza, me llegó un aroma dulce y metálico: la dulzura de una mujer que se me ofrecía, el metal de estar engañándola.

—Oye, Haizea, ¿puedo proponerte algo?

—Por proponer...

—¿Te apetecería ir a otro sitio?

—¿A qué sitio?

—Uno donde se pueda bailar.

—Aquí se puede.

—Donde se pueda mejor.

—¿Cuál es tu sugerencia?

—¿Conoces La Kabutzia?

—¿La que está al lado del Club Náutico? No me jodas, si eso es un sitio para pijos. Allí se junta lo más rancio de esta ciudad.

—Tiene una buena vista sobre la bahía. Y yo voy contigo, los demás no me importan. ¿No te hace gracia que nos metamos allí?

—No nos van a dejar entrar.

—Ya verás como sí. Vamos y bailamos y nos reímos de ellos.

—Estás como una cabra.

—Es un plan diferente, anda, déjate.

—Lo mismo ponen a Julio Iglesias.

—He estado. Te aseguro que no. La música no está tan mal.

Apuró su cerveza.

—Está bien, me dejo.

Recuerdo aquel paseo por las calles del casco viejo hasta la bahía. Lo recuerdo de una forma extraña, como las dos personas que mientras lo vivía era yo a la vez. Como el guardia civil de nombre clandestino que había mordido, y bien, según todos los indicios, a una colaboradora del comando Donosti. Como el diseñador ficticio de nombre Rolando que apostaba y ganaba en el empeño de llevar a bailar a aquella chica atractiva y un poco salvaje. Haizea era alta, tan alta como yo o quizá un centímetro más, y ni la ropa ni el peinado, a pesar de su intención contraria, lograban enmascarar del todo la armonía de sus facciones y sus hechuras. Sus miembros eran largos y elásticos, sus dedos finos y delicados, sus ojos de un cálido color arena. En la rotundidad de su voz y en el fulgor de su mirada asomaba la dureza que imperaba en su mente, pero a veces se descuidaba y se colaban ráfagas de una brisa muy distinta, que soplaba desde alguna región de su corazón.

Aunque la mirada que nos acogió a nuestra llegada tampoco fue de júbilo, no nos impidieron entrar en La Kabutzia: yo me había abrochado antes la camisa y Haizea se cerró la cazadora ceñida que llevaba. Nos fuimos a la barra y le propuse subir la apuesta alcohólica con un par de vodkas con limón. A aquellas alturas, y por lo que fuera, tal vez porque ella misma necesitaba aquel desahogo, aquella desconexión de su propio mundo, estaba dispuesta a dejarse llevar a donde le pidiese. No sólo me dijo que sí. Lo hizo pasando su mano por mi cuello.

Recuerdo, también, las canciones que bailamos juntos, mientras el vodka se iba diluyendo en nuestros respectivos torrentes sanguíneos; no sé a ella, pero a mí me ayudaba a la hora de bailar, un arte para el que nunca tuve especiales dotes ni excesiva predisposición. Era una discoteca de moda y pusieron todos los éxitos del momento, desde el *Smells Like Teen Spirit* de Nirvana al *Losing My Religion* de R.E.M. Pero hubo dos canciones que se me quedaron marcadas de forma especial: *Love To Hate You*, de Erasure, y *La vida en la frontera*, de Radio Futura. En mi situación, la primera no podía dejar de parecerme un guiño del destino. La otra ya tenía algunos años, pero el pinchadiscos consideró oportuno ponerla aquella noche, quizá para que pudiera alimentar mis futuros remordimientos. Sus versos como cuchillos, desde el «viento triste y frío» del comienzo, rasgaron aquella noche y se me quedaron clavados en adelante. Durante el poco tiempo más que viví la emoción, el peligro y la ambigüedad de la frontera donde sucedía la guerra que me llevaba a esa mujer. Y durante el resto de mi vida, asomado a otras fronteras y a otros dilemas; también, a veces, a otras mujeres.

Fue ella la que propuso que subiera a su piso, extremando a la vez mi dilema moral y el pellizco de mi conciencia. Por aquellos días ya hacía unos meses que salía con una chica en Madrid, a la que sólo por encima le había dejado entrever a qué me dedicaba, y de ningún modo le había advertido que mi trabajo podía implicar salir a bailar con otras y decirles que sí cuando me invitaran a subir a su piso. De hecho, no lo implicaba necesariamente: en ese punto la decisión era sólo mía y tenía otras opciones para seguir explotando la información que Haizea podía facilitarnos, sin necesidad de llevar el flirteo hasta el final. Quizá lo hiciera menos creíble, quizá me exigiera invertir algo más de esfuerzo en mi narración ficticia, pero disponía del entrenamiento y los recursos para sostenerla sin necesidad de acostarme con ella. Si al final decidí subir fue, en parte, porque creí que hacerlo volvería más convincente y haría más robusta mi cobertura, pero también porque me apetecía; porque aquella chica no sólo me atraía como mujer, sino que además me gustaba lo que percibía en el fondo de su carácter, aunque la vida y los postulados de aquellos a los que ella había elegido como los suyos —y los de aquellos otros a los que yo había elegido como los míos— nos hubieran convertido en adversarios. Cuando hablaba de sus ideas, que no solo me eran hostiles, sino que había aprendido a rechazar como pretexto insuficiente de comportamientos aberrantes, simplemente me abstenía de prestarle atención. Sin embargo, cuando veía asomar a sus ojos aquella pasión desenfrenada y hambrienta, aquella necesidad de salir de sí y de desconocerse en otro, me tocaba en lo más profundo de un sentimiento que también bullía dentro de mí.

Es complicado, como lo somos los humanos, queramos o no, guardar en tu memoria el encuentro íntimo con una mujer como un instante de plenitud y belleza y, a la vez, como una fría emboscada donde quien aprovecha su ventaja sobre la otra parte eres tú. Así es como me toca recordar esa noche en el piso de Haizea cuando, parafraseando un proverbio árabe, imagen popular de lo imposible, conseguí atrapar el viento en la red. Así es como me toca recordar algunas otras noches, no muchas, porque yo no le pedí el teléfono, ni ella me lo pidió a mí. Simplemente los dos hicimos por encontrarnos, en el territorio en el que nos conocimos, y volvimos a coincidir un par de veces más.

El plan, consensuado con mis superiores, era aprovechar aquellos encuentros, y la posibilidad de acceder a su casa, para tratar de sacarle de la manera más sutil posible información sobre sus movimientos, que podían conducirnos a los de aquellos a los que buscábamos: los que ponían las bombas y pegaban los tiros. Era una estrategia a medio plazo, basada en no manifestar nunca por mi parte otro interés que el de ir con ella y pasarlo bien, y que a la primera señal de recelo por su parte conduciría a abortar la operación y no volver a verla. Tampoco estaba centrado en ella mi trabajo: cuando andaba por San Sebastián, me acercaba al casco viejo a hacerme el encontradizo y eso era todo. La tercera noche, sin embargo, ocurrió algo que alteró aquel plan.

Fue de madrugada, cuando después de vestirme me disponía a irme de su piso, como las otras veces sin hablar de una próxima cita.

—Oye, ¿haces algo mañana? —me preguntó.

Aunque no me lo esperaba, tenía una salida, como para casi todo.

—Currar, pero ya sabes que yo me marco el horario.

—¿Te animarías a comer conmigo?

—¿Y eso?

—He estado pensando en una cosa.

—En qué.

—¿Tú me ayudarías con algo un poco comprometido?

—No sé. ¿A qué quieres comprometerme?

Haizea concentró en mí el incendio de sus ojos.

—¿No has pensado alguna vez ir más allá de llevar una camiseta?

Ahí me la jugaba. No podía mostrarle un entusiasmo excesivo.

—Me cuesta. He visto en mi casa a lo que te expones si vas más allá. Y la verdad, no sé si valgo para eso. Hay que estar muy seguro.

—Me gustaría presentarte a alguien. ¿Te dejas?

—Bueno, si sólo es eso.

—Sólo es eso, y tú ya ves después.

Haizea me citó en un restaurante de Pasajes de San Juan, un poco más allá del puerto. Para llegar hasta él había que callejear a pie por el interior del pueblo, superando sus cuestas y desniveles. El día era gris, y antes de meterme en el casco antiguo me quedé mirando la estrecha boca del puerto frente al embarcadero del pequeño transbordador que unía los dos Pasajes, el de San Juan y el de San Pedro. Por allí había estado viviendo un tiempo Víctor Hugo, en una casa reconvertida en museo. Mientras avanzaba hacia mi cita, sonaban una y otra vez en mi mente aquellos versos de la canción de Radio Futura: «Si cruzas por aquí, sé precavido». Habíamos tomado nuestras precauciones, desde luego. Antes de llegar al restaurante, me tropecé con una de ellas: mi compañera Aurora, alias Nerea, apostada en la plazoleta. Tenía un brazo cubierto con una escayola falsa, donde ocultaba la cámara. Con el otro brazo fumaba despreocupada. Por su aspecto, se habría dicho que era una joven cualquiera, esperando a que viniera el novio.

En el restaurante me esperaba ya Haizea, sola. Me saludó con un par de besos y me pidió que me sentara con ella. No pude callármelo:

—Este restaurante muy barato no parece.

—Tranquilo, hay menú del día. Y nos van a invitar.

El hombre que iba a pagar vino diez minutos después. Tenía unos treinta años y aire meticuloso y resuelto. Me saludó muy cordial. No lo habría sido tanto de saber cuánto iba a pagar aquella comida.

27
Ética kantiana

Contemplé con un mordisco en el corazón el parco trozo de horizonte que se dejaba ver desde el muelle de Pasajes de San Juan. La mínima boca de aquel puerto natural, flanqueada por las dos montañas que marcaban sus dos márgenes. El cielo gris con el que se fundía la línea del mar, que brillaba en aquel mediodía oscuro como una lámina de acero con una pátina verdosa. La barca de casco verde y cabina blanca que hacía de transbordador entre las dos orillas. Me acordé de quién se había marchado en esa barca, más de veinticinco años atrás, creyendo que así no lo iba a controlar nadie, sin pensar que en la otra orilla, para eso mis compañeros conocían su oficio, habría alguien esperándolo. Me acordé de la chica que se quedó conmigo. Y luego, porque hay momentos en los que uno necesita vaciar lo que le remuerde dentro, si tiene con quién, le conté la historia a Chamorro. Lo hice sobre la mesa de aquel restaurante que también me traía recuerdos. Habría podido elegir otros muchos para cumplir mi promesa de invitarla a comer en condiciones si la investigación nos llevaba a Guipúzcoa; pero después de nuestra entrevista con Xabier Astigarraga sentí el impulso de volver justamente allí, para tratar de hacerle entender un poco mejor lo que había sido aquella aventura entremezclada y difícil en la que se había forjado mi carácter y también el de muchos otros, y en la que tantos, de una u otra manera, se habían ido quedando por el camino.

—Nunca me habría imaginado algo así —dijo, tras escucharme.

—Ni yo —le reconocí—. A veces te pasaba lo que menos te podías imaginar, y tenías que reaccionar como si ya contaras con ello.

—No creo que debas avergonzarte.

—¿No? ¿Tú crees?

Sacudió la cabeza con convicción.

—Claro que no. Yo entonces era una adolescente, pero recuerdo bien la sensación de peligro, no sólo aquí. Me acuerdo de mi padre, que estaba destinado en Madrid entonces, mirando debajo del coche todas las mañanas y cambiando de itinerario cada día. De pequeña me hacía gracia, verle tirarse al suelo desde la ventana de casa. Hasta que pusieron una bomba en el coche de un conocido de mi padre. Ahí me di cuenta de que era real, de que me podían dejar huérfana. Fueron un cáncer, y no sólo para esta tierra. Lo envenenaron todo, no había otra que erradicarlos, haciendo lo que hubiera que hacer. Y al final se hizo. Lo hicisteis, tú y otros como tú. Son historia, ya no son nada.

—No, yo no lo hice —dije—. Estuve ahí, aporté algo, pero hizo más en mí la experiencia de lo que hice yo con el problema. Tenía aristas que me superaron, sinceramente. Por eso me acabé marchando.

—¿Me vas a contar ahora cómo y por qué?

—No, mi brigada, ahora vamos a enfocar lo de Igor.

Nos tocaba repasar lo que nos había contado Astigarraga y tratar de organizar una estrategia. Los datos que nos había facilitado eran algo imprecisos, pero a la vez lo bastante llamativos como para no dejar de indagar la vía que nos abrían. Según nos dijo, algunos días después de la muerte de Igor se había cruzado en el pueblo con un tal Joxean, un joven profesor de secundaria que era uno de los pocos con los que Igor tenía relación allí. Para disipar cualquier posible equívoco respecto de la naturaleza de aquella amistad, Xabier se apresuró a aclararnos que era hijo de una vecina y que al parecer lo había cuidado alguna vez de pequeño. Joxean le contó que la última vez que había quedado con el difunto a tomar algo, aprovechando una de las contadas visitas que Igor le hacía a su madre, Amaia, se encontraron con un hombre, más o menos de la edad del muerto, con el que el trato fue algo tenso y del que se despidió emplazándose a verse algún día. Astigarraga nos dijo que Joxean no le supo dar razón de quién era aquel hombre y que en algún momento se había planteado ir a la comisaría de la Ertzaintza a contarlo, pero cuando leyó en los periódicos que habíamos resuelto el crimen la idea se le quitó y ya no había pensado más en ello.

También comentamos mi compañera y yo, cómo no, la despedida del antiguo miembro de ETA, después de aquella conversación en la que se había mostrado tan colaborador con nosotros. Había sido en la misma plaza Zabaleta de San Sebastián. Antes de separarnos, se quedó mirando a Chamorro y, sonriendo bajo la *txapela*, le dijo de pronto:

—¿Qué, no me lo vas a preguntar?

—¿El qué? —le repuso Chamorro.

—Lo que te estás preguntando tú. Si llegué a matar a alguien.

—No, no se lo voy a preguntar.

—Ya, ya sé que puedes averiguarlo. Te ahorraré el trabajo: no, pero estuve a punto y estaba decidido. Aunque me costó verlo entonces, eso es algo que os tengo que agradecer a vosotros. A aquellos compañeros vuestros que me echaron el guante. Sólo cargo con la culpa de haber sido lo que fui, no viene ningún fantasma a verme por las noches.

—Nos alegra haberle prestado ese servicio —dije yo.

—No imaginas lo que vale. También nos alegramos algunos de que ETA se haya visto obligada a entregar las armas, y respiraremos del todo el día que se disuelva. Tengo un par de nietos, sus ideas ya te las puedes imaginar, y no me apetece tener que ir a verlos a una cárcel en la otra punta de la Península. De todos modos, ¿puedo deciros algo?

—Claro —le invité.

—Verás, hay algo que me pasó, y que recuerdo a menudo. Antes de que me atraparan, me quedé tirado en un pueblo y fui a un piso franco del que tenía la referencia. Llamé y me recibió uno de ETA militar, y no uno cualquiera. Bien famoso se hizo luego. Me dijo que ese piso era de los suyos, de los milis, y que me buscara la vida. Le supliqué que me dejara pasar. Y el cabrón sacó la pistola, me apuntó y me dijo que me fuera. Me acuerdo muchas veces de los ojos de alimaña que tenía. Me sirve para no olvidar algo que os invito a pensar, si os vale.

—¿A saber?

—El mal también está entre los tuyos. A nosotros nos toca hacer el examen de nuestros malos y de lo que les dejamos hacer, pero también a vosotros os tocará hacer el de los vuestros, y lo que hicieron.

—Juicios ha habido alguno, y condenados. Un reconocimiento de culpas que el movimiento sigue sin hacer, todavía —le recordé.

—Un poco más allá de eso. No hay que dejar solos a los que sufren, eso sólo prolonga el dolor. Suerte con lo de Igor. Si me necesitáis...

—Le llamaremos, descuide.

—*Agur.*

Chamorro no dejó de referirse al último comentario de Astigarraga.

—Tiene gracia que ahora pretendan igualar el dolor y te pidan que pienses en los que sufren —observó—. De los suyos, claro. Durante décadas no les han importado los huérfanos ni las viudas ni el daño que hacían, y ahora que ya no pueden hacerlo hablan de piedad.

—La empatía con el enemigo es un arte jodido. No sólo para ellos.

Mi compañera me contempló con asombro.

—¿Crees que hay que pedirles perdón por algo?

—No todo se hizo bien, y quizá, es sólo una duda que tengo, no sea buena idea que todas las denuncias de torturas que no llegaron a una condena judicial se deje, como se ha hecho, que las vea una comisión sólo de ellos, que va a tratar de ponernos a la peor luz posible.

—¿Qué propones tú?

—No sé. Quizá sería más inteligente que el Estado auspiciara una comisión de verdad independiente, y que el resultado final fuera una reparación de lo que de ahí saliera que es justo reparar.

—¿Y la presunción de inocencia?

—Puede atenderse a la víctima que acredite serlo, sin necesidad de condenar a un verdugo, si no se ha probado en juicio un delito.

—¿Estás de acuerdo con él, entonces?

—No, Virginia. He visto cosas, y quizá tengo el defecto de que la realidad siempre me parece demasiado complicada, tanto para los dogmas de esta gente como para los dogmas con los que tiran muchos de los nuestros. Tampoco, puestos a hablar de todo, tengo claro que sea necesario mantener a los presos de una organización desarmada a mil kilómetros de sus madres. Alguien debería pensar que se castiga a esas ancianas, que quizá tengan malos sentimientos hacia nosotros, pero los sentimientos ni son delito ni están penados, que yo sepa.

—¿Tampoco crees que era necesario dispersar a esos presos?

—Quizá lo fue, sí. Quizá ya no lo es.

—Me dejas estupefacta.

—Ya sabes que soy raro. Pero los he combatido, y pienso como tú que eran un cáncer que había que extirpar. No sé si siempre usamos el bisturí con el cuidado que era del caso, pero ese tampoco es el asunto que nos ocupa ahora. Tratemos de ganarnos el sueldo, anda.

Antes de acercarnos al pueblo natal de Igor le hicimos una llamada al sargento primero Txiki. De mis tiempos por allí lo recordaba como uno de los núcleos duros de la izquierda *abertzale*, aunque nunca me había visto obligado a conocerlo en profundidad. Por lo que nos dijo nuestro compañero, la paz que los políticos celebraban una y otra vez, tras la entrega de las armas por parte de ETA, no había suavizado el clima antiespañol que reinaba en el lugar, sino todo lo contrario.

—Todos los concejales del pueblo son suyos, menos uno o dos, si llega —nos dijo—. No os diré que haya peligro, porque peligro ya no hay en ninguna parte desde que le quitamos el aguijón al alacrán, pero yo tampoco iría por allí presumiendo de que sois guardias.

—Necesitamos hablar con un profe del instituto —le dije.

—¿De allí? Será de ellos. Casi seguro.

—No parece, por lo que nos ha dicho el tío de Igor.

—¿Os lo ha certificado?

—No tanto como eso.

—Entonces yo no lo descartaría. Si queréis, dadme el nombre y hago una averiguación preliminar antes de que vayáis a hablar con él. Allí ya no tenemos cuartel pero tengo un buen contacto en la Ertzaintza.

—Si nos la puedes hacer rápida...

—Me debe favores. Rápida puede ser. Instantánea no.

—Está bien. Esperamos tus noticias.

Mientras tanto, me puse al habla con la cabo primero Salgado, que me dio las novedades respecto de la investigación que estaba llevando a cabo sobre el currículum penitenciario de Igor López Etxebarri.

—Lo de Francia no será ni hoy ni mañana. Oye, muy maja la chica esta que nos diste como contacto en Información...

—Aurora.

—Esa misma. Ella muy maja, como te digo, y bastante por la labor, pero el francés con el que a través del enlace del cuerpo en París nos han dicho que hablemos, un tal Jean Blanchard, de la DGSI, me dice que esa información tenemos que pedirla por escrito y que él a su vez la pedirá por escrito al departamento correspondiente. Me ha sonado todo a que ya estarás jubilado cuando recibamos una respuesta.

—La referencia a mi edad te ha sobrado, una vez más.

—Era sólo una forma de decir que puede tardar mucho.

—Y lo de aquí, cómo lo lleváis.

—Mejor. Tenemos una facilidad. Igor sólo estuvo en dos cárceles, en Picassent y en Alcalá-Meco. Tengo ya la lista de presos con los que compartió módulo en cada una de las dos. Gracias a las habilidades para las relaciones públicas de tu cabo primero favorita, que sacarles a los carceleros esto sin orden judicial no es tan fácil, no te creas.

—¿Y los compañeros de celda?

—En ello. Por lo visto para eso tienen que mirar un poco más.

—Muy bien, Inés, sigue así.

—¿Y por allí qué, veis la luz o no?

—Aquí la luz se ve sólo de aquella manera.

—Si necesitáis refuerzos, no me importaría nada volver a ver Zarauz o ir a darme un homenaje a algún restaurante de Guetaria.

—De momento el tajo nos lleva a un sitio con menos glamur.

—No importa. Puedo adaptarme. Y como de todo.

—Me avisas si hay algo.

—A tus órdenes.

Txiki nos llamó aquella misma tarde. Nos propuso quedar con su amigo ertzaina a la mañana siguiente muy temprano, en un área de servicio de la autopista próxima al pueblo de Igor López Etxebarri. También tenía alguna referencia sobre Joxean, nuestro testigo:

—Me dice que no es de ellos. De hecho, se fue a vivir a otro pueblo más grande, y más cerca de San Sebastián, todo un síntoma, aunque dé clases en el instituto de allí. Me dice también que puede contactarlo él, si queréis, y ya os lo pone en suerte y de paso os da también un paseo por el lugar, para que le toméis el pulso y veáis lo que hay.

—¿Te parece buena idea? ¿Te fías de él?

—Como de ti y de mi padre, mi subteniente: sólo hasta cierto punto, pero lo bastante como para aconsejarte que te arriesgues. Es un buen elemento, es amigo, y conoce razonablemente el terreno que pisa.

—Así lo haremos entonces. ¿Cómo se llama?

—Ángel García.

—¿Así, sin más?

—Otxoaerrarte, pero esa parte me la suelo saltar, por pereza.

Cuando me eché a la cara a Ángel García Otxoaerrarte la mañana siguiente, bajo un cielo plomizo y una llovizna insidiosa en el área de servicio de la autopista, me inspiró en seguida confianza. Me ayudó advertir la complicidad que tenía con nuestro sargento primero, pero también su mirada serena e intensa, tras la que se adivinaba a un viejo y sensato policía. Según nos informó Txiki, había pasado en el cuerpo por diversos destinos y, entre otros, había estado en plena guerra en su sección antiterrorista, lo que quería decir que tenía compañeros bajo tierra, enviados ahí antes de tiempo por obra y gracia de ETA.

—Ya os habrá dicho este que podéis contar conmigo casi como si fuera de verde —nos invitó, con un tono franco y cordial.

—Tanto no nos ha dicho, no creas —respondí—. Lo mismo lo duda.

—Mal haría, aunque ahora esté de moda.

—¿Y eso? —le pregunté.

—Por lo de Cataluña. Después de que los Mossos no os apoyaran en el fregado ese en el que os metieron con lo del referéndum. Se nota un recelo que llega hasta nosotros. Los policías autonómicos ya no somos de fiar para muchos. Mal favor nos han hecho los que se creyeron que iban a montarse una república así como así. Y los que llevando una placa se olvidaron de que obedecer a los jueces, te guste o no lo que te manden, es lo que al final te diferencia de un tipo con pistola.

—Amigos tengo, entre los Mossos —dije—. Muchos no están nada contentos. Tampoco muchos de los nuestros que fueron allí.

—Al final los políticos se arreglarán entre ellos, como siempre, y el marrón le caerá a algún tonto con porra. Por eso no hay que casarse con ellos. Es lo que les digo a los míos, pero no todos lo pillan.

—De Ángel yo respondo —intervino Txiki—. Es legal.

—A ver si se lo dices a tus jefes, para que nos avisen un poco antes cuando venís a montar una verbena en mi demarcación.

—Eso ya sabes que me sobrepasa.

—¿A qué se refiere? —preguntó Chamorro.

—A que cuando hacemos una intervención, de drogas o de crimen organizado, no se les llama hasta que ya estamos ahí, y es verdad que ellos tienen la competencia de orden público y seguridad ciudadana. Una costumbre de los tiempos duros, que cuesta quitarse ahora.

—No me imaginaba que siguiera siendo así.

—Pues así es —dijo el ertzaina—, pero no hay rencor, así que os cuento lo que he hecho y nos organizamos como queráis. Este hombre puede veros a la hora del recreo, que son las once. Y la hora siguiente, que por lo visto la tiene libre. Si os parece, ahora tomamos un café, luego os llevo a ver el pueblo, a las once os dejo con él y a partir de ahí os arregláis vosotros. No quiero fisgar en lo que no me incumbe.

—Si Txiki responde por ti, lo puedes saber. Estamos tratando de completar la información que tenemos sobre Igor López Etxebarri, el exmiembro de ETA al que mataron en Formentera en noviembre. Hay un imputado en prisión, pero en un juicio con jurado no está de más amarrar todo lo que se pueda. Los jurados los carga el diablo.

—Cómo era eso... Buenos para el culpable, malos para el inocente.

—No sé si yo diría tanto. No puedes dormirte, eso es todo.

—Aquí, desde que pararon los alegres muchachos de la serpiente y el hacha, homicidios no tenemos muchos. Y suelen ser bastante claros, la mayoría de sota, caballo y rey. La pareja, la familia, los euros.

—También fuera de aquí. Lo que pasa es que a nosotros nos llegan sólo los que se salen de lo habitual. Y con cuarenta y tantos millones de víctimas y asesinos en potencia, alguna vez se salen bastante.

—Este no está mal, desde luego. Por lo que he leído en la prensa, quiero decir. Se le quitan a uno las ganas de ligar por internet.

—Si andas falto te buscamos un chico —le propuso Txiki.

—No lo decía por mí, era para un amigo —le siguió el chiste el otro.

Traté de regresar a lo que nos llevaba allí:

—En el pueblo este, ¿hay muchos etarras excarcelados?

—Media docena sí que habrá —calculó—. Con distinto grado de pringue, no te creas que todos por meterle plomo o amonal a alguien. Aunque alguno hay de esos también. Y más que vendrán.

—En los próximos años van a empezar a cumplir muchos —recordó Txiki—. Todos los que cayeron cuando tú andabas por aquí.

A García Otxoaerrarte no se le escapó el detalle.

—Anda, ¿estuviste por aquí?

—Poco, casi de visita, como quien dice. Y hace mucho ya.

—Algo más que de visita, diría yo —opinó el sargento primero—. El subteniente controla más de lo que quiere dar a entender.

—Controlaba —le corregí.

El ertzaina hizo su propio diagnóstico:

—Me encaja. Sólo los que no saben presumen de saber.

Él, por su parte, se reveló como un guía competente. Lo seguimos hasta el centro del pueblo, donde encontramos un lugar para aparcar. Como sucedía en otros muchos pueblos del País Vasco, era más que perceptible el elevado nivel de vida: el precio medio de los coches que se veían por las calles, la calidad y el estado del mobiliario urbano, los materiales y la construcción de los edificios, hasta los columpios de los espacios comunes, que además estaban invariablemente cubiertos por estructuras que los protegían de la lluvia. No era la única región del país donde la lluvia caía con relativa frecuencia, pero sí la única donde había visto, en mis viajes por todo el territorio, que a los niños se les dotara con carácter general de esa protección. Quienes se empeñaban en presentar al País Vasco como una tierra oprimida no podían decir, al menos, que su abstracto opresor lo mantuviera en la penuria.

Por lo demás, por efecto de la luz imperante, el pueblo ofrecía una imagen más bien gris, que se veía subrayada por las pintadas alusivas a la causa, todas elaboradas con esmero y respetadas como si de un fresco de Banksy se tratase. Sobre una fachada vi una dedicada a los presos, en otra una efigie de Argala, líder histórico de ETA asesinado en 1978 por un grupo parapolicial. Me pregunté cuántos, dentro y fuera de aquel pueblo, sabrían con alguna aproximación quién era y cuál fue su obra como ideólogo del movimiento. Él teorizó la exigencia de golpear a la democracia liberal, la nueva forma de dominación de la burguesía española, para que la revolución de la clase obrera vasca fuera así un referente para todos los trabajadores del mundo. Nadie recordaba ya que en su funeral, el del hombre que sin dejar de ser una víctima del terrorismo de Estado fue también quien se empeñó en no dejar de matar porque hubiera elecciones, el cura que ofició la misa llegó a decir que la libre autodeterminación del pueblo vasco, en la senda así marcada, sería «una forma de restablecer el equilibrio roto por Caín». Entre Caín y Caín, así fueron los años que siguieron.

—Ya lo podéis ver —observó Ángel—. El espacio público es todo suyo. Esto es un microcosmos donde los valores, los héroes, remiten una y otra vez a su tema. Si no te gusta, poco pintas aquí.

El paseo me sirvió para entender mejor a Igor y su afán por alejarse de su pueblo natal, incluso por escapar cada cierto tiempo a la luz tan distinta del Mediterráneo: a esas playas solitarias donde el mar iba del añil al turquesa, a esas otras calles donde el sol alumbraba paredes que no imponían un credo ni una patria y en las que la bandera que colgaba de lado a lado de las esquinas era de color arcoíris. El ertzaina nos llevó hasta la parte exterior del pueblo. Allí vimos urbanizaciones con grandes casas de apariencia casi opulenta. Chalets individuales de trescientos metros y más, muchos de ellos con pancartas que pedían el retorno de los presos a casa. Nuestro guía nos las señaló con la mano:

—Ahí tenéis el barrio revolucionario. Marxismo-leninismo en estado puro. La revolución no sé si prosperó, pero ellos ya veis que sí.

—¿Quién vive ahí? —pregunté.

—La aristocracia de ellos. Los que han tocado poder y contratas y buenos sueldos públicos, que no han sido pocos, en estos años.

—Al final, siempre acaba siendo eso. El poder. El dinero.

—Para los espabilados. Os llevaré a donde vive la madre de Igor.

Volvimos al casco del pueblo, donde había edificios de viviendas bastante más modestos. No era un barrio indigente, pero tenía mucho menos empaque que el anterior. Apuntó con la barbilla a uno de ellos, de tres plantas, con pequeños balcones y tiestos con flores rojas.

—Ahí, en el segundo. Si quieres hacerle una visita...

—Ya tuve el gusto —dije—. Quizá otro día.

Continuamos el paseo y acabamos llegando a un barrio de bloques blancos, estos sí de calidad claramente inferior. Fachadas sin gracia, ventanas pequeñas, portales deslucidos. Chamorro preguntó:

—¿Y esto?

—Para la inmigración. Hace años, la mesetaria. Ahora, los moros, los negros, los latinos. Adecuadamente separados, como se ve.

No pude callarme el comentario:

—Tú no cobras de la oficina de turismo municipal, ¿eh?

García Otxoaerrarte se encogió de hombros:

—No me engaño. Como tú, me dedico a las miserias humanas, más me vale tener muy claro lo que hay en cada sitio y en cada casa.

A las once en punto nos presentamos en el instituto de enseñanza secundaria. No era muy diferente de los que podían encontrarse en cualquier otro pueblo de la piel de toro, siempre con ese ligero toque penitenciario que ya Michel Foucault, referente de esos franceses que habían servido a los ideólogos sucesores de Argala para poner a punto el motor del vehículo revolucionario, señalaba en la arquitectura de los centros de enseñanza como primer atisbo del poder. Quien vino allí a nuestro encuentro, sin embargo, distó de parecerme un propagandista de poder alguno. Joxean, el amigo de Igor, era un treintañero risueño y de aire gentil. Según nos contó, enseñaba filosofía y ética, todo un desafío en aquel entorno. Propuso que habláramos fuera del centro y a ser posible también fuera del pueblo. No me pasó inadvertido el gesto de Ángel, el ertzaina. Aquello seguía siendo lo que era: nadie iba ya a pegar por las paredes del lugar fotos con una diana pintada encima, guía y preludio de la acción de algún pistolero; pero había maneras incruentas de conseguir que alguien dejara de sentirse bien.

Acabamos yendo a un hotel rural cuya cafetería, a esas horas, estaba providencialmente desierta. Allí nos despedimos de Ángel, al que le di las gracias por su ciencia y sus buenos oficios y que se ofreció para cualquier otra cosa que necesitáramos. Chamorro y yo pedimos café y Joxean, además, una tostada que devoró con visible apetito.

—Los chicos son agotadores. Hay que reponer fuerzas —se justificó.

Dejé que se tomara su bien ganado almuerzo antes de importunarle con mis preguntas. Cuando vi llegada la ocasión, abrí el fuego:

—¿Conocía usted bien a Igor?

La mención del nombre del amigo hizo que el semblante de Joxean se ensombreciera. Incluso diría que se le humedecieron los ojos.

—Le apreciaba, y él a mí, creo. Lo conocía de toda la vida, su casa y la mía estaban puerta con puerta. Me sacaba muchos años, pero antes de que desapareciera para pasar a la clandestinidad jugó conmigo unas cuantas tardes. A veces pienso que fue mi primer amigo.

—Sin embargo, estuvieron mucho tiempo sin verse.

—Pues como quince o veinte años. Cuando salió de la cárcel y vino a ver a su madre, una de las primeras veces, me lo crucé en la escalera y le pregunté si se acordaba de mí. Ni me reconoció, claro. Y cuando le dije quién era, se puso a repetir a voces: «Coño, Joxean». Siempre que venía, hablábamos, le contaba de mi vida y él a mí de la suya; tampoco mucho, pero a lo mejor más que a cualquier otro del pueblo.

—¿Y eso?

—Por eso que le digo. Me conocía desde pequeño. Y también se dio cuenta de que yo no estaba en la onda que predomina aquí, ya sabe cuál es. Se me abrieron los ojos cuando fui a la universidad y traté con otra gente y vi que otra vida y otra forma de verla eran posibles.

—Y a pesar de todo, da clases aquí.

Joxean sonrió como si le hubiera pillado en falta.

—Todos tenemos nuestras contradicciones. Yo tengo mis razones, además. Así me paso de vez en cuando a ver a mis padres, y así los chicos tienen a alguien que les habla de Kant o de Sócrates, y no sólo de patria, *gudaris*, *txakurras* y el resto de la matraca filobélica.

—No lo había pensado.

—El qué.

—Que Kant aquí puede ser subversivo.

—Y tanto. ¿Sabe que hay textos de la izquierda *abertzale* que dicen que la ética kantiana no es válida, por servil con el sistema?

—No me sorprende mucho.

—Proponen en su lugar lo que ellos llaman «ética de las verdades» o ética prometeica: la que se rebela contra el poder sin reparar en medios y sin todos esos remilgos humanistas de Kant. Pobre Prometeo.

—Siempre fue un personaje ambivalente —apunté.

—Tal vez, pero como mito da algo más de sí.

—En fin —entré en materia—. Venimos a hablar con usted por algo que le contó a alguien a quien me parece que conoce.

—Xabier Astigarraga. El tío de Igor. Sí, le conozco.

—¿Le importaría contárnoslo a nosotros?

—No, de hecho ya se lo dije a Xabier. Estuve a punto de ir yo mismo a la Ertzaintza, por si tenía algo que ver con la muerte de Igor, pero luego supe que los tiros iban por otro lado y me olvidé, la verdad.

—Díganos lo que recuerde.

Joxean hizo memoria.

—Fue en la plaza, al pasar al lado de una de las terrazas que hay allí. Un hombre que estaba sentado con otros lo llamó de pronto a gritos. Le preguntó si no se acordaba de él. Igor se le quedó mirando y ahí lo reconoció. Vi cómo le cambiaba la cara. Entonces el otro le preguntó si no iba a darle un abrazo. Igor ni siquiera se movió, pero el otro vino y se abrazó a él mientras le daba palmadas ruidosas en la espalda. En ningún momento dijo su nombre, tampoco lo dijo Igor, por eso no lo recuerdo ni se lo puedo decir yo a ustedes. Después del abrazo el otro le dijo que tenían que verse, para hablar más despacio. Se veía que a Igor no le apetecía nada y le respondió de una forma un poco evasiva. «Ya está todo más que hablado, ahora hay que tirar para adelante.» O algo así. Al otro le sentó muy mal. Le soltó que qué cojones decía.

—¿Y cómo reaccionó Igor a eso?

—Le puso la mano en el hombro, trató de calmarlo y le dijo que bueno, que sí, que ya se verían, que ahora estaba con un amigo. El otro me miró entonces con cara de vinagre y le hizo un comentario de mal gusto. Sobre todo porque sé que Igor era homosexual, pero a mí nunca me hizo la menor insinuación. Para él, creo que seguía siendo el niño con el que había jugado cuando era más joven. Igor le propuso al otro verse algún día si iba por Donosti, donde vivía. Le dio su número de teléfono y quedaron así. Igor y yo continuamos nuestro camino y él volvió a sentarse con la gente con la que estaba en la terraza.

—¿Qué gente era esa, la conocía usted? —le pregunté.

—Sí, del pueblo. De la cuerda. Algún antiguo preso.

—¿Recuerda qué día fue? —preguntó Chamorro.

—Un par de semanas antes de que lo mataran, más o menos.

—¿Y no le preguntó a Igor quién era aquel hombre?

Joxean asintió lentamente.

—Claro que le pregunté. Me dijo sólo que era alguien a quien habría preferido no encontrarse. Y que esperaba que perdiera su número.

—¿Cree que sería usted capaz de reconocer a esa persona si volviera a verla, o si le enseñáramos una fotografía? —le consulté.

—Creo que sí. Dependerá de la fotografía.

Me confortó aquella prudencia. Uno de los rasgos del testigo fiable.

28
Una especie de héroe

Nos despedimos de Joxean en la puerta de aquel hotel rural, junto a los coches en los que íbamos a tomar caminos diferentes. Nos dejó su número de teléfono y confirmó su disponibilidad para identificar al hombre del incidente con Igor. Le agradecí no sólo su colaboración, sino que confiara en nosotros, dadas las circunstancias y a la vista del ambiente que había en su lugar natal y de trabajo. El joven profesor me escuchó en silencio y con la mirada apuntada hacia el pavimento.

—No se hace una idea. Para tenerla hay que vivir aquí. Oigo cómo alguno echa las campanas al vuelo, desde que ETA entregó las armas. Y hombre, algo ha cambiado: que quien no es de ellos ya no tenga que vivir encogido algo vale. Pero siguen ahí, no se han rendido.

—En cierto modo sí —dije—. Aspiraban a pintar mucho más.

—No dejan de pintar, a su manera.

—¿Y qué es lo que hacen, ahora?

—Trabajarse el futuro. Sobre todo, mucho proselitismo con los más jóvenes: organizan festivales, convivencias, conciertos, y siempre hay un momento del festejo en el que se acerca uno a echarles una prédica que los mantenga bien amarrados al pensamiento único. Eso les cala. No a todos, los hay que, como es natural, se cansan de la murga que les repiten hasta la saciedad, pero muchos están ahí. Socializan con eso, es lo que les permite tener sensación de pertenencia. La mayoría de mis alumnos no verían en ustedes dos más que a un par de asesinos. Y que estén haciendo lo contrario, investigar un asesinato, les da igual.

—Tenemos que vivir con eso. Podemos hacerlo.

—A mí me cuesta resignarme. Esta es mi tierra. Y me siento vasco y hasta le diré que me gustaría que Euskadi fuera un país independiente y se llevara lo mejor posible con España, cada uno con lo suyo. Pero no en manos de esta gente. Quien se ha acostumbrado a silenciar por el miedo a los demás ya no puede quitarse el vicio. Es algo que hablé más de una vez con Igor, que los conocía mejor. Él llegaba incluso más allá. Decía algo que si lo supieran quienes fueron sus vecinos...

—Qué decía.

—Que él ya no creía de ninguna manera en la independencia, por la que había luchado y había ido a la cárcel. Que a lo mejor teníamos que vivir así, en España, para poder tener a raya a la bestia que nos había nacido dentro, y que ahora todos querían olvidar a toda prisa.

—No veo muy claro que la solución sea tomar a nadie como rehén. «Si le cortara las alas, ya no sería mi pájaro» —cité de memoria.

—¿Conoce la canción? —preguntó, sorprendido.

—Cómo no. Viví un tiempo aquí.

—Eso es lo mismo que pienso yo, pero si se llega a una solución de verdad no va a ser ni hoy ni mañana. Entre tanto, paciencia y a resistir. Cada uno como pueda, y desde donde a cada uno le toque estar.

—Al final eso tiende a ser la vida —aprecié—. Y la única estrategia.

—Escuela estoica —observó, con una sonrisa—. Le cuadra.

—El mundo me hizo así —me disculpé.

Subimos a los coches, Chamorro al volante del nuestro. Para aquel viaje, habíamos elegido uno de los más discretos de nuestro parque móvil, procedente de incautaciones a delincuentes. Era un Seat Ateca, que utilizaba para moverse un ahorrativo ciberestafador veinteañero. Él no tenía carnet de conducir, pero la rentabilidad de su negocio le permitía pagarse un chófer que se lo cuidaba bien. El nuevo arriba y abajo de la sociedad digital, que ahora nos proporcionaba a nosotros la montura para nuestra excursión por el Norte. Chamorro comprobó que los tres retrovisores seguían bien reglados y me preguntó:

—Y ahora, a dónde.

—A Intxaurrondo —le dije—. Pedimos que nos dejen una mesa y nos ponemos a organizar la tarea. Vamos a ver quién es ese tío.

Regresar al lugar donde ha estado tu casa o tu trabajo tiene siempre una intensidad especial. Regresar a aquel complejo, cuyo nombre era sinónimo de la suerte más siniestra para muchos, y que había sido una promesa cumplida de soledad y sufrimiento para muchos otros, me provocaba una emoción suplementaria, por más que me empeñara en recordar los momentos de normalidad y rutina que había vivido allí o reparara en la relajación que ahora había a sus puertas. Nada que ver con la tensión y la vigilancia permanentes de otro tiempo, frente a una amenaza que se había concretado una y otra vez, con ataques contra patrullas y hasta bombardeos con lanzagranadas. Acogerme a aquel recinto, caminar bajo la sombra de los altos bloques de viviendas, en alguno de cuyos pisos me había hacinado décadas atrás, me producía una sensación embrollada y extraña. Había sido mi hogar, donde en tiempos de peligro me había sentido seguro; pero también había sido el escenario de alguna de mis peores y más oscuras zozobras. No me ayudaba a olvidarlas aquel cuadro que había a la entrada, con más de cien fotografías en blanco y negro: los rostros de todos los guardias civiles destinados en la comandancia de

Guipúzcoa que habían caído asesinados por ETA. Chamorro los contempló sobrecogida. Procuré que no se notara lo que a mí me afectaban. Me empeñé en trabajar allí como lo habría hecho en cualquier otra comandancia del cuerpo.

Pude mantener aquel empeño mientras hablaba con la cabo primero Salgado, a quien le pedí que me buscara dentro de la lista de reclusos que habían compartido encierro con Igor a aquellos que habían sido condenados por pertenencia a ETA, y entre estos a los que ya habían salido de la cárcel, en especial en fechas recientes. También mientras comprobaba con Chamorro, a sugerencia suya, las llamadas que había hecho Igor en las dos semanas previas a su muerte, descartando las que correspondían a números ya identificados. Para acceder a las que había recibido era necesario requerírselo a la compañía telefónica con una orden judicial específica. El historial que tenían almacenado para cada línea era el de facturación, esto es, el de las llamadas efectuadas. Localizar las recibidas exigía desarrollar un procedimiento adicional, que tendríamos que fundamentar debidamente ante el juez.

Obtuvimos así una lista reducida que enviamos a Arnau, para que se encargara de comprobar titularidades. Otra posibilidad era forzar la máquina para desbloquear el terminal de Igor y tratar de reconstruir su tráfico entrante, pero eso también habría que justificarlo y el coste era muy alto para asumirlo sin garantía de encontrar nada: si el dueño del teléfono lo había borrado, no accederíamos a ningún historial.

En esas estábamos, pensando en vías alternativas, cuando me vino a la cabeza la idea de llamar al teniente Castán, el manipulador de Igor como confidente, para contarle lo que habíamos averiguado y pedirle su orientación acerca de la posible identidad de aquel desconocido. Castán escuchó mi informe. Cuando le pregunté si recordaba que Igor le hubiera comentado algo acerca del incidente, me respondió:

—No. Me habría tomado buena nota.

—¿Ni de manera vaga o indirecta?

—¿Cuándo dices que fue?

—Un par de semanas antes de la muerte. Por esos días hay alguna llamada a tu número —subrayé, por si le refrescaba la memoria.

—No —repitió, muy convencido—. No me dijo que hubiera tenido ningún problema con nadie. Me llamó con su paranoia recurrente: que todo estuviera bien amarrado para que no le descubrieran y que si eso ocurría le tuviéramos preparada una salida rápida y segura.

—No deja de ser curiosa la coincidencia —comenté—. Y por lo que hablaste con él otras veces, ¿te suena que con alguno de los suyos con los que compartió cárcel pudiera haber tenido algún problema?

Mi insistencia fue infructuosa.

—Yo empecé a llevarlo después de que lo dejaran libre —dijo—. Por aquellos años su controlador era otra persona. Habría que preguntarle si sabe algo. Cuando me lo pasó no me dijo nada de lo que sugieres.

—¿Puedo saber quién era esa otra persona?

—Tendría que consultarlo antes.

—Mi teniente, ya oíste al gran jefe. Tienes que echarme una mano.

—Esto implica a terceros.

—No hablaré con él o ella sin que te den y me des permiso.

—Él —precisó.

—Vamos, hombre, no me seas tan enigmático.

—Hay un problema para hablar con él.

—No me vengas ahora con que está muerto.

—Físicamente, no. Profesionalmente, sí.

—Ahora sí que no voy a parar hasta que me lo digas.

—Te doy una pista. Es un viejo conocido tuyo.

—No fastidies.

En ese momento, como un latigazo, tuve la intuición. La vida y la profesión nos habían separado muchos años atrás, pero durante un tiempo estuvimos en contacto y algo me dejó entrever de lo que hacía. Por otra parte, Castán me había dado no una, sino varias pistas, así que bien cabe afirmar que mi deducción no tuvo ningún mérito.

—No me digas que es Álamo —puse en palabras mi temor.

—Me temo que acertaste. Te acompaño en el sentimiento.

No era, Castán lo sabía, la mejor noticia que podían darme. El ahora capitán Álamo, no se sabía por cuánto tiempo, había pedido destino tras más de veinte años en la lucha antiterrorista a su tierra natal y se había puesto al frente de la unidad encargada de enfrentarse con el narcotráfico en el Estrecho. Allí habíamos vuelto a coincidir, hacía no mucho, con ocasión de la investigación de una desaparición que entre los dos conseguimos sacar adelante, con la camaradería de los viejos tiempos. Aquel reencuentro me había alegrado de veras y, a pesar de las diferencias entre su estilo y el mío, nos habíamos entendido bien. Pocos meses más tarde, me desayuné con la noticia de que lo habían detenido y enviado a la cárcel, acusado de estar a sueldo de uno de los clanes de narcos de la zona. Y allí seguía, a la espera de juicio. Para hablar con él, además de tener el permiso de Pereira, iba a hacerme falta el de la prisión y que el interno diera su consentimiento. Quizá otro lo habría interpretado como una señal para abstenerse. Y quizá ese otro fui yo mismo, durante una fracción de segundo: mientras me representaba la perspectiva de volver a encontrarme a mi compañero de fatigas convertido en un recluso y con el estigma del policía que se corrompe. Pero comprendí que no tenía más remedio que hacerlo.

—¿Llamas tú a Pereira o le llamo yo? —le pregunté a Castán.

—Deja que lo haga yo. Tendré que justificarle por qué te he dado esa información. O mejor dicho, por qué te he dejado adivinarla.

Colgué y miré la hora.

—¿Qué pasa? —preguntó Chamorro—. ¿Qué pinta aquí Álamo?

Me quedé mirando el techo de aquella oficina de Intxaurrondo. Quizá para otro pudiera serlo, pero para mí no iba a ser, nunca, la de una comandancia cualquiera. Más valía que me fuera resignando.

—¿Te ves con fuerzas para conducir hasta Madrid? —le dije al fin.

—¿Y eso?

—Esta noche dormimos en casa. Te cuento por el camino.

Apenas acabábamos de liquidar la cuenta en el hotel y subir otra vez al coche para tomar la ruta de Madrid cuando me entró un wasap del teniente general Pereira: «Llámame cd puedas, por favor». Podía en ese mismo instante, así que no demoré marcar su número. Al cabo de medio tono, quizá ni llegó a tanto, irrumpió su voz en la línea:

—Vila, ya me perdonarás, no paro de darte disgustos.

—También sabía usted esto, claro.

—Mal andaría si no. Me pagan por saberlo.

—Estoy intentando entender por qué me lo ocultó. Me hago más o menos una idea, pero ya se imagina que no me consuela del todo.

—Era delicado, lo mires por donde lo mires. Sabía que erais amigos, yo os fiché a los dos, allá por el Jurásico, no sé si te acuerdas.

—Como en una bruma, pero sí, me acuerdo.

—Por otra parte, no sé si querrá colaborar. En cierto modo, ya no es de los nuestros, sino de los de enfrente. Se ha pasado a los malos.

—Querrá colaborar —aposté—. Y no sé si ha hecho lo que dicen que ha hecho, me supongo que sí, conociendo a los de Asuntos Internos, pero por más que ahora sea un criminal presunto estoy convencido de que en alguna parte sigue llevando dentro un guardia civil.

—Encontramos unas cuantas bolsas con billetes de quinientos en el sótano de su casa, Vila. Avisaba a los narcos de nuestras operaciones. A lo mejor hasta llegó a poner en peligro a sus compañeros.

—No digo que no ni que sí, hasta que no lo condenen. Me refiero a otra cosa. A mí la guerra siempre me hizo sentir incómodo. Él la vivía. No hay más que darle la oportunidad de volver a vivirla.

—¿Tú crees?

—Lo creo. Y además, mi teniente general, la cárcel es un muermo. Se alegrará de que vaya alguien a sacudirle la modorra.

—Hay una manera de comprobarlo. Preguntarle si quiere verte.

—Querrá. Sólo tiene que darme permiso para que le pregunte.

—¿Tengo elección?

—Siempre. Usted manda y yo soy el mandado.

—Me parece que eso nunca fue menos cierto que ahora.

Ya que parecía resignarse, aproveché la coyuntura:

—Y si les explica a mis jefes por qué tengo que ir a verle...

—No te vicies, Rubén —me advirtió.

—Contra el vicio de pedir siempre está la virtud de no dar.

—Está bien. Haré como que la iniciativa es mía.

—Me ahorrará algún dolor de cabeza.

—¿Crees que estamos cerca de algo?

—¿De tener que pedirle disculpas a un ciudadano y jurarle que no fuimos a por él movidos por nuestros prejuicios homófobos?

—Tampoco hace falta decirlo de ese modo tan lacerante.

—Es lo que nos tocaría. No lo sé, pero algo huele mal aquí.

—Bien, procede entonces. Cualquier novedad, me informas.

—A la orden de vuecencia, mi teniente general.

—Oye una cosa.

—¿Sí, mi teniente general?

—Como vuelvas a llamarme vuecencia te crujo.

—Recibido, mi teniente general.

—Ve con cuidado. Suerte. Y gracias.

Carambolas de la vida, Álamo estaba preso en El Puerto de Santa María: el mismo centro penitenciario al que habían ido a parar, por su lejanía del País Vasco, no pocos de los etarras a los que en otro tiempo había contribuido a encarcelar. A él le convenía porque allí estaba más cerca de su familia, que ahora tenía que vivir, sin la penalidad añadida de la odisea en autobús, el mismo ritual para verlo que los familiares de sus antiguos enemigos. A Chamorro y a mí, como enchufados que éramos, nos exoneraron de pasarlo y nos condujeron sin demasiado trámite a una sala del módulo de respeto en el que estaba el capitán. Allí compartía vida con otros presos de características especiales, entre los que se contaban varios guardias civiles más, seducidos todos ellos por los cantos de sirena del dinero de la coca y el hachís.

Cuando lo vi venir, con aquel chándal, se me cayó el alma a los pies, aunque no tenía muy mal aspecto. Seguía siendo un tipo imponente, lucía un buen color y se notaba que mataba el aburrimiento haciendo ejercicio. Había perdido incluso la barriga que había dejado que se le acumulara la última vez que nos encontramos. Al verme, él tampoco pudo reprimir la incomodidad ni la emoción. Se quedó parado a un par de metros, mirándome y mirándose alternativamente la punta de las deportivas. Me costó dilucidar para quién era más difícil aquella situación, si para mí o para él. Al final, con los ojos empañados y la voz quebrada, sin saber qué hacer con las manos, acertó a decir:

—Joder, Gardelito.

Creí que era mejor dejar que resolviera el corazón.

—Ven acá, dame un abrazo, anda —le pedí.

Seguía teniendo mucha fuerza, y no midiendo demasiado bien cómo la administraba. Dejé que me estrujara y me palmeara la espalda y por mi parte respondí a su efusión como buenamente pude. Cuando al fin me soltó, le hice reparar en la presencia de mi compañera.

—La brigada Chamorro, ¿te acuerdas de ella?

Álamo se limpió las lágrimas con el dorso de la mano.

—Recuerdo a una sargento primero. Enhorabuena por el ascenso.

—Gracias —dijo Chamorro—. Siento que nos veamos aquí.

—Y yo —le respondió el capitán—. Pero es lo que hay. Por mi mala cabeza. Siempre me avisaste contra ella —se dirigió a mí—, tendría que haberte hecho más caso. Sólo quiero que sepas que no hice todo lo que me quieren colgar. A los de Asuntos Internos se les fue la olla.

—No he venido a hablar de eso, Moro —le aclaré—. Ni lo sé ni me importa. He venido a pedirle ayuda a un antiguo compañero.

Álamo asintió gravemente.

—Claro, perdona.

—Entiéndeme, no quiero ponértelo más difícil.

—Tienes razón. Si a eso vienes, tu compañero está aquí. Tú dirás.

Le di el nombre de la persona cuya muerte motivaba nuestra visita. Estaba al tanto de lo que le había sucedido, y también del resultado de nuestra investigación y de la imputación de Álvaro Reyes como autor del crimen. Le confié, no tenía sentido ocultárselo porque lo habría deducido de inmediato de mis preguntas, que teníamos alguna duda sobre la resolución que le habíamos dado al caso, a raíz de una serie de informaciones que nos habían llegado y que nos invitaban a investigar más a fondo la vida y milagros de la víctima. Por ese camino habíamos dado con su condición de informador y nos habíamos enterado de que durante algunos años él había sido el encargado de controlarlo.

—Así es —dijo—. Una mina, el amigo Igor. Alias Azucena.

—¿Azucena? —dijo Chamorro.

—Sí, ya lo sé, ahora suena fatal —reconoció Álamo—. Me meterían en la cárcel por ponérselo, si no estuviera ya dentro. Entonces no nos torturábamos tanto por estas cosas. Y un alias sirve para despistar.

—De él queremos hablar contigo —le dije.

—¿Y qué queréis saber? —preguntó.

—Todo, desde el principio.

—Es información clasificada.

—Tenemos permiso superior para conocerla, y tú autorización para responder a lo que te preguntemos. Te lo habrán comunicado.

Álamo asintió, con aire melancólico.

—Me lo han comunicado. Y ha sido curioso volver a recibir noticias de la empresa en la que trabajé tanto tiempo. En la que sigo, mientras no se dicte sentencia y me echen. Estaba de coña, os responderé.

—Te escuchamos.

Álamo hizo memoria.

—Por dónde empiezo... Ah, sí. ¿Te acuerdas de aquella chica del casco viejo de San Sebastián? Cómo se llamaba... Haizea.

No pude evitar que el corazón me diera un vuelco. También advertí la reacción de Chamorro, a quien le había contado la historia. Álamo se contestó entonces a sí mismo, dirigiéndose a mi compañera:

—Se acuerda seguro, tu subteniente. No sé si te lo habrá contado, pero en otra época era un hacha fingiendo ser quien no era. Con esa labia de sudaca que gasta, se llevaba al huerto a quien quería. Lo de Haizea fue su obra cumbre. Ahí donde lo ves, se ligó a una etarra.

—Nunca lo habría imaginado —dijo Chamorro.

—Ni yo, ni él, pero le salió, con esa flor que el tío tiene en el culo. Y aquello trajo cola, vaya si la trajo. De entrada, un pedazo de uno de los peores comandos Donosti de la historia, el de 1991. Y de rebote, otra pila de información que con el tiempo nos condujo a otros comandos y sus entornos, como el Éibar, donde por aquellos días orbitaba un chaval que se llamaba Igor López Etxebarri. Tú no lo sabías, porque cambiaste de aires poco después —volvió a dirigirse a mí—, pero es a ti a quien se debe, a fin de cuentas, que durante diez años contáramos con un infiltrado de primera en la organización. El hilo que nos llevó a él lo enganchaste tú. ¿Cómo se te queda el cuerpo, Gardelito?

—Raro —admití.

—Pues así fue. Yo no fui quien lo captó, todavía tardé un par de años en incorporarme al equipo de fuentes, pero según me contó el que lo hizo fue una labor de orfebrería. ¿Te acuerdas de que ya por aquellos días había en ETA algunos descontentos con la deriva de la banda, por los asesinatos indiscriminados y las muertes de niños?

—Me acuerdo, cómo no.

—¿Y te acuerdas de que Pereira nos dijo que estuviéramos atentos por si dábamos con alguno que nos pareciera que podía dudar?

—También.

—Pues ese fue el camino para pillar a este. No exactamente para dar con él, pero sí para agarrarlo en condiciones. Cuando lo detectaron y lo siguieron, descubrieron en seguida que era gay y que lo llevaba a escondidas de sus compañeros. Frecuentaba de vez en cuando, para desahogarse, locales y ambientes dudosos. Después de darle muchas vueltas, decidieron entrarle justamente cuando andaba en una de esas. Y el comienzo de la colaboración no fue de buen rollo, para qué te voy a engañar: lo que se le dijo fue que si no colaboraba se haría correr que había sido por su imprudencia a la hora de desfogar sus instintos por lo que habíamos cazado a sus camaradas. Era tal el pánico que eso le provocaba que así fue como se hicieron con él. Para que se convirtiera en lo que se acabó convirtiendo, hubo que hacer más trabajo.

—¿Qué clase de trabajo? —se interesó Chamorro.

—Reingeniería mental inversa —dijo Álamo—. O contra lavado de coco. Lo desprogramamos, y lo digo así porque al final ya intervine yo. Hubo que revertir todo lo que los suyos le habían metido dentro.

—No me imagino cómo se puede hacer eso.

Álamo observó satisfecho a mi compañera. Pensé que debía de ser la primera vez en mucho tiempo que podía enorgullecerse de algo.

—Sin prisa y con astucia, es más un arte que una ciencia. Le hicieron ver, primero, que el miedo que tenía a que los suyos descubrieran su homosexualidad era por el desprecio y la desconfianza que les podía inspirar; es decir, que en el fondo sabía que un marica les iba a parecer un *gudari* defectuoso y vulnerable, por eso lo escondía. Una vez que lo enfrentaron así a los suyos, empezamos a trabajarlo por el lado de la inutilidad de la lucha y de todas las salvajadas que se justificaban en nombre de la autodeterminación de Euskal Herria. Le hablamos de los niños muertos en los atentados, quiénes eran, cómo habían quedado sus familias. A partir de ahí, le subimos la autoestima para que dejara de sentir que era un traidor y se viera a sí mismo como una especie de héroe que no sólo estaba enmendando sus errores, sino reparando en cierto modo los desmanes de los suyos y ayudando a que no siguieran por un camino que era odioso y que no llevaba a ninguna parte.

—Un viraje muy imaginativo —opinó Chamorro.

—No, no tanto. En el fondo, era la verdad. Para nosotros, no para los suyos, ya se entiende. Había dejado de ser el pobre hombre que era, un peón de una causa que lo iba a sacrificar y se habría deshecho de él si se atrevía a reconocer su condición, y se había convertido en una pieza importante para nuestra causa. Procurábamos que lo sintiera así. A un informante no sólo se le manipula, también hay que cuidarlo.

—¿Cómo se le cuidaba, en este caso? —preguntó Virginia.

Álamo me miró. Le invité con un gesto a responderle.

—Para empezar, como a todos: con dinero. Y no poco, y a medida que fue ganando peso como fuente, cuando le convencimos para pasar a la clandestinidad en Francia y se incorporó al aparato logístico de la organización, mucho dinero. Le transmitimos la idea de que cuando terminara su colaboración tendría la vida resuelta, como así fue.

—Bueno, le ayudó una herencia... —dijo Chamorro.

Álamo sonrió con malicia.

—La herencia nos ayudó a nosotros. Para blanquear el dinero que se le había pagado. Estás hablando con el artífice de esa operación.

—Qué boba, debería haberlo imaginado.

—Culpa mía —la excusé—. Me lo contó Pereira. Olvidé decírtelo.

—De todos modos, no sólo el dinero prueba el cariño, o no cuando tratas de mantener la lealtad de alguien durante años y le pides que corra un peligro descomunal —dijo Álamo—. Tienes que hacerle ver que tú eres mejor que la manada a la que está traicionando.

—¿De qué manera, por ejemplo? —lo sondeó mi compañera.

—Con Igor no nos faltaron las oportunidades. Ten en cuenta que su entorno familiar era casi todo chungo. Menos su padre y su tío, dos hombres con poco empuje, y el tío también gay, por cierto, los demás, sobre todo en la rama de la madre, estaban a muerte con la etarrada. A la madre nos la pudimos llevar por delante por colaboración, pero no lo hicimos, en atención a él, y nos ocupamos de que se enterase.

—Una buena carta. La única, a falta de mujer e hijos —dije.

—Alguna primilla le respetamos también —bromeó—, pero sí, la madre era la mejor carta que teníamos. La relación entre los dos no era lo que se dice idílica, pero él tenía cierta dependencia de ella. Quizá lo que más le atormentaba era no tener su aprobación. Haberla librado de la cárcel le daba ante ella una especie de salvoconducto moral.

—Al final, el que sí pisó la cárcel fue el propio Igor —recordé.

—Era la salida pactada. Cuando nos dio un fruto bueno, el golpe al aparato logístico, y vimos que ya no aguantaba más. Dejamos que los franceses lo detuvieran y le hicimos un itinerario penitenciario lo más amable posible. Se lo ofrecimos más corto, pese a las dificultades de todo tipo, legales, judiciales y hasta diplomáticas, pero él prefirió no despertar sospechas. Y en la cárcel siguió colaborando, lo que era un número. No imaginas lo que llegábamos a hacer para hablar con él.

—¿Por? —preguntó Chamorro.

—En la cárcel se sabe todo. Que estoy hablando con dos guardias ahora lo sabrá mañana todo Cristo, algo me tendré que inventar. No puedes ir a hablar con un etarra y esperar que los otros no lo sepan. Quedábamos con él cuando lo sacaban para ir al hospital, para hacerle pruebas por dolencias a veces reales, casi siempre inventadas.

—Nos interesa sobre todo esa época, la de la cárcel —le dije.

—¿Qué, en particular?

—Los etarras con los que estuvo. Sobre los que informaba. Hemos hecho una lista de los que sabemos. Pásamela, Virginia, por favor.

Chamorro sacó la lista de la carpeta, me la dio y se la tendí a él.

—¿Qué quieres que te diga, de todos estos nombres?

—Si con alguno te suena que pasara algo fuera de lo corriente.

Álamo me miró escamado.

—Vamos, Gardelito, seguro que puedes centrármelo más.

Había olvidado con quién estaba hablando. No opuse resistencia.

—Fíjate en los diez primeros, son los que han salido hace poco.

Recorrió la lista. De pronto abrió los ojos de par en par.

—Coño, ya sé a quién estás buscando.

—¿Y eso? —se asombró Chamorro.

—Buscas a un tío capaz de matarlo. A alguien con un motivo que de verdad pueda empujarle a eso. Y de todos estos, hay uno que sobresale claramente. Uno que me cuadra que lo apaleara de esa manera.

—¿Quién? —le pregunté.

—¿Tú te has leído esta lista bien?

—Varias veces.

—¿Y no te suena ninguno?

Sonarme, me sonaban varios. Pero uno sobre todos los demás.

—No me digas —le respondí—. No puede ser que sea él.

—Te tocó la china —sentenció—. La flor está hoy de vacaciones.

—Me he perdido —se quejó mi compañera.

—¿Estás seguro? —me resistí a aceptarlo.

—Voy a contarte, y tú decides.

Nos lo contó y no pude sino estar de acuerdo con su conjetura, que Chamorro también se apresuró a compartir. Con aquel nombre, y lo que el capitán nos reveló que tenía detrás, la ruta estaba clara.

Antes de despedirnos, Álamo se puso nostálgico.

—Me acuerdo muchas veces de aquellos años, los primeros: cuando estábamos tan perdidos, cuando todo era tan difícil. Luego se volvió pan comido. Hasta demasiado fácil era. Y al final, ya nada.

—Imposible olvidarlos —convine.

—Querrán contar otra cosa, pero hay algo que pienso una y otra vez, y como soy un burro y ahora encima un criminal, no me corto en decirlo. Al final, Gardelito, los salvamos de ellos mismos. Los tontos de Cádiz, o de Orense o de Salamanca o de Badajoz, que fuimos allí a ponernos a tiro, les dimos la paz esa que tienen ahora, sin el miedo que se los comía por las patas cuando tú y yo estábamos allí. No nos lo van a reconocer nunca, así que nos lo tendremos que decir nosotros.

—Quizá fue y es un poco más complicado —sugerí.

—Déjame ese consuelo por lo menos, hombre. Y cuéntale a la chica cómo conociste a este asesino que no ha aprendido a dejar de serlo.

29
Oficio de tinieblas

Recordaba perfectamente cómo conocí a Joseba Sopelana. También dónde, un lugar con encanto al que regresé alguna vez más adelante: San Juan de Luz, en el País Vasco francés. Andando los años, y con la colaboración creciente de las autoridades francesas en la lucha contra ETA, los guardias del servicio de Información llegaron a moverse por allí como si fuera territorio español. En una de las últimas operaciones, la detención en 2016 del último jefe conocido de la organización, al que se localizó justamente en San Juan de Luz, había desplegados en el pueblo decenas de agentes bajo las coberturas más diversas, lo que permitió monitorizar al objetivo desde su llegada hasta que se marchó de regreso a la casa donde se escondía y acabaron deteniéndolo. Todo con pleno conocimiento y la aprobación de los franceses, que tenían un oficial de enlace en el operativo. A finales de 1991, en cambio, apenas se habían empezado a estrechar los lazos y a establecer los canales de coordinación. Había ya buena sintonía con algunos elementos de los Renseignements Généraux, como Hervé, quien nos había ayudado a terminar de desmantelar el comando fantasma tras la caída de su jefe en Sevilla. Pero cuando pasábamos a Francia lo hacíamos en barbecho, escondiendo las armas en un doble fondo del maletero para cruzar la frontera y rezando para que nada saliera mal y no acabara todo en un embarazoso incidente con posibles repercusiones diplomáticas.

Así fue como seguimos a Txomin Zunzunegui, el miembro legal del comando Donosti al que me había presentado Haizea en el restaurante de Pasajes, hasta la cita en la que recogió a Sopelana para trasladarlo a un piso seguro en San Sebastián. Lo hicieron asumiendo un riesgo infrecuente: Sopelana, un terrorista fichado que iba a incorporarse como refuerzo al comando, no cruzó la *muga* a la manera acostumbrada, de noche y por el monte, sino que Txomin lo recogió en la estación de San Juan de Luz y lo trasladó por carretera hasta Sare. Lo dejó al otro lado de la frontera francesa, junto a la carretera secundaria que la cruzaba y corría paralela al río Lizuniaga, pasó él solo en coche y lo esperó al otro lado, comiendo en un restaurante. Sopelana atravesó la raya a pie, tomando como referencia el curso del río. Eludió así la vigilancia que teníamos en la carretera pero se expuso a que lo interceptara alguna de las patrullas con las que se peinaba de modo regular la zona y de las que alguna vez, años atrás, me había tocado formar parte.

Quienes los habíamos seguido durante su ruta en Francia, una vez que confirmamos que Txomin estaba controlado por los que teníamos al otro lado, volvimos a territorio español con el alivio que siempre producía dejar de jugárnosla. Cuando el legal terminó de comer, fue a recoger su coche, estacionado cerca de la espesura con el morro por delante. Abrió el maletero como si fuera a meter algo en él y en ese momento, lo captaron los ojos que teníamos apostados en un lugar próximo, Sopelana se deslizó dentro. Sólo quedaba recorrer el trecho hasta Bera de Bidasoa y desde ahí pasar a Guipúzcoa y tomar la ruta de San Sebastián. Todo pudieron hacerlo sin contratiempos: a quienes vigilaban la zona se les dio orden de que los dejaran pasar, para que los nuestros pudieran seguirlos hasta el lugar donde iba a reunirse el *talde* al completo. No nos interesaba agarrar al comando por piezas, sino que el primer golpe que le asestáramos fuera contundente y, a ser posible, demoledor. Neutralizar a los pistoleros, detener al grueso de su red de colaboradores y dejar un par de hilos sueltos, pero siempre controlados, para que nos llevaran a destruir la siguiente célula.

Cuando vimos finalmente el lugar donde se refugiaban, un bloque del barrio de Egia, la euforia se extendió por la red de transmisiones. «*Txori* en el árbol», dijo una voz. Y en seguida otras lo celebraron. Sin embargo, no había tiempo para distraerse con festejos. A los del grupo operativo les tocaba buscar las posiciones para controlar la vivienda y a nosotros elaborar la información sobre los residentes en el bloque. Álamo y yo, que íbamos en el mismo coche, conducido por él, salimos disparados hacia Intxaurrondo. No dejó escapar la ocasión:

—Me parece que vas a quedarte sin novia. Sin una de ellas, digo.

—No lo creerás, pero lo estoy deseando —le respondí.

Era verdad, aunque sólo hasta cierto punto. Por un lado me aliviaba no tener que seguir fingiendo. Después de la propuesta de Txomin en nuestro encuentro en Pasajes, la relación con Haizea se había vuelto difícil de gestionar. Se consideró que era excesivamente arriesgada mi infiltración en el comando, mediante la aceptación inmediata de lo que se me proponía: hacer tareas de correo y de apoyo, aprovechando que ni estaba fichado ni era vasco. Era más creíble que les pidiera tiempo para pensarlo. Me permitía mantener el contacto con Haizea y obtener más información. Y no me comprometía en un papel para el que no me habían adiestrado y que llevaría con toda probabilidad a que por parte de la organización se me sometiera a un mayor escrutinio. Según me dijo Pereira, la infiltración era una cosa muy seria y muy delicada, que podía salir mal y la experiencia decía que resultaba probable que así fuera. Era imprudente emprenderla sin una preparación a fondo de la persona y de su cobertura y de los mecanismos de extracción si esta se hacía necesaria. Así que me mantuve en contacto con Haizea, dándole largas respecto a aquello que me habían planteado y que de vez en cuando me recordaba, y con la escabrosa sensación de que los dos intentábamos manipular al otro: yo a ella para sacar información, ella a mí para tener un pardillo útil al que utilizar para librar de riesgos a los suyos. Que yo estuviera teniendo más éxito que ella en la manipulación me servía de consuelo, pero no impedía el desasosiego de sostener una relación donde todo era engaño. Por no hablar del que me tocaba experimentar cada vez que llamaba a quien en aquellos momentos era algo parecido a mi novia en Madrid.

Por otro lado, sin embargo, temía el momento en el que la comedia se viniera abajo. No iba a ser agradable verla caer, ni tener que hacerlo además manteniéndome todo el tiempo en segundo plano, para que ella no me reconociera y no sospechara que la causa de su caída y la de los suyos era aquel idiota uruguayo al que había tratado de liar. Eso no sólo desbarataría mi cobertura sino que también me pondría más difícil seguir actuando bajo cualquier otra en lo sucesivo. Me hacía sentir mal no poder encararla, tener que renunciar a sostener frente a ella, sin esconderme, la necesidad de tenderle la trampa a quien a su vez había tratado de entramparme. Aparte de eso, de vez en cuando se enredaban en mis sueños retazos de todos los momentos íntimos que había vivido junto a ella. Y ahí, debilitado y quizá confundido por las asechanzas del inconsciente, Haizea era una chica que me gustaba, que me proporcionaba felicidad y a la que una parte de mí, uno de esos yos que alientan, luchan y se retuercen en las capas más profundas, no quería perder y temía que llegara el momento de no verla ya más.

Me apeteciera o no, la historia ya estaba escrita y no

iba a dejar de cumplirse. Lo hizo un poco antes de lo que esperábamos. Teníamos controlada la vivienda y habíamos obtenido ya toda la información sobre quienes vivían en el edificio y su disposición interior. Estábamos esperando a que llegaran la unidad de intervención y la orden judicial para la entrada, no sólo allí, sino en el resto de los pisos de los colaboradores del comando, cuando recibimos aviso de uno de los puestos de vigilancia: Haizea acababa de aparecer en un coche. Recogió a Txomin y se movió hasta una esquina, donde esperaron en doble fila, atentos. Un par de minutos más tarde, del portal salieron Sopelana y otro individuo que caminaron con paso rápido hacia el vehículo.

Los dos llevaban mochilas: el *talde* estaba cambiando de nido y no nos iba a servir de nada entrar en aquel piso horas después. La ventaja era que estaban todos en la calle, donde se los podía detener aunque no tuviéramos aún la orden judicial. Quien dirigía el operativo sobre el terreno solicitó la autorización para intervenir, antes de que arrancara el coche. En eso, en el portal apareció un tercer individuo, que resultó ser el jefe del comando. No le dio tiempo a llegar a donde le esperaban sus compañeros. Uno de nuestros coches camuflados cortó el paso al que conducía Haizea, dos de los nuestros se lanzaron sobre el jefe, lo derribaron y lo engrilletaron, y otro grupo de media docena abrió las puertas del coche y sacó y redujo a los tres que esperaban allí. Tan de sorpresa los pillaron que no tuvieron tiempo ni de sacar las armas. La que sí la llegó a sacar, aprovechando que no se habían abalanzado de entrada sobre ella por haberla creído desarmada, fue Haizea.

Yo estaba relativamente lejos, vigilando desde un piso que habíamos logrado alquilar en tiempo récord en el bloque de enfrente, pero con los prismáticos pude ver cómo se metía la mano bajo la cazadora y un segundo después la forma negra e inconfundible de la pistola. Quiso la suerte que estuviera cerca Aurora, lista para hacerse con ella cuando sus compañeros neutralizaran a los otros. Atrapó su brazo al vuelo, lo golpeó contra el marco de la ventanilla e hizo caer el arma. Luego, sin dejar de sujetarle y retorcerle el brazo, abrió la puerta, la agarró por la cazadora y la tiró al suelo. Haizea no era floja, pero nuestra Nerea era más fuerte y estaba mejor entrenada. En seguida la doblegó y la tuvo con la rodilla clavada en sus riñones. No respiré hasta que vi que le enganchaba las dos muñecas y se las trababa con las esposas.

—Menuda pantera, Gardelito, se entiende que la vayas a echar de menos —se mofó Álamo mientras me tendía el pasamontañas.

—Me da a mí que de esto entiendes poco —le dije, poniéndomelo.

Bajamos a toda velocidad a la calle, donde ayudamos a los demás a formar un perímetro improvisado, en tanto acudían los refuerzos para asegurar la zona en la que habíamos tenido que intervenir de forma precipitada y poder sacar de allí a los detenidos. Cuando llegaron los vehículos de los GAR que habían movilizado desde Intxaurrondo, nos hicimos cargo de los cinco miembros del comando y nos los llevamos sin pérdida de tiempo a la comandancia. Por si acaso, y aunque iba con el pasamontañas, me abstuve de subir al coche donde iban Haizea y Txomin, no fueran a identificarme. Álamo y yo agarramos al jefe y lo emparedamos en el asiento de atrás entre nuestros hombros.

—¿Quién ha sido el hijo de puta que nos ha cantado? —bramaba el detenido, mientras el conductor se abría paso entre el tráfico.

—Sitúate, chico. Aquí no eres tú el que pregunta —le dijo Álamo.

—Yo hago lo que me sale de los huevos —repuso el otro.

—Ya no, y hazte a la idea de vas a tardar en volver a hacerlo.

—¿A dónde me lleváis?

—A Disneylandia.

—En serio te pregunto, joder.

—Y en serio te respondo. ¿Vas a querer foto con Mickey?

—Te diviertes, ¿eh?

—No creas. O te callas de una vez o te meto un trapo en la boca.

Al cabo de unos minutos dedujo por la ruta a dónde íbamos.

—A Intxaurrondo, ¿no?

Álamo le respondió con sorna:

—No te hagas pipí encima. El coco está hoy de permiso.

—Cabrones —bufó el otro—. Algún día pagaréis por todo esto.

—Yo creo que tú vas a pagar antes. Y cállate te he dicho.

Metimos a los cinco en los calabozos, a la espera de instrucciones. Entre tanto, había llegado la orden judicial y se puso en movimiento la maquinaria para practicar la media docena de entradas y registros que nos autorizaba. Mientras esperábamos a que nos trajeran al resto de los detenidos, alguien propuso ir aprovechando y reseñando a los que ya estaban, para tener esa tarea ya hecha cuando los lleváramos con los demás a Madrid. De ello se encargaron Álamo, otro de nuestro grupo y dos miembros del grupo de la propia comandancia, entre ellos Rosas, el cabo de mano larga y pasado oscuro con el que ya había coincidido alguna otra vez. Aunque mi graduación era ahora la misma que la suya, me sacaba más de diez años, que allí venían a contar como cuarenta. Al verlo hacerse cargo de la reseña de los detenidos, tuve un mal presentimiento, pero lo lógico, dado mi papel en la operación, era que me mantuviera lo más apartado posible. Me fui al fondo de la sala, a una zona que estaba en penumbra.

Los fueron trayendo de uno en uno, para fotografiarlos y tomarles las huellas. Cuando trajeron a Txomin, me metí en otro despacho, por precaución. Luego le tocó el turno a Sopelana. Como a los demás, le hicieron desnudarse, y en ese momento el miedo le pudo y se orinó encima. No era el primero al que le pasaba, ni iba a ser el último, en los veintitantos años que aún le quedaban de actividad a la organización. A veces le sucedía al que menos te imaginabas que flaquearía. Sopelana era un individuo con varios asesinatos a las espaldas y un recorrido de años viviendo en la clandestinidad. Sencillamente, no debía de haberse mentalizado como correspondía de cara a aquel trance que al final le tocaba padecer.

—Mira que eres marrano —le gritó Rosas.

El otro retrocedió, con la cabeza gacha.

—Haz el favor y tráeme una fregona para que limpie su meada este guarro —le ordenó Rosas al guardia que tenía más próximo.

Volvió el guardia con la fregona. El cabo se la tendió al detenido.

—Ven aquí, cógela.

Para hacerlo, tenía que pasar por encima del charco de orín. Dudó, entre pisarlo o saltarlo, y Rosas encontró en esa vacilación el pretexto para hacerle sentir al detenido hasta qué punto estaba a su merced. Hizo una especie de malabarismo con la fregona, agarró el palo por la parte más cercana al mocho y con un giro de muñeca le propinó al hombre desnudo un mandoble en las costillas que lo hizo doblarse y encogerse de dolor. En cuanto pudo enderezarse, le advirtió:

—O la coges ya o te llevas otro.

El detenido avanzó, agarró la fregona y se puso a fregar. Cuando terminó, Rosas empujó con el pie el cubo con agua hacia él.

—Y ahora aclara la fregona. Y le das hasta que no huela.

Sopelana, temblando, hizo lo que se le ordenaba. Una vez que el suelo quedó a gusto del cabo, le permitió que volviera a vestirse. Así se le hicieron las fotos y se le tomaron las huellas. Cuando terminó, Álamo le esposó las manos a la espalda y se dispuso a entregarlo al guardia que lo iba a devolver a la celda. Al pasar junto a Rosas, en un ataque de orgullo, Sopelana irguió el cuello y le tiró un escupitajo.

—Qué haces —le dijo Álamo, mientras le daba una colleja.

Le había acertado en el ojo a Rosas. Este sacó un pañuelo, se limpió la saliva del detenido y con tono crispado le pidió a Álamo:

—Apártate, chico.

Álamo trató de disuadirlo:

—Vamos, ya está, ya le he dado una colleja yo.

—Muy bien, pues no te apartes.

Y sin mediar más palabra, derribó al detenido de un puñetazo en pleno rostro. Álamo a duras penas pudo sujetarlo en la caída.

—Las collejas son de nenas —dijo Rosas—. Este quiere ir de hombre. Ahora ya puedes llevártelo, para que piense si da la talla.

Álamo se apresuró a sacar de la sala al prisionero. En ese momento vi cómo estaba sangrando y me imaginé cómo se le iba a poner la cara. Me había costado callarme, mientras Rosas humillaba a un detenido indefenso; pero enfrentarse a aquel veterano era un movimiento que convenía meditar y resultaba desaconsejable delante de Sopelana. En cuanto la puerta se cerró tras este, me adelanté y me encaré con él.

—A qué ha venido eso.

—El qué, muchacho.

—La gilipollez que acabas de hacer.

—Anda, vas a enseñarme el oficio, ahora.

No me arrugué.

—Enséñame tú cómo se le justifica al forense de la Audiencia que el detenido lleve la cara como un mapa. ¿Qué le vamos a contar?

—Que se resistió a la detención.

—Aparte de ser mentira, hay testigos que pueden desmentirlo.

—No lo harán.

—Ah, ahora tenemos que cubrirte porque no sabes contenerte.

—Si quieres te chivas, sudaca. Y te atienes a las consecuencias.

—Mi capitán sabrá lo que ha pasado. Él decidirá.

—Qué miedo.

Álamo, que había vuelto a entrar, se interpuso entre los dos.

—Vamos, Rubén, déjalo.

—Estas cosas no pueden dejarse, Leandro.

—Ya hablamos luego tú y yo. Vamos a terminar con esto.

—Sí, venga, terminemos —dijo el otro—. Traed a la torda.

—No voy a permitir que este animal la reseñe —dije.

Rosas torció el gesto. Le pidió a Álamo:

—Llévate de una puta vez al Príncipe Valiente. No me quiero pasar todo el día para reseñar a cinco guarros. Tengo más que hacer.

Álamo me empujó hacia la salida. Me resistí, pero era más fuerte que yo, y tampoco era cuestión de pelearme con él delante del otro. Ya en el pasillo, me sujetó por los hombros y me miró de frente.

—Compañero —me dijo—, yo me ocupo. Yo lo controlo. Ya le has dicho lo que creías que le tenías que decir. No la liemos más.

—Es un puto imbécil. Hay que contárselo a Pereira para que hable con su jefe y no le dejen tocar en la vida a un detenido más.

—Vale, se lo dices. Luego.

—Me respondes personalmente de que no se pase con ella.

—Tranquilo. Si hace falta, le meto una hostia. Le puedo.

—Ya sé que le puedes. ¿Me lo prometes?

—Te lo prometo. Tú espera ahí. Lo hacemos rápido.

Me metí en el despacho de enfrente, como antes, durante la reseña de Txomin, pero no pude evitar estar pendiente de cuándo traían a Haizea. Apenas oí que se cerraba la puerta me asomé al pasillo para intentar oír lo que se decía allí dentro. Durante unos minutos, no logré distinguir nada, hasta que de pronto se escuchó un grito de mujer:

—¡No, eso no!

Pegué el oído a la puerta. Oí la voz de Rosas.

—Estás buena, para ser etarra, pero no vas a descubrirme nada.

—¡Que no, cerdo!

Terció entonces Álamo:

—Anda, ya está bien así. Y si de verdad quieres cerciorarte, salimos todos y traemos a una de las chicas y que la revise bien ella.

—No me da la gana. Aquí mando yo. Soy el más antiguo.

Entonces, sin poder aguantarme más, cometí el error. Podía haber confiado en Álamo: me había dado su palabra, y entre sus defectos, que eran muchos, no se contaba el de saltársela; o por lo menos, no con su compañero. Si hubiera hecho falta, habría reducido físicamente al otro. Sin embargo, me pudo la cólera, o quizá la vergüenza con la que no estaba dispuesto a vivir si aquello iba más allá. Empujé la puerta y de un golpe vi la escena: a Haizea contra la pared, en ropa interior, y a Rosas enfrente, relamiéndose de placer. Me situé entre ambos.

—Saca a este tío de aquí, ahora —le pedí a Álamo.

—Eh, que también soy más antiguo que tú —me recordó Rosas.

—Me la sopla. Sácalo —le insistí a mi compañero.

Álamo empezó a subir y bajar las manos en el aire.

—Joder, calmaos los dos. Mira —le dijo a Rosas—, no me importa que seas el más antiguo, me vas a hacer el favor de salir de aquí.

Me volví a la chica. Aunque no sabía hasta qué punto le impediría el pasamontañas reconocerme, dirigirme a ella era una temeridad.

—Vístete —le ordené, a pesar de todo—. Ahora te tomaremos las huellas y te haremos las fotos y te llevan otra vez a la celda.

—Criatura, tú quieres buscarte un lío —me advirtió Rosas.

Haizea empezó a vestirse. Rosas vino hacia mí. Álamo se colocó en medio de los dos. En ese momento, una figura apareció en la puerta:

—Qué está pasando aquí.

Todos reconocimos, bajo el pasamontañas, al brigada Ruano.

—Una discrepancia entre estos dos, una tontería, estaba tratando de ponerlos de acuerdo —se adelantó a informarle Álamo.

—Salid, los dos. Y termina tú de reseñar a la detenida.

Ante la orden directa de un superior, Rosas dio al fin, aunque de mala gana, su brazo a torcer. Salimos los dos y Ruano nos indicó que entráramos en el despacho. Pasó detrás de nosotros, cerró la puerta tras de sí y se arrancó el pasamontañas de la cabeza. Rosas lo imitó y yo hice otro tanto. Durante unos segundos nos quedamos así los tres, mirándonos los rostros congestionados. Al final, habló el brigada:

—Quién de los dos me lo explica.

—Nada —dijo Rosas—. El chaval, que se ha encoñado.

Ruano me miró y luego volvió a mirarlo a él.

—Lo conozco bien —le dijo—. No me encaja eso que me cuentas. Pero me gustaría saber cuál es tu versión, Vila, si puede ser. Algo muy gordo ha tenido que pasar para que te haya sorprendido en esa sala y con esa chica. Donde sabes perfectamente que no deberías estar.

—No he podido aguantarme, mi brigada.

—¿No me lo quieres desarrollar más?

—Ya ha visto cómo la tenía.

—Tenemos que reseñarlos enteros, es el protocolo de identificación. Tú le has hecho quitarse más ropa que él, aunque no la obligaras.

No me gustaba la delación, pero tampoco podía callarme.

—Eche un vistazo al resto de los detenidos —dije—. Verá que uno de ellos tiene la cara como si acabara de atropellarlo un Talgo.

—¿Ah, sí? ¿Y eso?

—Pregúntele a la locomotora. Aquí la tiene.

—¿Es eso verdad? —le preguntó a Rosas.

—Se revolvió —respondió este—. Me escupió, el muy cabrón.

El brigada bajó la vista al suelo. Respiró hondo.

—¿Y no sabes limpiarte un escupitajo sin darle un mamporro? Y ya puestos, si no sabes, ¿no has aprendido a darlo sin dejar huella?

—Me temo que el forense también va a encontrarle alguna huella en las costillas —le apunté para que tuviera toda la información.

—¿En las costillas? —se encaró con Rosas.

—Soy humano, mi brigada —le respondió el otro—. Y conozco al padre del niño al que dejaron hecho trozos con una bomba. A veces uno necesita desahogarse. No me diga que a usted no le pasa.

—¿Tú eres bobo, Rosas?

—Eso a qué viene.

—A que al padre del niño también lo conozco yo, pero ¿sabes por qué me voy a aguantar las ganas de desahogar la rabia que me da lo que le hicieron y no voy a tocar un pelo a los que tenemos ahí?

—No, explíquemelo.

—Primero, porque no sirve de nada. Si a cambio de las dos hostias le hubieras sacado algo que nos hiciera falta saber y no pudiéramos conseguir de otra manera, buscaría la manera de entenderlo. Pero a cambio de nada, hay que ser idiota para mancharse las manos, a estas alturas. Y segundo, hay otra razón más importante. ¿No la imaginas?

—No.

Ruano le clavó una mirada cargada de azufre.

—Porque no quiero joder a mis compañeros.

El cabo se encogió de hombros.

—No hay que hacer un mundo de esto. Se resistió y lo redujimos con energía. Eso es todo, se le cuenta al juez y caso archivado.

El brigada meneó la cabeza.

—Ojalá, capullo. Desaparece de mi vista, anda.

Rosas tomó aire y le replicó, altivo:

—A sus órdenes, mi brigada. Aunque yo haré lo que me digan mis jefes. Y si tiene algún problema, vaya usted a hablar con ellos.

Cuando Rosas nos dejó solos, el brigada se me quedó mirando con una expresión que no le había visto nunca. Por primera vez, intuí en ella algo parecido a lo que pueden esperar encontrar en la mirada de un padre aquellos a quienes la vida les ha concedido uno, en lugar de la aparatosa ausencia con la que a mí me tocó hacerme a vivirla.

—Menudo follón, Rubén —dijo al fin.

—Lo siento, mi brigada, por la parte que me toca.

—No te sientas culpable. A veces, sin más, las desgracias se juntan. Que hayamos tenido que intervenir hoy sobre la marcha. Que no nos haya dado tiempo a prepararlo todo en condiciones. Que por poco no se nos haya caído la mitad de la operación. Y que de remate se metiera este por medio. Todos sabemos quién es y lo que tiene detrás. Por eso lo he visto claro desde el principio. Y por eso mismo no creo que lo pudieras haber hecho mucho mejor. ¿Te ha reconocido la chica?

—No lo sé. Me temo que sí.

—Todo un contratiempo. Verás cuando se entere Pereira.

—De eso soy yo el único responsable —acepté—. Encoñado no creo que esté, pero a lo mejor tenía que haber estado más frío.

—Ya está hecho. Ahora habrá que arrear con ello.

—¿Sabe dónde está el capitán?

—De camino. Con el resto del grupo y media docena de detenidos.

—Al final, se ha podido salvar la operación, entonces.

—Sí, más o menos. Pero ve pensando lo que vas a contarle.

—La verdad. No se me ocurre otra cosa.

—Quiero decir, cómo vas a contárselo.

—¿Puedo contar con su apoyo?

Entonces Ruano sonrió y me puso la mano en la nuca.

—Claro, Gardelito. Te he criado a mis pechos.

—Gracias, mi brigada.

—Aunque no sé por dónde saldrá todo esto —reconoció.

—¿No sería una buena ocasión para apartar a Rosas? —sugerí.

—Ojalá, pero no te hagas ilusiones.

—¿Por qué?

Una sombra de amargura atravesó su rostro.

—Porque la historia no ha empezado ayer, y porque a veces, sólo a veces, las cosas son un poco más complicadas de lo que parecen.

Poco después, me reuní con Álamo.

—Se ha quedado mosca —me dijo—. Para mí que te ha fichado por la voz. Y si sabe sumar dos y dos, esa entrada en plan quijote...

—No tenía más remedio.

—Tenías que haberme dejado. Te lo prometí.

—Ahora ya da igual.

—¿Qué te ha dicho Ruano?

—Que dará la cara por mí.

—Y yo. Con un límite.

—¿Qué límite?

—Si me llama un juez a declarar, respaldaré lo que dice Rosas. Que el etarra se resistió y hubo que reducirle con contundencia.

—Muy agradecido.

—Y lo mismo harás tú, si lo piensas. No tienes otra.

Me quedé pensando en lo que decía Álamo. En Haizea semidesnuda a merced de aquel cabestro, un desenlace que yo había contribuido a propiciar. Y de pronto me vino a la cabeza una frase del libro de Cela, de aquel *Oficio de tinieblas 5* donde se convertía en personaje a Ulpiano el Lapidario, el romano al que citaba Pereira para darle a cada uno lo suyo. Iba sobre el amor, del que tenía una visión poco romántica: «el amor implica fuerza en la cosa y violencia destrucción desnutrición en la persona es un robo no un hurto». Más adelante, en el mismo libro, se podía leer: «si una mujer te hace gozar más que ninguna otra mátala mientras duerme». Eso era lo que me tocaba ahora: matar su recuerdo y todas las emociones que despertaba en mí, mientras ella no dormía, cómo iba a hacerlo, en el calabozo donde estaba encerrada.

El capitán me llamó tan pronto como recibió el informe de Ruano. Me pidió que fuera con él a un despacho para hablar a solas.

—Voy a contarte una historia —comenzó—. Pasó hace veinte años, en la casa cuartel donde yo vivía de niño, a treinta kilómetros de aquí. Un día mataron a uno de los guardias y se desató la ira entre el resto, que echaron mano a las armas para vengarse. Cuando se dirigían a la puerta, un sargento se puso en medio, miró al cabo que los encabezaba y le dijo: «Ahora mismo devolvéis esas armas al armero y os vais cada uno a vuestra casa». Aquel sargento era mi padre. Yo no lo entendí del todo entonces. Luego aprendí a entenderlo, y a imaginar el desastre que aquel cabo habría provocado si no hubiera estado ahí mi padre para pararlo. Pero no todo el que quiso tirar por un atajo tuvo siempre a quien supiera ponerse en medio. Cuanto más alto está el que se echa al monte, menos lo tiene. Y esas decisiones luego traen cola.

No terminé de ver por dónde iba. Pereira se dio cuenta.

—Entiendo lo que has hecho —me explicó—, pero también espero que entiendas que no puedes poner a un compañero a los pies de los caballos. Si cae, que sea por su peso, no porque lo empujes tú.

Capté la idea. Fue entonces cuando me percaté de que nadie iba a apartar a Rosas, salvo que un juez lo condenara. Aquel incidente, ahí lo supe, era mucho más probable que acabara apartándome a mí.

30
Hitza eta hilotza

Chamorro conducía nuestro coche como solía, con la vista al frente y las manos marcando con firmeza las dos menos diez sobre el volante. Era lo que recomendaban los expertos para no perder jamás el control del vehículo. Atravesábamos el paraje de Despeñaperros, de regreso hacia Madrid desde El Puerto de Santa María. Las montañas se veían verdes y exuberantes y la primavera amenazaba ya por todos sus rincones. Virginia había escuchado mi relato sin interrumpirme. Ahora no sólo sabía cómo había conocido a Joseba Sopelana, según me había pedido Álamo que le explicase. También cuándo y cómo había descubierto que la guerra se había terminado para mí. Aún me faltaba algún giro, pero en lo sustancial recordaba aquella tensa conversación con Pereira en un despacho de Intxaurrondo como el principio del final. Como el momento en el que perdí la opción de participar en la victoria.

—Si te soy sincero —le confié—, cuando saltó la noticia de que ETA entregaba las armas, sin ninguna contrapartida, tuve una sensación agridulce. Me alegró, cómo no, por la recompensa a tantos esfuerzos y la memoria de todos los que no lo pudieron ver, pero a la vez me sentí fuera de aquel triunfo, y comprendí que era así porque en su día había tomado el camino más cómodo. Tal vez, pensé, fueron mejores los que aceptaron la mugre de aquella trinchera, supieron vivir en el límite durante décadas y al final tuvieron éxito. Es a ellos, y no a los que no servimos para estar ahí porque nos pudieron los escrúpulos, a quienes se debe que hoy mucha gente se haya librado del miedo. A ese hombre al que has visto en la cárcel, por bruto y corrupto que pueda ser.

—Entiendo que no quisieras vivir con algo como lo que me acabas de contar, ni tampoco taparlo —dijo—. No sé qué habría hecho yo.

De pronto, temí estar dándole una imagen distorsionada.

—La cuestión —le aclaré— es que no lo viví de manera sistemática. Apenas tuve ese incidente, por culpa de un tipo con una historia muy particular. En esa época, pasaba rara vez. Podría haberlo olvidado y haberme centrado en lo que ya estábamos, lo que el propio Pereira nos machacaba a todas horas: conocer al enemigo, entenderlo y superarlo gracias a esa inteligencia. Pero aquel episodio, sumado a lo de la chica, me descentró. Aunque se haga sin saltarse las reglas, la guerra siempre es cruda. Hay que estar dispuesto a convivir con su crudeza. Aquello me sirvió para entender que yo no lo estaba. No lo suficiente.

—Al final no fue tan malo que no lo estuvieras —sugirió.

—¿Por qué lo dices?

—Te sirvió para conocerme a mí.

—Eso es verdad.

—Y para pasarte a los homicidios, que son tan agradables.

—Agradables no son, pero comprometen menos.

—Hablando de compromisos —recordó—, tenemos un montón de cosas que hacer. Una de las primeras, una vez que informemos a los jefes, hablar con el juez de Ibiza. Envió a la cárcel a alguien que...

—A alguien que me temo que ahí va a quedarse de

momento, mi brigada —la interrumpí—. Lo que tenemos es una teoría, cada vez más consistente, pero que nos queda un mundo para corroborar.

—Como al final la corroboremos, cada día de más que se pase ese chico en el talego nos va a pesar sobre la conciencia —advirtió.

—Ni tú ni yo dictamos en su día el auto de prisión. Me limitaré a exponerle a su señoría lo que hay, y él sabrá si quiere jugársela.

—Lo que nos ha contado Álamo nos proporciona un autor con perfil creíble y un móvil, o más de uno. Si le sumamos lo que nos dijeron en Guipúzcoa, tenemos un culpable alternativo mucho más convincente que Álvaro. Si somos capaces de situarlo en el lugar del crimen, no veo cómo podría retrasarse la puesta en libertad de ese chaval.

Estaba de acuerdo con ella, pero aún nos faltaba rellenar de pruebas ese relato. Había que empezar a recogerlas, una por una.

—Por lo pronto —le dije— yo iría pidiéndole al sargento primero Txiki que se acercara a hacerle una visita a nuestro profe, Joxean, con la foto más reciente que podamos conseguir de Joseba Sopelana.

—Me encargo.

—Y ten en cuenta que eso sólo es el principio. Para poder ir a por él con fundamento, vamos a tener que trabajar de firme. Lo mismo nos lleva meses. Así que más vale que refrenes tu impaciencia.

Al final tardamos dos meses en reunir las pruebas necesarias para justificar el viraje de la investigación. De todo lo que averiguaba mi equipo mantuve puntualmente informada a mi multitudinaria cadena de mando: el comandante Ferrer, el coronel Hermoso y el juez Prats, sin olvidarme nunca de Pereira. A partir de cierto momento, también tuvimos que poner al corriente de nuestros hallazgos al comandante Tuñón, de Ibiza, y al teniente Tomeu, de la

Unidad de Policía Judicial de Palma. Entre otras cosas, necesitaba que me confirmaran una serie de extremos sobre el terreno para poder incriminar a nuestro nuevo sospechoso. De forma especial se distinguió en esa labor la guardia Eva, ya que, siguiendo el consejo de Chamorro, le había pedido a su jefe que ella fuera mis ojos y mis oídos en Ibiza y en Formentera. Sin Eva, su intuición y su conocimiento de ambas islas, no habríamos logrado ponerle la guinda al paquete de pruebas con el que pudimos, por fin, pedirle al juez que nos dictara una orden de entrada y registro en el domicilio de Joseba Sopelana y nos autorizara a detenerlo.

Un par de semanas antes, el magistrado Prats accedió a la enésima solicitud de libertad bajo fianza presentada por la abogada de Álvaro Reyes. El mismo día que le notificaron el auto, la madre del chaval me llamó por teléfono. Fue una conversación embarazosa, porque por muy agradecida que estuviera y por más que me lo pidió yo no podía contarle nada de lo que me constaba que había influido en la decisión judicial. No menos embarazosa, y bastante más accidentada, fue la conversación que tuve con Amaia Etxebarri cuando me llamó al día siguiente. Como tampoco podía decirle nada, salí del paso como pude. Traté de explicarle cómo funcionaba la prisión provisional, de acuerdo con las leyes procesales españolas. Me esforcé por persuadirla de que se habían tomado las medidas de aseguramiento necesarias sobre el presunto asesino de su hijo para que no escapara a la justicia. No la convencí ni poco ni mucho. Me dijo con tono airado que estaba claro que según las leyes españolas la prisión preventiva era más dura para los suyos que para quienes los mataban, y acabó colgándome.

Bajo el efecto de mis conversaciones con las dos madres, aquellas dos últimas semanas se me hicieron eternas. Cuando elevamos al juez el informe de situación, tras aprobarlo nuestros jefes, y su señoría me llamó y me dijo que estaba de acuerdo en proceder, respiré aliviado. Despaché a la mitad del equipo a Ibiza y subí sin perder más tiempo con Chamorro a Guipúzcoa. Allí, con la ayuda de los compañeros de la Unidad de Policía Judicial y el sargento primero Txiki, preparamos a conciencia la intervención. Sopelana vivía en uno de esos pueblos del Goierri donde no era juicioso operar sin haber tomado unas cuantas precauciones, y menos para detener a un antiguo miembro de ETA. Nos procuramos el apoyo de una unidad del GAR y la víspera de la explotación le comenté al capitán de la Unidad de Policía Judicial si no debíamos avisar con algo más de antelación de la habitual al mando de la Ertzaintza en la comarca. El capitán me miró con asombro:

—Para esto, con menos antelación todavía —me dijo—. Una hora antes, tirando por alto. Ya tienen ellos costumbre de apañarse.

Acepté que estaba allí para tratar de resolver un homicidio, o mejor dicho para tratar de enmendar la mala resolución que le había dado meses antes, y no para introducir ninguna mejora en los protocolos de coordinación entre cuerpos policiales. Acaté pues su criterio.

Joseba Sopelana vivía en el centro del pueblo, en un piso modesto heredado de sus padres, fallecidos hacía poco. El mobiliario era propio de otra época, con la única excepción de una televisión plana Full HD de respetable tamaño. Era una constante en los registros, de un tiempo a aquella parte: no importaba cuán humilde fuera la vivienda, la tele descomunal, o por lo menos grande, estaba garantizada. Me pregunté cómo la había comprado Joseba, cuyas finanzas no eran boyantes. Tal vez se la habían regalado sus correligionarios, porque era mejor hacer donativos en especie a quien tenía una responsabilidad civil ingente e insatisfecha por los asesinatos que contaba en su hoja de servicios, y por la que siempre lo podían embargar. A Joseba lo encontramos en el que debía de haber sido, a juzgar por la decoración, el dormitorio de sus padres. A diferencia de cómo había reaccionado un cuarto de siglo atrás, esta vez no se resistió a la detención. Cuando se vio encañonado por uno de los agentes de los GAR, levantó las manos y protestó:

—No había necesidad de romper la puerta ni montar este belén.

—Está detenido, Joseba —le dijo Chamorro, mientras otro agente de los GAR le bajaba las manos y se las esposaba a la espalda.

—¿Qué mierda de sumario habéis reabierto para detenerme? Me tiré veinticinco años en la cárcel, aunque me colguéis otro marrón, con la pena que me comí ya se las arreglará mi abogado para sacarme.

—Se le acusa de asesinato —le informó mi compañera.

—Menuda novedad.

—En concreto del asesinato de Igor López Etxebarri, en Formentera, en noviembre del año pasado. Tiene derecho a guardar silencio...

—¿Qué? —exclamó el detenido—. ¿Os habéis fumado algo?

Chamorro le informó con voz monótona de toda la retahíla. Habíamos acordado que ella llevaría la interlocución con el detenido y que yo me quedaría en segundo plano, en tanto no fuera imprescindible mi intervención. Joseba nunca me había visto la cara, pero sí había oído mi voz, y no poco, durante los cinco días que estuvo detenido en 1991. Me pareció que era mejor no correr el riesgo de que me reconociera, por muy remoto que este pudiera ser, al cabo de tanto tiempo.

—En cuanto al abogado —le explicó mi compañera—, puede usted designarlo, si lo tiene, pero pongo en su conocimiento que vamos a trasladarlo a Ibiza, donde está el juzgado que instruye las diligencias, por lo que tendrá que ir allí. Si no quiere designar usted abogado o su abogado no puede desplazarse, se le designará uno de oficio.

—Esto es demencial. Claro que quiero designar abogado.

—Pues será mejor que vaya dándonos su nombre, para llamarlo y para que se pueda organizar el viaje —le recomendó Chamorro.

Sopelana no daba crédito. Me pregunté si en algún momento había considerado que aquello podía llegar a ocurrir. Supuse que no. Era verdad que las precauciones que había tomado eran muchas y buenas. Aunque no tantas, ni tan buenas, como para prevalecer sobre el trabajo de un nutrido equipo de investigadores durante varios meses.

El registro, que había que practicar en presencia del detenido y de la letrada de la Administración de Justicia, fue rápido. Sopelana no tenía muchas posesiones y sus dispositivos se limitaban a una tableta con teclado y un par de teléfonos móviles, uno de ellos muy antiguo. Con todo en nuestras manos, nos lo llevamos a Intxaurrondo, donde nos esperaba el helicóptero. Me fijé en su gesto al cruzar la barrera. No podía imaginar que iba con alguien que sabía lo que le recordaba.

Antes de subir al helicóptero, el comandante me preguntó si hacía falta que encapucháramos al detenido. Se hacía en casos excepcionales, para disminuir su capacidad de poner en riesgo a la tripulación en el reducido habitáculo del aparato. Miré a Joseba y le respondí:

—Creo que se portará bien.

Me aseguré de que lo oyera. Prefería no ponerle la capucha, si podía evitarlo, pero no me sobraba que recibiera la advertencia. Le ayudé a subir y se sentó, esposado, entre Chamorro y yo. Le puse el cinturón y le hice notar que estaría pendiente todo el viaje. Cuando el helicóptero se despegó del suelo, se quedó mirando aquella tierra que volvía a quedar atrás para él. Luego se sumió en sus pensamientos. Y ahí se mantuvo hasta que avistamos el azul luminoso del Mediterráneo.

En el aeropuerto de Ibiza, a pie de pista, nos esperaban los tenientes Tomeu y Ferrando. Junto a ellos estaba nuestro Arnau, acompañado por el guardia Revuelta. El resto de nuestro equipo, con Salgado al frente, se encontraba en la compañía, donde íbamos a centralizar las diligencias. Los informes estaban ya preparados, pero no podíamos descartar que lográramos arrancarle al detenido una confesión, y había que tenerlo todo dispuesto para modificarlos en lo necesario.

De camino a la compañía, Sopelana, que había guardado un silencio elocuente durante el vuelo, se sintió obligado a decir algo:

—Tengo mucha curiosidad por saber cómo vais a hacer para probar que he estado en una isla que acabo de pisar por primera vez.

—Todo a su tiempo —le dijo Chamorro.

—Es que esto es alucinante. Aunque en fin, ya sabemos todos lo que es y cómo funciona el supuesto Estado de derecho español.

Virginia ignoró la pulla con elegancia:

—Le recuerdo que el crimen fue en Formentera.

—Igual da. Tampoco he estado en mi puta vida allí.

—Ya lo veremos —zanjó mi compañera.

Como era de esperar, Sopelana había designado como abogado a uno de los letrados de la izquierda *abertzale*, o mejor dicho a uno de los que no estaban en prisión, imputados por la dirección del aparato de control de presos de la organización, el llamado *frente de makos*, uno de los últimos reductos activos de ETA. Paradojas de la vida, ellos iban a salir poco después, tras negociar con la fiscalía un acuerdo como el que durante años se encargaron de impedir que cerraran sus defendidos. En todo caso, eran abogados competentes, por lo que el interrogatorio en su presencia no iba a ser una prueba sencilla. Quise cerciorarme de que Chamorro era consciente de aquella dificultad y de que se sentía lo bastante segura como para afrontarla. Mi duda casi la ofendió.

—A estas alturas, deberías saber que no me arrugo ante los retos.

—Por si acaso, ahí estaré —le dije—. Si no te importa.

—Tú verás. El jefe eres tú.

El abogado llegó a la mañana siguiente. De común acuerdo con el comandante Tuñón, que era el anfitrión y jefe del acuartelamiento, preferí no intentar antes un acercamiento informal a nuestro detenido. No quería darle al abogado la excusa para alegar una nulidad, y me pareció mucho mejor, en este caso, que Sopelana se cociera durante unas horas en su propia salsa. Esta vez, al contrario de lo que esperaba seguramente, nadie lo despertó en mitad de la noche. Le dejamos dormir sus ocho horas, antes de llevarle el desayuno. Que no pudiera conciliar el sueño era algo que ya ventilaría él con su conciencia.

Eran las doce del mediodía cuando nos sentamos frente a él y frente a su abogado, un tipo de cuarenta y pocos años y mirada gélida, en la sala de interrogatorios. El equipo interrogador lo formábamos Tomeu, Chamorro y yo. Sopelana nos midió a los tres con desconfianza. A esas alturas debía de tenerle intrigado el motivo por el que yo no abría la boca, y la novedad de la presencia de Tomeu le hizo concebir, tal vez, la posibilidad de que el teniente llevara la voz cantante. Le sorprendió que una vez más su interlocutora principal fuera mi compañera.

—Buenos días, señor Sopelana —comenzó—. ¿Ha descansado bien?

Joseba la miró como si quisiera fulminarla.

—¿A ti qué te parece?

—Nunca se sabe. Cada persona es un mundo.

—Duermo mejor en mi casa. En mi tierra.

—Si me permiten —tomó la palabra el abogado—,

me gustaría hacer constar, de entrada, que mi defendido niega todas las acusaciones y no piensa responder a las preguntas. También que deben indicarnos de qué medios de prueba concretos disponen contra él, si no quieren que esta diligencia sea nula de pleno derecho por causarle indefensión.

—A eso íbamos, letrado —le respondió Chamorro, sin inmutarse—. No queremos que su representado se sienta indefenso. Por eso está aquí usted y por eso vamos a responder a lo que acaba de preguntar. Sólo estaba intentando ser amable con él. ¿Quieren un café?

—Yo estoy bien —gruñó Joseba.

—Y yo —se adhirió el abogado.

—Muy bien. Dando cumplimiento a lo que acaba de recordarnos, tenemos contra su defendido pruebas técnicas informáticas, pruebas técnicas de telecomunicaciones, periciales sobre las anteriores, pruebas documentales, testimonios varios y pruebas videográficas.

Los dos se quedaron notoriamente descolocados.

—¿Le parece suficiente concreción? —preguntó Virginia.

—Me gustaría examinar esas pruebas.

—Y a mí que Brad Pitt me pintara las uñas cada mañana, pero los deseos, en la vida, solamente se cumplen hasta cierto punto.

—Haré constar mi protesta en el recurso correspondiente.

—Es lo que tiene poder recurrir. Hágalo, está en su derecho. Por mi parte, me gustaría explicarles el contexto y lo que esperamos de esta conversación. Ya tomo nota de que en principio lo niega todo y no desea responder a ninguna pregunta. Si al final eso es lo que prefiere, no se preocupe, le devolveremos al calabozo y ahí esperará tranquilo a que terminemos todo el papeleo para ponerlo a disposición del juez. Pero antes de que tome una decisión definitiva, a mis compañeros y a mí nos gustaría ayudarle a entender dónde estamos, Joseba.

Chamorro se acababa de asegurar la atención de ambos.

—No siempre pasa —dijo—, pero esta vez tenemos suficiente como para que su confesión sea casi irrelevante. No le estoy pidiendo que nos ayude a probar algo que traigamos a medias: le estoy ofreciendo la oportunidad de convencernos de que no fue un asesinato, que es lo que ahora pensamos y creemos que pensará el jurado. Es decir, que si quiere contarnos algo que permita interpretarlo como un homicidio, y ahorrarse unos años de cárcel, estamos abiertos a considerarlo.

No se lo esperaban. Ni él ni su abogado. Que Chamorro les soltara aquello y se quedara mirándolos con aquel aire dulce y apacible.

—Yo no he hecho nada —respondió Sopelana—. Y no voy a caer en una trampa tan burda. He aguantado interrogatorios peores.

—¿Peores? —indagó ella, con aire ingenuo.

—Con torturas. Denunciadas y probadas. Su justicia franquista las archivó, pero ahora hay una comisión vasca que las reconoce.

—Vaya, lo siento. Y mi admiración por aguantar.

En la última frase había una maldad por parte de mi compañera. Sabía, porque se lo había dicho yo, que veinticinco años atrás Joseba distaba de haberse mantenido tan férreo como ahora proclamaba.

—De todos modos —le dijo—, ya ve que aquí no le torturamos.

—Detener a un inocente y llevarlo a mil kilómetros de su casa para interrogarlo a mí se me parece bastante a una tortura, pero imagino que vosotros, con vuestras costumbres, lo veis de otra manera.

—Un inocente... —repitió Chamorro, pensativa.

Sopelana cometió su primer error. Se revolvió y quiso retarla:

—A ver, decidme en qué vuelo llegué a la isla. Tendréis ese dato, ¿no? ¿O queréis cargarme una muerte así porque sí?

—En ninguno —le contestó Chamorro.

—Empezamos bien, ¿eh? —se burló el detenido.

—Señor letrado —dijo ella, eludiéndolo a propósito y dirigiéndose a su defensor—, si le parece voy a responder un poco más en detalle a lo que me preguntó antes. Para que su defendido se sitúe mejor. No sólo no hemos ido por él así porque sí, sino que hemos incorporado a las diligencias, entre otras, dos pruebas verdaderamente interesantes. Una es la certificación de su título de patrón de embarcaciones de recreo, que obtuvo en su juventud, antes de unirse a la organización ETA, y que renovó hace un año, tras salir de la cárcel. La otra es el testimonio del apoderado de la empresa de Denia que le alquiló una embarcación de diez metros de eslora con motor, el pasado noviembre. Según nos reconoció, le pagó en negro y sin factura, y su defendido le dio un nombre que no es el suyo, pero lo identificó sin lugar a dudas, y ante la posibilidad de encubrir un delito grave así ha aceptado testificarlo.

A eso no hubo respuesta por parte de ninguno de los dos.

—Por empezar a centrarnos por algún lado, señor Sopelana. ¿Puede decirnos usted dónde estaba dos días antes de la muerte de Igor?

—He dicho que no voy a responder a sus preguntas —murmuró.

—No hace falta, yo se lo digo. En Denia, justamente. ¿Se pregunta por qué lo conseguimos ubicar ahí? No nos lo puso fácil, pero tampoco demasiado difícil. El truco de usar la línea de teléfono móvil de su madre fallecida no es muy sofisticado. Comprendo que para navegar es prudente llevar un teléfono móvil encima, pero ya que no quería llevar el suyo, eso también lo entiendo, tendría que habérselo currado un poco más. El número de su madre estaba entre las llamadas de Igor. Quizá si no hubiéramos sospechado de usted, habría colado y podría haberle servido para despistarnos. Pero cuando sospechamos y les dimos una vuelta a todos los titulares de los números con los que había hablado Igor en las fechas previas a su muerte, fue pan comido establecer el vínculo. Y ya puestos, tampoco debería haber guardado usted el viejo terminal de su madre, con la tarjeta SIM. Es tan antiguo que no nos va a costar nada destriparlo. Ya estamos en ello.

—Es un farol. Todo —dijo Sopelana con un hilo de voz.

Chamorro meneó la cabeza, con gesto compasivo.

—Vamos, Joseba. Cuando se pierde, se pierde. Jugó sus cartas. Era un plan elaborado, tal vez podría haberle salido bien, si nadie hubiera pensado que usted podía tener motivos para matar a Igor. Y ahora, si yo fuera usted, me preguntaría por qué lo pensamos nosotros.

—Veo que os habéis modernizado —se le revolvió Joseba—. Habéis cambiado las hostias por el lavado de cerebro. Pero no voy a picar.

La brigada lo vio a su merced. Ahí pasó al tuteo, y al ataque:

—No hace falta lavarte nada. Tú sabes de qué conoces a Igor. Sabes lo que pasaba en aquella celda que compartisteis en Alcalá-Meco. Y estoy segura de que recuerdas lo que hablaste con él cuando saliste en libertad, y le llamaste, y acabaste viéndote con él. Tenemos las fechas, en su pueblo y en San Sebastián. Vuestros teléfonos estuvieron un rato enganchados en la misma antena. Ya no basta con tomar precauciones el día que haces la pifia, hay que tomarlas durante todo el tiempo.

Lo vi palidecer. Chamorro siguió golpeando, implacable:

—Lo que no sabemos es cómo supiste que vendría a Formentera, y qué días: si te lo dijo de pasada, si se lo dijo a alguien que le llamó mientras estabais juntos y lo oíste, o de otra manera. Pero es evidente que lo supiste, y por eso te las arreglaste para venir tú, pensando que era el lugar ideal para quitarlo de en medio sin que asociaran el hecho contigo. Un plan algo incierto y complicado, pero cuando uno tiene un verdadero empeño en algo, lo acaba consiguiendo. Viniste, lo buscaste y lo encontraste. Solo, desnudo y sin posibilidad de defenderse. Otro fallo, por cierto, fue darle tantos golpes. Una señal evidente de que no lo mató un desconocido, sino alguien que le tenía muchas ganas.

El abogado creyó llegado el momento de intervenir:

—Está bien, no intenten manipular más a mi cliente. Les ha dicho que no piensa responder a sus preguntas. Si tienen esas pruebas que dicen, o no, ya se verá. Traigan el acta y acabemos con esto.

—Nadie intenta manipular a nadie, abogado —dijo Tomeu con su tono calmo y su marcado acento insular—. Mi compañera está tratando de hacerle ver que su estrategia es desesperada. Inútil. Si quieren, los dejamos solos y lo hablan. Creo que le convendría meditarlo.

—No hay nada que meditar —rechazó el defensor.

—Joseba —dejó caer Chamorro—. ¿Qué hiciste con el remo?

Al oír la pregunta, la expresión del detenido viró al pánico. Sin darle tiempo a responder, la brigada siguió hablando con voz neutra:

—El ciclomotor, ya lo sabemos. Dónde lo robaste, en La Savina, y dónde lo abandonaste, al lado de la laguna donde atracaste la barca. De eso también tenemos testigos. Nos costó entrevistar uno por uno a los paisanos que dejan allí las suyas, pero al final dimos con uno que se acordaba de haber visto una embarcación que no tenía fichada. Y con el dueño del embarcadero de donde cogiste el remo. Lo que no hemos conseguido es encontrarlo. ¿Lo quemaste, lo tiraste al mar?

Sopelana vislumbró de pronto una escapatoria.

—¿De verdad queréis meterme en la cárcel por un asesinato con un puñado de testigos pagados? Nos veremos en Estrasburgo.

Aquel era el momento que Chamorro había estado esperando.

—Te lo hemos dicho antes, no sólo tenemos testigos. Nos tomamos la precaución de recoger todo el tráfico de telefonía móvil de la isla en esos días. Ahí, qué cosas, estaba el número de tu madre. Y ahora todo está lleno de cámaras, aunque no seamos conscientes, y más cuando nos movemos por un entorno poco poblado y que nos es desconocido. Me gustaría enseñarte un vídeo, antes de que vuelvas al calabozo.

Abrió su portátil y buscó el archivo, sin prisa. Orientó la pantalla hacia Joseba y el abogado y reprodujo el clip de vídeo. Lo explicó:

—Aquí estás, circulando en el ciclomotor por la carretera principal de la isla, a la ida. Eso que llevas cruzado a la espalda es el remo.

—Esa persona, de espaldas, puede ser cualquiera —dijo el abogado.

—Sí, pero fíjese en la imagen a la vuelta, ya sin el remo. La hemos ampliado y afinado la resolución. Yo diría que sale muy reconocible.

No sólo lo habría dicho ella. Joseba se llevó las manos a la cara.

—En fin, señor Sopelana —resumió Tomeu—, ahora le traeremos el acta donde haremos constar, como nos pide, que no desea responder a ninguna pregunta, pero no diga que calló sin saber lo que había.

—Vamos, Joseba —le insistió Chamorro—. Búscate alguna excusa para que te bajen la pena. Y si no la tienes, qué sé yo, desahógate.

El detenido alzó la mirada. De pronto era otro hombre.

—Está bien.

—Joseba, tranquilo —le recomendó el abogado.

Sopelana bufó como un toro.

—Déjame, hostia. Ya está. Los *txakurras* han hecho los deberes. Me daré el gusto de decírselo. Que descubrí y me cargué a su chivato.

El aire se solidificó en la sala. El abogado de Joseba se quedó fuera de juego. Chamorro se anotó impasible su bien trabajado triunfo.

—*Hitza eta hilotza* —dije entonces.

Sopelana y su letrado se me quedaron mirando, estupefactos.

—Perdón por la pronunciación, no soy euskaldún —expliqué—. Es una de sus consignas, ¿no recuerdan? Primero la palabra, y luego el cadáver, si no estoy equivocado en la traducción. Se empieza por el discurso que permite sacrificar a alguien, y luego se le sacrifica. Ahora resulta que Igor, que se comió diez años de cárcel, era un chivato. El caso es que sabemos, y sabe usted también, señor Sopelana, que no lo mató por eso, que se acaba de inventar y de lo que no tiene ninguna prueba, sino porque no supo aguantar la prisión como el machote que quiere aparentar que es. Se dejó arrastrar a lo que Igor le propuso, y no ha sido capaz de vivir con esa vergüenza. Podría haberlo llevado un poco mejor, no es el primero ni será el último que toma en la cárcel.

—Vaya, tienes lengua —mascullló—. Y hasta sabes idiomas y todo. Tú eres el listo, ¿no? Por eso estabas ahí callado todo el tiempo.

—Soy uno más. Y mi compañera interroga mejor.

—¿Eso es lo que os contó vuestro soplón? ¿Y os lo creísteis?

Daba en el clavo: eso era, entre otras cosas, lo que le había contado a Álamo la víctima cuando estaba en la cárcel y mi compañero era su manipulador. También le había dado más información obtenida de Sopelana, aprovechando aquella intimidad, pero eso era lo último que podía reconocer yo ante el detenido. Como era muy consciente de ello y había anticipado que esa sería su reacción, tenía una respuesta.

—No, él a nosotros no nos contó nada —le dije—. Le recuerdo, por si lo ha olvidado, que lo detuvieron los franceses, ellos sabrán qué les dijo. Quien nos lo contó fue uno de sus novios. No siempre se guardan los secretos de cama, Joseba. A veces, y le dejo imaginar la razón, al que los tiene le pone contárselos a otros. Y por si le interesa o le interesa a su abogado, ese testimonio está en las diligencias.

—¿Eso es una amenaza?

—Sólo una información. Para que la gestionen como quieran.

Sopelana me midió en silencio. De sus ojos chorreaba el odio.

—Tú estuviste en el Norte, ¿no? —me espetó.

—Pierda toda esperanza. No le voy a contar la historia de mi vida. Aquí se trata de la historia de la suya. ¿Está dispuesto a admitir en el acta que es usted el autor de la muerte de Igor López Etxebarri?

—Una mierda voy a admitir en tu mierda de acta. Me he dado el gusto de deciros que pillé al traidor y que hice justicia, en nombre del pueblo de Euskal Herria. Ahora haced lo que os salga del nabo.

—No todos vamos a poder —observó Chamorro.

—Muy graciosa. Ya me habría gustado agarrarte de más joven.

—Anda. ¿Debo sentirme halagada?

—Por la espalda, y con la pipa en la mano. Habría apretado el gatillo bien a gusto, lo puedes creer. Y varias veces, para asegurar.

—Muy bien, Joseba —le dije—. Sigue soñando con esa pipa.

Veintiséis años después, volví a levantarme y a llamar para que se lo llevaran. Y volví a sentir, otra vez, que sólo a medias era un éxito.

Epílogo
El mal de Corcira

Ni Álamo ni yo podíamos verle la cara a Joseba Sopelana mientras lo interrogábamos en aquel calabozo de la Dirección General, en Madrid, tres días después de su detención en Guipúzcoa, pero ambos sabíamos que bajo la tela de la capucha seguía hinchada por el puñetazo que le había propinado el cabo Rosas. A la forense de la Audiencia habíamos tenido que contarle que se había resistido durante la reseña, hecho que él negó a gritos. La facultativa tomó nota de ambas manifestaciones y describió la lesión en su informe. Le pedimos que lo hiciera con toda la precisión posible, para que al pasar a disposición judicial no pudiera alegar heridas adicionales. La forense nos dijo, de mala gana, que ya tenía ella por costumbre ser tan precisa como fuera necesario.

No la veíamos, pero imaginábamos que la expresión de Sopelana bajo la capucha debía de ser de cansancio y angustia. Era la tercera vez que lo interrogábamos, siempre Álamo y yo. El capitán Pereira había decidido que nos ocupáramos nosotros, tanto en el traslado desde Intxaurrondo como después, en parte para hacerme sentir la confianza que seguía manteniendo en mí y para darme la ocasión de enderezar lo que por culpa de terceros había empezado con mal pie. Me ocupé sobre todo yo, tratando de hacerle ver desde el principio que lo que le había ocurrido con Rosas era una anomalía que no se iba a repetir, y a la vez que teníamos tanta información sobre él que era esfuerzo baldío tratar de confundirnos con embustes. Que si quería, podía no contar nada, ya que le asistía el derecho a guardar silencio, pero que sobre todo no intentara colarnos ninguna de las mentiras habituales que él y los suyos se traían aprendidas por instrucción de sus superiores.

Sopelana estaba ya cansado, y al ver que no éramos como Rosas, se fue creciendo, poco a poco. Ante mi enésima pregunta sobre los objetivos contra los que tenían planes de atentar, me replicó:

—Mira, *txakurra*, ¿sabes qué te digo? Chúpame la polla.

La respuesta, automática, le llegó de donde menos esperaba: desde detrás, por donde en ese momento se paseaba Álamo. El sonido de la colleja retumbó en las paredes de la sala donde lo interrogábamos. El detenido se encogió y cuando recobró el resuello amenazó, airado:

—Esto también se lo diré al juez.

La amenaza tuvo su recompensa: una nueva colleja, más fuerte que la anterior. Sopelana volvió a doblarse y porfió en protestar:

—Os juro que os voy a buscar la rui...

La tercera colleja le impidió terminar la frase.

—Tú me dirás cuántas quieres —le avisó entonces Álamo—. Puedo meterte veinte sin cansarme, cada una me desahoga y te aseguro que soy capaz de dártelas sin que te quede marca ni romperte nada.

El detenido se llevó la mano a la nuca, dolorido.

—También podría romperte algo si quisiera, que conste —le dijo—. De lo que se trata es de que no confundas: somos educados y legales, pero aquí el mango de la sartén lo tenemos nosotros, y tú, mi pequeño *gudari*, eres una puta mierda y respetas a quien te pregunta.

Sopelana no pudo aguantar más los nervios y rompió a sollozar. El ruido de su llanto me llegaba apagado desde debajo de la capucha. Al escucharlo, se acentuó el malestar que llevaba instalado en mi interior desde hacía tres días. Porque hay que tener en el alma algo de lo que carezco para disfrutar de ver a un hombre humillado. Pero también, y esa era la peor parte, porque mientras Álamo le soltaba aquellas tres collejas, una detrás de otra, me había sentido desahogado con él.

—Está bien —dije—. Lo ha pillado, no tienes que darle más. Y ahora es muy sencillo, Joseba, dime qué objetivos teníais vistos y te dejo que te vuelvas al calabozo a descansar. Y si lo que me cuentas me suena bien, a lo mejor con esto damos por cerrado el tema y ya no volvemos a molestarte hasta que os llevemos pasado mañana ante el juez.

Joseba acabó hablando, y lo que dijo es probable que contribuyera a salvar alguna vida: a varias personas se las pudo advertir de que era conveniente que tomaran más precauciones, lo hicieron y no hubo que acabar enterrándolas antes de tiempo. Esa fue la parte buena. La parte mala fue que Joseba denunció las torturas sufridas y, sobre la base de las lesiones que traía de Guipúzcoa, porque cuando lo entregamos al juez de la Audiencia la forense certificó que no presentaba ninguna otra, se abrieron unas diligencias en un juzgado de San Sebastián.

Tal y como era predecible, y al sumarse la denuncia de Haizea y los demás miembros del comando, en ellas se nos imputó a todos los que habíamos estado en la reseña de los detenidos. Tuvimos que declarar ante el juez, donde sostuvimos la versión acordada: Sopelana se había resistido y había habido que reducirle con firmeza y a Haizea no se le había sometido a más maltrato que la reseña y el registro corporal que eran preceptivos conforme al protocolo. Fue ella la que aportó la clave que permitió que las diligencias se archivaran respecto de la mayoría, cuando dijo que en el momento en el que ella se había visto vejada, el que la había maltratado dijo a otro que él era el más antiguo, lo que obró el efecto de señalar a Rosas como posible autor de los excesos. Al final, y dada la escasa entidad de las lesiones, que curaron en apenas una semana, y la falta de prueba de que la causa de las heridas fueran los golpes de naturaleza agresiva y degradante que Sopelana alegó haber sufrido, también él acabó quedando libre de todos los cargos.

Entre medias, en mi vida había sucedido alguna otra cosa. Corrían las primeras semanas de 1992 cuando la chica con la que salía me dio la noticia que menos podía esperar: estaba embarazada. No supimos explicarnos cómo habían fallado los medios que solíamos poner para impedirlo, pero el caso era que se nos presentaba una decisión y ni ella ni yo vimos clara la opción de abortar. De esa decisión colgaba otra, casi automática, y acordamos dar el paso. En un sentido, lo recuerdo como uno de los más afortunados de mi vida, porque permitió que existiera mi hijo. En otro, como uno de mis muchos errores, que dio lugar a un matrimonio finalmente fallido con alguien a quien me asiste la certeza de que no debía haber unido nunca mi camino, por muchas razones que el tiempo acabó desvelando y que tenían que ver con los excesos y las carencias de una y de otro. Uno de los privilegios del hombre de edad, sin embargo, es poder recordar sólo aquello que le hace sentir bien y le invita a agradecer el regalo de la vida, y sepultar en un plácido olvido, tras asumir la responsabilidad que le incumbe, todo aquello que por alguna razón produce el efecto contrario. Por eso acostumbro sólo a pensar que, entre otros motivos, vino mi hijo y me terminó de persuadir de marcharme. Y bien estuvo que fuera así.

El último empujón me lo dio el propio Pereira, cuando fui a contarle que me casaba, que iba a ser padre y que, por todas esas razones y después de los acontecimientos recientes, incluida mi imputación por la imprudencia de alguien a quien ni siquiera se había apartado de su puesto, estaba pensando seriamente en pedir destino. Contra lo que esperaba, el capitán, dejando al margen la cuestión del embarazo y la boda, ni se mostró sorprendido ni se empeñó en disuadirme.

—¿Lo has pensado bien? —me preguntó, sin mucho énfasis.

—Ya le venía dando vueltas, pero lo del niño me ha terminado de decidir. Ya sabe lo que dice la canción de Radio Futura.

—No. ¿Qué canción?

—*La vida en la frontera*. Si no lo recuerdo mal: «La mujer que concibe tu hijo también acaba con las voces de lo incierto en ti».

—No sé yo —dudó, desde su propia paternidad—. En todo caso, no me parece del todo mala idea. Estaba pensando proponértelo.

No pude ocultar una cierta contrariedad. No es lo mismo que hayas pensado tú irte que descubrir que tu jefe ya te lo iba a sugerir.

—Entiéndeme —se apresuró a aclarar—. Sé que vamos a perder un activo de primera para darles a estos aprendices de Mao la medicina maoísta principal: haz por conocer al enemigo mejor que él a ti.

—En realidad la idea no es de Mao. La copió de Sun Tzu.

—¿Ves? Te voy a echar de menos, y no tengo ningún sabihondo de recambio, ninguno como tú; pero a la vez me doy cuenta de que te has quemado más de lo debido, quizá por lo que te ha tocado hacer, y de remate el incidente en Intxaurrondo. A ver si esto sirve para que en adelante me hagan caso y a los detenidos los traigan a Madrid desde el puto agujero de donde los saquen, sea cual sea la circunstancia.

—Espero que así sea, por el bien de todos.

—En realidad, tengo una propuesta concreta para plantearte.

Así era Pereira. Creía ir a sorprenderle y me sorprendía él a mí.

—¿Qué propuesta?

—Necesitamos gente en Barcelona. Hay que reforzar la unidad de Información y también la de policía judicial, de cara a los Juegos Olímpicos. Ya sabes lo que nos jugamos, y lo que nuestros enemigos aspiran a hacer con ellos. Hay que mandar a gente espabilada, como tú. No sé cómo lo ves, pero Barcelona es buen sitio para criar a un hijo. Tiene playa, hace buen tiempo. Coméntaselo a tu futura esposa.

Hice lo que me decía, convencí a la madre de mi hijo, pedí destino a la Unidad de Policía Judicial, para cambiar de adversarios y de aires, y fue allí, en Barcelona, donde acabó naciendo Andrés. Años más tarde, cuando las cosas con su madre acabaron de estropearse, fue otra vez Pereira el que me ofreció la posibilidad de volver a Madrid para estar más cerca de mi hijo, que se había trasladado allí con mi ya exmujer, e incorporarme a la unidad central que él, después de sus particulares sinsabores en la lucha antiterrorista, escogió para su cambio de rumbo profesional. Aunque esa, a fin de cuentas, es ya otra historia.

Veintiséis años después, la mañana de mayo de 2018 en la que el teniente general Pereira volvió a recibirme en su despacho de mandamás, no tuvimos más remedio que recordar aquella conversación y evocar algunas otras cosas de las que habíamos vivido en nuestros años de lucha contra el más encarnizado de los enemigos. La noticia estaba en la portada de todos los periódicos que Pereira tenía sobre la mesa. Finalmente, lo poco que quedaba de ETA anunciaba que se disolvía. «En el pueblo», precisaba de manera un tanto inquietante el comunicado final, que volvía a mencionar el bombardeo de Guernica como legitimador de la lucha armada de la organización o, para llamar a las cosas por su nombre, del casi millar de asesinatos cometidos. Y como pintoresca y tragicómica novedad, añadía la causa feminista a sus reivindicaciones. Pereira no pudo dejar de hacer el comentario:

—Quizá quieran explicárselo a las viudas o a las huérfanas, o a los familiares de todas las mujeres a las que se cargaron, alguna hasta de los suyos. De qué manera entienden que las liberaron de algo.

El comunicado lo leía, con voz vacilante y locución mejorable, uno de los pocos etarras históricos que seguía en libertad y en paradero desconocido. Supuso en cierto modo un ejercicio de justicia poética que quien lo acabara deteniendo un año después, en el escondrijo que se había procurado en los Alpes, fuera una joven guardia civil.

—En fin, ya está —concluyó Pereira—. Ahora sí. Ya no son nada.

—Eran poco desde hace tiempo —observé.

—Quedaban los rescoldos. Y quedarán, pero de otra forma ya.

—Es extraña la coincidencia.

—¿Con qué?

—Con lo nuestro. Con ese rescoldo llamado Joseba Sopelana.

—Por eso te he hecho venir.

—Espero que no sea para regañarme por algo.

—Al revés. Quiero felicitarte. No sólo por cómo has sacado la pata que metimos, en parte por mi culpa, o por culpa de la discreción que había que guardar ya sabes respecto de qué. Y también, y sobre todo, por haber sabido dejar al margen la condición de confidente de Igor. Era importante, por muchos motivos, que eso no constara.

No quise atribuirme más mérito del que tenía.

—Tenía argumentos para desviar la atención. Y Sopelana, al final, no es demasiado listo. La manera en que dice lo que dice, la violencia de la muerte, y el ruido que harán y el morbo que despertarán en los medios sus relaciones carcelarias con la víctima, son la mejor garantía de que ese otro tema quedará satisfactoriamente enterrado.

—Bien está así, hay que ir cerrando páginas —opinó.

—No va a ser fácil —advertí—. Nunca lo es. Nunca lo fue. Esto que hemos vivido nosotros no es nuevo. Viene de muy muy atrás.

—¿A qué te refieres?

De pronto, me quedé observándolo, como si le viera por primera vez. Pereira era un hombre bien plantado, mantenía un porte ágil y atlético y no cabía ninguna duda de que sabía llevar el uniforme. El pecho alfombrado de medallas le otorgaba un empaque añadido. Pero había pasado el tiempo, y dentro de no mucho, como yo mismo, sería un jubilado, perdería aquel despacho y la reverencia de los subalternos y tendría que pensar qué hacía con el resto de su vida. Fue desde esa conciencia, a la que él mismo no era ajeno, como hombre inteligente, y por el vínculo humano que los años habían establecido entre ambos, por lo que me permití no callarme lo que pasaba por mi cabeza.

—¿Ha leído usted a Tucídides, mi teniente general?

—Joder, Vila. Cómo te gusta pillarme. Ya sabes que no.

—Se lo recomiendo, si tiene tiempo. Yo tampoco lo había leído, la verdad, hasta hace no mucho. Y desde que lo descubrí no hago más que releerlo. Su libro habla de una guerra muy antigua, entre Atenas y Esparta y los aliados de uno y otro. Ese es el asunto principal, pero al paso va contando otras historias. Entre ellas, la de Corcira.

—Corcira... ¿Eso qué es?

—Una isla. Ahora se llama Corfú. También es el lugar donde según Tucídides se desencadenó por primera vez entre los griegos, con toda su furia, la guerra civil. O lo que es lo mismo, la confrontación entre compatriotas, que para ellos era entre los ciudadanos de una misma polis, porque Grecia era más bien un espacio cultural común: el estado era la ciudad y la ciudad era la patria de cada uno. Fue en Corcira donde se vio por primera vez lo que traía consigo hacer de tu vecino un enemigo, con el enfrentamiento entre el partido democrático, que era partidario de Atenas, y el oligárquico, que era afín a Esparta. Al final se impuso el partido democrático, pero eso es lo de menos. Lo principal es lo que cuenta Tucídides y cómo lo cuenta, y cómo dos mil cuatrocientos años más tarde casi parece que lo escribiera ayer.

—¿Por ejemplo?

—«La muerte se presentó en todas sus formas, y no hubo exceso que no se cometiera.» Así describe lo que el bando democrático hizo con sus enemigos cuando los tuvo a su merced. Pero lo más estremecedor son los detalles. Dice, por ejemplo, que cambiaron el significado normal de las palabras en relación con los hechos, para que se ajustaran a lo que querían que dijeran. No sé si esa técnica le suena de algo.

—De algo me suena, sí.

—Cuenta que quienes actuaban de forma temeraria y atolondrada pasaron a ser ensalzados por ser más leales al partido que el resto. En cambio, quien se mostró prudente pasó a ser considerado cobarde, quien pedía moderación se vio acusado de ser poco hombre, y a quien apostó por la inteligencia le achacaron incapacidad para la acción. El que se dejaba llevar por la ira era el que se creía digno de confianza, y el que no, sospechoso. A quien se adelantaba a intrigar, a hacer el mal, o empujar a otro a hacerlo, era al que se respetaba, por astuto.

—También nos suena eso —admitió.

—Y dice Tucídides que en Corcira los vínculos de sangre llegaron a ser más débiles que los de partido, porque el partido no se fundaba en el bien común, que es lo que inspira las leyes, sino en la codicia y la ambición de poder que animan a los hombres a infringirlas, y entre ellos muchos prefieren creerse listos cuando son unos canallas, antes que dejar que los llamen cándidos por ser personas de bien. El poder y la ventaja sobre el resto se convirtieron así, según él, en el mejor sostén del fanatismo. Y quienes cometían acciones más odiosas más renombre alcanzaban, y quienes eran más mediocres se imponían una y otra vez, porque a ellos no les temblaba nunca el pulso a la hora de actuar.

—Caramba. El tío lo clavó, punto por punto —se admiró.

—Contó lo que vio allí, nada más. Por si podía servirle a alguien de advertencia sobre lo que acarreaba lanzarse a la guerra civil. Lo que pasa es que nadie escucha esas advertencias. Nadie lee a Tucídides, nadie quiere que la antigua sabiduría le estropee los planes. No hay más que mirar a quienes entre nosotros han recurrido a la guerra civil como solución política, empezando ya sabe usted por quién.

—Cómo no. Tenía que salir ese rojo que llevas dentro —bromeó.

—Será un pretexto, o lo que queramos, pero ahí está, una y otra vez: incluso en ese último comunicado. Y las cosas son como son, y quien llamó a los aviones alemanes para soltar esas bombas fue quien fue. Si no los hubiera llamado, el pretexto no estaría ahí. De todos modos, lo mismo le digo de Lenin, y de Mao, y de los franceses tan ingeniosos que les dieron munición mental a estos y les animaron a creerse que la guerra civil, la destrucción y el sacrificio humano eran un camino de libertad. Ahora, a vivir con los platos rotos, con las secuelas del mal de Corcira, que aquí hemos puesto tanto afán en mantener vivo.

Pereira asintió, circunspecto.

—Y espera, que ahora que se disuelven estos hay por

ahí otros a los que les ha entrado envidia, y que también se fuman las leyes y cambian el sentido de las palabras y se creen que deshacer es el camino.

—Siempre tenemos de esos —dije—. Por ahí y por aquí también.

—En fin, con lo que nos queda en el convento, ni tú ni yo vamos a poder ya arreglarlo —calculó—. Lo dicho, Rubén. Te doy las gracias, por la lección de historia y por el resto. Y espero que me las aceptes como amigo, y te olvides por una vez del teniente general, al que le quedan sólo un par de telediarios para ser una sombra que pasa.

—Lo intentaré.

—¿Qué haces ahora?

—A la una cojo el avión a Ibiza. Tengo una reconstrucción.

—Pues que reconstruyas bien. Dame un abrazo.

Me dejé abrazar, con una sensación extraña. Todavía faltaba, quizá, que él abandonara aquel despacho y yo mi puesto para que pudiera dejar de tenerla; para ver en él a aquel amigo que se me ofrecía.

Me encontré con Chamorro en Barajas, ya en la puerta de embarque. Esta vez no tuve que correr por la terminal. Incluso me permití dejar que me arrastrara el pasillo mecánico, mientras comprobaba en mi teléfono mensajes y llamadas perdidas. Tenía un wasap de mi hijo, en el que me felicitaba por la disolución de ETA con su estilo habitual: «Gran día para los viejos rockeros, ¿no? Disfrútalo. Como siga así, yo sólo tendré batallitas de guiris mamados para contar a los nietos». Le respondí que esperaba que así fuera, pero que no estuviera tan seguro. Tenía, también, una llamada perdida de mi madre. Se la devolví con la punzada de inquietud con la que lo hacía siempre, desde que había cumplido una edad. Por suerte, no había ninguna novedad alarmante. Quería hablar también del asunto del día. Estaba emocionada:

—Si tú supieras la cantidad de noches sin dormir que

le debo a esta gente. Cuando lo he visto se me han saltado las lágrimas y todo.

—Hace bastante tiempo que ya eran historia, mamá —le dije—. Hoy sólo han decidido darse cuenta y reconocerlo.

—Me acuerdo de algo que decía tu abuelo, que en paz descanse. Que muerto y enterrado Franco, sólo faltaba que se muriera la maldita ETA para que este empezara de una vez a ser un país normal.

—No hay países normales, mamá.

—¿Por qué tienes que ser siempre tan disolvente?

—Vale, lo retiro. Ojalá. Yo también me acuerdo del abuelo.

Esa tarde, nos fuimos con todo el equipo a cenar a un restaurante de San Antonio. Ya había empezado la temporada y se veía muy distinto de unos meses atrás. Los extranjeros, en diversos grados de ebriedad, llenaban las calles y hacían cola en los cajeros automáticos que había casi en cada esquina. El comandante Tuñón me contó por qué:

—La droga hay que pagarla en efectivo.

Antes de ir al restaurante nos recorrimos el paseo marítimo hasta Sa Punta des Molí, reproduciendo el itinerario que Igor había hecho con Álvaro Reyes y que las cámaras habían registrado. Hice una parte del camino con la guardia Eva, a quien aproveché para darle las gracias:

—De no ser por ti, ese chico seguiría en el talego.

—Sólo puse mi parte, lo que sabía. Como todos.

—Tendrías que haber visto la cara de Sopelana cuando vio el vídeo de vuelta en la moto. Donde salía nítidamente su jeta.

—El Gran Hermano —dijo—. Menos mal que los malos se olvidan.

Al llegar al molino, nos detuvimos. Me quedé mirando la bahía, y en primer término las rocas sobre las que cada mañana, allá por 1932, caminaba Walter Benjamin para tomar su baño en aquel mismo mar. La casita mísera en la que vivió, al lado del molino, ya no existía. El molino lo habían rehabilitado y a la puerta había un cartel donde se recordaba la estancia del filósofo. Recordé que entre otras labores se dedicó a poner en limpio los lejanos recuerdos de su infancia en Berlín, la ciudad que poco después tendría que abandonar, empujado por el odio y la sinrazón de otros que dividían a sus convecinos en buenos y malos alemanes, en amigos y enemigos. Y me acordé de Igor, y con mi propia presencia aquello se convirtió en un congreso de apátridas.

En la cena, en un restaurante típico que reservó el comandante, se sentó a mi lado el teniente Castán. Había venido para conocer al resto del equipo de una investigación de la que había sido pieza invisible, pero también para asistir a la reconstrucción. Lo que en ella se dijera y sucediera era de interés para su negociado. Después de los brindis, y sin abandonarse del todo a la relajación del resto, me sondeó:

—¿Qué crees que pasará mañana?

—No lo sé —le dije—. Prepárate para cualquier cosa.

A la mañana siguiente, me sorprendió una llamada en mi teléfono móvil a muy primera hora. Tenía el número guardado. El juez Prats.

—¿Cómo tenía pensado ir a Formentera? —me preguntó.

—En el ferry, como todos. Bueno, al detenido lo lleva una lancha de las nuestras, pero no hay mucho sitio, no es demasiado grande.

—¿Anda ya en pie?

—Más o menos.

—¿Puede estar en el puerto en media hora?

—Sí, supongo que sí.

—Le espero en el Club Náutico.

Así fue como hice la travesía de Ibiza a Formentera

en el *llaüt* del juez Prats. Y la hice literalmente, porque nada más salir del puerto, al reparar en cómo le miraba manejar la caña del timón, me ofreció:

—¿Quiere llevarlo? Es fácil. Venga aquí.

Dudé, pero me pudo la curiosidad y la emoción de llevar un barco y acabé desplazándome al sitio en popa desde donde se gobernaba.

—No tengo título para esto —le dije.

—Soy el juez, tranquilo. No le procesaré.

—No sé dónde hay rocas, ni por dónde tengo que ir.

—Yo sí, ya le voy diciendo, por ahora mantenga el rumbo.

Hacía una mañana radiante. Rodeamos el peñón abrazado por la muralla, en cuya altura culminante se alzaba la torre de la catedral. Fue entonces cuando el juez me preguntó qué pensaba de la historia que nos había reunido, y que aquella mañana nos tocaba completar con la reconstrucción del crimen. Quizá esperaba que le hablara de la parte policial, o no. El caso es que le acabé hablando de Tucídides y de lo que pasó en Corcira. De cómo el odio entre los que forman parte de una misma comunidad puede producir toda suerte de aberraciones y hay quien logra salir de ellas y quien en cambio las perpetúa.

El juez me señaló la torre de la catedral, que iba quedando a popa.

—Si sube ahí, verá unos cuantos nombres de asesinados en nuestra Corcira particular. Aquí también hubo una guerra civil, como sabrá usted. En el año 36, Ibiza cambió de manos tres veces. Sublevada al principio, republicana luego, sublevada al final. Y en cada cambio se llevaron por delante a unos cuantos. En la catedral sólo se recuerda a unos, ya sabe. Pero esto es muy pequeño, en la memoria de la gente estaban todos, con nombre y apellidos. Piense que aquí todos somos primos, como quien dice. A veces me digo que es un milagro que no estemos todos tarados. En Ibiza siempre tuvimos fama de honrados y de que darnos la mano valía como firmar un papel: es verdad, porque si engañabas a alguien se sabía pronto y ya no picaba nadie más.

El juez pareció meditar un instante sobre ese rasgo isleño. Alzando la voz, para que se impusiera al ruido del motor, continuó:

—Mis muertos eran de los de derechas, pero convivía con gente que tenía muertos de los otros. Lo sabíamos: quién le había matado a quién a cada cual. Los verdugos y las víctimas, nuestros y suyos. Y seguimos relacionándonos, tan naturalmente como pudimos. Hasta yo diría que conseguimos perdonarnos unos a otros. ¿Y sabe usted por qué?

—Por qué.

—Porque nadie se empeñó en negar las barbaridades de los suyos. No por bondad o generosidad, sino porque era imposible. Para perdonar, antes hay que perdonarse, y para eso hay que aceptar el mal que tiene que ver con uno. Limitarse a olvidarlo no sirve de nada.

Me quedé pensando en aquella frase.

—Volviendo a Igor —le dije—, me parece que entre otras cosas lo mataron porque él hizo ese viaje y su asesino no. Él supo aceptar el mal al que había servido y perdonárselo. Sopelana, todavía hoy, sigue buscándose maneras peregrinas de justificarlo, y así se va a morir.

—¿No cree que vaya a colaborar en la reconstrucción?

—Sólo si encuentra el modo de jactarse de ello.

El juez me observó con complicidad.

—¿Qué? ¿Le gusta llevar el barco?

—Está bien —admití—. Sentir que uno tiene el control de algo.

—Con el permiso del mar —me recordó.

Durante la reconstrucción del crimen, espié de reojo las reacciones del teniente Castán y del juez Prats. Sobre todo, cuando Sopelana, de pie y esposado sobre la plataforma de piedra, señaló un rompiente de la playa y, bajo la atenta vigilancia de su abogado, se avino a decir:

—Ahí fue donde lo encontré. En pelota picada.

—¿Y qué hizo usted? —le preguntó el juez.

—Nada. Me dio demasiada pena. Le dije que era un maricón y un chivato y que no me iba a manchar las manos con él. Luego le tiré el remo a los pies, me di media vuelta, agarré la moto y me fui.

Era un desenlace esperable. No hubo manera de que se moviera de esa versión. Un par de horas después, cuando lo metimos otra vez en nuestra patrullera para devolverlo a la cárcel, se me encaró:

—Lo supe por cómo no me aguantó la mirada, cuando se lo escupí. Que era el soplón de mierda que queréis hacer creer que no fue.

—Si tú lo dices, Joseba —le respondí—. Buen viaje.

Con un poco de suerte, ya sólo volvería a verlo en el acto del juicio. Respiré, con la certeza casi absoluta de que no había reconocido en mí al encapuchado que lo había interrogado veintitantos años atrás.

No volvimos a Ibiza inmediatamente. Comimos en Formentera y le pedí a Eva que nos llevara a Chamorro y a mí en su minúsculo Toyota a ver el atardecer junto al faro del Cap de Barbaria. El espectáculo, tal y como me había asegurado aquella chica en el avión, merecía la pena. Antes de que el sol declinara del todo, me aparté y llamé a la madre de Igor López Etxebarri. Cumpliendo con mi deber, la puse al tanto de la diligencia del día y su resultado. Respondió con la misma frialdad desconfiada con que había reaccionado en su día ante la noticia de la detención de Sopelana, su confesión y la alta probabilidad de que no la ratificara ante el juez. Como anotó Tucídides veinticinco siglos atrás, prefería poner los lazos de partido por delante de los de sangre.

Volví a sentarme con mis compañeras. Contemplando la superficie azul y quieta del mar, me vino a la mente algo que había leído en el libro de aquel poeta ibicenco sobre Walter Benjamin. Estaba tomado de una pieza titulada *El narrador*, donde el filósofo aludía a la leyenda del reloj de sol de la catedral de Ibiza, *ultima multis*; un recordatorio de que cada hora era para muchos la última. También aquella que se me concedía vivir al pie del faro, frente al ocaso sereno y silencioso.

—Nadie como el que muere transmite el saber y la sabiduría —les cité el pasaje de memoria—. El sentido y el valor de lo vivido.

—¿Y eso? —preguntó Chamorro.

Me vinieron a visitar entonces todos mis muertos, desde aquellos dos etarras en el peaje de Irún hasta Igor, pasando por los que había conocido entre medias. Todos con su misterio y con esa luz dolorosa que los salvaba de las flaquezas y el desconcierto de los vivos.

—Nada —dije—. Intentaba entender por qué nos dedicamos a esto.

—Tal vez sea mejor que no lo intentes —sugirió Virginia.

Las vi sonreír, a las dos. También esa sonrisa era una respuesta.

Illescas, Getafe, Irún, Formentera,
Ibiza, Madrid, Málaga, Barcelona,

15 de noviembre de 2019 – 28 de febrero de 2020

Agradecimientos

Todo libro es posible gracias a la ayuda, el consejo y la enseñanza de muchas personas. Cuando un libro lleva en tu mente dos décadas y es el duodécimo de una serie que comenzó un cuarto de siglo atrás, esas personas son tantas que cualquier lista resulta por fuerza incompleta. No puedo omitir, como es ya costumbre, a mis lectores de guardia: Noemí Trujillo, Juan José Silva, Manuel Silva y Carlos Soto. Tampoco a mis editores y agentes, Emili Rosales, Anna Soldevila, Alba Fité, Laure Merle d'Aubigné y Gloria Gutiérrez. Ni, en fin, el apoyo eficiente y pulcro de María Isabel García Marco para la edición del libro. Poder contar con el sólido criterio de todos ellos hace mucho menos incierto e insensato el ejercicio de echar a rodar una novela por el mundo.

Además de ellos, debo agradecer como siempre las experiencias y la generosidad de no pocos amigos guardias civiles. Los citaré sin más por sus nombres de pila, ellos saben quiénes son: Joaquín, Félix, Miguel, José, José Miguel, Paco, Manuel, Manuela, Elena, Ricardo. De ellos —y de otros muchos, pero de ellos especialmente— he aprendido cosas que no están en los libros sobre lo que es enfrentarse a la investigación de un crimen, a la muerte y sus alrededores y a la cruda amenaza del terrorismo. Gracias al monumental trabajo *Historia de un desafío*, de Manuel Sánchez Corbí y Manuela Simón, he dispuesto de una guía exhaustiva y completa, y de testimonios que no tienen precio, para hechos reales de la lucha contra ETA que he insertado y ficcionado libremente en la novela.

Mención especial merecen en esta ocasión los guardias civiles que velan por la seguridad de sus conciudadanos en Ibiza y Formentera, entre quienes debo mencionar a Enrique y Elena, cuya capacidad de análisis y observación y cuya hospitalidad resultaron providenciales. También en Ibiza debo hacer constar mi gratitud hacia Juan Manuel Grijalvo, lector incomparable y cicerone sin igual —por combinar la hondura del buen conocedor con la distancia del *foraster*—, y José María Prats, marino ibicenco de vista larga y gentileza exquisita. Los aciertos que haya cometido en mi percepción de la realidad insular se los debo a ellos en gran medida. Los errores, por los que de antemano pido las oportunas disculpas, deben considerarse todos míos.

También quiero agradecer a quienes me ayudaron a comprender mejor el momento, la idiosincrasia y la mirada del entorno *abertzale*, desde la moderación a las posturas más exaltadas. Algunos de ellos me han pedido que no figuren sus nombres, y así lo respeto. Otros no deben aparecer, por su posición institucional, y así lo respeto también. En todo caso, no quiero dejar de agradecer a mis buenos amigos María y Alberto, a Marina, José Manuel y Xabier, las pistas sutiles y a la vez poderosas que me proporcionaron para tratar de descarrilar lo menos posible a la hora de poner voz a un mundo frente al que experimenta en este caso el novelista una dificultad no pequeña: haber vivido la mayor parte de su vida sintiendo que los suyos eran objetivo de sus elementos más radicales, y haber visto caer a no pocos de ellos.

Por último, entiéndase extendida mi gratitud a los autores de todos los libros y todas las obras de arte mencionados a lo largo del texto, y en especial, cómo no, a Tucídides y Walter Benjamin. Como dijo este último, «las obras de arte son el lugar de las verdades», y en ellos me he apoyado para mi modesta tentativa. El juicio lo tiene el lector.